Deutsche Literaturkritik
der Gegenwart

Deutsche Literaturkritik

der Gegenwart

Herausgegeben von

Hans Mayer

VORKRIEG, ZWEITER WELTKRIEG
UND ZWEITE NACHKRIEGSZEIT (1933–1968)

Goverts

Neue Bibliothek der

Weltliteratur

Erschienen 1971 bei Goverts Krüger Stahlberg Verlag GmbH,
Stuttgart
Alle Rechte vorbehalten
Gesamtherstellung Wilhelm Röck, Weinsberg
Spezialdruckpapier von der Papierfabrik Bohnenberger, Niefern
Umschlag, Einband und Typographie von Roland Hänßel
Schrift 9/10 Garamond
Printed in Germany
ISBN 3 7740 0402 1

INHALT

VORWORT

Zwischen dem Erstdruck des ersten Bandes einer Anthologie deutscher Literaturkritik und dem nunmehr vorgelegten Schlußband liegen siebzehn Jahre. Im Jahre 1954 veröffentlichte der Ostberliner Verlag Rütten & Loening eine Sammlung von *Meisterwerken deutscher Literaturkritik* mit dem Untertitel *Aufklärung, Klassik, Romantik*. Acht Jahre später (1962) erschien das Buch im Goverts Verlag im Rahmen einer Neuen Bibliothek der Weltliteratur. Der zweite Band, die Literaturkritik des 19. Jahrhunderts sichtend und kommentierend, kam dann, mit dem Untertitel *Von Heine bis Mehring*, abermals bei Rütten & Loening im Jahr 1956 heraus. Eine westdeutsche Ausgabe wurde bisher noch nicht vorgelegt. Sie soll in veränderter Form und zur Ergänzung der anderen drei Bände vorbereitet werden.

Da der Herausgeber des Sammelwerkes seit 1963 in der Bundesrepublik lebt, veröffentlichte er den dritten Band – *Deutsche Literaturkritik im 20. Jahrhundert* (1965) – ausschließlich in Stuttgart. Eine Parallelausgabe in der DDR kam nicht zustande. Die Texte jener Sammlung reichten bis zum geschichtlichen Einschnitt, den das Jahr 1933 in der deutschen Geschichte und auch in der Literaturentwicklung markiert hat.

Der vierte und letzte Teil der Gesamt-Anthologie setzt demnach mit Texten von 1933 ein und führt bis zum Jahre 1968. Wurde im Untertitel des dritten Teils auf das Gliederungsprinzip *Kaiserreich, Erster Weltkrieg und Erste Nachkriegszeit* verwiesen, so mußte die jetzige Gliederung von literaturkritischen Aktivitäten berichten aus *Vorkrieg, Zweitem Weltkrieg und Zweiter Nachkriegszeit*.

Die Auswahlprinzipien haben sich nicht geändert. Der enge und mehr technische Bereich einer Literaturkritik in Form von Rezensionen wurde überall dort erweitert, wo es darauf ankam, literaturkritische Betrachtungen von symptomatischer Bedeutung abzudrucken, deren Form dem Essay, der literarischen Rede oder auch der Streitschrift angenähert war. Wiederum wurden die Selbstaussagen bemerkenswerter Schriftsteller jener Aera selbst dann aufgenommen, wenn sie im engeren Sinn kaum als spezifische Literaturkritik interpretiert werden konnten. Auch die »gezielte« Anordnung der früheren Bände: möglichst oft einzelne Schriftsteller sowohl als Kritiker vorzustellen wie als Objekte der Kritik, wurde beibehalten.

Daß die sehr umfangreiche Sammlung literarischer Texte zwischen 1933 und 1968, im Gegensatz zu den früheren Teilen der Anthologie, in zwei Halbbänden vorgelegt werden muß, die außerdem aus technischen Gründen nicht zur gleichen Zeit erscheinen können, ist bedauerlich. Dadurch entsteht für den Leser des vorliegenden Bandes die Schwierigkeit, daß er zwar mit einer Einleitung für den Gesamttext konfrontiert wird, jedoch die Texte etwa seit 1950, auf welche Bezug genommen wird, noch nicht bei der Prüfung heranzuziehen vermag. Außerdem muß er vorerst auf die Kommentierung verzichten, die sich jedoch, wie schon beim dritten Band, im wesentlichen auf kurze Hinweise zur Person der Verfasser, zur Entstehung der einzelnen Texte und auf Mitteilung der Erstdrucke beschränken wird. Unangenehmer ist es dagegen, daß auch das Gesamtregister für beide Bände erst am Schluß des zweiten Halbbandes placiert sein wird. Dieser zweite Halbband wird zu Beginn des Frühjahres 1972 herauskommen. Ein Hinweis auf das Inhaltsverzeichnis dieses Teils findet sich bereits im vorliegenden ersten Halbband.

Der Herausgeber hat sich für mancherlei Hilfe bei

Auswahl und Sichtung der Materialien, bei Herstellung der Druckvorlagen und Anfertigung der Manuskripte zu bedanken. An der Technischen Universität Hannover bekam er Hilfe von den Damen Lieselotte Biermann, Hildegard Holste, Helga Köpp und Marianne Zeschel und von den Herren Elmar Buck, Jürgen Haupt, Leo Kreutzer, Jürgen Peters und Wolfgang Promies. Im Goverts Verlag Stuttgart haben Frau Hildegard Grosche und Herr Hans-Heinrich Kümmel die Entstehung des Bandes eifrig gefördert. Ihnen allen sei an dieser Stelle noch einmal gedankt.

Hannover, den 1. Juli 1971   *Hans Mayer*

EINLEITUNG

I. Verlorene Einheit der deutschen Literatur

Seit dem 30. Januar 1933 war alles verändert. In der Berliner Reichskanzlei gab es einen Kanzler aus Oberösterreich, der wenige Zeit vorher – unter sonderbaren und ziemlich grotesken Umständen – die Staatsbürgerschaft des Deutschen Reiches durch Ernennung zum Beamten erworben hatte. Bald danach entstand ein neues Reichsministerium mit »Volksaufklärung und Propaganda« als Aufgabenbereich. Schon die groteske Antithetik der beiden Begriffe hätte Gelächter provozieren müssen. Aufklärung des Volkes war stets seit dem 18. Jahrhundert und seinem Kult des Tageslichts, der Sonne und der Klarheit als Erziehung zur geistigen Selbständigkeit verstanden worden. Menschen des Bürgertums machten sich frei von den Hierarchien wie den Denkmoden der Feudalität. Die Königin der Nacht repräsentierte ein streng gegliedertes Herrschaftssystem aus Unter- und Überordnung. Im Sonnentempel des Sarastro hingegen wurde auch der Prinz Tamino als Menschenbruder begrüßt und nur in dieser Eigenschaft respektiert.

Propaganda war von jeher anders. Sie wollte und bewirkte Manipulation, ließ Widerspruch nicht gelten, da der Propagandist sein Treiben auf angebliche Gewißheiten zu gründen gedachte: religiöse *de propaganda fide*, politische und sogar philosophische. Ein Reichsministerium für Volksaufklärung und Propaganda berief sich folglich bereits im Namen gleichzeitig auf geistige Autonomie *und* Heteronomie. Die Praxis dieser Reichsinstanz ist bekannt. Zu ihren Taten gehörte nicht zuletzt das *Verbot der Kunstkritik.*

Alles wandelte sich in Deutschland mit jenem Regierungswechsel des 30. Januar 1933 von Grund auf. Menschen und Zustände veränderten sich zur Kenntlichkeit. Hermann Kesten hat berichtet, wie am Abend jenes Januartages, während die eilig, aber zackig organisierten Fackelzüge durch alle deutschen Städte und Dörfer zogen und dem alten Reichspräsidenten wie dem neuen Reichskanzler huldigten, der Schriftsteller Eberhard Wolfgang Möller, der fünf Jahre vorher ein pazifistisches Rührstück über die Heimkehr des »Soldaten Odysseus« aus der Schlacht von Verdun verfaßt hatte, streng nach der liberalen und menschenverbrüdernden Schreibweise des Tages, im Verlag Kiepenheuer erschien, um mit der neuen und sehr braunen Uniform des SA-Mannes zu paradieren. Bald darauf spielten die Bühnen des Dritten Reichs sein antisemitisches Schauspiel *Rothschild siegt bei Waterloo*. Möller hatte sich – nicht als einziger – zur Kenntlichkeit verändert.

Endlich konnte man von den seit langer Zeit und mit Sorgfalt vorbereiteten Proskriptions-Listen ersehnten Gebrauch machen. Da war längst angemerkt, welcher Universitätsprofessor, Kapellmeister, Schauspieler, Bürgermeister, Chefredakteur zu verschwinden hätte: fristlos und meist ohne Rechtsschutz, denn das Recht wurde bald darauf gleichgesetzt mit den Dezisionen eines Führers.

Am 30. Januar 1933 ist die Einheit der deutschen Wissenschaft ebenso zerstört worden wie die formale Einheit der deutschen Literatur. Von nun an gab es deutsche Schriftsteller im Reich *und* im Exil. Einige Jahre nach der Reichsgründung von 1871 hatte der Literarhistoriker und Kritiker Franz Mehring, damals in der geistigen Position noch ziemlich weit entfernt vom Marxismus, der *Literatur im Deutschen Reiche* (1874) die Prognose gestellt. Er mißbilligte die Reichsgründung Bismarcks und glaubte festzustellen, daß der Einigungsvorgang »von oben« im Bereich der Literatur zunächst nur Nachteiliges bewirkte. Mehring schloß mit den Sätzen: »So herrscht unaufhaltsamer Niedergang auf allen Gebieten unserer poetischen Literatur, dieses reinsten und treuesten Spiegels der geistigen Bildung eines Volks. Die banausische Utilitätsjagd auf politischem und sozialem Gebiete hat ihren unvermeidlichen, vernichtenden Rückschlag geäußert; kümmerlich, leer, verwelkt ist das Bild, das jener Spiegel zurückwirft. Wenigen wird es eine Mahnung sein; niemals war der Vorwurf der Schwarzseherei so billig als in diesen Tagen. Aber über kurz oder lang kommt die Stunde, in welcher wir die ungeheure Einbuße an geistigem Leben entdecken werden, mit welcher wir äußere Ehre, Macht, Ruhm bezahlt haben. Dann wird der Verfall unserer Literatur die härteste Anklage sein gegen die Gründer dieses Reichs, welches nichts gemein hat mit dem einigen freien Deutschland unserer großen Dichter und unserer großen Philosophen.«

Scheinbar war dies alles einige Jahre später widerlegt worden, und auch Mehring urteilte vorsichtiger, als die ersten Werke des jungen Hauptmann herauskamen, dann bei einer freundschaftlich geführten Auseinandersetzung zwischen ihm und Arno Holz über die Beziehungen zwischen gesellschaftlicher und literarischer Revolution; auch die Gründung der Freien Volksbühne, woran Mehring beteiligt war, sprach scheinbar gegen jenen literarischen Pessimismus von 1874. Nun aber, seit Anbruch des Dritten Reiches, war die deutsche Literatur nicht mehr gleichzusetzen mit literarischem Leben und Schaffen im Deutschen Reich. Die erste Spaltung vollzog sich zwischen den ins Exil ziehenden Autoren und ihren zurückbleibenden Kollegen, Freunden, Feinden und auch Erben. Was war das von nun an: die deutsche Literatur? War sie, wie der emigrierte Publizist Leopold Schwarzschild behauptete, inzwischen ins »Ausland transferiert worden«, oder hatten jene Leute, die weiter in Deutschland lebten,

recht, wenn sie argumentierten wie später jenes Mädchen
»Pützchen« in *Des Teufels General* von Carl Zuckmayer,
das den General Harras vor Mitleid warnt mit Staats-
feinden und Emigranten? Er sei doch weder Jude noch
Kommunist.

Ähnlich argumentierte in einem Aufsatz der *Neuen Zürcher Zeitung* vom 26. Januar 1936 der Feuilletonchef Dr.
Eduard Korrodi: als Auseinandersetzung mit jenen Thesen des exilierten Leopold Schwarzschild. Die deutsche
Literatur, so meinte der schweizerische Literat, sei nach
wie vor eine Literatur im Deutschen Reiche: erleichtert
höchstens um ein paar Juden oder Kommunisten.

Ihm hat Thomas Mann bald darauf geantwortet: höf-
lich, aber deutlich. »Wie leicht verfällt der Neutrale bei
der Abwehr einer Ungerechtigkeit in eine andere! In dem
Augenblick, da Sie Einspruch erheben gegen die Identi-
fikation der Emigrantenliteratur mit der deutschen, nehmen Sie selbst eine ebenso unhaltbare Gleichsetzung vor;
denn merkwürdig, nicht der Irrtum selbst ist es, der Sie
erzürnt, sondern die Tatsache, daß ein jüdischer Schriftsteller ihn begeht; und indem Sie daraus schließen, hier
werde einmal, in Bestätigung eines alten vaterländischen
Vorwurfs, die Literatur jüdischer Provenienz mit der
deutschen verwechselt, verwechseln Sie selber die Emigrantenliteratur mit der jüdischen.«

Auch die Folgen sah Thomas Mann für sich und für
die Literatur voraus. »Die tiefe, von tausend menschlichen, moralischen und ästhetischen Einzelbeobachtungen
und -eindrücken täglich gestützte und genährte Überzeugung, daß aus der gegenwärtigen deutschen Herrschaft nichts Gutes kommen kann, für Deutschland nicht
und für die Welt nicht – diese Überzeugung hat mich das
Land meiden lassen, in dessen geistiger Überlieferung ich
tiefer wurzele als diejenigen, die seit drei Jahren schwanken, ob sie es wagen sollen, mir vor aller Welt mein
Deutschtum abzusprechen.«

Kurz darauf wurde ihm in der Tat diese deutsche Staatsbürgerschaft aberkannt. Wo aber in jenen Jahren zwischen 1933 und 1945 anzutreffen war, was man in traditioneller Bezeichnung immer noch als *die deutsche Literatur* verstand: es ist bis heute nicht ausgemacht worden. Quantität und Qualität der emigrierten Schriftsteller erlauben kaum einen Vergleich mit irgendeiner anderen Exilbewegung in der neueren Geschichte. Das war nicht bloß eine eindrucksvolle, doch isolierte Verweigerung durch einen einzelnen Schriftsteller, wie im Falle der Madame de Stael gegen Napoleon Bonaparte oder Victor Hugos gegen dessen Neffen, den dritten Napoleon. Eine Emigrationsliteratur, welche – nach der Annektierung Österreichs – Namen umfaßte wie Thomas und Heinrich Mann, Brecht und Musil, Döblin und Jahnn, Becher und Georg Kaiser, Walter Benjamin wie Ernst Bloch, die Seghers und die Lasker-Schüler und die Nelly Sachs: keine Literatur ist so reich, daß sie solche Trennung zwischen Inland und Ausland in bisheriger Einheit überstehen könnte.

Man hat nach dem Kriege den Begriff einer *Inneren Emigration* geprägt, der anzuwenden sei auf Autoren, die unter der Herrschaft des Reichsministers für Volksaufklärung und Propaganda und seiner Reichsschrifttumskammer mit dem Berufsverbot belegt wurden oder freiwillig aufhörten, zu publizieren und gar zu schreiben. Ricarda Huch und Erich Kästner oder die Langgässer. Als im Herbst des Jahres 1947 zum erstenmal deutsche Schriftsteller aus vier Besatzungszonen in der Viersektoren-Stadt Berlin zusammenkamen, gab es herbe und ergebnislose Debatten zwischen den »eigentlichen« und den »inneren« Emigranten. Auch deren Verhältnis zueinander ist seitdem nicht geklärt worden. Hat es eine Zweiteilung der Literatur im Dritten Reich gegeben: als Antagonismus von schweigenden, höchstens tolerierten und ausgiebig sprechenden und geförderten Autoren?

Käme es auf die Subjektivität an, die innere und äußere
Haltung, und auch auf den Text des damals Geschriebe-
nen, es wäre unmöglich, von einer literarischen Gemeinschaft zwischen Hanns Johst und Erich Kästner zu sprechen. Allein extrem gegensätzliche Auffassungen über
Literatur und Gesellschaft waren – jedenfalls seit den
zwanziger Jahren – in Deutschland nicht selten. Bertolt
Brecht und Thomas Mann empfanden einander nicht als
Kollegen, die vereint seien durch eine gemeinsame Sache
der Literatur.

Seit 1933 hatte sich auch hier alles verändert. Anhänger
und Gegner des herrschenden Regimes in Deutschland, sofern sie dort weiter lebten und schrieben, gehörten, für
das Inland und das Ausland, insgeheim zusammen. Das
hatte der Dr. Korrodi richtig erkannt, auch wenn seine
Wertung falsch war. Brecht hingegen und Thomas Mann
gehörten, jenseits der weiter bestehenden persönlichen
Spannungen, von nun an zur Gemeinschaft der deutschen
Exilliteratur.

Nach dem Kriegsende und der deutschen Niederlage
gab es kein Deutsches Reich mehr. Wer heute jenen Aufsatz Franz Mehrings aus dem Jahre 1874 von neuem
liest, könnte meinen, die Prophezeiung von damals sei
siebzig Jahre später eingetroffen. Aber kann man da
noch, nach so viel Jahren und Ereignissen, von Prophetie
reden?

Ein Gebilde aus vier Besatzungszonen wurde trans-
formiert in zwei Staaten mit ausgeprägten sozialen, politischen, militärischen und ideologischen Affinitäten. Seitdem gibt es, wie immer es um die gegenseitige Anerkennung bestellt sein mag, zwei völkerrechtliche Subjekte:
zwei deutsche Staaten. Auf dieser Basis: zwei Literaturen.
Es gibt gegenwärtig kein Indiz und Argument, das eine –
mögliche – neue Einheit der deutschen Literatur begründen könnte.

Bis zum Ende der Weimarer Republik war die *Reichs-*

hauptstadt zugleich Hauptstadt des literarischen deutschen Reiches. Anerkennung als Schriftsteller erwarb man nur hier oder von hier aus. Der Bühnenschriftsteller mußte in Berlin gekrönt werden, dann spielte ihn auch die Provinz. Von Berlin her gesehen war alles andere Provinz. Die führenden Kritiker schrieben in Berlin und für die Zeitungen oder Zeitschriften der Reichshauptstadt. Eine Ausnahme bildete die *Frankfurter Zeitung;* allein auch sie bezog ihre wichtigsten kritischen Beiträge bei Mitarbeitern, die in Berlin wohnten. Der Fall des Kritikers *Paul Rilla* kann das bestätigen. Das Format dieses scharfsinnigen Polemikers, Literarhistorikers und Kritikers, der früh starb (1954) und dem Brecht einen ehrenden Nachruf schrieb, wurde erst nach Kriegsende erkennbar. Das macht: in der Zeit der Weimarer Republik hat Rilla in Breslau gearbeitet. Hoch geachtet und beachtet, doch in der schlesischen Provinz.

Seit *Berlin* aufhörte, als deutsche Reichshauptstadt zu firmieren, gibt es auch das nicht mehr: ein großstädtisches Gemeinwesen als Zentrum literarischen Lebens für ein ganzes Land. Selbst zwischen 1871 und 1933 hat Berlin niemals die Rolle einer literarischen Metropole im Sinne von Paris oder London gespielt. Seitdem aber findet sich kein Ort in beiden deutschen Staaten, der die Nachfolge angetreten hätte. Im Westen leben deutsche Schriftsteller in Hamburg oder Köln, Frankfurt oder München, auf dem Lande, auch sehr viel häufiger als früher im Ausland. Es gibt in der Bundesrepublik weder *die* westdeutsche Theaterstadt noch eine literarische Metropole. Auch der administrative Zentralismus der DDR hat nicht bewirkt, daß Ostberlin als literarisches Zentrum der Demokratischen Republik fungieren könnte. Ostberlin ist ein Verwaltungszentrum, das einflußreich zu sein vermag, weil hier, in den Büros des Zentralkomitees und des Ministeriums für Kultur, die Direktiven formuliert werden für die literarische Praxis im weitesten Sinne. Allein die

Tendenz der wichtigsten Schriftsteller, eine äußere Distanz zu halten zum Machtzentrum in Ostberlin, ist offensichtlich. Nicht minder evident die Kontinuität eines literarischen Regionalismus, der insgeheim noch Sachsen kennt und Thüringen und Mecklenburg: trotz aller zentralistischen Gliederung nach großen Verwaltungsbezirken.

Der *Desintegrationsprozeß* ist aber, gleichfalls seit 1933, noch verwickelter. In jener Anwort an Eduard Korrodi hatte Thomas Mann bemerkt, eine Gleichsetzung der deutschen Literatur mit Emigrantenliteratur sei schon deshalb ungereimt, »weil ja zur deutschen Literatur auch die österreichische, die schweizerische gehöre«.

Vermutlich würde man heute in Wien und Zürich dieser Formulierung des damaligen Emigranten Thomas Mann widersprechen. Österreichische Literatur versteht sich durchaus nicht als deutsche. In Basel, Bern oder Zürich empfinden sich die Autoren als zugehörig zur Literatur eines Viersprachen-Landes; wobei nicht geleugnet wird, daß man in der gleichen Sprache formuliert wie Kollegen aus München, Leipzig oder Wien.

Eine Anthologie, die Literaturkritiken seit dem Jahre 1933 sichtet, um sie als Sammlung unter dem Titel einer »Deutschen Literaturkritik« zu präsentieren, muß daher in jedem Falle und bei jedem Text die historische Entwicklung reflektieren, die sich seit 1933 vollzog. Es hat die Exilliteratur gegeben und die literarische Produktion im Dritten Reich. Es entstand österreichische literarisch-überliterarische Reflexion *vor* dem Anschluß (in unserer Sammlung demonstriert durch Robert Musils Wiener Rede *Über die Dummheit* vom März 1937), es gab literarische Produktion von Österreichern *im* Großdeutschen Reich, und es gibt spezifische Tendenzen einer österreichischen Literatur *seit* dem Kriegsende. Deutsche Literaturkritik seit 1933: sie vollzieht sich heute, getrennt durch Staatsgrenzen, in divergierenden Sozialstrukturen, nach grundverschiedenen Modellen des Verlagslebens und eines

literarischen Marktes. Ohne Metropole für die Schriftsteller und ohne die formale Gemeinsamkeit im Gegensätzlichen, wie sie noch zwischen Thomas Mann und
Brecht, Johannes R. Becher und – etwa – Ernst Jünger in
der Weimarer Republik bestanden hatte.

Seit dem 30. Januar 1933 war alles verändert. Gab es
jemals deutsche Literatur, die sich als Einheit empfand, so
daß sie Karl Kraus umfaßt hätte und seinen Widersacher
Alfred Kerr, die verfeindeten Döblin und Thomas Mann,
den hochherzigen Friedensredner Fritz von Unruh und
seinen Kritiker Walter Benjamin, der Unruh nicht als
Autor bekämpfte, sondern als Person, so wäre es heute
unernst, dergleichen konstatieren oder gar postulieren zu
wollen. Mit der »Einheit« der deutschen Literatur, so
äußerlich-formal und innerlich klassengespalten sie gewesen sein mochte, ging auch verloren, was man als *Einheit der deutschen Literaturkritik* verstehen könnte. Die
Einleitung zu einer Anthologie deutscher Literaturkritik
seit 1933 muß also darauf bestehen, daß ihr Titel nicht
stimmt. Hat sie begründet, warum mit falscher Firmie-
rung gearbeitet wird, so wird sie zeigen müssen, wie sich
der Verlust literarischer Einheitlichkeit ausgewirkt hat
auf Substanz, Form und Funktion der literarischen
Kritik.

II. Weimar und die Folgen in der Literaturkritik

Als Goebbels im Jahre 1937 der von ihm dirigierten
Presse verbot, im bisher üblichen Sinne weiter Kritik zu
üben an künstlerischen Leistungen: an die Stelle von Rezensionen und Bewertungen habe von nun an »Kunstbe-
trachtung« zu treten, mokierte sich das Ausland über diese Anordnung. Offensichtlich wurden Journalisten der
Presse und des Rundfunks nunmehr – gleichsam amtlich –
zu Lobrednern erklärt. Da Künstler im Dritten Reich in

Reichskammern des Schrifttums, der Musiker, der bildenden Künste, der Theaterleute zusammengefaßt worden
waren, vollzog sich bereits durch die Aufnahme eines
Kunstproduzenten in eines dieser Gremien eine Selektion
der Vortrefflichkeit. Dem beschränkten Untertanenverstand eines Kritikers stand es mithin nicht zu, an solchen
Auswahlprinzipien zu mäkeln und irgendein neues Erzeugnis irgendeines Mitglieds aus irgendeiner Kammer zu
bemäkeln. Der Reichsminister hatte es satt und ließ es
auch erklären, sich über »Meckerer und Kritikaster« zu
ärgern. Was von ihm und den Seinigen anerkannt wurde,
von Ansichten des Führers gar nicht zu reden, war vortrefflich: kein Objekt subalterner Kritik. Hier schien bloß
noch Meditation am Platz zu sein, Nachempfinden und
Erläutern des amtlich Meisterhaften, kurz: Kunstbetrach-
tung.

Damit waren kleine politisch-kritische Bösartigkeiten
von Mißvergnügten im Pressegewerbe abgestellt worden.
Bis dahin hatte man zwar den Führer des Reichs nicht
treffen können, und auch nicht seine Minister, gelegentlich
aber war es möglich gewesen, einem Theaterliebling der
Oberen, oder irgendeinem neuen und völkischen Barden
der Literatur, und womöglich sogar den Bildhauern Breker
und Thorak etwas Ruhm zu schmälern. Damit hatte es
nun sein Bewenden. Der kärgliche Freiheitsspielraum im
kritischen Bereich schrumpfte immer mehr zusammen:
wie das Chagrinleder bei Balzac.

Trotzdem ließ sich der ministerielle Erlaß, über dessen
Motive und Funktionen nicht zu streiten war, als gesellschaftliches Phänomen nicht eindeutig bestimmen.
Ernst Bloch schrieb im Exil unter dem Titel *Deutschfrom-
mes Verbot der Kunstkritik* (jetzt in: *Literarische Aufsätze*, Frankfurt 1965, Seite 43 ff.) eine Betrachtung, die
so beginnt: »Da wird einem erst etwas zwiespältig
zumute. Es ist nicht leicht, zu diesem Streich des
Nazi sofort Nein zu sagen ... Denn wie gemein wur-

de hier ein halbwegs Richtiges gestohlen und verkehrt.«
Eine bewußt provozierende, überscharf formulierende
Gegenthese. Wie denn? Dem Verbot der Kunstkritik
durch Goebbels dürfte auch nur im mindesten ein Element von Richtigkeit zuerkannt werden? Bloch differenziert sogleich: seine literaturkritische Reflexion über das
Kritikverbot wird in zwei Teile gegliedert. Zunächst der
Hinweis darauf, daß nicht eigens und von neuem reflektiert werden müsse, warum Goebbels nicht die Kunstkri-
tiker habe treffen wollen, »sondern die politisch Unzufriedenen, die sogenannten Meckerer und Nörgler, trifft
das Verbot. Unter den Strich, im Dritten Reich, hatten
sich die letzten kritischen Äußerungen überhaupt geflüch-
tet, oft ganz hübsch maskiert. Nun sind sie auch hier er-
ledigt, in stummer Ruh liegt Babylon, nur die vorgeschrie-
bene Phrase macht die Runde«.

Dann erst – im eigentlichen und wichtigen Teil der
Analyse – beginnt *Blochs Kritik an den Kritikern und
Kritiken der Weimarer Aera*. Manches war dem dama-
ligen Leser von Arbeiten Ernst Blochs vertraut, insbe-
sondere seine Polemik gegen die Musikkritik der großen
Zeitungen. Davon war bereits in *Geist der Utopie* ge-
handelt worden. Nun wird alles noch einmal repetiert.
Bilanz einer bisherigen *Kunst*kritik: »Hier ist die Kor-
ruption sprichwörtlich. Leere Sprüche, unsicheres Urteil,
tolle Expertise; gegen den Markt ist noch keiner dieser
Schwätzer geschwommen.« Sünden der *Musik*kritiker an
Mahler und Schönberg und Alban Berg. Die Art, wie
Berlins große Zeitungen die Arbeit Otto Klemperers an
der Kroll-Oper behindert und schließlich verkürzt hatten.
Die »ausgeprägte Klatschkategorie der *Theaterkritik*«.
Eklatantester Sündenfall: Versagen des Kritikers Alfred
Kerr und seiner Nachbeter vor der neuen Dramatik von
Bertolt Brecht. »Bleibt zuletzt noch, viel bescheidener, ja
in Armseligkeit versunken, die bürgerliche *Buchkritik*. Sie
bestand im Durchschnitt aus Zufallsurteilen über zufällig

zusammengetragene Bücher, war von Zeilenschindern verfaßt, oft anonym. Hier widersprachen sich die Kritiken am meisten, hier waren die Urteile oft nicht einmal durch Lektüre des Besprochenen fundiert.« Nicht zu verkennen zudem, wie der Emigrant Bloch im Rückblick anmerkt, daß der Umfang mancher Buchkritik in den großen Zeitungen in geheimer Wechselwirkung stand zum Umfang gewisser Inserate des jeweiligen Verlegers.

Längst ist nicht mehr von Goebbels die Rede und seinem Verbot der Kunstkritik. Der Philosoph im Exil skizziert die soziologische Situation kritischer Aktivitäten in der Weimarer Republik. Untersuchungen dieser Art hatte es, unter dem Einfluß der großen Wirtschaftskrise, in den letzten Jahren vor jenem 30. Januar 1933 immer wieder gegeben: in Filmkritiken etwa Siegfried Kracauers und, weitaus schwächlicher, aus Anlaß einer Polemik gegen kulturkonservative Gedankengänge von Rudolf Borchardt, bei Bernard von Brentano in *Kapitalismus und schöne Literatur* (Berlin 1930). Dort hieß es: »Die Verleger sind heute genau so Unternehmer wie alle anderen auch, und das kann man nicht beklagen, wenn man es nur bei den Verlegern beklagt; man kann das überhaupt nicht beklagen, aber man kann sich aufmachen, den allgemeinen Zustand zu ändern, in dem auch die Verleger gebunden sind. Denn die Literatur allerdings geht an diesem Zustand zugrunde.«

Präziser als bei Brentano war die Rolle des Journalisten, mithin auch des Kritikers, als Spezialisten innerhalb eines kapitalistischen Betriebs, von *Georg Lukács* in *Geschichte und Klassenbewußtsein* im Jahre 1923 analysiert worden. Eingehend auf das »Phänomen der Verdinglichung« und des Warenfetischismus, die Lukács als »ein spezifisches Problem« unserer Epoche des modernen Kapitalismus gedeutet hatte, hieß es dort, indem die Widersprüche zwischen der Rolle eines spezialisierten Fachmannes im ökonomischen Bereich und seinem eigenen, damit

subjektiv kontrastierenden Selbstverständnis dargelegt
wurden: »Am groteskesten zeigt sich diese Struktur im
Journalismus, wo gerade die Subjektivität selbst, das
Wissen, das Temperament, die Ausdrucksfähigkeit, zu
einem abstrakten, sowohl von der Persönlichkeit des ›Be-
sitzers‹ wie von dem materiell-konkreten Wesen der behandelten Gegenstände unabhängigen und eigengesetzlich
in Gang gebrachten Mechanismus wird. Die ›Gesinnungslosigkeit‹ der Journalisten, die Prostitution ihrer Erlebnisse und Überzeugungen ist nur als Gipfelpunkt der
kapitalistischen Verdinglichung begreifbar.«

Ernst Bloch beruft sich ausdrücklich in seinen Betrachtungen von 1937 auf Lukács und zieht Folgerungen für
eine *künftige Kritik* in einer nicht mehr verdinglichten
Welt. Was er damals im Exil überaus kühn und provoka-
torisch formulierte, wurde inzwischen zum Gemeinplatz:
Kritik als »lebendige Auseinandersetzung in Gruppen
für und wider, kein unbeteiligtes Vergnügen, auch kein
musisches Geschwätz, überhaupt keine Kontemplation«.
Weg vom Selbstgenuß des eitlen Individuums. Ablehnung einer Kritik, die Stimmungen artikuliert und bloße
Geschmacksurteile. Bloch möchte kritische Aktivität nicht
an Stümpereien verschwendet sehen. »Nur das bemerkenswerte, mindestens nur das frag-würdige Gebilde
steht zur Diskussion.« Schluß vor allem mit der höchst-
richterlichen Anmaßung der bisherigen bürgerlichen
Kritik: »Es finde Berufung statt.«

Der Zeitvergang hat diesem Kritiker der Weimarer
Republik recht gegeben. Bloch repetiert, wer von der
offiziellen Bürgerpresse, und zwar der liberalen Obser-
vanz, von der Provinzreaktion ganz zu schweigen, miß-
achtet und heruntergemacht wurde. Le Corbusier und
Arnold Schönberg. Das Opern-Theater Otto Klemperers
und Brechts Dramatik. Er hätte vom literarischen Hun-
gerdasein Alfred Döblins in Berlin und Robert Musils
in Wien sprechen können, von Max Brods unermüdlichen

Versuchen, gelegentlich in Zeitschriften einen Artikel unterzubringen, worin auf einen verstorbenen und weidlich
unbekannten Autor namens Kafka hingewiesen wurde.
Noch während des Krieges konnte man in der Schweiz in
billigen Antiquariaten für wenig Geld die Erstauflagen
Kafkas oder Brechts erwerben. Ernst Bloch und Walter
Benjamin waren Namen, die ein Leser mit weitgespann-
tem Interesse an Belletristik und literarischer Reflexion
gelegentlich als freie Mitarbeiter der *Frankfurter Zeitung*
kennenlernte. Für den eigentlichen Literaturbetrieb jener
zwanziger Jahre kamen sie nicht in Betracht.

Immer noch wirkte im literarischen Leben der Reichshauptstadt Berlin und damit im deutschen Literaturbe-
reich der *Kritiker Alfred Kerr* als ein Inbegriff dessen,
was man sich gemeinhin beim Lesen des Feuilletons als
Prototyp eines Kritikers vorstellen mochte. Alfred Kerr,
1867 geboren, war Vorkämpfer und Freund der Naturalisten gewesen. Gerhart Hauptmann galt ihm, trotz vieler Enttäuschungen, als reinste Inkarnation dessen, was
Literatur, die dramatische vor allem, bewirken kann.
Übrigens kam es auf die Objekte der Kritik für diesen
Kritiker nicht so sehr an. Da er seine eigene Tätigkeit
nicht als rational nachprüfbare Analyse verstand, sondern als genuine poetische Schöpfung, wurde Kritik interpretiert als poetische Kreation aus Anlaß von poetischen
Kreationen. Wenn Ernst Bloch meinte, offenkundige
Stümpereien könne der wirkliche Kritiker beiseite lassen,
so war Alfred Kerr vom Gegenteil überzeugt: auch die
elendeste Stückeschreiberei, oder Theaterstümperei, mochte immer noch einen Vorwand abgeben für das »kritische
Kunstwerk« eines Alfred Kerr. Das Kredo dieses bis
heute nachwirkenden Symbolkritikers der Weimarer Republik lautete so: »Der wahre Kritiker bleibt für mich
ein Dichter: ein Gestalter. Der Dichter ist ein Konstruktor. Der Kritiker ist ein Konstruktor von Konstruktoren.
Er zergliedert das Wesen eines Autors, er läßt sein In-

neres auferstehen, er reproduziert den Kern seiner Gehirnkonstruktion, stellt die ganze reproduzierte Gestalt (wie er sie sieht) auf zwei Beine und äußert: Männlein wandle. – Der wahre Kritiker bleibt ein Dichter: ein Gestalter.«

Das war Nachfolge der romantischen Kunsttheorie. Alfred Kerr hatte als Germanist mit einer Arbeit über Clemens Brentano debütiert. Kritik verstanden als poetischer Bereich: es hatte schon am Ausgang des 18. Jahrhunderts mit Gegenaufklärung zu tun. Dennoch bestanden Unterschiede zwischen den Positionen Friedrich Schlegels und Alfred Kerrs. Für die romantische Kritik gab es kein Außen des Kunstwerks. Das Werk erkannte sich selbst: im Prozeß der Deutung. Manches davon wirkt nach in Adornos »Ästhetischer Theorie«. In seiner Dissertation über den *Begriff der Kunstkritik in der deutschen Romantik* hatte *Benjamin* den Vorgang so gedeutet: »Kritik ist also gleichsam ein Experiment am Kunstwerk, durch welches dessen Reflexion wachgerufen, durch das es zum Bewußtsein und zur Erkenntnis seiner selbst gebracht wird.« Die romantische Universalpoesie aber, die auch den Kritiker in sich einspann, schuf sich, kraft eigener poetischer Regierungsgewalt, ein Gegenreich zur platten und bürgerlichen Umwelt. Indem der Kritiker sich selbst als Teil einer poetischen Totalität verstand, kritisierte er die antipoetische Realität – und trat eben dadurch gleichzeitig in ein kritisches Verhältnis zu dieser Bürgerwelt der »Philister«. Das läßt sich an großen romantischen Kritikern wie E. T. A. Hoffmann oder Robert Schumann demonstrieren.

Alfred Kerr hingegen war weit entfernt von solcher Erschaffung poetischer Gegenwelten zum bourgeoisen Alltag. Er konnte sich nicht einmal, trotz scheinbar gleichlautender Thesen, auf *Oscar Wilde* berufen und dessen Abhandlung *The Critic as Artist* von 1891, worin postuliert worden war, der Kritiker behandle »das Kunstwerk lediglich als Ausgangspunkt für eine neue Schöpfung«: für kritische Poesie offenbar.

Auch Wilde hatte damit die *kritische Theorie einer Verweigerung* geschaffen. Seine kritischen Kunstwerke intendierten nur das Einverständnis mit einer kleinen Gruppe außerhalb des Marktes. Daß er scheitern mußte, weil er gleichzeitig den Erfolg begehrte auf dem Großmarkt der Künste, war vorauszusehen.

Alfred Kerr hingegen hatte, jedenfalls seit 1914, wo er – wie Karl Kraus in unermüdlicher Polemik gegen Kerr eruierte – besonders törichte Kriegsgedichte produzierte, unter dem Vorwand von poetisch-kritischer Schöpfung nur noch willkürliche Schmähungen, Verrisse, Lobeshymnen und, bei Rezension von Theaterleuten, eine ganz unkontrollierbare Günstlingswirtschaft produziert. Nicht ohne Grund kommt Ernst Bloch im Rückblick auf das Kritikergewerbe unter der Weimarer Republik auf diesen Fall zurück: »Also konnte auch ein Kritikbonze wie Kerr sich unverändert aus seinem Jugendstil in keinen Altersstil hinüberschieben, es sei denn in den der vollkommen gewordenen Eitelkeit und Leere.«

In *Herbert Jhering* erstand Kerr in den zwanziger Jahren ein kritischer Gegenspieler. Jherings Verdienst war es vor allem, Bertolt Brecht in der damaligen Literatur und auf dem Theater durchgesetzt zu haben. Liest man seine unter dem Titel *Von Reinhardt bis Brecht* gesammelten Kritiken, so wird evident, daß er fast immer die relevanten Autoren gefördert und die Produzenten einer bürgerlichen Apologetik durchschaut hat. Für Brecht und gegen expressionistische Sentimentalitäten; für Marieluise Fleisser und Else Lasker-Schülers Schauspiel *Die Wupper,* doch – verachtungsvoll – gegen die Erfolgsstücke des jungen Carl Zuckmayer; für das politische Theater Erwin Piscators und gegen die kulinarisch-psychologisierende Theaterkunst Max Reinhardts zum Gebrauch von Großbürgern, die Krieg und Geldentwertung

finanziell und sozial bemerkenswert gut überstanden
hatten.

Damit wurde Jhering auch theoretisch zum Gegenspieler Alfred Kerrs. Hatte dieser vom Kritiker, also von
sich selbst, eine poetische Produktivität verlangt, so ant-
wortete Jhering: »Das Problem der kritischen Produktivität liegt genau umgekehrt: Der Kritiker ist produk-
tiv, wenn das Werk des Künstlers ihn bestätigt; wenn er
das ausspricht, was die Entwicklung gestaltet. Ja, es ist
im Gegenteil ein Zeichen für die Unproduktivität der
kritischen Idee, wenn sie nur der Kritiker selbst ausführen
kann. Der Beweis des schöpferischen Kritikers ist der
Regisseur. Aber dieser Regisseur ist nicht er selbst, sondern – der andere.«

Was Jhering jedoch fehlte, war soziologische Einsicht.
Im Gegensatz zu Kerr und zum kulinarischen Theater
stellte er zwar die Frage nach der Relevanz, dem Sinn
des jeweiligen Theaterabends, nach der sozialen Schich-
tung des Publikums. Allein auch Jhering verstand sich
als Spezialist einer bürgerlichen Kulturindustrie. Er kritisierte die ästhetischen Produktionen, niemals deren gesellschaftliche Basis. So versagte sein kritisches Vermögen,
weil es nur in verdinglichter Gestalt ausgeübt wurde, vor
jenem 30. Januar 1933. So scharfsinnig dieser Kritiker
an den Werken des zwanzigjährigen Brecht das qualitativ Neue entdeckt hatte, so verwirrend erschien ihm
eine gesellschaftliche Situation des Jahres 1933, die gleichfalls in der Tat ein qualitativ Neues ankündigte: das
Ende einer bisherigen Literatur des Bürgertums in
Deutschland, folglich auch den Abschluß kritischer Tätigkeiten eines Alfred Kerr wie eines Herbert Jhering.

Die Grenzen des Kritikers Jhering werden sichtbar,
wenn er die Bilanz des Dramatikers Fritz von Unruh zu
ziehen sucht. Daß Unruh kaum als künstlerisches Phänomen einige Beachtung verdiene, höchstens als gesellschaftliches Symptom für manipulierten Ruhm, hatte Jhering

immer gewußt. Wenn er daher im Jahre 1930 auf eine
snobistisch bemerkenswerte, dramatisch armselige Aufführung des Schauspiels *Phaea* unter Reinhardts Regie zu
reagieren hat, so »stimmt« alles, was er vorbringt:
»Fritz von Unruh galt manchem als der repräsentative
Dramatiker des neuen Deutschland. Er wurde offiziell
propagiert. Er mußte von der Staatsbühne, er mußte
vom Deutschen Theater gespielt werden. Unruh zu geben, hieß Ehrenpflicht. Genügte allein die Wandlung vom
Soldaten zum Pazifisten, um Unruh zu einer weithin
sichtbaren, im Ausland bekannten, im Inland begrüßten
Persönlichkeit zu machen? Ich fürchte: Gerade Unruhs
Schwäche war seine Beliebtheit. Seine Thesen waren unfaßbar, allgemein, vieldeutig. Er erging sich in Deklama-
tionen der Menschenliebe, des verschwommenen Gefühls,
die von keinem Geist, keiner Anschauung kontrolliert
wurden. Unruh schien der letzte Vertreter des deutschen
Idealismus zu sein. Schien. Man war zufrieden geworden.
Pathos – also ein neuer Schiller. Unruh war Offizier –
also ein neuer Kleist. Edelphrasen – also ein Idealist. In
Unruh drückt sich die ideologische Unklarheit einer ganzen Epoche aus.« (Herbert Jhering, *Von Reinhardt bis
Brecht*. Eine Auswahl der Theaterkritiken 1909–1932.
Reinbek bei Hamburg 1967, Seite 314).

Ein scharfer Verriß: dennoch bedeutet Jherings Versuch, das Phänomen dieses Schriftstellers auf den Bereich
von Literatur und Theater zu reduzieren, den Verzicht
auf weitergehende Deutung des Vorgangs. Eine Konfron-
tation der Unruh-Kritik von Jhering mit einer Unruh-
Rezension Walter Benjamins vermag das zu demonstrieren. Benjamin hatte im Jahre 1926 Unruhs ein Jahr vorher erschienenen Pariser Reisebericht *Flügel der Nike*
kritisch analysiert. Bezeichnenderweise in der *Literarischen Welt* und nicht in der sonst von ihm bevorzugten
Frankfurter Zeitung. Das große und großbürgerliche
Frankfurter Blatt nämlich war eingeschworen auf Un-

ruh: der Text *Flügel der Nike* wurde im Buchverlag der Zeitung gedruckt und verlegt.

Benjamin überschreitet den ästhetischen Bereich, denn der ist, im Falle des Herrn von Unruh, für ihn nicht vorhanden. Ihn beschäftigt die Mache eines literarischen Erfolgs ebenso wie die reaktionäre Funktion, aller expressionistischen Menschheitsschwüre ungeachtet, des von Unruh in Paris und im Reisebericht dokumentierten Friedensgeredes. Weshalb es heißt: »Die große Prosa aller Friedenskünder sprach vom Kriege. Die eigne Friedensliebe zu betonen, liegt denen nahe, die den Krieg gestiftet haben. Wer aber den Frieden will, der rede vom Krieg. Er rede vom vergangenen (heißt er nicht Fritz von Unruh, welcher gerade davon einzig und allein zu schweigen hätte), er rede von dem kommenden vor allem. Er rede von seinen drohenden Anstiftern, seinen gewaltigern Ursachen, seinen entsetzlichsten Mitteln. Doch wäre das vielleicht der einzige Diskurs, gegen den die Salons, die Herrn von Unruh sich geöffnet haben, vollkommen lautdicht abgeschlossen sind? Der vielberufene Friede, der schon da ist, erweist bei Licht besehen sich als der eine – und einzig ›ewige‹, der uns bekannt ist –, dessen jene genießen, die im Krieg kommandiert haben und beim Friedensfest tonangebend sein wollen. Das ist denn Herr von Unruh auch geworden.« (Walter Benjamin, *Friedensware*, in: *Deutsche Literaturkritik im zwanzigsten Jahrhundert*, Stuttgart 1965, Seite 407).

Zehn Jahre später lebte Walter Benjamin ebenso im Exil wie sein kritisches Opfer, der Herr von Unruh, der sich aber auch seinen – meist falschen – Ideen treu blieb und keinem vom Propagandaminister protegierten Gremium angehören wollte. Herbert Jhering war in Deutschland geblieben.

III. Rückblicke der Exilierten

Man könnte den Fall Fritz von Unruh und seiner Kritiker, folgt man den in der Emigration von Georg Lukács entwickelten Auffassungen, als Divergenzbewegung zwischen subjektiver politischer Position eines Autors und objektiver Aussage seines Werks interpretieren. Freilich müßte man dabei nicht vom »Sieg des Realismus« durch Divergieren sprechen, sondern eher von einer Konvergenzbewegung. An Unruhs Dramen, Reden und Reiseberichten war, wie Benjamin anmerkte, der junkerliche Kastenhochmut ebenso spürbar wie die Menschenverachtung des kaiserlichen Offiziers, der nur Objekte kennt oder Kumpane. In einem grotesken Gespräch Unruhs mit dem französischen Schriftsteller Henri Barbusse, das Benjamin bei seiner Rezension ausspart, wird vollends erkennbar, wie sehr in Deutschland die »Menschheitsdämmerung« einstiger Expressionisten die literarischpolitische Aufgabe erfüllt hatte, revolutionäres Bewußtsein durch Menschlichkeitstiraden zu verdrängen: die Klassenpositionen – scheinbar progressiv – durch Gemeinschaftskult zu verkleiden.

Der Expressionismus, als kleinbürgerliche Bewegung, blieb unentschieden. Der Verzicht auf sozialwissenschaftliche Analyse kam den bestehenden Herrschaftsordnungen nicht ungelegen. Vom Expressionismus her war jede politische Position virtuell denkbar. Johannes R. Becher wurde Kommunist, der einstige Dramatiker Hanns Johst dagegen Künder von Führer und Reich, der es zum Präsidenten einer Reichsschrifttumskammer bringen sollte. Der Pazifist von 1928, Eberhard Wolfgang Möller, legte an jenem 30. Januar auch offiziell das Braunhemd an. Der Pazifist und einstige Expressionist Fritz von Unruh emigrierte.

Es war folgerichtig, wenn sich die wichtigste literaturkritische Auseinandersetzung der letzten sechs Friedens-

jahre (1933–1939) für die emigrierten deutschen Schriftsteller zur Auseinandersetzung über *Substanz und Funktion des Expressionismus* erweiterte. Der äußere Anlaß
war fast zufällig, dennoch bedeutete die Kontroverse um
einen Schriftsteller und seine ästhetischen Positionen
mehr als personalisierte Polemik von Emigranten gegen
einen Schriftstellerkollegen von einst, der nun im Berliner Rundfunkhaus den Geflohenen und Verjagten keß
formulierte Hohnworte nachrief.

Es ging um *Gottfried Benn.* Er hatte sich, wie die Exilierten fanden, als einziger Autor von Rang nicht bloß
geweigert, mit ihnen gemeinsame Sache zu machen und
auszuwandern, oder wenigstens die Formalexistenz einer
»inneren Emigration« zu kultivieren, sondern war offensichtlich bemüht, beibehaltenes Denken eines Expressionisten zu verschmelzen mit den Tagesparolen des Dritten
Reichs. Benns Betrachtungen über *Kunst und Macht*
(1934), eine Fortsetzung seiner Bekenntnisse von 1933
über den *Neuen Staat und die Intellektuellen,* begannen
mit folgenden Sätzen des Vorworts: »Der Nationalsozialismus ist heute eine feststehende geschichtliche Erscheinung; seine Fundamente sind eingelassen in den glanz-
und opferdurchtränkten Boden Europas. Er wächst, er
richtet sich aus. Er wird Europa geben, und er wird aus
Europa nehmen. Er wird die Fluten seiner ahnenschwe-
ren Vitalität durch abgelebte europäische Flächen er-
gießen, aber er wird sich auch einspinnen in dieses Erd-
teils alte Gesichte, denn seine Kraft ist sowohl treibend
wie sammelnd, geschichtsgebunden wie revolutionär, und
seine Tendenz im ganzen ungemein synthetisch.«

Wie der damals so hochgemute Schreiber solcher Sätze
bald darauf hinsichtlich der eigenen Position und eines
synthetischen Vermögens des Nationalsozialismus um-
denken lernte, ist bekannt. Wer sich heute mit Benns
Lyrik befaßt, darf dieser »dunklen Flut« nicht ausweichen.
Wichtiger war damals, im Jahre 1934, nicht das ge-

zeichnete Ich eines besonderen Mannes und Autors, sondern der Fall Benn als »Phänotyp«. Hinter den Erbaulichkeiten und Treuherzigkeiten des einstigen Expressionismus wurde die objektive Affinität des kleinbürgerlichen Expressionismus zur kleinbürgerlichen Sozialstruktur und Ideologie des Faschismus sichtbar. Indem die einstigen Freunde und Gegner Gottfried Benns in ihren Exilländern den Fall dieses Mannes reflektierten, der in Berlin geblieben war und sich vorübergehend »zur Verfügung stellte«, waren sie genötigt, auch die eigene literarische Situation kritisch und neu zu überdenken.

Als erster verstand *Klaus Mann* das Denken über Gottfried Benn als Anlaß zur Selbstinterpretation. In seinem Aufsatz *Gottfried Benn, die Geschichte einer Verirrung*, den er in der Moskauer Exilzeitschrift *Das Wort* (Herausgeber waren Brecht, Bredel, Feuchtwanger) im September 1937 publizierte, geht es nicht bloß um die Abkehr eines Jüngers vom einstigen Meister, sondern um den Expressionismus. Die umfangreiche Diskussion, die dann ausgelöst wurde, woran sich Bloch und Kurella beteiligten, Hanns Eisler und Lukács, ist in der neueren Forschung ausführlich analysiert worden. (Helga Gallas, *Marxistische Literaturtheorie*, Sammlung Luchterhand 19, 1971, Seite 18 ff., 182 ff.).

Dennoch genügt es nicht, die damalige Auseinandersetzung, die, formal betrachtet, zwischen den in Moskau erscheinenden und von Becher/Lukács repräsentierten Deutschen Blättern der Zeitschrift *Internationale Literatur* und den Beiträgen in der Zeitschrift *Das Wort* ausgetragen wurde, ausschließlich als innermarxistische ästhetische Reflexion zu interpretieren. Die Expressionismusdebatte schien zwar, beachtete man bloß den Erscheinungsort, auf Moskauer Auseinandersetzungen hinauszulaufen, die weit mehr meinten als Literatur und »kulturelles Erbe«. Aus sowjetischer Sicht wurde hier, scheinbar auf deutsche literarische Traditionen beschränkt, eine

Debatte weitergeführt, die in Moskau, seit Stalins Bündnis mit Maxim Gorki, seit der Auflösung proletarisch-revolutionärer Künstlerorganisationen, seit Gründung eines Sowjetischen Schriftstellerverbandes unter Fixierung auf die ästhetische Doktrin des sozialistischen Realismus, einen amtlich dekretierten Endzustand erreicht hatte. Die Aufsätze von Lukács trugen weit mehr zu dieser theoretischen Fixierung bei, als die sowjetischen Ideologen zugeben mochten, die Lukács niemals ohne Unbehagen am Werk sahen.

Aber diese in Moskau erscheinenden Zeitschriften *Das Wort* und *Internationale Literatur* konnten in allen Emigrantenbuchhandlungen von Prag und Zürich, Amsterdam und Paris bezogen und gelesen werden. Die Auseinandersetzung über Expressionismus, Realismus und Volkstümlichkeit; über Brecht und Lukács; über Totalverurteilung der spätbürgerlichen Kunstentwicklung als galoppierender Dekadenz, wie das bei Lukács geschah und keinen Joyce ausnahm, keinen Kafka und Proust, oder auch über kritische Bemühungen Blochs, Eislers und Bertolt Brechts, die Bedeutung spezifisch-ästhetischer Errungenschaften eines Proust und Schönberg, Barlachs oder der Künstler vom Bauhaus dadurch fruchtbar zu machen, daß man zwischen künstlerischer Kühnheit des Werks und verblasen-unzulänglicher Selbstkommentierung unterschied: diese Kontroverse war gleichzeitig eine Standortdebatte unter Emigranten. Sie beschränkte sich im mindesten nicht auf den ästhetischen Bereich, sondern vollzog sich im politischen.

Zudem war sie ein Versuch, der wachsenden Erstarrung ideologischer Diskussion und des praktischen Kunstschaffens in der Sowjetunion und den offiziellen kommunistischen Parteien entgegenzuwirken. Vom Standpunkt der Exilierten hatten die Theoretiker der KPD keinen Anspruch darauf, als Künder von Heilswahrheiten aufzutreten, die sich aller Erörterung entzogen. Frei-

lich hatte die Oktoberrevolution in Rußland gesiegt,
allein ebenso offensichtlich war die kommunistische Politik in Moskau und Berlin nicht unbeteiligt an der schweren Niederlage der deutschen Arbeiterbewegung vom
30. Januar 1933. Literaturkritik der Exilierten war ak-
tuell gemeint und bedeutete in jedem Fall Selbstkritik:
nicht bloß bei Klaus Mann, als er von Gottfried Benn als
einer Verirrung sprach.

Neben dieser Art einer Kritik als Selbstkritik muß
man in der Retrospektive alle anderen literaturkritischen
Beiträge damaliger Emigranten als ephemer und insgeheim substanzlos empfinden. Kontroversen wurden nur
durch jene beiden Moskauer Literaturzeitschriften ausgelöst. Klaus Manns eigene, in Amsterdam redigierte Zeitschrift *Die Sammlung* war vor allem um die Sammlung
außerdeutscher und emigrierter Honoratioren bemüht:
Heinrich Mann, Gide, Wells. Dort schrieben der exilierte
italienische Politiker Graf Sforza und einige in der Weimarer Aera mit leidlich erfolgreichen Romanen und
Theaterstücken bekannt gewordene Autoren von mittle-
rem Rang und blasser politischer Kontur. Mit kritischer
Reflexion hatte das wenig zu tun, eher mit dem Bemühen gedemütigter Prominenz von gestern um Selbstdarstellung. Bedeutung hat die *Sammlung* für die literarische Selbstinterpretation oder Vergangenheitsdeutung
der Exilierten nicht gehabt.

Auch *Thomas Manns* eigene, zusammen mit dem
Schweizer Konrad Falke edierte Züricher Monatsschrift
Maß und Wert erweist sich heute, blättert man in den
Jahrgängen einer Revue, die zwischen 1937 und 1940 erschien, bloß noch bemerkenswert durch einige Vorab-
drucke von Erzählwerken des Herausgebers und einige
Essays ohne evidenten Bezug zum damaligen Zeitgeschehen. Es hält schwer, sogar noch im spärlichen Rezensions-
teil dieser Hefte, eine gemeinsame ästhetische Doktrin
der Mitarbeiter eruieren zu wollen. Nicht einmal das

sonderbare Postulat Thomas Manns im Vorwort zum
ersten Jahrgang der Zeitschrift ist beachtet worden: die
Wiederherstellung des Begriffs einer »konservativen Revolution«. Das hatte der Herausgeber so verstanden:
»Konservative Revolution. Was haben Dummheit, Reni-
tenz und böser Wille, was hat die belesene Roheit gemacht aus dieser Parole, die von Geistigen und Künstler-
menschen einst ausgegeben wurde! ... Die Wiederherstellung des Begriffes aus Verdrehung und Verderbnis
liegt uns am Herzen. Wiederherstellung überhaupt, aus
Verwirrung und moralischer Herrschaftslosigkeit, scheint
uns die dringendste Aufgabe des Geistes und jedes guten
Willens: Daher der Titel dieser Blätter. Es ist wahr: Maß
und Wert sind der Zeit verlorengegangen. Länder, Gruppen, Parteien, Dogmen behaupten und verfolgen heute
ihre unumschränkte, subjektive Geltung, und in den aber-
witzigen Vernichtungskämpfen, die unsere Welt in Stücke
reißen, ist jedes überlegene, gemeingültige, humane Kri-
terium in grauenhafte Vergessenheit geraten. Not tut die
Besinnung auf ein souveränes Maß, an dem die Tatbestände, die Menschen, die Werke zu messen sind, von
dem sie ihren rein menschlichen Wert erhalten.« (Thomas
Mann, *Reden und Aufsätze II*, 1965, Seite 532/33.)

Wer hätte über solche Thesen ernsthaft streiten mögen?
Überdies war schon der Ansatzpunkt des Gedankens fragwürdig. Thomas Mann forderte Wiederherstellung kritischer Maßstäbe und moralisch-ästhetischer Werte, obgleich sie gerade durch die Ereignisse von 1933 widerlegt worden waren. Diese »konservative Revolution«
meinte Restauration: Wiederherstellung wurde gefordert
ohne Selbstkritik. Bei Lukács hingegen, der sich gegen
Brecht so demonstrativ gerade auf Thomas Mann zu berufen pflegte, wurde die Wiederherstellung spätbürger-
licher Maßstäbe und Werte fast ebenso unkritisch abgelehnt. Für Thomas Mann galt vieles als bewahrenswert,
was Lukács als dekadent verstieß. Dialektisches Denken

über die Bedeutung von Brüchen und Widersprüchen in
Werk und Gesinnung von Künstlern, die im Imperialismus leben, wurde in beiden – komplementären – Haltungen vernachlässigt.

Ein Gegenbeispiel kritischen Verhaltens gab – abermals – Walter Benjamin schon im Jahre 1933, noch bevor
die Nachricht kam, Stefan George sei in Minusio bei
Locarno, also auch in einer Art von Exil, am 4. Dezember
1933 gestorben. Der *Rückblick auf Stefan George* suchte
zwischen der Bedeutung eines dichterischen Werks und
fragwürdiger Männerbund-Ideologie zu unterscheiden.
Benjamin verkennt durchaus nicht beim »Rückblick die bedenklichen Züge des Dichters George, auch nicht seine
Affinität zum Jugendstil: Der Jugendstil ist in der Tat
ein großer und unbewußter Rückbildungsversuch. In seiner Formensprache kommt der Wille, dem, was bevorsteht, auszuweichen, und die Ahnung, die sich vor ihm
bäumt, zum Ausdruck.« Gerade darum aber unterscheidet
er zwischen Zeitgebundenheit und einem im Werk immer
wieder gegebenen künstlerischen Überschuß. George habe
zwar – so Benjamin – sein großes Werk abgeschlossen.
»ohne im Zeitraum, den sein Wirken ausgefüllt hat, auf
seinen echten und ihm zugeborenen Kritiker gestoßen zu
sein«. Allein im Gegensatz sowohl zu Lukács wie auch zu
Brecht, der um dieselbe Zeit in einem Gedicht vom
»Schwätzer George« spricht, unterscheidet dieser Kritiker
zwischen den Abläufen der Literaturgeschichte und der
»eigentlichen« Geschichtsevolution: »George steht am
Ende einer geistigen Bewegung, die mit Baudelaire begonnen hat. Mag sein, daß diese Feststellung einmal nur
eine literarhistorische gewesen ist. Inzwischen ist sie eine
geschichtliche geworden und will ihr Recht.«

Was heißen soll: mit George ging eine Aera zu Ende,
die mit Baudelaire begann. Bürgerliche Kultur und Literatur in allen Phasen. Für Lukács am Anfang wie beim
Ausgang wesentlich zu verstehen als ideologischer und

künstlerischer Verfall. Benjamin deutet den Vorgang
anders. Er vermeidet ausdrücklich die Moskauer Formel
von irgendeiner »Erbschaft«. George ist ebensowenig
fortsetzbar, wie ein Rückgriff auf Baudelaire oder gar
auf frühe Klassik und Romantik denkbar wäre. In seinen späteren Kommentaren zu Brecht wird die komple-
mentäre Kritik zum Rückblick auf George, der mehr
meinte als Stefan George, weiter ausgeführt. Die äußere
Vielfalt der kritischen Produktionen im Exil reduziert
sich im Grunde auf wenige – mögliche – Haltungen. *Re-
levante Kritik wird in jener Phase immer nur als Rückblick praktiziert.* Wo sie bloß Reminiszenz sein möchte,
wie bei Thomas Manns Bemerkungen zu *Maß und Wert,*
wirkt sie geschichtslos, abstrakt, restaurativ. Nähert sie
sich, wie bei Johannes R. Becher oder bei Lukács, welcher
Bechers Roman *Abschied* als lebendige Tradition früh-
bürgerlicher Bildungsdichtung deuten möchte, dem Klassizismus, so verhüllt die zukunftheischende Gebärde nicht
sorgfältig genug ein ebenfalls restauratives Denken. Anti-
zipatorische Momente der Kritik fanden sich damals vor
allem in den Analysen Brechts, Ernst Blochs und Walter
Benjamins.

IV. RESTAURATION DER KRITIK UND RESTAURATIVE KRITIK

Als im Untergang des Dritten Reiches auch das Ministe-
rium für Volksaufklärung und Propaganda versank mitsamt seinem Verbot der Kunstkritik, war die kritische
Attitüde plötzlich erlaubt, gar gewünscht. Die Kulturpolitik von vier Besatzungsmächten schien sich auf die
Maxime geeinigt zu haben, kritisches Verhalten müsse
gleichgesetzt werden mit demokratischem. Die neu gegründeten und von der jeweiligen Besatzungsmacht lizen-
zierten Zeitungen wetteiferten in Aufforderungen an die
Leser, sich zu äußern, Briefe zu schreiben, Kritik zu üben

an Personen wie an Zuständen. Die angelsächsische Institution der »Letters to the Editor« nahm man zum Vorbild. Die sowjetische Presse kultivierte unter Stalin seit
langem auch ihrerseits einen Typ von Leserbriefen, den
man freilich institutionalisiert und funktionalisiert hatte.
Fern aller Spontaneität der individuellen Meinungsäußerung gab es dort das Medium einer gelenkten politischen
Kampagne mit Hilfe von dirigierten, provozierten, wohl
auch kommandierten Briefen der Kollektive. Immerhin:
Kritik war von nun an nicht mehr verboten; sie schien
geboten zu sein. Die angelsächsischen Besatzungsmächte
integrierten solche zu fördernde Kritik im Prozeß einer
»Re-education«; in der sowjetischen Besatzungszone
sprach man von »demokratischer Erneuerung Deutschlands«. Zugleich aber mit solcher Restauration der Kritik
wurde spürbar, daß Wiederherstellung undenkbar sei
ohne Maßstäbe des Kritisierens und ohne handwerklich
geschulte und sachkundige Spezialisten des kritischen
Metiers.

Nichts von alledem fand sich im Nachkriegsdeutschland der Jahre 1945/46. Hatte sich im Prozeß bürgerlicher Aufklärung in Deutschland, also im 18. und frühen
19. Jahrhundert, die Progression kritischen Verhaltens
als Übergang von der richterlichen zur gesetzgeberischen
und von dort (bei den Romantikern) zur ausübenden
Gewalt präsentiert, so gab es im zweiten deutschen Nachkrieg keinerlei »Gewalt« *(pouvoir)*, woran sich die ersehnten neuen Kritiker orientieren konnten.

Bei *Alfred Kerr* bereits offenbarte sich die Absurdität
des *romantischen* Postulats: ein Kritiker müsse seinerseits, als ausübender Belletrist, schöne Literatur mit Hilfe
der kritischen Gattung produzieren. Wo jedoch sollte das
schöne kritische Kunstwerk entstehen, wenn nach der
Premiere am Abend unter Zeitdruck für das Morgenblatt formuliert werden mußte?

Auch keine Möglichkeit einer Kritik in Ausübung von

richterlicher Gewalt. Die setzt das gültige Gesetz voraus. Für Lessing war es durch Aristoteles gegeben; vorher in Frankreich, beim Streit der Traditionalisten und der sogenannten Modernen, wurden zwei kontrastierende ästhetische Systeme gegeneinander gestellt, aber als gesetzesähnliche Normierungen, woran sich der kritische Dichter halten durfte. Hatte Alfred Kerr in der Weimarer Aera durch sein Tun die Verwechslung von Poesie und Kritik kompromittiert, so bewies *Karl Kraus* als dessen Feind und Gegenspieler die Widersprüchlichkeit eines kritischen Richtertums. Für ihn waren Gesetzestafeln vorhanden, die er allein zu lesen verstand und anzuwenden entschlossen war: diejenigen bürgerlicher Aufklärung. Gesetz bedeutete »Ursprung« für Karl Kraus. Die ästhetische Unmittelbarkeit fiel für ihn zusammen mit der eigenen Jugend. Was er als Knabe geliebt und beherzigt hatte: Spielweise und Repertoire des alten Burgtheaters, Nestroys Dramaturgie der zu sich selbst gekommenen Sprache, Offenbachs Bühnenwelten der vollkommenen Sinn- und Ursachlosigkeit, wurde vom Herausgeber der *Fackel,* der den ästhetischen Ursprüngen treu zu bleiben gedachte, indem er zu seinen eigenen stand, zunächst gesetzgeberisch kodifiziert, um dann beim kritischen Gericht angewendet zu werden. Das Theater Max Reinhardts war für Kraus schon dadurch gerichtet, daß es sich vom künstlerischen Ideal der Tradition entfernt hatte.

Diese richterliche Kritik war *restaurativ aus Entschlossenheit.* Mit Stolz sah Kraus sich als Epigonen. Freilich gestattete er sich, als höchster Richter ohne Revisionsinstanz, bisweilen auch kritische Urteile eines freien richterlichen Ermessens. Dann trat er jäh, aller Normen ungeachtet, für Wedekind ein und die Lasker-Schüler, oder für den jungen Bert Brecht. Kraus war einziger und höchster Richter; an Nachfolge ließ sich nicht denken. Auch dies wurde zehn Jahre nach dem Tode (1936) des Wiener Metaphysikers unbestreitbar.

Gleichfalls seit jenem Jahrzehnt gab es auch kritische Bemühungen um eine neue kritische *Gesetzgebung*. Seit Gründung des Sowjetischen Schriftstellerverbandes im Jahre 1934 und unter der Schirmherrschaft Maxim Gorkis arbeitete die *Sowjetliteratur* unablässig an einer *normativen Ästhetik* für die sozialistische Gesellschaft. Debatten über Formulierung und Ingredienzen des »Sozialistischen Realismus« strebten stets danach, ein Gesetzgebungswerk zu errichten, worin der Kritiker und Ästhetiker die Richtung zu bestimmen hatte für alle vorerst noch ungeschriebenen Romane, Gedichte oder Theaterstücke. Dies war nicht mehr kritisches Richteramt, sondern ästhetische Legislation. Unter Stalin und Schdanow wurde den Autoren, die sich aller Folgen einer Zuwiderhandlung bewußt waren, ausdrücklich mitgeteilt, wie die neue Literatur der Sowjetepoche auszusehen habe und wie nicht. Voller Absicht verknüpfte sich die normative Ästhetik in der Sowjetunion mit ähnlichen Bestrebungen in der Kunstdiskussion der bürgerlichen Aufklärung. Georg Lukács hat bis in seine ästhetischen Überlegungen der letzten Lebenszeit das Amalgam aus dem »Geist der Goethezeit« und den ästhetischen Postulaten einer nichtbürgerlichen Gesellschaft herzustellen versucht. Womit er bisweilen in die Rolle des Famulus Wagner geriet vor dem Homunculus in der gläsernen Phiole.

Auch diese Form einer Kritik als Legislation erwies sich als ungeeignet, die literarischen Phänomene der zweiten Nachkriegszeit angemessen zu interpretieren. Immerhin hatte es sich bei Kerr, Kraus und den sowjetischen Bemühungen, die alsbald in der sowjetischen Besatzungszone durch Verordnung zugrunde gelegt wurden, um folgerichtige Praxis im Dienst einer kritischen Konzeption gehandelt. Sonst aber? Mit Unbehagen liest man die hilflosen, geistig und sprachlich stammelnden Bemühungen um eine neue Kritik, wie sie damals in den westlichen deutschen Besatzungszonen oder im gleichfalls besetzten

Österreich unternommen wurden. Proklamationen und Beschwörungen wie im ersten Nachkrieg des Jahres 1919. Das *Manifest Wolfgang Borcherts* reproduziert die Beschwörungen und Absagen aus der Aera einer einstigen Menschheitsdämmerung. Geschichtliches Denken wird verpönt: zu lange hatte das Geschwätz von Führer und Vorsehung, Reich und deutscher Mission allergisch gemacht gegen alle Versuche, die aktuelle Lage als historische Konstellation zu begreifen. Mit der falschen verwarf man auch die – möglicherweise – fruchtbare Form einer gesellschaftlich-geschichtlichen Analyse. Daher der Traum vom Jahre Null einer deutschen Literatur.

Das Neue jedoch in Borcherts Thesen war bloße Wiederholung: als Echowirkung eines einstmals potenten und auch ambivalenten Expressionismus. Die angestrebte Unmittelbarkeit präsentierte sich überaus vermittelt. Ihre Ursprünglichkeit erinnerte nicht an Zustände vor der bürgerlichen Entfremdung, sondern an die Sehnsucht Knut Hamsuns und seiner Bewunderer nach dem *Segen der Erde*. Leicht zu widerlegen blieben solche Sätze: »Wir brauchen keine Dichter mit guter Grammatik. Zu guter Grammatik fehlt uns Geduld. Wir brauchen die mit dem heißen heiser geschluchzten Gefühl. Die zu Baum Baum und zu Weib Weib sagen und ja sagen und nein sagen: laut und deutlich und dreifach und ohne Konjunktiv.«

Aktueller und ergiebiger für die kritische Auseinandersetzung waren andere Proteste im Manifest eines Mannes, dessen Schauspiel *Draußen vor der Tür* den Neubeginn zu bedeuten schien einer deutschen Nachkriegsliteratur: »Horch hinein in den Tumult deiner Abgründe. Erschrickst du? Hörst du den Chaoschoral aus Mozartmelodien und Herms-Niel-Kantaten? Hörst du Hölderlin noch? Kennst du ihn wieder, blutberauscht, kostümiert und Arm in Arm mit Baldur von Schirach? Hörst du das Landserlied? Hörst du den Jazz und den Luthergesang?«

Hier wird, nicht eben glücklich formuliert, die Einsicht

verkündet, warum Anknüpfung an einstmals große literarische Traditionen nicht mehr möglich sein kann. Neuer kritischer Anstrengung wird es bedürfen, von neuem zu unterscheiden zwischen Hölderlin und den Hölderlin-Phrasen des Propagandaministers, Romantik und Blut-und-Boden, überprüfter, in ihren Widersprüchen neu entdeckter Tradition und ihrer Eskamotierung mit Hilfe der Formel vom »nationalen Kulturerbe«.

Die literarischen Vertreter des Exils halfen nicht beim Finden neuer Maßstäbe für eine restaurierte Kritik. *Thomas Mann* war in seinen Essays und Reden des letzten Lebensjahrzehnts derart fixiert auf das Phänomen einer »Endzeit« des Bürgertums und seiner Literatur, daß er sich darauf beschränkte, den Antagonismus zwischen dem ästhetischen Einst und Jetzt stets von neuem zu verkünden: in der Goetherede von 1949, im *Versuch über Tschechow* (1954), zuletzt noch im *Versuch über Schiller* (1955). Auch dies meinte Beschwörung statt der Kritik: insofern nicht unähnlich (oder nur zu ähnlich) in der Wahl der literarischen Gegenbeispiele dem Manifest von Wolfgang Borchert. *Alfred Döblins* Geleitwort zu seiner Literaturzeitschrift *Das Goldene Tor,* die er bald nach Kriegsende in der französischen Zone herausgab, offenbarte gleichfalls Ratlosigkeit. Hatte sich Thomas Mann im Exil um die trostlose Formel von der »konservativen Revolution« gemüht, so bot Döblin für die Restauration der Kritik nicht viel mehr als Beschwörung von Lessing unter Verzicht auf Aufklärung; als Mythisierung des Golden Gate von San Francisco; als kalauerhaftes Spiel mit den Worten San Francisco und Sanctus Franciscus: »Und was ist das für eine große Realität, welche die Menschen zwingt, eben noch Krieger, sich hinzusetzen und sich ernsthaft das Versprechen zu geben, zusammenzuhalten und über den Frieden zu wachen, nun dennoch wieder. Sie sind nicht über Nacht Engel geworden, aber sie können nicht umhin zu zeigen, daß sie mehr als ein

Stück Natur sind. ... Das ›Goldene Tor‹, durch das Dichtung, Kunst und die freien Gedanken ziehen, zugleich
Symbol für die menschliche Freiheit und die Solidarität
der Völker.«

Die Diktion erinnert an Fritz von Unruh und das Buch
Flügel der Nike. Einem neuen Walter Benjamin wäre es
unschwer gelungen, auch hier nicht bloß Substanzlosig-
keit zu denunzieren, sondern mehr: *restaurative Kritik
als Restauration der Kritik*. Allein es gab keinen Benjamin in der zweiten deutschen Nachkriegszeit.

Die – vielleicht – bedeutendste kritische Leistung behandelte mit vollem Recht das Fehlen literarischer Bildung, Überlieferung, Diskrimination »in jenen Jahren«:
wobei Alfred Döblin nicht ausgespart, die schriftstellerische Position Thomas Manns hingegen allzu statua-
risch als Gegenbild präsentiert wurde. *Paul Rillas* Streitschrift *Literatur und Lüth* von 1948 hat im Grunde kaum
jene unglückliche und heute von ihrem Autor mit Recht
verworfene, schlampig und ohne Information zusammen-
geschriebene Übersicht über eine damals neue deutsche
Literatur zum Thema: die zwei Bände einer *Literatur
als Geschichte* (1947) von Paul E. H. Lüth, einem literarischen Hätschelkind des heimgekehrten Alfred Döblin.
Was sie lesenswert macht, ist die Darstellung eines allgemeinen Zustands literarischer Verwahrlosung. Döblin
oder gar Lüth sind bloßer Anlaß. Anmerkenswert ist
weniger, daß einer schlechte Arbeit als Literarhistoriker
leistete; auch die Frage, warum so etwas gedruckt werden konnte, bleibt belanglos. Hat man Rillas Streitschrift zu Ende gelesen, so erhielt man Dokumentation
zur Maßstablosigkeit damaliger Kritik. Beim Wieder-
lesen stellt sich eine Frage, die Rilla im Jahre 1948 selbst
noch nicht zugelassen hätte: ob nicht, bei umfangreicher
Sachkunde, auch ein anderer als Paul Lüth beim Versuch
hätte scheitern müssen, Literatur mit den Mitteln über-
lieferter Inventarisierungsformen, mit Namen und Zah-

len, schmückenden Eigenschaftswörtern, Lob und Tadel
zu kompilieren. Fast zwanzig Jahre mußten vergehen,
bis erkannt wurde, daß das Thema *Literatur und Lüth*
nicht einen dilettierenden Literarhistoriker betraf, sondern den Dilettantismus einer überlieferten, höchst pro-
fessionellen Literaturhistorie.

In allen Fällen brachte die verordnete und geförderte
neue kritische Aktivität kaum anderes hervor als restaurative Kritik. Darin bestand, bei allen Divergenzen,
die Übereinstimmung zwischen Döblin und Thomas
Mann, Wolfgang Borchert und Paul E. H. Lüth.

V. Gruppe 47

Seit sie aufgehört hat, im Frühherbst irgendwo in
Deutschland oder auch auf Einladung ausländischer Institutionen an einem Wochenende, von Freitag morgen
bis Sonntag nachmittag, zu tagen, ein paar Dutzend un-
veröffentlichte Texte anzuhören und auf der Stelle kritisch zu beurteilen, ist die Gruppe 47 unter Hans Werner
Richters Leitung zum Mythos geworden, den man entweder, nach guten Regeln einer modernen Gnostik, dem
durchaus Negativen zurechnet, oder seinem Gegenteil.
Fest steht, daß diese Institution im Jahre 1966 in Prince-
ton/New Jersey nicht eben glanzvoll reüssierte und daß
sie ein Jahr später in der fränkischen Pulvermühle, im
Angesicht beginnender Studentenrevolten, einem ihrer
Mitglieder (Alexander Kluge) die Formel eingab: *Arti-
sten in der Zirkuskuppel – ratlos.*

Der Streit über Nutzen und Nachteil der Gruppe 47
ist nicht sehr ernsthaft geführt worden. Immer wieder
meldeten sich Kritiker zu Wort, die vor der Gruppe auf-
getreten und durchgefallen waren. Man konnte nicht umhin, sich zu fragen, ob ihr Urteil über das literarische
Gremium bei anderem Ausgang der eigenen Darbietung

vielleicht anders ausgefallen wäre. Auch die scheinbare
oder reale Exklusivität eines Kreises, dem man nur als
persönlicher Gast des Leiters angehören durfte, machte
die feindselige Abwehr besonders leicht. Es ist bequem,
auf eine Party zu schimpfen, zu der man nicht eingeladen
wurde.

Fest steht andererseits, daß die konzertierte und gleichzeitig oft dissentierende Aktion der Gruppenkritik in
kaum einem Falle literarisch versagte. Es ist kein Beispiel
bekannt eines inzwischen etablierten künstlerischen Talents, das von Beckmessern um Hans Werner Richter ver-
kannt worden wäre wie weiland Walther von Stolzing
vom Gremium der Nürnberger Meistersinger. Kaum ein
Fall auch eines Preisträgers der Gruppe 47, dem nachzu-
sagen wäre, hier hätte der Klüngel von Freunden und
Vettern ein entschiedenes Nichttalent hochgelobt und als
angeblich literarischen Wert manipuliert. Preisträger der
Gruppe 47 (sie wurden jeweils in geheimer Abstimmung
ermittelt) konnte nur ein nahezu unbekannter, keinesfalls
etablierter Schriftsteller werden. Weitgehend obskur aber
waren, als man sie auszeichnete, die Schriftsteller Eich
und Böll, Bachmann und Walser, Grass, Bichsel oder
Jürgen Becker. Die kritische Methode, wodurch jene Resultate erzielt wurden, ist immer wieder beschrieben
worden: der elektrische Stuhl, worauf der vortragende
Autor gesetzt wurde, nicht unähnlich dem Stuhl in be-
sagten *Meistersingern von Nürnberg;* knappe Zeit für
die Lektüre, etwa zwanzig Minuten; freie Diskussion
aller Anwesenden unter Richters Leitung; der Lesende
selbst darf nicht mitdiskutieren, höchstens kurz Auskunft geben über unklar gebliebene Einzelheiten.

Das Verfahren – Martin Walser hat es lustig geschildert – ist dennoch nicht leicht zu charakterisieren. Be-
absichtigt war im Jahre 1947 offenbar ein Zunftgespräch
der vorbürgerlichen Art: Zunftgenossen äußerten sich
über Handwerksfragen. Neben Handwerkerkritik aber

wurde von Anfang an auch die moderne, den bürgerlichen Individualismus transzendierende Gemeinschaftsarbeit von Literaten angestrebt. Die Gruppe 47 als literarischer Workshop. Diese Mixtur aus vor- und spätbürgerlichen Ingredienzen mußte in *dem* Augenblick ihre Heil-
wirkung einbüßen, wo sich die Werkstatt in einen literarischen Markt verwandelte: mit Käufern und Verkäufern
der Ware Literatur.

Als Protest gegen die Ökonomie hatte es begonnen und
pervertierte zum Service für sie. Der Markt bemächtigte
sich der scheinbaren Marktlosigkeit. Verleger waren anwesend, und also Käufer. Jäh travestierte sich auch die
Kritik, die ursprünglich kameradschaftlich und zunft-
gerecht gewesen war, in prominentes Expertentum, wobei sie selbst als Ware auf dem Markt erschien. Kritik de-
generierte zur Marktexpertise, empfand sich selbst als
solche und verhielt sich von nun an marktgerecht. Die
Autoren, nicht zuletzt jene des Establishments, wußten
während der Tagungen der Gruppe in den sechziger Jahren, daß sie bei einer Lesung nicht bloß die literarische
Existenz riskierten, sondern damit auch die wirtschaftliche. Der Mißerfolg der Tagung von Princeton war nicht
zuletzt darin begründet, daß namhafte Autoren mit vielleicht bemerkenswerten Texten, nach reiflicher Prüfung
der kaufmännischen Gegebenheiten, auf eine Lesung ver-
zichteten: es stand zuviel auf dem Spiel.

Die kritische Prozedur der Gruppe 47 bot insofern Ansätze, über die restaurative Kritik der ersten Nachkriegszeit hinwegzukommen, als der Pluralismus der Kritiker
eine Chance garantierte. Die Gegenüberstellung von sehr
divergierenden Kritikersubjekten und höchst disparaten
Betrachtungsweisen erlaubte, nach Anhören des Textes,
eine Vielfalt der Aspekte. Details wurden entdeckt, Kom-
positionstricks wahrgenommen. Da alle Debatte über
Prinzipien verpönt war, nur der gehörte Text zur Erörterung stand, mußte sachkundig und sachbezogen kri-

tisiert werden. Freilich war stets evident, daß sich nur
Texte einer bestimmten Machart zur Lesung und mündlichen Kritik eignen mochten. Indem der Autor, der vorzulesen gedachte, sich das gesagt sein ließ, sonderte er
von vornherein alle Arbeiten aus, die diesen Erfolgsprinzipien widersprachen. Auch hier stand zuviel auf dem
Spiel. *Das Marktprinzip pervertierte jetzt bereits die literarische Produktion.* Ein Autor produzierte bewußt
einen Text, der die Chance in sich trug, von der Gruppe
akzeptiert und damit vom Markt absorbiert zu werden.
Bei Restauration der Kritik nach 1945 hatte es sich gezeigt, daß keine der früheren Praktiken der Kritik in der
bisherigen Weise übernommen werden konnte. Die Entwicklung der Gruppe 47 machte unabweisbar, daß alle
Träume vom souveränen Subjekt des Kritikers und alle
Ästhetiken einer poetischen Kritik ihr Ende fanden. Man
stand auf dem Markt und bot sich an: wie weiland Gotthold Ephraim Lessing. Freilich waren kapitalkräftige
Instanzen nunmehr bereit, das Handgeld zu zahlen und
die Ware Kritiker zu kaufen.

VI. Negierungen der Kritik

Gescheitert ist die Gruppe 47 überdies an ihrer *Auffassung von Kritik.* Reizworte wie Pluralismus oder Mitgehende Interpretation werden dem Vorgang nicht gerecht, verschleiern ihn eher. Nicht das Nebeneinander von
Tagungsbesuchern mit divergierendem Geschmack, Textinteresse, Alter, Erfahrungsschatz erwies sich schließlich
als steril, sondern ihre literarische Gemeinsamkeit: das
eben, was sie als Gruppe 47 zusammenhielt. Freilich gab
es Unterschiede in der Art, wie ein gehörter Text aufgenommen, als Besonderheit empfunden und bewertet
wurde; der eine notierte sich Metaphern, verbrauchte Zusammenstellung von Wörtern; andere merkten auf bei

Texten, die mit Zitat, Montage oder Parodie arbeiteten;
wieder einem war die gesellschaftliche Funktion des dar-
gebotenen Textes bedeutsam, vielleicht auch die soziologische Interpretation einer Kunstfigur. So mochte dies,
wenn kritische Verdikte so lange gegeneinander gestellt
wurden, bis Hans Werner Richter mit einer cäsarisch-
müden Handbewegung das Turnier abbrach, als Walten
kritischer Gerechtigkeit empfunden werden. Beweisaufnahme, Anklage, Verteidigung. Falls nicht allzu Stümper-
haftes aufkam, traten Verteidiger auf, wo kritische Anklage vorher gehört wurde. Kritischer Pluralismus im
Sinne eines Juste-Milieu. Die Wahrheit war abermals –
offensichtlich – das Ganze.

Diese konkrete Totalität jedoch aus partiellen kritischen Einzelmomenten repräsentierte nicht gesellschaftliche Ganzheit. Sie stand nicht einmal für eine konkrete
literarische Totalität. Zunächst wurde, ohne daß es eigens
postuliert werden mußte, *Literatur gleichgesetzt mit Belletristik.* Hat man je unter den vielen hundert Texten,
die in zwanzig Gruppentagungen vorgelesen und erörtert
wurden, anderes präsentiert als Arten oder auch Randge-
bilde des Lyrischen, Epischen und Dramatischen? In der
Gruppe 47 häuften sich seit Ende der fünfziger Jahre
zum allgemeinen Überdruß die Texte in *Rollenprosa.*
Kunstfiguren erzählten: sehr oft töricht, klischeehaft, un-
gelenk, mit Vorliebe neurotisch. Der Autor schien sich an
Brechts Dictum zu halten: Wen immer ihr sucht, ich bin
es nicht. Die literarische Gemeinschaft war es vor allem
darin, daß sie solche Maximen ohne Widerstand akzep-
tierte. Die Begrenzung auf Belletristik einer neueren
Machart war zur Spielregel geworden, die nicht ange-
zweifelt wurde. Hier erwies sich der Pluralismus als In-
tegrationsprinzip. Daher sogleich Irritation, Verlegenheit,
auch Verärgerung, wenn Texte zu Gehör kamen, die
zwar einigen Respekt vor der literarischen Handwerklich-
keit bezeigten, mehr aber und anderes zu sein gedachten

als eben »schöne Literatur«. Bisweilen wurden Texte der
Agitationslyrik vorgetragen. Das Unbehagen danach war
evident. Dies mochte gleichfalls Literatur sein im weitesten Verstande, kannte man sich doch in den Traditionen
der Untergrunddichtung von Villon bis Artmann aus.
Allein Substanz und Funktion solcher Texte, selbst bei
untadeliger Faktur, wirkten in dieser Umgebung plötzlich unangemessen. Hier in der Tat wurde die Gemeinschaft gesprengt.

Das mochte so lange nicht gegen sie zeugen, wie die
wirtschaftliche und politische »Halbzeit« des zweiten
Nachkriegs andauerte. War es Vietnam mit all seinen
Auswirkungen und Bewußtseinsveränderungen, was allgemeinen Überdruß an einer Fortsetzung dieser Methoden
literarischer Produktion und Konsumtion provozierte?
Fragwürdig empfand man plötzlich nicht allein die formal pluralistischen und gesellschaftlich so homogenen Kriterien der bisherigen kritischen Praxis. Hybrider noch erschienen die literarisch bis dahin so relevanten Texte
selbst. Neben dem angeblichen Pluralismus wirkten – im
Lichte neuer Erfahrungen, wie Thomas Mann es formuliert hätte – auch die Bemühungen der Kritiker um *mit-
deutendes Verstehen* als Praktiken eines bourgeoisen
Juste-Milieu: eigentlich als Apologetik. Was zwanzig Jahre lang unangefochtene Maxime der Text-
kritik und der »freiwilligen Selbstkontrolle« gewesen
war, als Gesetz, das alle Mitglieder der Gruppe 47
einte: die Begrenzung auf literarische Interpretation
und Bewertung der vernommenen Texte unter Verzicht auf alle Argumentation außerliterarischer Art,
war plötzlich unannehmbar geworden. Hinter dem bisherigen Einverständnis verbarg sich soziale Indifferenz.
Wie sich der Pluralismus jäh als gemeinsames Festhalten
an Spielregeln decouvrierte, so wurde hinter dem Verbot
außerliterarischer Diskussion ein privilegienhafter Quie-
tismus erkennbar.

Die Gemeinschaft zerfiel. Mit ihr wurden die Prinzipien der Belletristik ebenso in Frage gestellt wie diejenigen der bisherigen literarischen Kritik. Freilich brachten die Verlage zu jedem Herbst- und Frühjahrstermin neue Erzählbände heraus, machten die subventionierten Theater mit Uraufführungen neuer Stücke von sich reden, gab es bisweilen sogar Gedichtbände von Lyrikern einer älteren und manchmal auch jüngeren Generation. Keine der bisherigen Praktiken des Rezensierens war allgemein als hinfällig erkannt und daher aufgegeben. Immer noch las man die Produkte eines kulinarischen Reagierens auf Bücher und Theaterabende, wurde die Abonnentenschaft der Theater und Tageszeitungen gleichgesetzt mit einer Öffentlichkeit, welcher ein Fachmann anvertraute, er habe sich »gelangweilt« oder unterhalten. Eine deutsche bürgerliche Literaturgesellschaft, die vergessen hatte, wie sehr sie im 18. und 19. Jahrhundert gleichgesetzt werden mußte mit gesellschaftlicher Misere und politischer Ohnmacht, gedachte die alten Spiele auch weiterhin zu praktizieren. Ihre Fähigkeit zur ästhetischen Vereinnahmung unbekömmlicher Speisen erwies sich als nahezu unbegrenzt. Der seinerseits pluralistische Verleger und Theaterdirektor hatte vielerlei anzubieten. Auch der *Gute Mensch von Sezuan* mitsamt dem scheinbar so offenen Schluß konnte akzeptiert werden. Der *Publikumsbeschimpfung* sich auszusetzen, war Bildungspflicht, also Besitz. Kritiker waren geblieben und sogar nachgewachsen, die den Grad des allgemeinen Vergnügens zu testen wußten: ausgebildet gleichzeitig als Gastronomen und als Didaktiker.

Daneben wurden neue Phänomene sichtbar: als *Negierungen der Kritik*. Nicht bloß, daß die literarische Tabulatur am Boden liegt mitsamt allen Wertvorstellungen und literarischen Kriterien. Solche Umwandlungen hat es in der Literaturentwicklung stets gegeben. Dann kämpften die Modernen gegen die Alten, Romantiker gegen Klassiker, Naturalisten gegen Romantiker, immer wieder

Davidsbündler gegen Philister. Ihnen allen aber war eigen das Vertrauen in Sinn und Form einer »schönen Literatur«.

Dies Vertrauen ging verloren. Negierungen der Kritik korrespondierten mit Absagen an die Belletristik. Man findet sie unversehens innerhalb des bürgerlichen Marktes wie außerhalb. Marktkundige Verleger ziehen sich aus dem schlechten literarischen Geschäft zurück, halten plötzlich nicht mehr arg viel vom einst so guten literarischen Ruf und machen das Geschäft lieber mit der Wissenschaft als mit der Literatur.

Die neuen Kontestationen sind durchaus divergierend. Zu konstatieren ist *einmal Negierung der Kritik durch Rechtgläubigkeit.* Hatte die Kritik als Ware auf dem literarischen Markt zum Wettbewerbssystem gehört, dadurch aber, wenngleich keineswegs unbegrenzt, Spielraum besessen dank ihrer Unverbindlichkeit und Ohnmacht (der junge Brecht war im Feuilleton des *Berliner Börsen-Couriers* zu erstem Ruhm gelangt), so hat Kritik in einem Staat mit offizieller, sowohl apologetischer wie repressiver Staatsdoktrin nur noch die Aufgabe spezieller Affirmation im Rahmen allgemeiner Orthodoxie. Seit Maxim Gorki im Einverständnis mit Stalin im Jahre 1934 den Schriftstellern der Sowjetunion den sozialistischen Realismus als orthodoxe Ästhetik verordnete, hat dort literarische Kritik aufgehört, die das Risiko nicht scheut, jenseits der Rechtgläubigkeit zu urteilen und zu bewerten. Bei den *Schriftstellern* ging die literarische Heterodoxie und Nonkonformität oft tödlich aus, als Mord und Selbstmord: Babel und Mandelstam, Pilniak und Tretjakow, Jessenin und Majakowski. Im Falle der Kritik und der *Kritiker* konnte sich die Staatsdoktrin müheloser durchsetzen. Eine streng dirigierte und zentralisierte Presse ließ andere als rechtgläubige Rezensionen nicht mehr zu. Das literarische Leben in jenen Staaten, die seit 1945 zum sowjetischen Machtbereich gehören, bestätigt

diesen Prozeß. Strukturierung der öffentlichen Meinung
und ihrer gesellschaftlichen und künstlerischen Sektoren
erfolgte allenthalben in Übereinstimmung mit der sowjetischen Praxis.

Es genügt nicht, darin nur das Ergebnis einer politischen Entwicklung zu sehen. Es gibt das Phänomen der
Orthodoxie aus Notwendigkeit und aus Freiheit. Im
sowjetischen Bereich hätte ein häretischer Kritiker keine
Öffentlichkeit zur Verkündung seiner Heterodoxie. Innerhalb der bürgerlichen Strukturen dagegen des Westens
ist ein Nebeneinander möglich von freier, nicht überaus
freier Ausübung kritischer Publizistik und freiwilligem
Verzicht auf allseitige kritische Deutung von gesellschaftlichen Phänomenen. Ein Kritiker in der DDR wird keine
Gelegenheit haben, vor irgendeiner Öffentlichkeit den
offiziell abgelehnten Schriftsteller Biermann zu loben.
Freiwillige Negierung der Kritik hingegen liegt dort vor,
wo ein Kritiker im Westen, außerhalb der DDR, die
Prinzipien jener Staatsdoktrin für sich übernimmt und
repetiert, ohne sie ihrerseits kritisch zu reflektieren. Orthodoxie und Kritik, so läßt es sich dank bisheriger Ge-
schichtsabläufe konstatieren, schließen einander aus. Kritik gehört zur Aufklärung; Rechtgläubigkeit hingegen,
die Kritik zugunsten einer Doktrin unterdrückt, wird sich
als Aufklärung nicht gerieren können.

Es gibt freilich noch eine *andere* Eliminierung der Kritik: als *Negierung durch Sinnentleerung*. Erweist sich die
Negierung durch Rechtgläubigkeit als Ausweichen vor der
totalen Reflexion und Selbstreflexion in neue Gläubigkeit,
also Unfreiheit, so präsentiert sich jene andere Negierung
durch Substanzverlust zwar als spielerisch und damit frei,
aber als *Gleichsetzung von Freiheit und Einsamkeit*. In
seiner literarischen Selbstreflexion über die *Entwicklung
der phonetischen Poesie* hat *Franz Mon* im Jahre 1967
den Weg einer Literatur von der Lautpoesie Hugo Balls
und den lyrischen Texten von Schwitters bis zur heutigen

Literatur im Schallraum nachgezeichnet. Er schloß mit der Überlegung: »Vielleicht sollte man die Frage stellen, ob ihrer Entstehung ein spezielles Motiv jenseits des bloßen poetischen Äußerungsdranges zugrunde liegt. Ein Motiv, das aus der gegenwärtigen Situation von Sprache und ihrer ästhetischen Verfassung entspringen könnte. Vielleicht sind die phonetischen Sprachwerke Ausgleichsbewegungen gegen eine rationale Austrocknung der Gebrauchssprache, wobei Sprachdimensionen zu Wort kommen, die längst verschliffen oder verloren schienen. Sie könnten auch der Versuch sein, Sprache in einer grassierenden Sprachlosigkeit in Gang zu halten und zugleich ihre Kopulation mit dem technischen Medium zu erproben, ohne das unsere Existenz nicht mehr denkbar ist.«

Daß es sich hier um genuine Literatur handelt, ist evident. Ebenso ist offenbar, daß literarische Kritik (nicht bloß der herkömmlichen Art) vor solchen Texten versagen muß. Sie kann das sprachliche Material begutachten, die Machart konstatieren, bleibt mit alledem aber in einem Vorraum des einstmals kritischen Bereichs. Das macht: solche Gebilde, selbst wenn sie in gemeinschaftlicher Anstrengung von Literat und Medientechnik zustande kommen, verwandeln insgeheim die modernen Kommunikationsmittel in Nichtkommunikation, wenn nicht in Sprachlosigkeit. Diese Gebilde kommunizieren nicht, drücken hierdurch freilich den Zustand der Sprachlosigkeit innerhalb einer permanenten Geschwätzigkeit erschreckend aus. Franz Mon ist sich dieser Verbindungen bewußt. Daher seine Hoffnung, mit Hilfe solcher Texte die »Sprache in einer grassierenden Sprachlosigkeit in Gang zu halten«.

Negierungen der Kritik. Negierung des Kritikers überdies, weil bisherige Vorstellungen von Individualität und Autorität durch die Gesellschaftsentwicklung in allen Teilen der Welt und allen präsenten Gesellschaftsstrukturen als lügenhaft und auch nicht als wünschenswert empfunden werden. Außerdem vollziehen sich Literatur und

literarisches Urteilen in zunehmendem Maße neuerdings
als Vorgang *jenseits der Bücherwelt*. Alle klassischen Literaturen arbeiteten mit Zitaten und – bildungshaften
oder polemischen – Verweisungen auf bereits vorhandene
Literatur. Der Weg von Aristophanes, welcher den älteren Tragiker gegen den jüngeren Euripides ausspielte, bis
zu Brecht, der ganze Szenen aus Goethe und Shakespeare
nebst allgemein bekannten Zitaten montierte und um-
funktionierte, ist bekannt. In allen Fällen wurde Einverständnis hergestellt mit dem Leser durch gemeinsame
Bildungsinvestitionen. Vor all diesen Literaturen konnte
sich der Literarhistoriker ebenso wie der Kritiker beweisen. Er verstand die Anspielungen, wußte Parodie und
Epigonik zu unterscheiden, empfand sich mit dem Autor
in einer Gemeinschaft, die aus aller bisher entstandenen
Literatur genährt wurde.

Mit Reduzierung der Belletristik, überhaupt der
Bücherwelt, im »technischen Zeitalter« wird es dem Kritiker auch *technisch* immer schwerer, in der bisherigen
Weise seinem Beruf nachzugehen. Gehört er noch zur
Bücherwelt, während sein Autor kaum mehr Lektüre für
die neuen Texte fruchtbar macht, viel eher Bildeindrücke
aus dem Kino oder Höreindrücke, die er Langspielplatten
verdankt, so wird Kritik plötzlich zur Inkompetenz, die
sich zwar noch in einer Gemeinschaft der Bücherleser findet, aber noch nicht oder nicht mehr den Zugang fand zu
Bild- und Tonphänomenen, die als Kreationsmomente
wichtiger zu werden scheinen als die Bücher von einst. In
Handkes Textbuch *Die Innenwelt der Außenwelt der
Innenwelt* (1969) wird ein Text komponiert als Vorspann
des Films *Bonnie und Clyde*. Ein anderer benennt die
Spielaufstellung eines deutschen Fußballklubs an einem
mit Datum genannten Spieltag.

Es wäre irrig, diese durchaus ernsthaft verstandenen
und zu verstehenden Texte als Parodie oder »Verulkung
des Lesers« zu interpretieren. Sie bedeuten für den Autor

das Konzentrat erlebter und erinnerter Emotionen. Kein Pindar des 20. Jahrhunderts besingt hier den Ablauf eines Sportereignisses. Die Kommunikation mit Lesern des Textes vollzieht sich, wie beim Abdruck jenes Vorspanns zu einem erfolgreichen Film, durch das bloße Nennen. Freilich nur dort, wo eigene Emotion des Lesers als eines Fußballfreundes und Kinobesuchers mit der Emotion des Autors zu kommunizieren vermag. Dann kommt es zur unmittelbaren Polarität zwischen literarischer Produktion und Konsumtion. Literatur im Streben nach Unmittelbarkeit. Des Kritikers freilich, der undenkbar ist ohne dialektische Vermittlung, bedarf man nicht mehr.

WALTER BENJAMIN

RÜCKBLICK AUF STEFAN GEORGE

Zu einer neuen Studie über den Dichter [1]

Stefan George schweigt seit Jahren. Indessen haben wir ein neues Ohr für seine Stimme gewonnen. Wir erkennen sie als eine prophetische. Das heißt nicht, daß George das historische Geschehen, noch weniger, daß er dessen Zusammenhänge vorausgesehen hätte. Das macht den Politiker, nicht den Propheten. Prophetie ist ein Vorgang in der moralischen Welt. Was der Prophet voraussieht, sind die Strafgerichte. Sie hat George dem Geschlecht der »eiler und gaffer«, unter welches er versetzt war, vorausgesagt. Die Weltnacht, deren Nahen ihm die Tage verdüsterte, ist neunzehnhundertvierzehn angebrochen. Und daß er ihr Ende noch nicht ermißt, hat er in einem vielsagenden Titel seines letzten Gedichtbuchs ausgesprochen: »Einem jungen Führer im ersten Weltkrieg.« Neue Lichter und Schatten haben in den tiefgeschnittenen Zügen dieses Hauptes sich angesiedelt. Und noch kennen wir nicht den Feuerschein, mit welchem die Geschichte seiner Züge am Tage, da sie ihren Ausdruck für die Ewigkeit erhalten, beleuchten wird.

Es wohnt aber in diesem Dichter selbst ein Gegenspieler des Propheten. Je deutlicher die Stimme des letzteren vernehmbar wird, desto ohnmächtiger sinkt die des andern – die Stimme eines Reformators – in sich zusammen. Ge-

---

[1] »Stefan George, Weltbild, Naturbild, Menschenbild« von Willi Koch. Max Niemeyer Verlag, Halle/Saale.

orge, dem die eigene strenge Zucht, und angeborener
Spürsinn für das Nächtige, Vorwissen um die Katastrophe gegeben hat, vermochte doch als Führer oder Lehrer
nur schwächliche und lebensfremde Regeln oder Verhal-
tensweisen vorzuschreiben, die Kunst galt ihm als jener
»Siebente Ring«, mit dem noch einmal eine Ordnung, die
schon in allen Fugen nachgab, zusammengeschmiedet werden sollte. Kein Zweifel, daß sich diese Kunst als streng
und triftig, der Ring als eng und kostbar erwiesen hat.
Doch was er faßte, war die gleiche Ordnung, die – wenn
auch mit viel weniger edlen Mitteln – den alten Mächten
aufrecht zu erhalten am Herzen lag. George ist es darum
nicht gelungen, seine Dichtung dem Bannkreis von Sym-
bolen zu entziehen, die keineswegs – wie die von Hölderlin – gleich Quellen, die aus dem Erdreich einer großen Überlieferung gesickert waren, an die Oberfläche traten. Vielmehr ist die Symbolik dieses Werks sein Brüchig-
stes. Sie ist im Kern nicht unterschieden von dem Aufgebot, das zu der Zeit, in dem der »Kreis« sich um den Meister zusammenfand, Barrès in Frankreich an den ganzen
Stamm symbolischer Vorstellungen und Bilder ergehen
ließ, die er in Volk und Kirche antraf. Sein Aufgebot hat
den Charakter einer Abwehr, oft einer verzweifelten. So
scheint der Schatz der in Georges Dichtung eingesenkten
geheimen Zeichen heute schon als ärmstes, ängstlich be-
wahrtes Eigentum des »Stils«.

In seiner großen Besprechung des »Siebenten Rings« im
Jahrbuch »Hesperus« hat als erster Rudolf Borchardt das
dichterische Vermögen von George abzuschätzen gesucht.
Und ohne dieser Frage mehr Bedeutung, als ihr in dem
Gesamtzusammenhange dieser Erscheinung gebührt, zuzu-
gestehen, hat er auf eine nicht geringe Anzahl machtloser
und verfehlter Strophen den Blick gelenkt. In den fünfundzwanzig Jahren, die seit jener Veröffentlichung dahin-
gegangen sind, hat der Blick für solche Ausfallserscheinun-
gen sich verschärft. Es will aber im Grunde das Gleiche

sagen, wenn etwas wie ein »Stil« in den Gedichten Georges mit einer Drastik sichtbar geworden ist, die bisweilen ihren Gehalt verdrängt und in den Schatten stellt. Stücke, in denen seine Kraft versagte, fallen meist genau mit denjenigen zusammen, in welchen dieser Stil Triumphe feiert. Es ist der Jugendstil; mit andern Worten der Stil, in dem das alte Bürgertum das Vorgefühl der eignen Schwäche tarnt, indem es kosmisch in alle Sphären schwärmt und zukunftstrunken die »Jugend« als Beschwörungswort mißbraucht. Hier taucht, zunächst nur programmatisch, zum ersten Mal die Regression aus der sozialen in die natürliche und biologische Realität auf, welche seitdem wachsend sich als Symptom der Krise bestätigt hat. Das biologische Idol verbindet in der Idee des »Kreises« sich dem kosmischen. Daraus entsteht dann später die Figur des mythischen Vollenders Maximin. Man hat von den gequälten Ornamenten, die damals Möbel und Fassaden überzogen, gesagt, sie stellten den Versuch vor, Formen, die erstmals in der Technik zum Durchbruch kamen, ins Kunstgewerbliche zurückzubilden. Der Jugendstil ist in der Tat ein großer und unbewußter Rückbildungsversuch. In seiner Formensprache kommt der Wille, dem, was bevorsteht, auszuweichen, und die Ahnung, die sich vor ihm bäumt, zum Ausdruck. Auch jene »geistige Bewegung«, welche die Erneuerung des menschlichen Lebens erstrebte, ohne die des öffentlichen zu bedenken, kam auf eine Rückbildung der gesellschaftlichen Widersprüche in jene ausweglosen, tragischen Krämpfe und Spannungen hinaus, die für das Leben kleiner Konventikel bezeichnend sind.

Einzig geschichtliche Besinnung, die weit über den Rahmen literarischer Behandlung hinausgreift, kann zu Schlüssen über die Gestalt und über das Werk gelangen, welche vor vierzig Jahren die »geistige Bewegung« ins Leben riefen. Auch ist es unbestreitbar, daß das Werk von Koch aus diesem Rahmen mit Entschiedenheit heraustritt. Es ist daher auch nirgends jenen tristen Schablonen pflich-

tig, welche gerade in der literarhistorischen Behandlung
Georges so oft begegnen. Historische Gesichtspunkte jedoch sind dieser neuen Arbeit gänzlich fremd. Sie tritt befangen, in der Überzeugung von einer »ewigen« Geltung
der Gehalte, die es bedingen, an Georges Werk. Doch dies
geschieht dann, andererseits, mit soviel Umsicht und me-
thodischer Gewissenhaftigkeit, daß ihre Leistung einen
Platz behauptet, von dem sie nichts sobald verdrängen
wird.

Methode dieser Arbeit ist: die »Analyse eines dichterischen Werkes, die den Ausdruck nur zu verstehen vorgibt,
weil sie den Gehalt verstanden zu haben glaubt«. Und
ihre Leistung: eine aufschlußreiche Periodisierung dieses
Werkes, die auf den – selbstverständlich eng verschränk-
ten – Phasen beruht, in denen sich Georges Weltbild entfaltet hat. Grundlage dieser Untersuchung ist ihm die
schreckliche Allgegenwart, mit der dem Dichter George
sich in aller tieferen Erfahrung der Natur das Chaos selbst
als Grundkraft des Geschehens vor Augen stellt.

> Unholdenhaft nicht ganz gestalte kräfte:
> Allhörige zeit die jedes schwache poltern
> Eintrug ins buch und alles staubgeblas
> Vernahm nicht euer unterirdisch rollen.

Von früh auf aber hat sie dieser Dichter vernommen. Wie
er im Sinn der christlichen Symbolik zunächst, jedoch vergeblich, sich bemüht, den Bann, der ihm entgegenwirkt, zu
brechen, und dann mit dem Erscheinen Maximins ihn von
sich genommen und Versöhnung sich geschenkt fühlt – das
macht den Gegenstand von Kochs Betrachtung. Im Sinne
einer neueren theologischen Umschreibung des Objekts der
Religion stellt der Verfasser die Naturerfahrung Georges
unter dem Begriff des »Andern« vor. Es ist ihm leicht, mit
einigen zwingenden Belegen das Düstere, Chthonische, das
von dorther ursprünglich als das Herrschende den Dichter
ansprach, aufzuweisen. Zugleich gewinnt er so die Füh-

lung mit Problemen, wie sie dem neuen Stande seiner Wissenschaft entsprechen. Er nimmt darauf Bezug, daß im besonderen seit der jüngeren Romantik der Blick mancher Dichter auf die Erschließung der Welt von ihrer chthonischen Seite her gerichtet gewesen sei. »Über die dichterische Behandlung dieses Problems fehlen noch die grundlegenden Arbeiten. Die Ursache dafür ist in der Tatsache zu suchen, daß die Literaturwissenschaft in der Hauptsache bis jetzt eine formal-ästhetische Wissenschaft war, sei es, daß ihre Bemühungen auf die ›Gestalt‹ als individuelle, ideelle oder soziologische Größe, oder auf das ›Künstlerische‹ als Anwendung der Sprache abzielten. Der tatsächliche ›Boden‹ einer Dichtung und damit auch für die sie betrachtende Wissenschaft ist aber immer im Religiösen zu suchen, aus dem sich Idee, Motiv, Gestalt und Sprache des Dichters erst als Folge ergeben.« Daß mit einer Formulierung, in der das Sprachliche als »Folge« des Religiösen erscheint – da es in Wahrheit doch dessen Medium darstellt –, auch der gewissenhaftesten Forschung Grenzen gesetzt sind, die, je größer ihr Objekt, sich um so enger erweisen müssen, daran gemahnt die unvermittelte Gewaltsamkeit, mit der Kochs Studie abbricht. Das aber kann nicht hindern, auf die sehr wertvollen Feststellungen hinzuweisen, welche er im Verlauf ihr abgewinnt.

Es handelt sich dabei in immer neuen Wendungen um Georges Ringen mit der ihm eigenen Naturerfahrung. »Georges Bild der Natur als eines dämonischen Wesens«, schreibt Koch, »ist in seinem bäuerlichen Naturgefühl verwurzelt.« Mit diesen Worten streift der Autor die Zusammenhänge, die ihm den Blick in die geschichtliche Werkstatt hätten eröffnen können, in der Georges Dichtung entstanden ist. Der Bauernsohn, dem die Natur eine überlegene Macht ist, »die er nie bezwingt, der er höchstens einige Gewohnheiten absieht, mit der er im Kampfe lebt, gegen die er sich verteidigen und schützen muß« – ihm bleibt sie auch als einem Literaten, einem Bewohner gro-

ßer Städte, welcher er geworden ist, in aller ihrer Macht
und allem ihrem Schrecken gegenwärtig. Die Hand, welche sich nicht mehr um den Pflug ballt, ballt sich noch im
Zorne gegen sie. In dieser unversöhnlichen Gebärde durch-
ringen sich die Kräfte seines Ursprungs und die des späteren, von diesem Ursprung weit abgelegenen Lebens, das
er führte. Die Natur erscheint ihm »verkommen – an der
Grenze völliger ›Entgottung‹ angelangt. Deshalb ist es
›Weltnacht‹, in der nur noch schwach vernehmbar (›starr
und müde‹) gestaltgebende Kräfte wahrgenommen werden«. Der Verfasser hat vollkommen recht, einen Quell-
punkt der dichterischen Kraft Georges in den beiden berühmten Strophen aus dem »Siebenten Ring« zu suchen:

> Und wenn die große Nährerin im zorne
> Nicht mehr sich mischend neigt am untern borne.
> In einer weltnacht starr und müde pocht:
> So kann nur einer der sie stets befocht
> Und zwang und nie verfuhr nach ihrem rechte
> die hand ihr pressen · packen ihre flechte ·
> daß sie ihr werk willfährig wieder treibt:
> den leib vergottet und den gott verleibt.

Daß aber der Griff, mit dem diese Flechte der natura na-
turans gepackt sein will, die Ordnung und die Umord-
nung der menschlichen Verhältnisse ist, und sonst nichts
– besonders nicht der Kult des Maximin –, das ist die
Einsicht, die erst das kritische Vermögen des Forschers
hätte befreien können.

Denn es ist in aller Erkenntnis, nicht in der Kritik allein
– wie Hegel schon gelehrt hat – das Salz Verneinung.
Handeln läßt sich aus vorbehaltloser Bejahung heraus;
denken nicht. So kann denn auch die »Annäherung an das
Werk«, welches soeben unter dem Titel »Die ersten Bücher Stefan Georges« Eduard Lachmann[1] erscheinen läßt,

---

[1] Berlin 1933, Georg Bondi.

es nicht weit bringen, doch sein Buch läßt keinen Vergleich mit Kochs wertvoller Studie zu. In einem selbst im Schrifttum um George bemerkenswerten Maße fehlen dem Autor Distanz und jede Fähigkeit, die Werke des Dichters anders zu bewerten als vollendete, ja anders ihnen sich zu nähern, als in solchem Sinn sie wertend. Die leeren Zeremonien, die einmal von einem Lothar Treuge vorm Altar des Kreises in Versen sind begangen worden, tauchen nun hier, am Ende der Bewegung, nochmals in Prosa auf. Schranke wird diese Schrankenlosigkeit in der Bejahung aber auch Besonnenen. Die Auseinandersetzung mit der dichterischen Figur, die in Gestalt des Maximin die Schwellengottheit vor dem Spätwerk von George bildet, kommt bei Koch nicht mehr zustande. Vielmehr trägt der Verfasser kein Bedenken, dem »Maximin-Erlebnis« als dem »Kern der Georgeschen Religion« mit dieser Meinungsäußerung zu begegnen: »Die psychologische und geistesgeschichtliche Methode muß durch eine Phänomenologie des religiösen Bewußtseins ergänzt, ja auf diese muß alles gegründet werden. Denn das religiöse Verantwortungsgefühl ist der nicht psychologisch und nicht geschichtlich erklärbare Anstoß zum Maximin-Mythos.«

So tritt von neuem dieser Sachverhalt ans Licht: Georges großes Werk ist zu Ende gegangen, ohne im Zeitraum, den sein Wirken ausgefüllt hat, auf seinen echten und ihm zugeborenen Kritiker gestoßen zu sein. Es tritt in einem Schwarm von Jüngern fast unkenntlich, doch ohne Anwalt, vor den Richtstuhl der Geschichte. Freilich nicht ohne Zeugen. Welcher Art sie sind? Sie finden sich in einer Jugend, welche in jenen Gedichten gelebt hat. Nicht in der, die sich im Namen ihres Meisters auf Kathedern eingerichtet hat, und nicht in der, welche in seiner Lehre Befestigungen ihrer Position im Machtkampf der Parteien gefunden haben. Nein, vielmehr in der, welche an ihrem besten Teil schon darum ihr Zeugenamt vorm Richtstuhl der Geschichte versehen kann, weil sie tot ist. Die Verse,

die ihr auf den Lippen lagen, entstammten nicht dem
»Stern des Bundes«, selten dem »Siebenten Ring«. Sie
fand in jener Priesterwissenschaft der Dichtung, die in den
»Blättern für die Kunst« gehütet wurde, nie einen Nachhall der Stimme, die »das Lied des Zwergen« oder die
»Entführung« getragen hatte. Ihr waren die Gedichte von
George ein Trostgesang. Trost in Betrübnissen, für die er
heute schwerlich mehr ein Herz, Gesang in einer Weise,
für die er heute schwerlich mehr ein Ohr hat.

»George hat die nurästhetische Lebenshaltung durch
ihre Heroisierung für sich und für solche, die sein Werk
wirklich verstehen, aus der Welt geschafft« – so heißt es,
zweideutig genug, bei Koch. Denn aus der Welt schaffte
er mit der Haltung auch das Leben. Die große Regression
des Jugendstils führt dahin, daß sogar das Bild der Jugend zu einer Mumie einschrumpft, deren Züge nicht weniger von Eilert Lövborg als von Maximin besitzen. Beide
sterben in Schönheit. Das Geschlecht, welchem die reinsten
und vollkommensten Gedichte von George ein Asyl gegeben haben, war zum Tode vorbestimmt. Jene Verfinsterung, die mit dem Krieg nur über seinem Haupte zusam-
menzog, was lange schon in seinem Herzen braute, schien
ihm so wie dem Dichter, dessen Verse es erfüllten, als Inbegriff aller Naturgewalt. George war ihm keineswegs
der »Künder« von »Weisungen«, sondern ein Spielmann,
der es bewegte wie der Wind die »blumen der frühen heimat«, welche draußen lächelnd zum langen Schlummer
luden. Der große Dichter ist George diesem Geschlecht gewesen, und er war es als Vollender der Decadence, deren
spielerische Gebarung sein Impuls verdrängte, um in ihr
dem Tod den Platz zu schaffen, den er in dieser Zeiten-
wende zu fordern hatte. Er steht am Ende einer geistigen
Bewegung, die mit Baudelaire begonnen hat. Mag sein,
daß diese Feststellung einmal nur eine literarhistorische
gewesen ist. Inzwischen ist sie eine geschichtliche geworden
und will ihr Recht.   *(1933)*

»GRÖSSE UND VERFALL«
DES EXPRESSIONISMUS

> »... das Unwesentliche, Scheinbare, an der
> Oberfläche Befindliche verschwindet öfter,
> hält nicht so ›dicht‹, ›sitzt‹ nicht so ›fest‹
> wie das ›Wesen‹. Etwa: die Bewegung eines
> Flusses, der Schaum oben und die tiefen
> Strömungen unten. Aber auch der Schaum
> ist ein Ausdruck des Wesens.«
>
> *Lenin, Aus dem philosophischen Nachlaß*

Im Oktober 1920 hält Wilhelm Worringer, einer der theoretischen Vorläufer und Begründer, dem Expressionismus
eine tief erschütterte Grabrede. Er faßt die Frage breit,
wenn auch mit einer komisch anmutenden professoralen
Verallgemeinerung, die in allen Angelegenheiten der eigenen Intellektuellenschicht unmittelbar Menschheitsprobleme erblickt: »Nicht der Expressionismus steht letzten En-
des in Frage – das wäre eine unbeträchtliche Atelierange-
legenheit –, sondern es ist das Organ unserer heutigen
Existenz überhaupt, das mit dieser Frage in Frage steht,
und viele sind heute bankrotte Expressionisten, die von
Kunst gar nichts wissen.« (»Künstlerische Zeitfragen«.
München. 1921, S. 7/8.) Der Zusammenbruch des Expressionismus ist also in Worringers Augen viel mehr als eine
künstlerische Angelegenheit. Es ist der Zusammenbruch
der Bestrebung, die »neue Wirklichkeit« (die Wirklichkeit
des Imperialismus, die Epoche der Weltkriege und der
Weltrevolution) vom Standpunkt des bürgerlichen Intellektuellen aus gedanklich und künstlerisch zu bewältigen.

Von diesem konkreten Klasseninhalt seiner Bestrebungen
hat Worringer natürlich keine Ahnung. Er fühlt nur, daß
das, was er erstrebt, was zentraler Weltanschauungsinhalt
für ihn und seine Schicht war, zusammengebrochen ist.
»Aber gerade weil die Legitimation des Expressionismus
nicht im Rationalen liegt, sondern im Vitalen, stehen wir
heute vor seiner Krise ... Vital hat er ausgespielt, nicht
rational. Und darum ist der Fall hoffnungslos.« (Ebenda,
S. 9.) Und in der Bekenntnisstimmung dieser Verzweiflung verrät uns Worringer sowohl das, was er vom Expressionismus erwartet hat, wie die dämmernde, nachträgliche, mystisch verhüllte Einsicht darüber, daß die Erwar-
tungen von vornherein zur Nichterfüllung verurteilt waren. »In eine Phiole voll letzter Essenzen will man das
ganze Weltmeer, nein, das ganze Weltgefühl einströmen
lassen. Glaubt, daß man *des Absoluten habhaft würde,
wenn man das Relative ad absurdum führe.* Oder, um das
zu nennen, was an tiefster Tragik dahintersteckt: *die hoffnungslos Einsamen wollen Gemeinschaft markieren.* Aber
es bleibt auch hier beim bloßen Markieren. Auch hier bei
einer verzweifelten Philosophie ›Als ob‹.« (Ebenda, S. 16.
Hervorhebungen von mir. G. L.)

Trotz aller Mystik in der Terminologie und in dem was
hinter der Terminologie steht, ist das eine ziemlich klare
Sprache. Und der in ihr ausgesprochene Gedanke, daß
»Größe und Verfall« des Expressionismus, wenigstens von
der bürgerlichen Intelligenz bis hinein in die intellektuel-
len Kreise, die mit der Arbeiterbewegung in Berührung
standen, nicht als bloß literarisches, bloß künstlerisches
Geschehen aufgefaßt wurden, findet sich bei vielen Schrift-
stellern, die sonst mit den Anschauungen Worringers nicht
durchweg einverstanden gewesen sind. So schreibt – zur
Zeit der blühendsten Hoffnungen – Ludwig Rubiner:
»Der Proletarier befreit die Welt von der wirtschaftlichen
Vergangenheit des Kapitalismus; der Dichter [d. h. der
Expressionist. G. L.] befreit sie von der Gefühlsvergan-

genheit des Kapitalismus.« (Nachwort zur Anthologie
»Kameraden der Menschheit«. Potsdam 1919, S. 176).
Zwischen dieser weltumwälzenden Aussicht, die Rubiner
dem Expressionismus eröffnet, und der Worringerschen
Grabrede liegt eine sehr kurze Zeitspanne. Aber gerade
dieser Umschlag innerhalb eines knappen Zeitraumes ist
für »Größe und Verfall« des Expressionismus charakteristisch. Der Expressionismus, eine verhältnismäßig enge
Zirkelbewegung der »radikalen« Intellektuellenkreise in
den letzten Vorkriegsjahren, erwuchs während des Krieges, insbesondere während der letzten Kriegsjahre zu
einem ideologisch nicht unwesentlichen Bestandteil der
deutschen Antikriegsbewegung: er war – um später Aus-
zuführendes jetzt schon schlagwortartig vorwegzunehmen
– die literarische Ausdrucksform der USP-Ideologie in
der Intelligenz. Die harten Fragestellungen der ersten Revolutionsjahre, die Niederlagen der proletarischen Revo-
lutionsbestrebungen, die Entwicklung des linken, des proletarischen Flügels der USP zum Kommunismus (mit dem
Gipfelpunkt in der Spaltung von Halle 1920), die paral-
lele Entwicklung des rechten Flügels der USP zu einem
Bestandteil der Stabilisierung des Kapitalismus erzwan-
gen so klare Entscheidungen zwischen Proletariat und
Bourgeoisie, zwischen Revolution und Gegenrevolution,
daß diese Ideologie daran zerschellen mußte. Einige wenige – vor allem Johannes R. Becher – haben sich für
das Proletariat entschieden und haben sich bemüht, mit
dem Gepäck der expressionistischen Ideologie auch die
schöpferische Methode des Expressionismus allmählich
wegzuwerfen. Die meisten landeten – nach dem Zusammenbruch der expressionistischen »Welterlösung« – im
Hafen der kapitalistischen Stabilisierung. Die verschiedenen Wege, Übergänge, die epigonenhafte Aufrechterhaltung oder der Mode entsprechende Umwandlung der
schöpferische Methode sind hier nicht von wesentlichem
Interesse. Wichtig war nur, die allgemeinsten Umrisse die-

ser Entwicklung, »Größe und Verfall« des Expressionismus, kurz anzudeuten, denn dies erleichtert es uns, die gesellschaftliche Basis und die aus ihr entspringenden weltanschaulichen Voraussetzungen der Bewegung aufzudekken, um von hier aus ihre schöpferische Methode zu würdigen.

I

ZUR IDEOLOGIE DER DEUTSCHEN INTELLIGENZ
IN DER IMPERIALISTISCHEN PERIODE[1]

Der Eintritt in die imperialistische Periode hat wichtige
ideologische Umschichtungen in der deutschen Intelligenz
hervorgebracht, freilich so, daß den Trägern der ideologischen Umwälzung der Zusammenhang mit der Entstehung
des Imperialismus unbewußt blieb. Deshalb ist von den
bürgerlichen Vorkämpfern und Geschichtsschreibern dieser
Epoche auch der innere Zusammenhang zwischen der Umschichtung auf den einzelnen ideologischen Gebieten nicht
erkannt worden, was um so bemerkenswerter ist, als gerade in dieser Periode die Forderung einer »Geistesgeschichte«, einer Geschichte, die Philosophie, Kunst, Religion, Recht als Erscheinungs- und Äußerungsformen des
»Geistes«, des »Lebensstils« zusammenfaßt, immer lauter

---

[1] Wir werden unsere Betrachtungen auf Deutschland beschränken, obwohl wir uns dessen bewußt sind, daß der Expressionismus eine internationale Bewegung war. So sehr wir
uns jedoch darüber klar sind, daß seine Wurzeln überall im
Imperialismus zu suchen sind, so sehr wissen wir, daß die ungleichmäßige Entwicklung in verschiedenen Ländern verschiedene Erscheinungsformen erzeugen mußte. Erst nach einem
konkreten Studium der Entwicklung des Expressionismus in
den verschiedenen Ländern ist eine Zusammenfassung möglich, ohne abstrakt zu bleiben. G. L.

wurde. Das Programm ist für dieses Entwicklungsstadium der bürgerlichen Ideologie in Deutschland ebenso bezeichnend wie seine Unerfüllbarkeit. Denn der Umschwung, der sich in der deutschen Ideologie mit dem Eintritt in die imperialistische Periode zeigte, war einerseits ein Streben nach Inhaltlichkeit (im Gegensatz zum Formalismus der vorangegangenen Periode), nach »Weltanschauung« (im Gegensatz zum klaren Agnostizismus der »neukantischen« Periode), nach Zusammenfassung, nach »Synthese« (im Gegensatz zu der genauen Arbeitsteilung der einzelnen ideologischen Gebiete in der streng spezialisierten und sich streng auf die Spezialität beschränkenden »Einzelwissenschaftlichkeit«). Anderseits konnten aber die erkenntnistheoretischen Grundlagen der zu überwindenden früheren vorimperialistischen Ideologien nicht verlassen werden. Die Wendung, der Umschwung mußte sich vielmehr unter Beibehaltung (vielleicht auch unwesentlicher Umbildung in Teilstücken) der subjektiv-idealistischen und agnostizistischen ideologischen Grundlagen vollziehen. Der Übergang zu einem objektiven Idealismus, der hier angestrebt war, war aber eben dadurch zum Scheitern verurteilt. Denn als Hegel ein Jahrhundert früher den Übergang vom subjektiven zum objektiven Idealismus vollzog, bildete der radikale Bruch mit dem Agnostizismus jeder Art die erkenntnistheoretische Basis dieses Übergangs (Kritik der Kantschen Ding-an-sich-Auffassung). Es kommt in diesem Zusammenhang nicht auf die Kritik jener Halbheiten und Inkonsequenzen an, denen Hegel infolge der idealistischen Überwindung des Agnostizismus verfallen mußte – jeder objektive Idealismus fällt auf entscheidenden Punkten der Erkenntnistheorie infolge seines idealistischen Grundcharakters in einen subjektiven Idealismus zurück –, sondern auf die Besonderheit dieser Periode: warum die Notwendigkeit des Übergangs vom subjektiven zum objektiven Idealismus auftaucht und warum dieser Übergang, ohne den Versuch,

die agnostizistischen Grundlagen erkenntnistheoretisch zu
überwinden, vollzogen werden mußte.

Dieser Widerspruch in der erkenntnistheoretischen
Grundlegung ist nichts weiter als das gedankliche Spiegelbild des Widerspruchs im gesellschaftlichen Sein der
bürgerlichen Intelligenz Deutschlands beim Eintritt in die
imperialistische Periode. Die Philosophie der vorimperialistischen Zeit und die der Vorbereitung des Imperialismus in Deutschland war im wesentlichen in zwei Lager
geteilt. Einerseits in das der »unphilosophischen« Verherrlichung des »Bestehenden«, d. h. des Deutschen Reiches, wie es 1871 begründet wurde und wie es sich seitdem
weiterentwickelt hat. (Rankeschule in der Geschichte,
Treitschke, historische Schule der Ökonomie.) Andererseits
bejahte der »linke« Flügel der Bourgeoisie das Bismarck-
sche, später das Wilhelminische Regime von der Grundlage des Kantischen (oder Berkeley-Machschen) Agnostizismus aus: die formale Ethik, die formalistische Werttheorie, der Staat als »mathematische« Grundlage der Ethik
boten der Bourgeoisie und ihrer Intelligenz die Möglichkeit, jeden Staat, der ihre wirtschaftlichen Interessen richtig bediente, ihr die Verteidigung gegen die Arbeiterklasse lieferte, sie selbst jedoch nicht zur unmittelbaren Macht-
ausübung zuließ, zu bejahen – freilich formalistisch, also
alle inhaltlichen Vorbehalte einschließend, sie je nach Bedarf verbergend oder vorschiebend. Natürlich ist diese
Zweiteilung nur ein allgemeines Schema. Natürlich bestand keine Chinesische Mauer zwischen beiden Parteien
der Bourgeoisie, und zwar desto weniger, je höher die kapitalistische Entwicklung Deutschlands stieg, je weiter die
imperialistische Entwicklung fortschritt. Die Verwandlung der adeligen Großgrundbesitzer in Agrarkapitali-
sten, in einen Teil der imperialistischen, vom Finanzkapi-
tal vereinigten Gesamtbourgeoisie mußte immer stärker
hervortreten und den ganzen Staat und seine ganze Politik immer stärker in den Dienst des gemeinsamen Klas-

seninhalts stellen, obwohl die Form des Staates, die soziale Zusammensetzung des Staatsapparats sich gar nicht oder nur unwesentlich wandelte. Diese Entwicklung schloß – mitunter heftige – Kämpfe innerhalb der Gesamtbourgeoisie keineswegs aus; sie bestimmte jedoch von vornherein ihren Charakter als Fraktionskämpfe. Insbesondere wurde durch diese Entwicklung der Charakter der liberalen Gegenbewegung bestimmt: ihr »Kampf« für die Verwandlung Deutschlands in eine konstitutionelle, parlamentarische Monarchie stumpft sich immer mehr ab; die Versuche linksbürgerlicher Ideologen, einen großen »Linksblock« »von Bassermann bis Bebel« zu schaffen, finden unter den Revisionisten mehr Anklang als auf dem rechten Flügel der liberalen Opposition. Der Bülow-Block der Konservativen und der liberalen Parteien zeigt, trotz seiner Kurzlebigkeit und Zerbrechlichkeit, wie weit die Annäherung gediehen ist. Der Charakter von Parteien wie den Freikonservativen, dem Zentrum zeigt ebenfalls deutlich diese Bestrebung.

Ebenso selbstverständlich ist es, daß schon lange vor der imperialistischen Epoche Vermittlungsideologien auftauchten, sowohl in der Richtung der besseren, elastischeren Anpassung der Apologie des bestehenden politischen Systems an die ideologischen Bedürfnisse der Bourgeoisie, wie in der Richtung des Aufgebens formalistischer Bejahungsvorbehalte, der Entwicklung der formalen Bejahung in eine inhaltliche. Es ist aber bezeichnend, daß die Vermittlungsideologien erst in dieser Periode zu allgemeiner Bedeutung gelangen. Es entsteht die Diltheysche Schule der »Geisteswissenschaft«, als Vermittlung zwischen Neukantianismus und bloßer »unphilosophischer« Geschichte, als inhaltliche, »verstehende« Psychologie gegenüber der bloß »zergliedernden«. Der bis dahin abseits stehende Husserl erlangt eine allgemeine Wirkung, und zwar sehr bald über den Bereich der reinen Logik, auf die er selbst sich sein Leben lang beschränkte, hinaus, in Anwendung

der neuen, ebenfalls inhaltlichen, aber der objektiven
Wirklichkeit gegenüber agnostizistischen Methode. Der
Neukantianismus, besonders sein rechter Flügel (Windelband, Rickert), übernimmt sehr rasch die Anregungen und
Ergebnisse sowohl der Dilthey- wie der Husserlschule;
beide Flügel verlassen den »orthodoxen« Boden des Neukantianismus und beginnen sich – über Fichte – in der
Richtung auf Hegel zu entwickeln, allerdings bewußt betonend, daß dabei der Kantische Boden nicht verlassen
werden darf (Windelband: »Die Erneuerung des Hegelia-
nismus« 1910, J. Ebbinghaus: »Relativer und absoluter
Idealismus« 1910). Die liberale Überlieferung, die Romantik zu verwerfen (Hettner und Haym), wird selbst
verworfen. Die Philosophie der Romantik erlebt eine Erneuerung. Gleichzeitig wird Goethe als Philosoph, als
Schöpfer der Weltanschauung, einer »Lebensphilosophie«,
neben Kant in den Mittelpunkt des Erbes gerückt. Die extrem relativistische Philosophie entwickelt sich immer
stärker zu einem mystischen Irrationalismus, allerdings
ebenfalls unter Beibehaltung der agnostizistisch-relativi-
stischen Grundlage (Simmel, Einfluß Bergsons). Vaihinger
verknüpft auf dem Boden eines extremen, aber »mythen-
bildenden« Relativismus Kant mit Nietzsche (»Philosophie des ›Als ob‹«, erschienen 1911).

Allen diesen Strömungen, die wir keineswegs erschöp-
fend aufgezählt, geschweige denn charakterisiert haben,
ist – bei allen Verschiedenheiten – die Wendung auf Inhaltlichkeit, auf objektiven Idealismus, auf »Weltanschauung« gemeinsam. Und dieses Bedürfnis ist eben die
Folge des Eintritts in das imperialistische Zeitalter. Die
ununterbrochene Zuspitzung der inneren wie äußeren Gegensätze, das gesteigerte Verwachsen von Staat und Wirtschaft, der zunehmende Rentnerparasitismus, die wachsende Konzentrierung des Kapitals und die Konzentrierung
der wirtschaftlichen Macht in wenigen großen Konzernen,
die Ausdehnung Deutschlands (Kolonien und Interessen-

gebiete), die damit verbundene Kriegsgefahr und die Vorbereitung auf den Krieg ergeben eine Reihe von Fragen, auf die klare Antworten nötig waren. Nicht in dem Sinne, als ob – von einer verschwindenden Minderheit abgesehen – irgendein Ideologe dieser Zeit die Probleme des Imperialismus klar erkannt, sie als Probleme dieser Entwicklungsstufe begriffen und von hier aus bejaht oder verneint hätte. Die Fragen tauchen vielmehr für die Masse der Bourgeoisie und insbesondere für ihre Intelligenz in noch mehr verzerrter, abgeblaßter, auf den Kopf gestellter, mythologischer Form auf als in früheren Zeiten. Jedoch die Art der Verzerrung ändert sich mit dem Eintritt in den Imperialismus. Handelte es sich früher darum, die gesellschaftlichen Gebilde zu einem abstrakten Überhaupt zu verflüchtigen, zu dem eine formalistisch-ethische Stellung, die Bejahung der Pflicht als solcher (oder auch ihre konsequenzlose, lendenlahme und darum für die Bourgeoisie zulässige Verneinung) hinreichte, so muß jetzt alles Gesellschaftliche in einer inhaltlich zusammengefaßten Weise abstrahiert und verzerrt werden. Dieses Gebilde, das mythologisierte Abbild der imperialistischen Gesellschaft, verlangt aber eine inhaltliche Bejahung. So waren – um diese Entwicklung an einem Beispiel zu illustrieren – die Kulturwerte des Neukantianers Rickert, an die nach ihm die geschichtlichen Zusammenhänge gebunden waren, noch von der formalen Seite, von hinten herum, nur uneingestandenermaßen mit der bürgerlichen Gesellschaft der Gegenwart identisch. Die materiale »Wertethik« des Husserlschülers Scheler stellt aber »Güter« in den Mittelpunkt der Ethik, deren Identität mit der Gegenwart der Philosoph bereits inhaltlich klar, unmißverständlich setzt.

Diese Entwicklung zum mystischen Irrationalismus, zur »Lebensphilosophie«, zur inhaltlich erfüllten »Weltanschauung« hat dementsprechend ein Doppelgesicht. Einerseits entsteht eine ständig entschiedenere Apologetik des imperialistischen Kapitalismus, andererseits kleidet sich die Apologetik in die Form einer Kritik der Gegenwart. Je stärker sich der Kapitalismus entfaltet und je stärker er dementsprechend seine inneren Widersprüche entwickelt, desto weniger kann die direkte und offene Verteidigung der kapitalistischen Wirtschaft im Mittelpunkt des ideologischen Schutzes des kapitalistischen Systems stehen. Jener gesellschaftliche Vorgang, der die Verwandlung der klassischen Ökonomie in die vulgarisierende Apologetik verursacht, wirkt sich naturgemäß nicht bloß auf dem Gebiet der Wirtschaft aus, sondern erstreckt sich auf Inhalt und Form der gesamten bürgerlichen Ideologie. Es kommt also zu einer allgemeinen Entfernung von den konkreten Problemen der Wirtschaft, zur Verschleierung der Zusammenhänge zwischen Wirtschaft, Gesellschaft und Ideologie, und es entsteht demzufolge eine ständig wachsende Mystifizierung dieser Fragen. Das wachsende Mystifizieren und Mythologisieren macht es zugleich auch möglich, daß die immer klarer hervortretenden, selbst von den Apologeten nicht wegzuleugnenden Folgen des kapitalistischen Systems als Tatsachen teilweise anerkannt und kritisiert werden. Denn das Mythologisieren der Probleme öffnet den Weg dazu, das Kritisierte entweder überhaupt nicht im Zusammenhang mit dem Kapitalismus darzustellen oder dem Kapitalismus eine derart verflüchtigte, verzerrte, mystifizierte Form zu geben, daß aus der Kritik kein Kampf, sondern ein parasitisches Sich-Abfinden mit dem System (Kulturkritik von Simmel), ja auf dem Umweg dieser Kritik ein von der »Seele« aus abgeleitetes Bejahen gefolgt wird (Rathenau). Die aus der geschilderten Lage der deutschen Bourgeoisie folgende ideologische Verklärung der politischen Rückständigkeit Deutschlands steigert natürlich noch mehr diese Bestrebung. Eine »Kritik« des Kapitalismus, zusammengebraut aus Abfällen des romantischen Antikapitalismus, kann dabei sehr leicht in eine Kritik der »westlichen Demokratien« umgebogen werden, um die deutschen Verhältnisse – soweit sie sich von diesem »Gift« fernhalten – zu einer höheren Form der gesellschaftlichen Entwicklung umzustilisieren.

Selbstverständlich sind diese kritischen Bewegungen subjektiv keineswegs ausnahmslos apologetisch gemeint gewesen. Es gibt auch in der Periode des Imperialismus in Deutschland Intellektuelle, die teils eine Kritik der deutschen politischen und gesellschaftlichen Zustände, teils sogar eine Kritik des kapitalistischen Systems subjektiv ehrlich versucht haben. Da sie aber ihre Kritik ohne Überprüfung der allgemeinen wirtschaftlichen, sozialen und weltanschaulichen Grundlagen der Epoche ausüben zu können meinten – was ja nur die ideologische Widerspiegelung der Tatsache ist, daß sie mit der imperialistischen Bourgeoisie nicht gebrochen haben –, bewegt sich auch diese Kritik auf dem gemeinsamen weltanschaulichen Boden des deutschen Imperialismus. Sie bleibt im besten Fall recht unklar, verworren, kann den Zwiespalt zwischen objektiver Grundlage und subjektiver Absicht nur eklektisch verkleistern, nicht aber dialektisch lösen. Zumeist entwickelt sich aber auch die subjektiv ehrlich gemeinte Kritik zu einem – unbewußten und ungewollten – Bestandteil, zu einer besonderen Nuance der allgemeinen ideologischen Grundströmung der Epoche: der indirekten Apologetik, der Apologetik vermittels einer mystifizierenden Kritik der Gegenwart.

So ist diese Entwicklung nicht mehr als die ideologische Vorbereitung jener Mobilisierung der »Geister« zum Kriegsdienst, die dann im Weltkrieg durchgeführt wurde. Aber wie jede ideologische Entwicklung setzt sich auch diese ungleichmäßig durch. Die Unterordnung der bürgerlichen Intelligenz unter den sich ausbreitenden und entfaltenden Imperialismus vollzieht sich nicht direkt, nicht widerspruchslos; es entstehen auch oppositionelle und vor allem scheinoppositionelle Bewegungen, die aber, da sie sich aus derselben Klassengrundlage entwickeln, die ideologischen Grundlagen mit den von ihnen bekämpften Rich-

tungen teilen und darum – mögen sie sich noch so radikal gebärden, mögen sie subjektiv noch so tief von ihrem
»Radikalismus« überzeugt sein – nur einen »internen«,
einen »fraktionellen« Kampf zu führen fähig sind. Wir
haben bereits darauf hingewiesen, daß die allgemeine, so
vielgestaltige Bewegung auf Inhaltlichkeit, auf »Weltanschauung« an der grundlegenden Frage subjektiv-ideali-
stisch vorbeiging: an der Erkenntnis der objektiven, von
uns, vom Menschen, unabhängigen, materiellen Wirklichkeit. Indem also an der Grundlehre der subjektiv-idealistischen Erkenntnistheorie, an der Abhängigkeit der Gegenständlichkeit der erkannten Objekte vom erkennenden
Subjekt festgehalten wurde, mußte das »Hinausgehen«
über Formalismus, Agnostizismus, Relativismus entweder
ein reiner Schein bleiben (wie in der Husserlschule) oder
mußte in eine mystisch übersteigerte Intuitionsphilosophie
umschlagen. (Bergsonschule, Simmel, Diltheyschule.)
   Diese Gemeinsamkeit der Seinsgrundlagen und mit ihnen
der Bewußtseinsformen und -inhalte bestimmt den Charakter der Gegenbewegungen. Wenn sie zur Kritik der
»abstrakten«, kulturtötenden Auswirkungen des Kapitalismus einen Anlauf nehmen, so bringen sie es bestenfalls
zu einer romantischen Opposition, die alle inneren Widersprüche der älteren romantischen Kritik des Kapitalismus
in sich vereinigt, ihr jedoch tief unterlegen ist, weil sie viel
weniger als diese imstande ist, die Ökonomie des Kapitalismus selbst, wenn auch romantisch (wie Sismondi), zu
kritisieren, weil sie an der ideologischen Oberfläche haf-
tenbleibt. Wenn die Gegenbewegung gegen die politische
Rückständigkeit Deutschlands »demokratisch« anrennt,
gegen die Kulturreaktion polemisiert, so bringt sie es bestenfalls zu einem hochtrabenden, ideologisch aufge-
bauschten Vulgärdemokratismus, zu einer Verteidigung
der »Großstadtpoesie« usw. Und auch diese Stellung ist
durch die deutschen Verhältnisse eingeengt. Die Großstadtpoesie Deutschlands entbehrt mit ganz wenigen Aus-

nahmen jener – bürgerlichen – Großzügigkeit und Blick-
weite, die ihre westlichen Vorbilder besitzen; sie ist –
auch bei den Expressionisten – nicht viel mehr als eine
etwas übersteigerte, ironisch zugespitzte Zustandsschilde-
rung aus dem Kaffeehausbohèmeleben der Intelligenz
(vgl. insbesondere die Anthologie »Der Kondor«, Heidelberg 1912). Und das nicht zufällig, denn die echt deutsche
Befangenheit in den engen Kompromißformen der aus-
gebliebenen bürgerlichen Revolution, der Reichsgründung
von 1871 drückt ihren Stempel auch dem Denken der »ra-
dikalsten Demokraten« auf. So schreibt z. B. Kurt Hiller
– Herausgeber des »Kondor«, Führer der ersten expressionistischen Kabaretts – anläßlich des Regierungsjubiläums von Wilhelm II., als Ganghofer und Lauff vom
Kaiser ausgezeichnet wurden: »Traurig bleibt, daß der
Regierer Deutschlands, wie dieser neue Akt von neuem
erschreckend zeigt, zu dem was (vor Gott) Deutschlands
Wert ist, nämlich zum deutschen Geist . . . nicht den Schatten der Spur einer Beziehung hat . . . Der Gedanke, ein
Deutscher Kaiser von Kultur würde Stefan George und
Heinrich Mann in den erblichen Adelsstand erheben, ist
kein so übler . . . Ist das utopisch? *Innerhalb einer Monarchie vielleicht weniger als in einer Republik.«* (»Die Weisheit der Langeweile«. Leipzig 1913, II., S. 54/55. Hervorhebung von mir. G. L.)
   Man sieht hier – und wir wiederholen: Hiller ist einer
der »politischsten« und »linkesten« Vorkämpfer des beginnenden Expressionismus – eine ähnliche reaktionäre
Verbeugung vor der rückständigen Staatsform Deutschlands, eine ähnliche Verherrlichung der Monarchie, also
die apologetische Umdeutung der deutschen politischen
Rückständigkeit in Vorbildlichkeit, wie bei den »offiziellen« Apologeten. Die Polemik gegen die Person Wilhelms
II. bedeutet dabei nicht viel; die findet man bei vielen
oppositionellen Schriftstellern bis zu den Konservativen
hin.

Es kommt hier auf die gemeinsamen Grundlagen an, die für Inhalt und Form des Expressionismus die weitestgehenden Folgen haben: je stärker diese Gemeinsamkeit ist, desto enger ist die Möglichkeit eines neuen Inhalts, desto mehr ist die »Opposition« auf Formalismus, auf Übersteigerung sachlich geringfügiger Unterschiede beschränkt. Das ist beim Expressionismus viel stärker der Fall als beim Naturalismus der achtziger und neunziger Jahre, der letzten vorangegangenen bürgerlichen Oppositionsbewegung auf dem Gebiet der Ideologie und insbesondere der Literatur. Gerade die Verschärfung der äußeren Gegensätze bringt die Verengung hervor. »Im fortgeschrittenen Europa«, schreibt Lenin 1913, »herrscht die Bourgeoisie, die alles Rückständige unterstützt. Europa ist nicht dank, sondern trotz der Bourgeoisie fortschrittlich... In dem ›fortgeschrittenen‹ Europa ist einzig und allein das Proletariat eine fortschrittliche Klasse. Die Bourgeoisie ist aber zu jeder Barbarei und Bestialität, zu jedem Verbrechen bereit, um die untergehende kapitalistische Sklaverei zu stützen.« (»Das rückständige Europa und das fortschrittliche Asien«.) Die naturalistische Bewegung der achtziger und neunziger Jahre hatte noch eine – wenn auch noch so lose, schwankende und unklare – Beziehung zur Arbeiterbewegung und verdankt alles Positive, was sie geleistet hat, eben dieser Beziehung. Der Expressionismus konnte diese Verbindung nicht mehr finden. Das lag in erster Linie an den Expressionisten selbst, bei denen die Verbürgerlichung, auch in ihren oppositionellen Bestrebungen, so weit fortgeschritten war, daß sie auch ihre »gesellschaftlichen« Fragestellungen auf die Ebene eines subjektiven Idealismus oder eines mystischen objektiven Idealismus erhoben und kein Verständnis für die gesellschaftlichen Kräfte der Wirklichkeit finden konnten. Diese Entwicklung, deren objektive Grundlage das Parasitentum als allgemeine Richtung der Epoche, die immer stärkere Unterordnung des Kleinbürgertums unter das

Kapital, die steigende Konzentration und Monopolisierung der Betätigungsmöglichkeit der »freien« Intelligenz (Presse, Verlagswesen), die wachsende Bedeutung einer parasitären Rentnerschicht als des maßgebenden Publikums für »fortgeschrittene« Literatur und Kunst gewesen ist, vollzieht sich selbstverständlich in Wechselwirkung mit den herrschenden Strömungen in der deutschen Arbeiterbewegung. Wir heben nur die für diese Zusammenhänge wichtigsten Momente hervor: vor allem den Revisionismus. Während in der Zeit des Naturalismus die weltanschauliche Wirkung der Arbeiterbewegung auf die naturalistischen Schriftsteller in der Richtung eines – freilich zumeist mechanischen, vulgarisierten – Materialismus ging, vollzog der Revisionismus eine Wendung zu dem subjektiven Idealismus Kants (Bernstein, Conrad Schmidt, Staudinger, Max Adler) oder Machs (Friedrich Adler). Daß der Revisionismus zu der linken bürgerlichen Intelligenz stärkere Beziehungen hatte als seine Bekämpfer, liegt in der Natur der Sache und wurde durch vielerlei Umstände (akademische Beziehungen, z. B. über die Marburger Schule) bestärkt; sachlich vor allem dadurch, daß der Kampf gegen den Revisionismus in Deutschland gerade auf weltanschaulichem Gebiete am schwächsten war – gerade hier wirkt sich der Mangel an ideologischer Klarheit, politischer und organisatorischer Geschlossenheit des linken Flügels der Arbeiterbewegung aus; er hatte in der Vorkriegszeit so gut wie gar keinen Einfluß auf bürgerlich oppositionelle Bewegungen und war auch ideologisch sehr gehemmt darin, diese vom Standpunkt des revolutionären Marxismus wirksam zu kritisieren und dadurch zu beeinflussen. Dazu kommt als weiterer wichtiger Unterschied zwischen der Lage des Naturalismus und des Expressionismus, daß jener die Arbeiterbewegung aus dem – alles in allem – heroischen illegalen Kampf gegen das Sozialistengesetz kennenlernte und mit dem Erlebnis des »großen Kladderadatsch« aufwuchs, während für diesen

die bereits stark hervortretende Verbürgerlichung der Arbeiteraristokratie und -bürokratie nicht ohne Einfluß
blieb; verstärkt wurde der Einfluß durch die internationale und besonders in der Intelligenz einflußreiche anar-
cho-syndikalistische Kritik dieser Bestrebung durch Sorel,
der um diese Zeit zu wirken beginnt (auch das Buch von
Michels über »Parteisoziologie« gehört in diese Reihe).
Und wiederum hat die Schwäche des revolutionären Flügels der Arbeiterbewegung zur Folge, daß von ihr hierin
keine wirksame Gegenwirkung ausgehen konnte.

Diese Umstände bewirken, daß die oppositionelle Spitze des Expressionismus viel stumpfer sein mußte als die
des Naturalismus. Im Gegensatz zu dessen Elendsmalerei,
hinter der eine, wenn auch noch so verworrene, Gesellschaftskritik und weltanschauliche Opposition gegen den
Kapitalismus steckte, vermochte sich der Expressionismus
nur zu einer ganz abstrakten Opposition gegen »Bürgerlichkeit« überhaupt aufzuschwingen, zu einer Opposition,
die ihre bürgerliche Grundlage und dementsprechend ihre
gemeinsame Weltanschauungsbasis mit der »bekämpften«
Bürgerlichkeit schon dadurch verriet, daß sie den Begriff
der »Bürgerlichkeit« prinzipiell und von vornherein aus
jedem Klassenzusammenhang löste. Wir führen nur einige
bezeichnende Stellen an, und zwar aus der Kriegs- und
der Nachkriegszeit, aus einer Periode also, in der die Politisierung auch der Expressionisten viel schärfer wurde als
in der Vorkriegszeit. So schreibt Rudolf Leonhard: »Es
gibt (mindestens heute) nur zwei Klassen: die Bürgerlichen, zu denen fast die ganze Aristokratie, die meist wenig aristokratisch ist, und fast das ganze Proletariat gehört, und die Unbürgerlichen, ... die anders nicht zu bestimmen, damit aber sehr bestimmt sind.« (»Tätiger Geist«,
»Ziel« – Jahrbuch II, München-Berlin 1918, S. 375.) Und
an anderer Stelle: »Es gilt, den Bürger, den bourgeoisen
wie den proletarischen, überall zu besiegen, vor allem auf
den Feldern des Bürgertums.« (Ebenda, S. 115.) Oder – der

spätere Faschist – Blüher: »Aber der Bourgeois gehört diesmal allen Ständen an.« (Ebenda, S. 13.) Am extremsten vielleicht Werfel: »Der Dichter ist außerstande, die politische Abstraktion zu verstehen: er lügt, wenn er an Nationen und Stände zu glauben vorgibt.« (»Das Ziel« I, 1916, S. 96.) Indem die Gesellschaftskritik sich gegen die »Bürgerlichkeit« überhaupt richtet, indem sie das wirtschaftliche Problem der Ausbeutung (und erst recht die besonderen Probleme des Imperialismus) achtlos beiseite schiebt, kommt sie in eine freundnachbarliche Nähe sowohl zu den philosophischen »Deutungen« und »Kritiken« des Kapitalismus von rein bürgerlicher Seite (Simmels »Philosophie des Geldes«, Rathenau) wie zu den romantischen Bewegungen gegen den Kapitalismus. Die Eigenart der expressionistischen Gesellschaftskritiker ist bloß, daß sie noch mehr auf der ideologischen Oberfläche haftenbleiben: ihre »Antibürgerlichkeit« hat im allgemeinen in der Vorkriegszeit einen Bohèmecharakter.

Als Opposition von einem verworrenen anarchistisch-bohèmehaften Standpunkt aus hat der Expressionismus natürlich eine mehr oder weniger energische Tendenz gegen rechts. Und viele Expressionisten und ihnen nahestehende Schriftsteller (Heinrich Mann ist eine Ausnahmeerscheinung) sind auch politisch mehr oder weniger links eingestellt gewesen. So ehrlich aber diese Einstellung bei manchen von ihnen subjektiv gemeint gewesen sein mag, so ist die abstrakte Verzerrung der Grundfragen, insbesondere die abstrakte »Antibürgerlichkeit« eine Bestrebung, die, eben weil sie die Kritik der Bürgerlichkeit sowohl von der wirtschaftlichen Erkenntnis des kapitalistischen Systems als auch von dem Anschluß an den Befreiungskampf des Proletariats trennt, leicht ins entgegengesetzte Extrem umschlagen kann: in eine Kritik der »Bürgerlichkeit« von rechts, in jene demagogische Kritik am Kapitalismus, der später der Faschismus seine Massengrundlage wesentlich mitverdankt. Es geht bei diesem Zu-

sammenhang mehr um die objektive Gemeinsamkeit gewisser ideologischer Bestrebungen, als darum, ob und wieweit einzelne Schriftsteller oder Ideologen des späteren
Faschismus als Expressionisten ihre Laufbahn begonnen
haben (z. B. Hanns Johst); denn der Expressionismus ist
zweifellos nur eine von den vielen bürgerlich-ideologischen Strömungen, die später im Faschismus münden, und
seine ideologische Vorbereitungsrolle ist nicht größer –
aber auch nicht kleiner – als die mancher anderen gleichzeitigen Strömung. Der Faschismus, als Sammelideologie
der reaktionärsten Bourgeoisie der Nachkriegszeit, beerbt
alle Strömungen der imperialistischen Epoche, soweit in
ihnen dekadent-parasitäre Züge zum Ausdruck kommen;
auch alles Scheinrevolutionäre oder Scheinoppositionelle
gehört dazu. Freilich bedeutet dieses Beerben zugleich ein
Umgestalten, ein Umbauen: was an früheren imperialistischen Ideologien noch schwankend oder nur verworren
war, verwandelt sich ins offen Reaktionäre. Aber wer
dem Teufel des imperialistischen Parasitentums den kleinen Finger gibt – und das tut jeder, der auf die pseudokritische, abstrakt-verzerrende, mythisierende Wesensart
der imperialistischen Scheinoppositionen eingeht –, dem
nimmt er die ganze Hand.

Dieser Zwiespalt steckt tief im Wesen der expressionistischen Antibürgerlichkeit. Und diese abstrahierende Verarmung an Inhaltlichkeit zeigt nicht bloß die Entwicklungsrichtung und damit das Schicksal des Expressionismus an, sie ist von Anfang an ihr zentrales, unüberwindliches Stilproblem, denn die außerordentliche Dürftigkeit
des Inhalts, der auf diese Weise zustande kommt, steht in
schreiendem Gegensatz zu der Prätention seines Vortrages, zu dem überspannten und übersteigerten subjektiven
Pathos seiner Darstellung. Hier liegt das später zu behandelnde zentrale Stilproblem des Expressionismus.

Vorerst kommt es für uns darauf an, zu zeigen, daß die
weltanschauliche Stellung dieselbe, d. h. dieselbe subjek-

tiv-idealistische ist, wie die der »offiziellen« Philosophie
des Imperialismus. Dafür bietet ein rechtsphilosophischer
Aufsatz Kurt Hillers den schlagenden Beweis. Hiller geht
von den extrem-relativistischen Theorien von F. Somlo
und G. Radbruch aus und »überwindet« nun seinerseits
den Relativismus mit folgendem Salto mortale: »Während also der Relativist ein legislatives Problem unter Zugrundelegung von tausend Moralen tausendfältig ›löst‹,
löst es der Voluntarist eindeutig, unter Zugrundelegung
seiner eigenen ... Der Voluntarist fragt gar nicht danach,
ob die Werte (nämlich seine Werte) ›berechtigt‹ seien oder
nicht –: er setzt sie einfach an.« (A. a. O., S. 117/18.)
    Es ist kein Wunder, daß Hiller dabei (a. a. O., S. 122)
in Nietzsches »Willen zur Macht« das »Motto der kommenden Ethik und politischen Philosophie« findet, so wie
ja später, unter der Redaktion des »Sozialisten« Ludwig
Rubiner, Wilhelm Herzog über Nietzsche sagt: »Kein Sozialist, aber dennoch einer der kühnsten Weltrevolutio-
näre« (»Die Gemeinschaft«, S. 64). Mit dieser – objekti-
vistisch, als Überwindung des Relativismus und des Agnostizismus gemeinten, in Wirklichkeit relativistisch und
agnostizistisch bleibenden – Weltanschauung wird auch die
Aufgabe der Kunst und Literatur entsprechend bestimmt.
Kurt Pinthus, einer der führenden Theoretiker des Expressionismus, sagt darüber: »Aber man fühlte immer
deutlicher die Unmöglichkeit einer Menschheit, die sich
ganz und gar abhängig gemacht hatte von ihrer eigenen
Schöpfung, von ihrer Wissenschaft, von Technik, Statistik,
Handel und Industrie, von einer erstarrten Gemein-
schaftsordnung, bourgeoisen und konventionellen Bräu-
chen. Diese Erkenntnis bedeutet zugleich den Beginn des
Kampfes gegen die Zeit und gegen ihre Realität. Man begann, die Um-Wirklichkeit zur Un-Wirklichkeit aufzulösen, durch die Erscheinungen zum Wesen vorzudringen,
im Ansturm des Geistes den Feind zu umarmen und zu
vernichten. Und versuchte zunächst, mit ironischer Über-

legenheit sich der Umwelt zu erwehren, ihre Erscheinungen grotesk durcheinanderzuwürfeln, *leicht durch das schwerflüssige Labyrinth hindurchzuschweben* (Lichtenstein, Blaß) – *oder mit varietéhaftem Zynismus ins Visionäre zu steigern* (van Hoddis).« (Vorwort zur Anthologie »Menschheitsdämmerung«, Berlin 1920. S. X. Hervorhebung von mir. G. L.)

Weltanschaulich ist vor allem wichtig die Art, in der die Expressionisten von der »Erscheinung« zum »Wesen« vordringen. Wir sehen, was Pinthus als Zusammenfassung von zehn Jahren expressionistischer Theorie und Praxis antwortet: »Man begann die Um-Wirklichkeit in Un-Wirklichkeit aufzulösen . . .« Das ist jedoch nicht bloß eine subjektiv-idealistische Lösung der Frage, nämlich die Verschiebung der Frage von der Verwandlung der Wirklichkeit selbst (wirkliche Revolution) auf Verwandlung der Vorstellungen über die Wirklichkeit, sondern zugleich eine gedankliche Flucht vor der Wirklichkeit; mag diese Flucht noch so kraftschreierisch »revolutionär« maskiert sein, mögen einzelne auch subjektiv-ehrlich diese Maskerade für revolutionäre Tat gehalten haben.

In der Vorkriegszeit kommt die Fluchtideologie viel klarer zum Ausdruck. Wilhelm Worringer, dessen tiefe weltanschauliche Verbundenheit mit der expressionistischen Bewegung wir aus seiner »Grabrede« ersehen konnten, spricht das in seinem für die ganze Theorie grundlegenden Buch: »Abstraktion und Einfühlung« (München 1909) ganz deutlich aus. Die »Abstraktion« (also die Kunst des »Wesens«) steht hier im scharfen Gegensatz zur Kunst der »Einfühlung«, unter der – wenn das auch nicht ausgesprochen wird – vor allem die naturalistisch-impressionistische Kunst der unmittelbaren Vergangenheit und Gegenwart zu verstehen ist. Die Polemik Worringers ist nur auf der Oberfläche kunstgeschichtlich: eine »Rettung« der primitiven, ägyptischen, gotischen, barocken Kunst gegenüber der einseitigen Bevorzugung der Kunst

Griechenlands und der Renaissance. Das Buch verdankt vielmehr seine starke Wirkung dem Umstand, daß Worringer gerade die aktuelle Kampfposition klar herausarbeitet; wobei die zugleich heraufbeschworene Renaissance des Primitiven, des Barock usw. für den Charakter der neuen Kunst, die er propagiert, außerordentlich bezeichnend ist. Die Aktualität seiner Fragestellung in diesem Sinne zeigt sich auch ganz klar darin, daß er als zu bekämpfenden Theoretiker der »Einfühlung« (also – wie er meint – der »klassischen« Richtung) nicht einen Kunsttheoretiker der klassischen Periode selbst herausgreift, sondern den modernen Ästhetiker Theodor Lipps, dessen Theorie tatsächlich auf eine Rechtfertigung des psychologischen Impressionismus hinausläuft. Bei Worringer tritt mithin auf kunsttheoretischem Gebiet dasselbe Phänomen auf, dem wir oben auf allgemein weltanschaulichem Gebiet begegnet sind, dem wir in Theorie und Praxis der neuen Kunst immer wieder begegnen: die Probleme und Lösungsversuche der revolutionären Periode der bürgerlichen Klasse sind total in Vergessenheit geraten; soweit man ihre Werke überhaupt in Betracht zieht, werden sie einfach mit bestimmten modernen Niedergangserscheinungen gleichgesetzt (hier: alter, objektiv-gesellschaftskritischer Realismus = psychologistischer Impressionismus).

Ebenso ist es natürlich um die andere Richtung, um die »Abstraktion« bestellt. Worringer meint die ägyptische Kunst zu charakterisieren und gibt eine sehr klare, sehr exakte Beschreibung und Begründung des Fluchtcharakters der eigenen expressionistischen Bestrebungen und ihrer weltanschaulichen Grundlagen. Ich führe bloß einige wichtige Stellen an: Worringer geht von der »Raumscheu«, von der Angst »der weiten zusammenhanglosen, verwirrenden Welt der Erscheinungen gegenüber« aus. Die »rationalistische Entwicklung der Menschheit drängte jene instinktive, durch die verlorene Stellung des Menschen innerhalb des Weltganzen bedingte Angst zurück«. Nur die

orientalische Kultur bewahrte diese richtige Erkenntnis.
Worringer sagt zusammenfassend: »Je weniger sich die
Menschheit kraft ihres geistigen Erkennens mit der Erscheinung der Außenwelt befreundet und zu ihr ein Ver-
traulichkeitsverhältnis gewonnen hat, desto gewaltiger ist
die Dynamik, aus der heraus jene höchste abstrakte Schönheit erstrebt wird ... bei dem primitiven Menschen ist
gleichsam der Instinkt für das ›Ding an sich‹ am stärksten [bei Worringer immer gleichbedeutend mit unerkenn-
barem Ding an sich. G. L.]. Die zunehmende Beherrschung
der Außenwelt und die Gewöhnung bedeuten ein Ab-
stumpfen, ein Getrübtwerden dieses Instinkts. Erst nachdem der menschliche Geist in jahrtausendelanger Entwicklung die ganze Bahn rationalistischer Erkenntnis durch-
laufen hat, wird *in ihm als letzte Resignation des Wesens
das Gefühl für das ›Ding an sich‹ wieder wach*. Was vorher Instinkt war, ist letztes Verstandesprodukt. *Vom
Hochmut des Wissens herabgeschleudert, steht der Mensch
ebenso verloren und hilflos dem Weltbild gegenüber wie
der primitive Mensch ...*« (Ebenda, S. 16/18; Hervorhebung von mir. G. L.)

Auf der Oberfläche scheint die klare Fluchtideologie
Worringers der früher angeführten – voneinander auf
der Oberfläche ebenfalls verschiedenen – »aktivistischen«
Stellung von Hiller und von Pinthus scharf zu widersprechen. Aber dieser Widerspruch ist bloß ein Widerspruch
auf der Oberfläche: die gleichen klassenmäßigen und deshalb weltanschaulichen Bestrebungen setzen dieselbe
Fluchtideologie in verschiedener, widerspruchsvoller Weise durch. Pinthus, der natürlich ebenso wie Worringer das
»Ding an sich« für unerkennbar hält (vergleiche z. B. »Die
Erhebung«, S. 411), gibt das – unfreiwillig – selbst zu,
wenn er den Vorkriegsexpressionismus als ironische Abwehr der Wirklichkeit kennzeichnet, wenn er seinen »va-
riétéhaften Zynismus« hervorhebt – lauter Methoden,
die typische Überlegenheitsgesten der Bohèmeliteratur

sind, welche vor dem wirklichen Kampf mit der Sache
selbst die Flucht ergreift und ihre Verlegenheit, ihre Ratlosigkeit bei den wirklichen sachlichen Problemen (»Labyrinth« bei Pinthus, »Chaos« bei anderen) in ironische
Angriffe gegen Symptome kleidet. Bei Hiller wiederum
liegt die Flucht darin, daß er die Klassengegensätze auf
dem von ihm behandelten Rechtsgebiet in die ideologische
Oberflächenform des Relativismus hüllt, damit einer Stellungnahme zu den Klassengegensätzen ausweicht und den
Relativismus dadurch »überwindet«, daß er an die Stelle
der Unfähigkeit zur Entscheidung (eine typische Verhül-
lungs- und Vernebelungsideologie der niedergehenden
Bourgeoisie oder besser jenes Teiles der Bourgeoisie, der
nicht mehr wagt, zur offenen Verteidigung seiner Klasseninteressen aufzurufen) die subjektiv-willkürliche »Entscheidung« setzt. Die Geste dieser »Entscheidung« verdeckt – bewußt oder unbewußt – die Flucht vor der Entscheidung zwischen Bourgeoisie und Proletariat.

Die Gesten, die Ausdrucksformen sind verschieden. Der
Klasseninhalt, die Ratlosigkeit vor den Problemen des
Imperialismus (die freilich hier idealistisch verzerrt als
»ewige« »Menschheitsprobleme« erscheinen), die Flucht
vor ihrer Lösung sind das gleiche.

II

DER EXPRESSIONISMUS UND DIE USP-IDEOLOGIE

Weltkrieg und Kriegsende sind der Höhepunkt des Expressionismus. In dieser Zeit erlangt er – in Deutschland
als erste Literaturbewegung seit den Anfängen des Naturalismus – eine Bedeutung, die über das Literarische im
engeren Sinne hinausgeht. Das scheint im ersten Augenblick den Feststellungen zu widersprechen, die wir über
die Ideologie des Expressionismus getroffen haben. Aber

nur für den ersten Augenblick. Denn wir haben ja festgestellt, daß der Expressionismus eine literarische Oppositionsbewegung gewesen ist, wenn auch infolge der ebenfalls angeführten Umstände eine, die mit dem Bekämpften (mit dem Imperialismus) ideologisch auf gleichem Boden stand. Und wir werden sehen, daß dieser gemeinsame
Boden, auch zur Zeit der heftigsten und subjektiv ehrlichst
gemeinten Opposition, objektiv niemals wirklich verlassen wurde. Der leidenschaftliche Kampf der Expressionisten gegen den Krieg, auch als seine literarischen Äußerungen im kriegführenden Deutschland verfolgt wurden, war
– objektiv – doch nur ein Scheinkampf. Es war nämlich
ein Kampf gegen den Krieg überhaupt und nicht gegen
den imperialistischen Krieg, wie sich auch der Kampf der
Expressionisten gegen die »Bürgerlichkeit« überhaupt und
nicht gegen die imperialistische Bourgeoisie, wie sich ferner im Laufe der Kriegs- und Revolutionsentwicklung ihr
Kampf gegen die »Gewalt« überhaupt und nicht gegen
die konkrete gegenrevolutionäre Gewalt der reaktionären
Bourgeoisie richtete. Diese Form der extremen Abstraktion, der extremen idealistischen Verzerrung und Verflüchtigung, in der alle Erscheinungen auf ein »Wesen«
zurückgeführt werden, folgt organisch und notwendig aus
den von uns skizzierten klassenmäßig-weltanschaulichen
Vorbedingungen. Die Erscheinungen – »der« Bürger,
»der« Krieg, »die« Gewalt – wurden von vornherein
äußerlich, ideologisch und nicht seinshaft erfaßt, und das
Vordringen zum »Wesen« führte bloß zu einer (formell:
subjektiv-willkürlichen, inhaltlich: ausgehöhlten und aus-
geleerten) Abstraktion. Als »bürgerlich« zum Beispiel
wurde bestimmt, was an den verschiedensten ideologischen
Erscheinungsformen des bürgerlichen Lebens von einem
subjektiven Standpunkt aus als gemeinsam erschien: los-
gerissen von jeder realen, räumlich-zeitlichen ökonomisch-
gesellschaftlichen Bestimmtheit.

Diese Form des Abstrakten ist aber nicht bloß, wie wir

gesehen haben, klassenmäßig bestimmt, sie gewinnt auch gerade durch ihre abstrakte Leere einen sehr bestimmten konkreten Klasseninhalt. Da das Abstrahieren hier nicht ein Vordringen zu den gesellschaftlichen Wurzeln der Erscheinungen ist, vielmehr ein *Wegabstrahieren* von ihnen, wird – bewußt oder unbewußt, gewollt oder ungewollt – vorerst eine *Ablenkungsideologie* von dem Kernpunkt der Kämpfe geschaffen, die mit ihrer Verschärfung der Kämpfe notwendig ins Reaktionäre umschlagen muß. Wir haben bereits die Umrisse der »antibürgerlichen« Ideologie gesehen. Ihr gefühlsmäßiger Ursprung ist zweifellos ein romantischer Antikapitalismus, da aber dieser nur von den oberflächlichsten ideologischen Symptomen des Kapitalismus ausgeht, da er, auf dem Wege zum »Wesen«, direkt und energisch sich vom Ökonomischen wegwendet, da er aber auf diesem Wege ähnliche Symptome auch im Proletariat findet (Verbürgerlichung der Arbeiteraristokratie und Bürokratie), fällt es ihm nicht allzu schwer, aus dem Klassengegensatz von Proletariat und Bourgeoisie einen »ewigen« oder »geschichtsphilosophischen« Gegensatz zwischen »bürgerlichen und unbürgerlichen Menschen« zu erdichten. Der nächste – positive – Schritt ist nun naturgemäß die Forderung, daß diese »unbürgerliche« Auslese die Führung der Gesellschaft in ihre Hand nehme. Grotesk offen wird sie verfochten in Kurt Hillers Aufsatz »Ein deutsches Herrenhaus« (im »Ziel«-Jahrbuch II, 1918), in dem dargestellt wird, wie der »Bund« dieser Elite, der »Geistigen«, durch »elegante Konferenzen und tolle Meetings« die öffentliche Meinung so weit beeinflußt, daß nur ein »letzter Schritt« übrigbleibt: »Der Arbeitsausschuß des Bundes wird ... in die Verfassungsurkunde des Deutschen Reiches als Oberhaus aufgenommen« (S. 410 bis 415). Diese Utopie ist nicht wegen ihrer Tollheit erwähnenswert, sondern weil hier die Fäden deutlich sichtbar werden, die sich ideologisch von einer bestimmten »extrem links« eingestellten Intelligenz zum Faschis-

mus ziehen: der Weg von der »gedanklichen Überwindung« der Klassenschichtung der Gesellschaft und der
Klassengegensätze zu der Herrschaft der »Elite«, der Weg
von Nietzsche über Sorel-Pareto zum Faschismus. Es handelt sich dabei nicht um die persönliche Entwicklung einzelner zum Faschismus (Sorel selbst ist auch kein Faschist
geworden), sondern um den Entwicklungsgang der Ideologie, der durch die verschiedensten linken und rechten
Etappen der Ideologie der »geistigen Elite« notwendig
zum Faschismus führt, wobei die Verwandtschaft der dem
Faschismus nahestehenden vorwiegend intellektuellen
»Bünde« mit dieser »extrem linken« Konzeption am auf-
fälligsten ist.

Die Stellung zum Krieg schlägt nun in der Theorie und
Praxis der Expressionisten methodologisch denselben Weg
ein: von Symptomen zum subjektiv-willkürlich abstra-
hierten »Wesen«. Diesmal spiegelt aber die Gedanken-
bewegung einen oppositionellen Vorgang, von dem die
breitesten Massen erfaßt wurden, als deren politischer
Ausdruck im Laufe des Krieges die USPD entstand. Es
liegt in der Natur der Dinge, daß die Symptome jetzt
eine ganz andere Wucht und Handgreiflichkeit erlangten
als jene, die vor dem Kriege an der »Bürgerlichkeit« kritisiert wurden. Die Expressionisten schildern denn auch in
Vers und Prosa die ganzen Schrecken des Krieges, die
Hoffnungslosigkeit des Schützengrabens, das Grauen des
»technischen« Massenmords, die Brutalität der Kriegs-
maschine mit den grellsten, alle Scheußlichkeiten enthül-
lenden Farben. Und ihre Enthüllung bleibt bei dieser bewegten Darstellung nicht stehen, sie dient dem Kampfe.
Dem Kampf gegen »den« Krieg. Und eben hier setzt nun
die innere Verwandtschaft mit der USP ein. Es gab von
Anfang an manche in der Führerschicht der Sozialdemokratie, die gegen die bedingungslose Unterordnung der
Partei unter alle Ziele und Methoden des deutschen Imperialismus starke taktische Bedenken hatten. Die immer

stärker werdende Massenauflehnung gegen den Krieg zwang ihnen allmählich eine entschiedenere Stellung auf. Jedoch gelangte man natürlich nicht weiter als bis zur gedanklichen, zur politischen Formulierung der spontanen Friedenssehnsucht der breiten Massen, man drang gedanklich nicht zur Erkenntnis der Ursachen des Krieges und damit zur Erkenntnis seines imperialistischen Charakters vor, man wollte dem Widerstand gegen den Krieg kein sozialistisches Gepräge geben.

Gerade in einer Lage, in der die Arbeitermassen spontan, verworren, ohne klare Erkenntnis des Weges und der Ziele, aber immer ungestümer in die Richtung revolutionärer Taten drängten, entstand die USP aus dem früheren »marxistischen Zentrum« mit der ausgesprochenen ideologischen Absicht, die Massen vom Weg der Revolution abzulenken. Die Theorie der USP ist die direkte Fortsetzung der Theorie dieses »Zentrums«, indem sie einerseits bemüht ist, die Fühlung mit den unzufriedenen Massen nicht zu verlieren, ihren Stimmungen entgegenzukommen, anderseits aber und hauptsächlich ängstlich darauf bedacht ist, das Tischtuch zwischen sich und dem offenen Opportunismus, der sich im Krieg zum Sozialchauvinismus entwickelte, nicht zu zerschneiden. Die Aufrechterhaltung dieser Verbindung, die in Theorie und Taktik der USP auch nach dem organisatorischen Bruch mit der SPD unverändert bestehenbleibt, bedeutet klassenmäßig, daß auch die USP keinen Bruch mit der imperialistischen Bourgeoisie vollzieht, daß ihre »Opposition« gegen die offene Unterstützung des imperialistischen Krieges durch den rechten Flügel, ihr »Kampf« gegen die Cunow und Südekum objektiv einen wesentlichen Bestandteil der Kriegspolitik der SPD bildet. Lenin hat diesen Zusammenhang von Anfang an klar erkannt und scharf ausgesprochen. Er bespricht die Aufsätze des Sozialchauvinisten Monitor in den »Preußischen Jahrbüchern« folgendermaßen: »Die Haltung der Sozialdemokratischen Partei wäh-

rend der Krieges – so sagt Monitor im Angesicht der Bourgeoisie (und in Wirklichkeit *im Namen* der Bourgeoisie) –
ist ›einwandfrei‹. Das heißt eine einwandfreie *Dienstlei-
stung* für die Bourgeoisie gegen das Proletariat. Der ›Prozeß der Regeneration‹ der Sozialdemokratischen Partei in
eine nationalliberale Arbeiterpartei schreitet prächtig vorwärts. Es wäre jedoch eine Gefahr für die Bourgeoisie,
wenn die Partei eine Rechtsschwenkung machen würde.
›Ihr Charakter als Arbeiterpartei mit sozialistischen
Idealen muß von ihr behütet werden, denn an dem Tage,
an dem sie diesen aufgeben würde, entstände eine neue
Partei, die das verleugnete Programm in radikalerer Fassung zu dem ihrigen machen würde‹ (»Preußische Jahr-
bücher«, 1915, Aprilheft S. 50/51). In diesen Worten ist
unverhüllt ausgesprochen, was die Bourgeoisie immer und
überall verkappt getan hat. Für die Massen braucht man
›radikale‹ *Worte,* damit die Massen an diese Worte glauben. Die Opportunisten stehen bereit, diese Worte nachzu-
schwatzen.« (Lenin: Der Opportunismus und der Zusammenbruch der II. Internationale, Werke XVIII, S. 456).
Diese Aufgabe kann die USP nur erfüllen, indem sie an
die spontanen Massenstimmungen gegen den Krieg an-
knüpft und durch eine Pseudotheorie des Krieges, durch
eine Pseudotaktik des Kampfes gegen den Krieg es verhindert, daß der richtige proletarische Klasseninstinkt, der
sich in diesen Massenstimmungen äußert, sich zum klaren
revolutionären Klassenbewußtsein entwickle. »Die linken
Sozialdemokraten in Deutschland behaupten«, schreibt
Lenin, »der Imperialismus und die durch ihn hervorgeru-
fenen Kriege seien kein Zufall, sondern das notwendige
Produkt des Kapitalismus, der zur Herrschaft des Finanz-
kapitals geführt habe. Darum sei der Übergang zum revolutionären Massenkampf notwendig, denn die Epoche der
verhältnismäßig friedlichen Entwicklung sei vorüber. Die
›rechten‹ Sozialdemokraten erklären brutal: ist der Imperialismus einmal ›notwendig‹, so müssen auch wir Im-

perialisten sein. Kautsky als Mann des ›Zentrums‹ will beides in Einklang bringen.« (Lenin: Der Zusammenbruch der II. Internationale, ebenda, S. 331.)

Es ist hier nicht der Ort, Theorie und Geschichte der USP ausführlich zu analysieren. Es kommt hier nur darauf an, zu zeigen, wie die raffinierten Sozialchauvinisten, die Kautsky, Hilferding, Max Adler, sich alle im Schweiße ihres erhaben-theoretischen Angesichts bemühten, aus dem Gesamtbild des Krieges den Imperialismus wegzuretuschieren, den Krieg als ein »Unglück«, als einen »Zufall«, als einen »Fehler«, als ein »Verbrechen« einzelner oder kleiner Schichten darzustellen, nur um nicht gezwungen zu sein, als einzig wirksame Waffe gegen ihn den Bürgerkrieg auszurufen, um vielmehr den Massen einreden zu können, es gebe einen Weg zum Status quo, zum »Paradies« des Friedens, des Vorkriegszustandes (auch in der Form der Kautskyschen Utopie eines »Ultraimperialismus«), um nicht gezwungen zu sein, wirklich mit der SPD-Führung und damit der Bourgeoisie zu brechen (gerade deshalb haben sie *zum Schein* mit ihr gebrochen). Es wurde also hier – zur Irreführung der sich revolutionierenden Massen – eine Theorie geschaffen, die dadurch von der richtigen Praxis ablenkt, daß sie die Oberflächenerscheinungen und ihre spontanen Gefühls- und Gedankenreflexe anerkennt, ihre Erkenntnis jedoch gedanklich sich nicht über das Niveau dieser Spontaneität erheben läßt. Die Verallgemeinerung, die Erforschung der Gründe und des Wesens der Erscheinungen der Oberfläche geschieht nur formell; sie geht nicht auf das reale Wesen, auf die realen Gründe dieser Erscheinungen ein (auf den Imperialismus). Die so entstehende formelle Allgemeinheit (Gegensatz von Krieg überhaupt – Frieden überhaupt) erhält aber eben durch ihren Formalismus einen spezifischen Klasseninhalt, der in der berühmten Formulierung Kautskys, daß die Internationale bloß ein Friedensinstrument sei, daß der Kampf der »Sozialisten« im Kriege auf

Wiedererlangung des Friedens gerichtet sein müsse, am
klarsten zum Ausdruck kommt. Die Ideologie der USP
kommt so der spontanen Antikriegsstimmung der enttäuschten Kleinbürger und rückständigen Arbeiter weit
entgegen: sie verlangt von ihnen – theoretisch – kein
Hinausgehen über ihre spontanen Gefühle und Gedanken
und eröffnet ihnen – praktisch – eine Hoffnung, die
scheinbar leichter, reibungsloser, »legaler« zu verwirkli-
chen ist als der Bürgerkrieg. Sie knüpft also an alle kleinbürgerlichen Vorurteile, an alle Folgen der Verbürgerlichung der Sozialdemokratie durch den Opportunismus an,
bestärkt und befestigt sie gerade durch das scheinbare formelle Hinausgehen über sie, durch die scheinbare, abstrakte Opposition gegen die Oberflächenerscheinungen. Damit
versucht sie eine Massenbewegung in bürgerliche Bahnen
zurückzulenken, die spontan – aber *nur* spontan – Bestrebungen enthielt, über den Rahmen der Bürgerlichkeit,
über die Unterordnung der Arbeiterbewegung unter die
imperialistischen Klassenziele der Bourgeoisie hinauszuge-
hen. Die offene Auslieferung der Arbeiterbewegung an die
imperialistische Bourgeoisie wäre praktisch an dem Widerstand der Massen gescheitert, wenn der spontane Widerstand der Massen sich bis zur klassenmäßigen Bewußtheit geklärt hätte, wenn der Spartakusbund, aus äußeren
wie inneren Gründen, fähig gewesen wäre, die USP-Ideologie bei der breiten Masse der Werktätigen wirklich ver-
nichtend zu schlagen.

Der methodologische Zusammenhang zwischen Expressionismus und USP-Ideologie tritt, glauben wir, schon aus
diesen wenigen Bemerkungen deutlich hervor. Er beruht
gesellschaftlich darauf, daß die Expressionisten die dichterischen Sprachrohre eines Teiles eben jener Massenbewegung geworden sind, die von der USP in die von uns ge-
schilderte Richtung gelenkt wurde. Dabei sind die Expressionisten von ihrem Sein aus viel stärker mit dem kleinbürgerlichen als mit dem proletarischen Teil dieser Bewe-

gung verbunden, was zur Folge hat, daß die spontanen, unklaren, aber instinktiv zur proletarisch-revolutionären Tat drängenden Bestrebungen bei ihnen schwächer sind als bei der proletarischen Anhängerschaft der USP. Andererseits ist jedoch die oben analysierte abstrahierende, von dem wirklichen Schlachtfeld des Klassenkampfes ablenkende Methode bei den Expressionisten ebenfalls spontaner Ausdruck ihrer eigenen Klassenlage; die Fortführung ihrer weltanschaulichen und schöpferischen Methode ist also kein politisches Manöver, kein Betrug und kein Verrat[1]. Die objektive Verwandtschaft der Methode, die stellenweise bis zur Gleichheit geht, beruht darauf, daß beide Strömungen, USP und Expressionismus, auf dem Klassenboden der Bourgeoisie bleiben und mit ihren Angriffen auf Folgeerscheinungen dem Erkennen der Gründe auszuweichen versuchen. Innerhalb dieser Verwandtschaft ergibt sich nun der Unterschied, daß die Expressionisten, die überzeugt und naiv bei den rückständig-kleinbürgerlichen Klasseninhalten stehenbleiben, formell jedoch – und zwar sowohl weltanschaulich wie in der schöpferischen Methode – sich einbilden, bis zu den höchsten Höhen der Abstraktion, bis zu dem »reinsten Wesen« der Erscheinungen vorgedrungen zu sein, in jenes überspannte, hohle, wenn auch subjektiv ehrliche Pathos verfallen mußten, das diese Kriegs- und Revolutionszeit kennzeichnet.

Die »reinste Höhe« der Abstraktion erreichen sie, indem sie »dem« Krieg überhaupt »den« Menschen gegenüberstellen. So schreibt Kurt Pinthus: »Aber – und nur so kann politische Dichtung zugleich Kunst sein – die besten und leidenschaftlichsten dieser Dichter kämpfen nicht gegen die äußeren Zustände der Menschheit an, sondern

---

[1] Nicht zufällig spielen dabei dem Anarchismus nahestehende oder direkt anarchistische Ideologien eine große Rolle. Der Anarchismus kommt in den Fragen des imperialistischen Krieges bestenfalls zu einem USP-Standpunkt.

gegen den Zustand des entstellten, gepeinigten, irregelei-
teten Menschen selbst.« (»Menschheitsdämmerung«, S.
XIII.) Damit wird die Frage des Kampfes gegen den
Krieg vom Schlachtfeld des Klassenkampfes auf das private Gebiet der Moral geschoben. Die falsche Weltanschauung, die unrichtige Moral sind die wirklichen Ursachen des fürchterlichen Menschheitszustandes der Gegenwart. So stellt z. B. Max Picard impressionistische und
expressionistische Weltanschauung einander gegenüber:
»Durch den Impressionismus hat sich der Mensch der Verantwortung enthoben ... Statt des Gewissens für ein Ding
braucht man nur das Wissen um seine Beziehungen.« (Expressionismus, in der Anthologie »Die Erhebung«, S. 329/
30). Und er fährt fort: »Diese Beziehungshaftigkeit erst
hat den langen Krieg ermöglicht. In allen Dingen ist schon
alles enthalten, in allen Dingen ist auch schon der Krieg,
und aus allen Dingen kann Krieg herangezogen werden,
und überallhin kann Krieg wieder sich hineinverziehen
und von neuem bezogen werden. Und so hin und her.
Mars, der *einzelne*, ist nicht mehr, daß man ihm begegnen
und fassen kann; er stirbt jeden Tag in tausend Dinge hinein und lebt jeden Tag aus tausend Dingen wieder zusammen.« (Ebenda, S. 331.) Hier erscheint der »reine« Begriff
auf dem Gipfelpunkt der idealistischen Verzerrung: die
mythologische Figur Mars ist für Picard greifbarer, »ver-
antwortungsvoll«-faßbarer als der reale Tatsachenkom-
plex des imperialistischen Krieges. Der eigentliche Theoretiker des Expressionismus, Kurt Pinthus, treibt diese Abstraktion womöglich noch weiter. Er stellt fest, daß alle
vom Menschen »geschaffenen mechanischen Wesen und
Organisationen Macht über sich gewonnen und eine niederträchtige Gesellschafts- und Wirtschaftsordnung entwickeln«. (Rede über die Zukunft, ebenda, S. 402). Die
Gesetze nun, die hier jetzt festgestellt werden, nennt Pinthus »Determinanten«: »Für die Zukunft sprechen heißt
also: Kampf diesen Determinanten ansagen, zu ihrer

Überwindung aufrufen, *Antideterminismus* predigen.«
(Ebenda, S. 403. Hervorhebung von mir. G. L.)

Der Prozeß der Überwindung der »Determinanten«
spielt sich also, nach Pinthus und nach allen Expressionisten, im Kopfe der Menschen ab. Gedankliche Überwindung eines Begriffes ist für sie gleichbedeutend mit der Beseitigung der Realität, auf die sich der Begriff bezieht.
Dieser extrem subjektiv-idealistische »Radikalismus« berührt sich in zwei Punkten aufs engste mit der Ideologie
der USP. Erstens darin, daß die wirkliche Ursache der
Ereignisse nicht in den objektiven wirtschaftlichen Grundlagen, sondern in der »mangelnden Einsicht«, in den
»Fehlern« von Menschen und Gruppen gesucht wird. Pinthus sagt ausdrücklich, »nicht die Determinanten sind
schuld, sondern wir selbst«, ganz in dem Sinne, wie, nach
Kautsky, der Imperialismus eigentlich gegen die Interessen des größten Teiles der Bourgeoisie geht und dieser von
der Minorität »irregeleitet« wird; wie die Austromarxi-
sten die Kriegsschuld auf Militär- und Diplomatencliquen
schieben und tiefsinnig untersuchen, welche »Fehler« welcher Personen hätten vermieden werden können, um den,
aus dem kapitalistischen System angeblich nicht notwendig entstandenen, Krieg zu vermeiden. Zweitens stimmt
der subjektivistische »Radikalismus« der Expressionisten
mit der USP-Ideologie darin überein, daß nunmehr folgerichtig die Erziehung der Menschen als Zentralproblem
der sozialen Revolution aufgefaßt wird. Es ist bekannt,
daß der Neukantianer Max Adler diese Frage mit großem
Nachdruck theoretisch in den Mittelpunkt rückt und damit – mit allen scheinradikalen Phrasen, die ihm zur
Verfügung stehen – den Arbeitern einredet, die Erziehung der »neuen Menschen«, die den Sozialismus schaffen
und aufbauen sollen, müsse der Machtergreifung, der Revolution vorangehen. Auch hier begegnen sich expressionistische und USP-Ideologie. Wiederum freilich mit dem
Unterschied – bei sachlicher Übereinstimmung –, daß

das, was bei Max Adler ein Verrat des Marxismus, ein
Verdrehen des Marxismus in sein direktes Gegenteil ist,
bei den Expressionisten spontan aus ihrer Klassenlage
folgt.

Pinthus führt das Beherrschtsein des Lebens durch die
»Determinanten« darauf zurück, daß »die menschliche Erziehung durchaus historisch-kausal orientiert« war. »Und
damit war das Leben des Menschen ... ganz und gar abhängig gemacht von Determinanten, die außerhalb seines
Geistes liegen.« (Ebenda, S. 402.) Oder, positiv formuliert: »Immer deutlicher wußte man: der Mensch kann nur
gerettet werden durch den Menschen, nicht durch die Umwelt.« (»Menschheitsdämmerung«, S. XI.)

Von diesem Standpunkt aus ist – sowohl inhaltlich wie
formell – die Stellung der Expressionisten zur Frage der
Gewalt und ihre Verwandtschaft mit der USP klar. Die
abstrakt idealistische Fassung des starren Gegensatzes von
»Mensch« und »Gewalt« (Staat, Krieg, Kapitalismus)
kommt überall zu klarem Ausdruck. »Gewalt kämpft heute gegen Geistiges«, formuliert Ludwig Rubiner (a. a. O.,
S. 275) und zeigt in seinem Drama »Die Gewaltlosen«
sehr anschaulich alle Folgen dieser Auffassung der »Gewalt«: dem »Toten«, dem »Seelenlosen« kann und darf
keine andere Gewalt, die der Unterdrückten, gegenübergestellt werden; das würde ja nur – mit verändertem
Vorzeichen – den alten Zustand wiederherstellen.

So predigt Karl Otten den Arbeitslosen:

> »Ihn wollt und werdet ihr errichten,
> Den gleichen Gott mit Zeitung, Zahl und Kriegen,
> Der jetzt die Menschheit quält mit blutigen Gesichten,
> Gemetzel, Brand, mit Börse, Orden, Siegen.«
> *(Arbeiter, in »Menschheitsdämmerung«, S. 183.)*

Noch klarer drückt denselben Gedanken René Schickele
aus:

> »Ich schwöre ab:
> Jegliche Gewalt,
> Jedweden Zwang,
> Und selbst den Zwang,
> Zu andern gut zu sein.
> Ich weiß: . . .
> Gewalt regiert,
> Was gut begann,
> Zum Bösen.«

(Abschwur, ebenda, S. 273.)

All dies ist bei den expressionistischen Dichtern sehr »radikal« gemeint. Ja, sie meinen, gerade dadurch viel »radikaler« und »revolutionärer« zu sein als die revolutionären Arbeiter, die der Gewalt des imperialistischen Kapitalismus die Gewalt des revolutionären Proletariats gegenüberstellen. Sie bemerken nicht einmal, daß sie gerade durch diese abstrakte – ach so kompromißlose! – Gegenüberstellung eben dort anlangen, wohin sie die Klasseninteressen der Bourgeoisie in der sich zuspitzenden revolutionären Lage wünschen. Kautsky und seine Gesinnungsgenossen verwirren für die Arbeiter die klare marxistische Fragestellung der Diktatur des Proletariats, indem sie »die« Diktatur überhaupt »der« Demokratie überhaupt starr gegenüberstellen, indem sie einerseits die Diktatur der Bourgeoisie, die der wesentliche Klasseninhalt einer jeden bürgerlichen Demokratie ist, und andererseits die proletarische Demokratie, die »tausendmal demokratischer ist als jede bürgerliche Demokratie« (Lenin), sophistisch wegzudisputieren versuchen. Und dieses abstrakte Gegenüberstellen von Diktatur überhaupt und Demokratie überhaupt dient nun dazu, die Unumgänglichkeit der revolutionären Gewalt aus der Auffassung der Übergangszeit zwischen Kapitalismus und Sozialismus verschwinden zu lassen. »Man beachte«, schreibt Lenin, »wie er [Kautsky. G. L.] hier versehentlich seine

Eselsohren gezeigt hat. Er schreibt: ›friedlich‹, d. h. *auf
demokratischem Wege!!* Bei der Definierung des Begriffes
Diktatur bemüht sich Kautsky nach Kräften, vor dem Leser das Hauptmerkmal dieses Begriffs zu verbergen, nämlich die revolutionäre *Gewalt*. Nun aber tritt die Wahrheit zutage: es handelt sich um den Gegensatz zwischen
friedlicher und *gewaltsamer Umwälzung*. Hier liegt der
Hund begraben! Alle Ausflüchte, Sophismen, betrügeri-
sche Fälschungen braucht Kautsky gerade, um über die
gewaltsame Revolution *hinwegzureden,* um seine Ver-
leugnung der Revolution, um seinen Übergang auf die
Seite der *liberalen* Arbeiterpolitik, d. h. ins Lager der
Bourgeoisie zu verhüllen.« (Lenin: Die proletarische Revolution und der Renegat Kautsky. Werke XXIII, S.
435.) Bezeichnenderweise stellt nun der damals auf die
linksbürgerliche Intelligenz sehr einflußreiche Max Weber
die Frage ähnlich wie Werfel: Gewalt – oder Bergpredigt. Entweder den Staat, mit aller Gewalt, die Weber für
den bürgerlichen Staat durchaus anerkennt, hinnehmen,
d. h. im Rahmen des bürgerlichen Staates bürgerliche Politik treiben, oder – »die andere Backe hinhalten«, »Heiliger« sein, den Weg von Franz von Assisi oder Tolstoi
gehen. Alles, was außerhalb dieses Dilemmas steht, ist
nach Weber Gedankenlosigkeit, heillose Verwirrung. Die
Expressionisten schwanken dabei zwischen der Ideologie
Kautskys und Webers, wobei es sich aus ihrer Klassenlage
spontan ergeben muß, daß sie zumeist – auch ohne Weber zu kennen – dem Weberschen Dilemma und der Tol-
stoischen Lösung des Dilemmas näherstehen.

    Wohin dieser reaktionär-utopische Scheinradikalismus
führt, wie klar er in die gegenrevolutionäre Predigt des
Erduldens der Gewalt der Kapitalistenklasse mündet,
zeigt sehr deutlich das Gedicht Franz Werfels: »Revolu-
tionsaufruf« (in »Menschheitsdämmerung«, S. 215).
    Werfel sagt hier:

»Laß nur die Mächte treten den Nacken dir,
Stemmt auch das Schlechte zahllose Zacken dir,
Sieh, das Gerechte feurig fährt aus den Schlacken dir.«

Das ist bei Werfel nicht bloß poetische Stimmung. In einem größeren Aufsatz »Die christliche Sendung. Offener Brief an Kurt Hiller« nimmt er folgerichtig den Kampf gegen die »Politisierung« (auch im Sinne der Expressionisten) und für das Christentum auf. »Was will der politische Aktivismus?« fragt er. »Das Übel mit den Mitteln des Übels heilen (der Aktivist wird sich entschließen, Gewerkschaftssekretär zu werden). Er will auf dem alten Wege das Ziel erreichen. Er will z. B. die Organisation, die er dem Regime abgeguckt hat, für die soziale Fürsorge verwenden. Und hierin liegt der gefährliche Irrtum ... Die soziale Empörung ist die Empörung gegen eine Ordnung, zugunsten einer anderen Ordnung gleichen Stoffes, nur mit anderen Vorzeichen.« (»Das Ziel« II, S. 215/218.)

Diese Formulierungen sind darum wichtig, weil sie die notwendigen logischen Folgerungen der bisher analysierten expressionistischen Theorie sind. Kurt Hiller, der – wie wir gesehen haben – die gesellschaftlichen und weltanschaulichen Voraussetzungen mit Werfel teilt, versucht in seiner Antwort (ebenda, S. 229 ff.) den »Aktivismus« gegen Werfels Vorwürfe zu rechtfertigen. Er befindet sich jedoch in einer kleinlauten und verlegenen Defensive. Er spricht über alles Mögliche (über die Frage etwa, ob es sittlich erlaubt sei, Fliegen zu töten), aber auf den entscheidenden, sehr folgerichtigen Angriff Werfels erwidert er kein Wort. Und dies nicht zufällig, denn seine scheinrevolutionäre »aktivistische« Theorie von der Herrschaft des »Geistes« (siehe »Herrenhausprojekt« im selben Jahrbuch) zieht nur phrasenhafte und inkonsequente Folgerungen aus den gleichen gesellschaftlichen und weltanschaulichen Voraussetzungen, die Werfel folgerichtig zu Ende denkt. Er kann ihn darum nur sehr achtungsvoll zu überreden versuchen, von seiner Folgerichtigkeit abzustehen, ihn zu widerlegen ist er nicht imstande.

Wir sahen: die Anti-Gewalt-Ideologie reicht von der scheinrevolutionären Phrase bis zum offen gegenrevolutionären Kapitulantentum vor dem weißen Terror der Bourgeoisie. Die ideologische Nähe zur Gewalttheorie der USP bedarf wohl keiner Belegstellen. Es muß nur wieder der Unterschied hervorgehoben werden, daß die Expressionisten auch hier aus einer kleinbürgerlichen Massenspontaneität heraus *dichteten,* während bei der Führung der USP ein *bewußtes politisches Manöver* zur Rettung der bedrohten Herrschaft der Bourgeoisie vorlag. Jedoch hier ist die Nähe der USP noch größer als bei dem Kampf gegen den Krieg. Dort waren sie von einer Massenerregung emporgetragen, die sie zuweilen, wenn auch in noch so unklarer Weise, über die »realpolitischen« Ziele der USP hinaushob. Hier dagegen drücken sie das zwiespältige Hin und Her des Kleinbürgertums vor der herannahenden proletarischen Revolution aus. Dabei muß die Angst vor dem »Chaos« der Revolution überwiegen. Wenn Hasenclever die Revolution schildert, ist seine Hauptsorge nicht der Klassenfeind – mit dem »verbrüdert« er sich sehr rasch –, sondern das »Chaos«:

> »Lichtlose Asche. Nacht auf Barrikaden.
> Gewalt wird ruchbar, alles ist erlaubt.
> Die Diebslaterne schleicht im Vorstadtladen.
> Plünderung hebt das Skorpionenhaupt.
> ... Ihr Freiheitskämpfer, werdet Freiheitsrichter,
> Bevor die Falschen euer Werk verraten ...
> ... Nicht Kriege werden die Gewalt vernichten ...«
> *(Der politische Dichter, in »Menschheitsdämmerung«,*
> *S. 166. Was weiter folgt, ist eine Apotheose*
> *des Völkerbundes.)*

Die offene Panik Werfels ist aufrichtiger und folgerechter als der Aktivismus Hillers, der ja auch nur »aktiv« ist, um die Revolution in die Bahn des »Geistes« zu lenken, d. h. sie in einen engen, bürgerlichen Rahmen zu pressen. Und diese Bestrebungen schaffen eine solche Nähe zur Strategie der USP, daß die Grenzen sachlich und oft auch persönlich (Toller in München) verschwimmen. Die harten Kämpfe der ersten Revolutionsjahre, die ersten Niederlagen der Revolution in Deutschland zerschlagen immer deutlicher die Scheinunterschiede zwischen revolutionärer Phrase und Kapitulantengewimmer. Und damit endet – in nicht zufälliger zeitlicher Übereinstimmung mit der Auflösung der USP – der Expressionismus als herrschende literarische Strömung in Deutschland.

III

Schöpferische Methode des Expressionismus

Die schöpferische Methode des Expressionismus ist mit seinen Weltanschauungsfragen noch offensichtlicher und direkter verknüpft, als das bei früheren Richtungen der Fall war. Dies entspringt nicht dem verhältnismäßig größeren Aufwand an Theorie, mit dem der Expressionismus arbeitet – die Theorie ist widerspruchsvoll und verworren –, sondern dem überwiegend programmatischen Charakter der Werke selbst. Gerade in der Periode seiner »Größe« erstrebt der Expressionismus, auch als dichterische Ausdrucksform, ebenso etwas Manifestartiges, wie es seine Theorie stets tat. Es kommt dabei klar derselbe Vorgang der Aufnahme und Bearbeitung der Wirklichkeit zur Geltung.

Die Stellung der Expressionisten zur Wirklichkeit, und zwar sowohl ihre philosophische Stellung zur objektiven Wirklichkeit wie ihre praktische Stellung zur Gesellschaft, haben wir bereits durch ausführliche Zitate und deren Analyse als subjektiven Idealismus gekennzeichnet, der mit dem Anspruch auf Objektivität auftritt. Indem wir erneut auf diese Äußerungen von Worringer, Pinthus, Picard hinweisen, führen wir noch eine Stelle von Max Picard an, an der die Anwendung der erkenntnistheoretischen Methode (Vordringen zum »Wesen«) auf die schöpferische Praxis deutlich sichtbar wird. »Der Expressionist«, sagt Picard, »... ist pathetisch, damit es scheint, als ob er niemals mitten unter den Dingen mitreagiert hätte, sondern als ob er erst mit einem großen Schwung von weit her sich habe zu den Dingen schleudern müssen, und weil mit diesem Schwung des Pathos die Dinge aus dem Wirbel des Chaos eingefangen werden können. Das Pathos aber allein genügt nicht, ein Ding aus dem Chaos zu fixieren. *Man muß ein Ding noch verwandeln, als ob es niemals mit den anderen Dingen des Chaos in Beziehung gewesen wäre, damit es von ihnen nicht mehr erkannt wird und nicht mehr auf sie reagieren kann. Man muß abstrakt sein, typisieren, damit das Erreichte nicht wieder ins Chaos zurückgleitet.* Man drückt also so viel Leidenschaftlichkeit in ein Ding hinein, bis es fast auseinanderbricht und das Ding sich nur damit abgeben kann, die Spannung des eigenen Bruches zu bewahren; es kann sich dann gar nicht mehr zu einem anderen hinspannen.« (»Die Erhebung«, S. 333. Hervorhebungen von mir. G. L.)

Der Zusammenhang mit der Worringerschen »Abstraktion« ist sofort ersichtlich. Im Zusammenhang damit ist aber dreierlei bemerkenswert: erstens, daß die Wirklichkeit von vornherein als »Chaos«, also als etwas Unerkennbares, Unerfaßbares, ohne Gesetze Existierendes aufgefaßt wird; zweitens, daß die Methode zum Erfassen des »Wesens« (hier »Ding« genannt) die Isolierung, das Zerreißen, das Vertilgen aller Zusammenhänge, deren gesetzloses Gewirr eben das »Chaos« ausmacht, sein muß; und drittens, daß das »Organ« dieser »Wesens«-Erfassung, die Leidenschaft, hier etwas von vornherein Irrationales, dem Verstandesmäßigen starr und ausschließend Gegenübergestelltes ist.

Wenn wir nun diese drei Momente der schöpferischen Methode etwas näher betrachten, dann wird es vorerst klar, warum den Expressionisten die Wirklichkeit als »Chaos« erscheinen muß. Sie stehen in einer romantischen Opposition zum Kapitalismus, jedoch von einer rein ideologischen Seite her, die Einsicht in seine ökonomischen Gesetzmäßigkeiten nicht einmal suchend. Die Wirklichkeit erscheint ihnen also derart »sinnlos«, »seelenlos«, daß das Eingehen auf sie nicht nur nicht lohnt, sondern sogar entwürdigend ist. Die Dichtung hat gerade die Aufgabe, in diese »Sinnlosigkeit« selbstherrlich einen Sinn hineinzutragen. Die Dichtung ist, nach Pinthus, »nicht wie die Geschichte ethisch gleichgültig und zufällig, sondern Gestalt des sich selbstbewußt werdenden, wollenden, formenden Geistes«. (Ebenda, S. 414.) Wenn jedoch diese fanfarenhafte Überheblichkeit konkret gestaltet werden soll, so kommt – sehr häufig, gerade dort, wo die Schriftsteller ehrlich sind – die kleinbürgerliche Ratlosigkeit und Verlorenheit im Getriebe des Kapitalismus, das ohnmächtige Aufbegehren des Kleinbürgers gegen sein Zermürbt- und Zertretenwerden durch den Kapitalismus zum Vorschein. Georg Kaisers bestes Drama »Von Morgens bis Mitternachts« schildert sehr lebhaft und anschaulich diesen Zustand und besonders eindringlich die Hohlheit und Inhaltlosigkeit einer solchen »Revolte«. Sein armer Kassierer, der für nichts und wieder nichts unterschlägt und durchbrennt, kann mit seiner »Freiheit« (und mit der Geldgrundlage dieser Freiheit) nichts anfangen. Er ist schon längst geschlagen, längst wieder ein – nur etwas anders eingefügtes – »Rädchen« desselben Getriebes, bevor ihn sein Schicksal ereilt hätte. Und die anderen Dramen Kaisers, die Komödien Sternheims zeigen, daß es sich hier weniger um die Schwäche der Helden als um die der Schriftsteller handelt. Nur daß diese Schwäche in den besseren, in den aufrichtigeren Stücken Kaisers offen zutage tritt, während etwa Sternheim versucht, sie durch eine vor-

nehmtuerische, sich mondän-bohèmehaft aufspielende
Überlegenheit zu verdecken. Und ebenso in den Gedichten. Werfel spricht mit seinem »Fremde sind wir auf der
Erde alle« nur weichlich, sentimental, aber offen aus, was
etwa bei Ehrenstein wichtigtuerisch-kraftmeierisch-ver-
krampft herauskommt:

»Und ob die großen Autohummeln sausen,
Aeroplane im Äther hausen,
Es fehlt dem Menschen die stete, welterschütternde Kraft.
Er ist wie Schleim, gespuckt auf eine Schiene.
. . . Die brausenden Ströme ertrinken machtlos im Meer.
Nicht fühlten die Siouxindianer in ihren Kriegstänzen
    Goethe,
Und nicht fühlte die Leiden Christi der erbarmungslos
    ewige Sirius.
Nie durchzuckt vom Gefühl,
Unfühlend einander und starr
Steigen und sinken
Sonnen, Atome: die Körper im Raum.«
        (Ich bin des Lebens und des Todes müde,
        in »Menschheitsdämmerung«, S. 37.)

    Daß diese Gefühlsinhalte nicht neu sind, sieht jeder. Sie
sind ein uralter Bestandteil der kleinbürgerlichen Großstadtpoesie. Das Neue des Expressionismus liegt inhaltlich
nur in einer quantitativen Steigerung der Verlorenheit
und der Verzweiflung darüber. Und diese Steigerung ist
wiederum ein notwendiges Ergebnis der Lage der Kleinbürger im imperialistischen Zeitalter. Diese inhaltliche
Steigerung schlägt jedoch formell ins Qualitative um. Die
dem Expressionismus vorangehenden Richtungen, vor allem der Naturalismus, haben versucht, die hoffnungslose
Verflochtenheit des Kleinbürgers in das kapitalistische Getriebe, seine ohnmächtige Unterordnung unter die Gebilde
des Kapitalismus zu gestalten – freilich unzureichend,
denn auch die Naturalisten haben die gesellschaftlichen

Gründe, die treibenden ökonomischen Kräfte nicht erkannt und haben sie darum auch nicht gestalten können;
auch sie klammerten sich an Oberflächenerscheinungen
(Ehe und Familie etwa in ihren psychologischen Reflexen),
wenn sie diese auch – äußerlich oberflächlich – im gesellschaftlichen Zusammenhang zu gestalten versuchten.
Der Naturalismus wurde nun bezeichnenderweise in der
Richtung des Steigerns seiner Unzulänglichkeit in der Gestaltung der gesellschaftlichen Zusammenhänge überwunden. Der Impressionismus hat die Gestaltung der Oberfläche des Lebens und der von ihr ausgelösten psychologischen Reize dem Naturalismus gegenüber außerordentlich
verfeinert, aber zugleich beide von ihrer gesellschaftlichen
Grundlage noch mehr entfernt, die Gestaltung objektiver
Gründe von vornherein noch unmöglicher gemacht. (Wobei – vielleicht überflüssigerweise – betont werden soll,
daß dieses technische Verbauen der Objektivität eine Folge und nicht die Ursache ist.) Der Symbolismus trennte
resolut die Stimmungssymptome auch von ihrer äußerlich-
oberflächlich gefaßten gesellschaftlichen Umwelt vollständig ab; er gestaltete eine Verlorenheit überhaupt, eine
Ratlosigkeit überhaupt usw.

Das Neue an der schöpferischen Methode des Expressionismus liegt nun darin, daß der sich bis dahin vollzie-
hende Abstraktionsprozeß jetzt einerseits beschleunigt,
auf die Spitze getrieben, andererseits und zugleich in seiner formellen Richtung umgekehrt wird. Die Impressionisten und Symbolisten als offene, aufrichtige Subjektivi-
sten subjektivierten die schöpferische Methode immer
mehr, d. h. sie lösten gedanklich das Darzustellende von
seinen realen Grundlagen ab. Sie haben jedoch dabei die
allgemeine Struktur der unmittelbaren Wirklichkeit beibehalten: die losgelösten Eindruckauslöser sollen noch immer
dem beeindruckten Subjekt gegenüber eine – wenigstens
äußerlich dynamische – Priorität haben, sie sollen ihm
als »Außenwelt« gegenüberstehen. Freilich bloß in der ge-

stalteten Welt. Die Theorie faßt sie bereits als Produkte
des schöpferischen Subjekts auf, wenigstens in ihrem Wie;
ihr Was und Daß bleibt stellenweise noch als unerkennbares Ding an sich bestehen. (Hier verbinden die mannig-
faltigsten Übergangsformen den neueren Naturalismus
mit diesen schöpferischen Methoden.) Die Umkehrung, die
der Expressionismus vollziehen will, ist, daß er den – in
der Einbildung der modernen Schriftsteller vorhandenen
– Schaffensprozeß auf die Werkstruktur überträgt, d. h.
der Expressionist gestaltet das uns bereits hinlänglich bekannte »Wesen« und – das ist die entscheidende Stilfrage
– ausschließlich dieses »Wesen«. Wir haben wiederholt
darauf hingewiesen, daß dieses »Wesen« nichts mit dem
objektiven Zusammenfassen und Hervorheben der allgemeinen, dauernden, wiederkehrenden, der typischen Züge
der objektiven Wirklichkeit gemein hat. Der Expressionist
abstrahiert gerade von diesen typischen Charakterzügen
weg, indem er – ebenso wie die Impressionisten und
Symbolisten – von dem subjektiven Reflex im Erlebnis
ausgeht und gerade das hervorhebt, was darin ausschließlich vom Subjekt aus als wesentlich erscheint, indem er die
»kleinen«, »kleinlichen«, »unwesentlichen« Momente
(eben die konkreten gesellschaftlichen Bestimmungen)
wegläßt und das »Wesen« aus dem raum-zeitlich-kausalen
Zusammenhang herausreißt. Dieses »Wesen« stellt der
Expressionist nun als die dichterische Wirklichkeit hin, als
den Akt der Schöpfung, der gleichzeitig das uns erreich-
bare »Wesen« der Wirklichkeit enthüllt.

Er tut es in der Lyrik, indem er diesen Schaffensprozeß
selbst, dieses Herausdestillieren der subjektiven Momente,
dieses Wegabstrahieren von der objektiven Wirklichkeit
nackt herausstellt; indem er die eigene Unfähigkeit, die
objektive Wirklichkeit gedanklich zu ordnen und zu bewältigen, als Chaos der Welt und zugleich als souveräne
Tat des Dichters zur Form »zusammenballt«. Er tut es in
den objektiven Formen (z. B. im Drama), indem er allein

dieses Erlebniszentrum als wirklich darstellt und um den Erlebnismittelpunkt herum, nur von diesem Standpunkt aus gesehen, alles andere gruppiert. Er steht also im Gegensatz zu den realistischen Schriftstellern, die das Drama als objektiven Kampf von gegensätzlichen gesellschaftlichen Kräften auffaßten. Er befindet sich jedoch in tiefer weltanschaulicher Verwandtschaft mit den Impressionisten und Symbolisten, die ebenfalls nicht mehr die Widersprüche der objektiven Wirklichkeit, sondern immer mehr den Widerspruch von Subjekt und Wirklichkeit gestalteten. Nur daß diese (man denke etwa an Maeterlinck) die objektive Wirklichkeit verschwinden ließen, um nur ihren Eindruck auf das Subjekt, als abstrakte Angst usw., wirksam werden zu lassen, während der expressionistische Dramatiker das dichterische Subjekt als Zentralgestalt auf die Bühne stellt und alle Gegenspieler nun von ihrem Blickpunkt aus gestaltet – ausschließlich als das, was sie für die Zentralgestalt sind. (Das expressionistische »Wesen«.)

Dadurch entsteht eine doppelte, unlösbare Dissonanz. Einerseits werden diese Gestalten formal zu bloßen Schattenrissen, die aber, infolge der Bühnenperspektive, den Anspruch erheben müssen, wirkliche Lebewesen zu sein. Andererseits ist der Dichter gezwungen, das auf diese Weise abstrahierte Problem in seiner unverhüllten Hohlheit und Gedankenlosigkeit auszusprechen; er kann sich nicht mit seinem – freilich ebenso leeren – Stimmungsreflex begnügen wie etwa der Symbolist. Dabei treten nun solche Weisheiten zutage:

DER SOHN: Und was soll ich tun?
DER FREUND: Die Tyrannei der Familie zerstören, dies mittelalterliche Blutgeschwür; diesen Hexensabbat und die Folterkammer mit Schwefel! Aufheben die Gesetze – wiederherstellen die Freiheit, der Menschen höchstes Gut.
DER SOHN: An diesem Punkt der Erdachse glühe ich wieder.

DER FREUND: Denn bedenke, daß der Kampf gegen den Vater das gleiche ist, was vor hundert Jahren die Rache an den Fürsten war. Heute sind *wir* im Recht! Damals haben gekrönte Häupter ihre Untertanen geschunden und geknechtet, ihr Geld gestohlen, ihren Geist in den Kerker gesperrt. Heute singen wir die Marseillaise! Noch kann jeder Vater ungestraft seinen Sohn hungern und schuften lassen und ihn hindern, große Werke zu vollenden. Es ist nur das alte Lied gegen Unrecht und Grausamkeit. Sie pochen auf die Privilegien des Staates und der Natur. Fort mit ihnen beiden! Seit hundert Jahren ist die Tyrannis verschwunden – helfen wir dem Wachsen einer neuen Natur! *(Hasenclever: »Der Sohn«, IV. Akt, 2. Szene.)*

Wir haben aus diesem repräsentativen Drama des Expressionismus ausführlich zitiert, um klar zu zeigen, daß der Inhalt dieses Konflikts sich von den typischen Familienkonflikten der Naturalisten (vom »Friedensfest« Hauptmanns bis zu den »Müttern« Hirschfelds) grundsätzlich überhaupt nicht unterscheidet. In beiden Fällen handelt es sich um die Darstellung einer von den Dichtern nicht begriffenen Folgeerscheinung der kapitalistischen Gesellschaftsordnung. Während aber die Naturalisten mit der fast photographischen Treue ihrer Oberflächendarstellung wenigstens gewisse – unbegriffene – Züge der Erscheinungsweise des Konflikts festhielten, bringt das expressionistische Wegabstrahieren von der Wirklichkeit einen kindischen Unsinn als »Wesen« hervor. Natürlich ist auch dieser Unsinn nicht zufällig: er ist hier mit dem Inhalt der romantisch-reaktionären »Jugendbewegungen« nah verwandt. Und durch diese schöpferische Methode, die den Prozeß, mit dem dieser Subjektivismus die Wirklichkeit gedanklich zu bewältigen ohnmächtig bestrebt ist, ebenso getreu und ebenso oberflächlich nachstenographiert, wie der Naturalist seine unbegriffenen Eindrücke photographiert hat, soll eben das »Wesen« auf dem Wege der dichterischen Arbeit gefunden, aufgezeigt, herausgestellt werden.

Es ist ein übersteigerter Subjektivismus, der hier mit der leeren Geste der Objektivität auftritt. So entsteht eine Scheinaktivität des schöpferischen Subjekts, in der die expressionistische Theorie das Prinzip erblickte, das den Expressionismus als etwas radikal Neues von jeder früheren Kunst (gemeint ist immer der unmittelbar vorangegangene Impressionismus) unterscheidet. Die expressionistischen Theoretiker übersehen dabei, daß Klasseninhalt und Weltanschauungsgrundlage die gleichen bleiben, und überspannen den Unterschied im Formalen zu einem starren, ausschließenden Gegensatz. Die Kontinuität der Entwicklung ist nur scheinbar, nur an der Oberfläche gerissen. Insbesondere der Prozeß der inhaltlichen Verarmung setzt sich im Expressionismus in unveränderter Richtung, aber gesteigert fort. Gerade die Methode der Isolierung, mit der die Expressionisten das »Wesen« zu erfassen meinen, bedeutet das bewußte Weglassen der Bestimmungen, deren Reichtum, Verknüpfung, Verflochtenheit, Wechselwirkung, Über- und Unterordnung in ihrer bewegten Systematik die Grundlage aller Wirklichkeitsgestaltung bilden. Die Abstraktion Worringers, die »Loslösung aus den Beziehungen« Picards, das »Wesen« Pinthus' bedeuten daher ein bewußtes Verarmen des Inhalts der gestalteten Wirklichkeit. Das »Neue« am Expressionismus, das aus dem Kampf gegen die unwesentlichen Oberflächenbestimmungen des Impressionismus hervorging, steigert also die Leere und Inhaltlosigkeit, denn in der Wirklichkeit kann die Oberflächlichkeit der unmittelbar erfaßten Bestimmungen nur durch ein Erforschen der wirklichen, tieferliegenden wesentlichen Bestimmungen überwunden werden. Das von allen Bestimmungen gelöste »reine Wesen« ist notwendig leer. » ›Reine‹ Erscheinungen«, sagt Lenin, »gibt es weder in der Natur noch in der Gesellschaft und kann es auch nicht geben – das lehrt gerade die Marxsche

Dialektik, und zwar zeigt sie uns, daß der Begriff der Reinheit selber eine gewisse Beschränktheit und Einseitigkeit der menschlichen Erkenntnis ist, der den Gegenstand nicht in seiner ganzen Kompliziertheit bis zu Ende erfaßt.« (Der Zusammenbruch der II. Internationale, Werke XVIII, S. 345.)

Diese Feststellung Lenins ist für unsere Frage auch darum überaus wichtig, weil durch sie der Zusammenhang der Ideologie und der schöpferischen Methode des Expressionismus mit der USP und mit den Ultralinken der Kriegs- und Nachkriegszeit (Pfemfert und die »Aktion«) nochmals unterstrichen wird: die ideologische Aushöhlung des Begriffs der Revolution – »reiner« Kapitalismus, »reine« sozialistische Revolution – steht im engsten Zusammenhang mit der rechten und linken opportunistischen Politik. Die vollkommene Entleerung des Begriffes Revolution bei den Expressionisten ist freilich die extremste Steigerung dieser Bestrebungen, bei der verschiedene politische Schattierungen sich eklektisch vermischen können. Und es zeigt sich dabei nochmals, daß diese schöpferische Methode des Expressionismus nur einen Teil der von uns geschilderten ideologischen Bewegung der deutschen bürgerlichen Intelligenz im Imperialismus bildet. Eine Scheinbewegung auf Inhaltlichkeit und Objektivität hin, die gegen die vorangegangenen klar subjektiv-idealistischen und agnostizistischen Richtungen »kämpft«, sie scheinbar, formell gedanklich und künstlerisch überwindet; eine Scheinbewegung, die in Wirklichkeit gerade die subjektivistischen Strömungen verstärkt, gerade die Inhaltlichkeit aushöhlt, die also objektiv eine geradlinige Fortsetzung und Steigerung der vorimperialistisch-bürgerlichen Bestrebungen ist und sein muß, da die Klassengrundlage – unter veränderten Bedingungen – die gleiche geblieben ist.

Die Verkümmerung der Inhaltlichkeit als die notwendige Folge der bewußten schöpferischen Methode des Expressionismus zeigt sich überall in der Neigung zum bewußten Ausschalten aller konkreten Bestimmungen. Picard folgert etwa aus seiner Bestrebung »der Verkleinerung des Chaos«, daß der Expressionismus nicht wissen wolle, »wie ein Ding entstanden ist, daß er nur schauen will, nicht einmal, was ein Ding ist, sondern nur, daß es ist«. Kausalität soll ausgeschaltet werden, da sie »die Zahl der Dinge« im Chaos vermehrt durch »die Verwandlungsgebilde zwischen Ursache und Wirkung« (»Die Erhebung«, S. 337). Die Expressionisten stellen sich also auch hier in jene große Reihe der Ideologen des imperialistischen Zeitalters, die im Interesse der Rettung alter theoretischer Vorstellungen oder zum Zweck der Einführung einer neuen Mythologie die Kausalität, die objektive Verknüpfung der Gegenstände und Prozesse der Außenwelt leugnen. Die Reihe reicht von Nietzsche und Mach bis zu Spengler, Spann und Rosenberg. Herwarth Walden zieht aus diesen Voraussetzungen, die, wie wir gesehen haben, allgemein weltanschauliche Voraussetzungen des Expressionismus sind und nicht bloß Meinungen einzelner Theoretiker, auch sprachtechnisch alle Konsequenzen. Er bekämpft den Satz um des Wortes willen. »Warum soll nur der Satz zu begreifen sein und nicht auch das Wort?« fragt er. Wenn weltanschaulich alle Bestimmungen als »störend« weggelassen werden, muß natürlich auch sprachlich nicht der bewegte, auf Allseitigkeit orientierte Zusammenhang, sondern das isolierte und auf Isolierung hin gewählte und verwendete Wort vorherrschen. Wort und Satz werden einander ebenso starr ausschließend gegenübergestellt wie früher philosophisch Ding und Verknüpfung. Der Versuch, den Wirklichkeitszusammenhang allseitig in Worten wiederzugeben, muß von diesem Standpunkt aus als »persönliche« Willkür des Schriftstellers, als Vergewaltigung des Wortes erscheinen. Darum fährt Walden folgerichtig fort: »Und weil die Dichter gern herrschen wollen, machen sie gleich einen Satz über das Wort hinweg. Aber das Wort herrscht. Das Wort zer-

reißt den Satz, und die Dichtung ist Stückwerk. Nur Wör-
ter binden. Sätze sind stets aufgelesen.« (Einleitung zur
Anthologie »Expressionistische Dichtung«, Berlin 1932,
S. ii/12.)

Hier treten nun die inneren Widersprüche des Expressionismus als Widersprüche der schöpferischen Methode
zutage. Erstens enthüllt sich der extreme – an den So-
lipsismus grenzende – Subjektivismus. Walden sagt von
seinen Voraussetzungen aus folgerichtig: »Das expressionistische Bild der Wortkunst bringt das Gleichnis ohne Beziehung auf die Erfahrungswelt. Die Alogik macht den
unsinnlichen Begriff sinnlich greifbar.« (Ebenda, S. 12 und
16.) Oder ähnlich Otto Flake: »Daß wir ein ›Thema‹
wählen, ist schon eine Halbheit . . . Das, was real heißt,
die Umwelt, die Tatsachen außer mir existieren in meinem Hirn nur, soweit ich es anerkenne und will, daß es
sei . . .« (Souveränität, in »Erhebung«, S. 342.) Die Erfassung des Wesens, die angeblich »reinste Form« der Gegenständlichkeit, schlägt in die »ungegenständliche« Kunst
der absoluten Willkür um. Die Inhaltsleere des Impressionismus, die in der Häufung wesenloser, nur subjektiv
bedeutsamer Oberflächenzüge künstlerisch zum Vorschein
kommt, erfährt hier von der formal – aber bloß formal –
entgegengesetzten Seite eine Steigerung: der von der objektiven Wirklichkeit gelöste, inhaltlich ausgehöhlte, rein
subjektive »Ausdruck« kann in seiner Totalität nur eine
leere Häufung von »Ausbrüchen«, ein starres Zusammen
von Scheinbewegungen hervorbringen. Denn – zweitens
– ist es für den Expressionismus unvermeidlich, die Frage
der Totalität aufzuwerfen. Der klassenmäßige und weltanschauliche innere Widerspruch des Expressionismus
kommt in der schöpferischen Methode in dem Antagonismus zum Vorschein, daß einerseits der Anspruch auf eine
totale Gestaltung erhoben werden muß (schon infolge der
gesellschaftlich-politischen Stellungnahme während des
Krieges und nach dem Kriege), daß aber anderseits die

schöpferische Methode die Gestaltung eines lebendigen und bewegten Zusammenhanges nicht zuläßt. Die Totalität konnte daher nur auf dem Wege der äußerlichen Surrogate rein formal und leer in die Werke der Expressionisten hineinkommen. Der Simultaneismus ist etwa ein solches leeres und formales äußerliches Mittel, den fehlenden inneren allseitigen Zusammenhang durch ein äußerliches Nebeneinander von assoziativ zusammengefaßten Wörtern zu ersetzen. Hier klafft allerdings ein unauflösbarer Antagonismus zwischen Inhalt und Form. Und die Scheinlösung, die der Expressionismus findet, zeigt denselben Antagonismus in schärfster Zuspitzung. Die Nichtigkeit der Inhalte wird nämlich – drittens – in eine fanfarenhafte Pathetik der Sprachbehandlung gekleidet. Konnte noch der frühe Expressionismus vor dem Krieg oder sein epigonenhaftes Vegetieren nach dem Abebben der ersten Revolutionsflut mit zersetzter Selbstironie diesen Zwiespalt offen zeigen und damit – scheinbar – gestalterisch überwinden, so war dies gerade für die Blütezeit des Expressionismus ausgeschlossen. Die Dichter waren durch ihre Stellung zu Krieg und Revolution gezwungen, pathetisch, selbstsicher, manifesthaft, als »Führer« aufzutreten und die leere Subjektivität ihrer inhaltslos-irrationalen »Begriffe« als Verkündigungen, als Aufrufe und Wegweiser von sich zu geben. Die von der Gegenständlichkeit der objektiven Wirklichkeit sich loslösende Sprache erstarrt damit in eine blecherne »Monumentalität«, die fehlende Durchschlagskraft an Inhaltlichkeit muß durch hysterische Übersteigerung der nebeneinandergeworfenen, innerlich zusammenhanglosen Bilder und Gleichnisse ersetzt und verdeckt werden. In dieser Sprache kommt der Klasseninhalt, die als »Führertum« aufgeputzte Ratlosigkeit einer wurzellosen und zersetzten kleinbürgerlichen Intelligenz inmitten weltgeschichtlicher, wenn auch noch unausgereifter Klassenkämpfe zwischen Proletariat und Bourgeoisie klar zum Ausdruck. Und in diesem Zwiespalt,

durch diesen Zwiespalt drückt gerade diese Sprache den
wirklichen Klasseninhalt des Expressionismus angemessen
aus, gerade indem sie die Nichtigkeit der eingebildeten Inhalte ungewollt, aber desto schonungsloser entlarvt. Die
leere Bewegtheit als Prinzip – »das Bewegende als Prinzip soll selbst zur Eigenschaft des Menschen werden, über
das Zeitliche hinaus soll das Revolutionäre sich in ihm
verewigen« (Wolfenstein) –, die »ewige«, also vom Klas-
senkampf gelöste Revolution findet in dieser Sprache entsprechenden Ausdruck. Diese Bewegtheit ist nicht die des
wirklichen Revolutionärs, sie ist kleinbürgerlichen Schriftstellern von außen, von den geschichtlichen Ereignissen
aufgezwungen und ist darum hysterisch überspannt. Es ist
also nur selbstverständlich, daß mit dem Aufhören des
äußeren Ansporns die hysterische Überspannung sich legt:
mit der relativen Stabilisierung findet die kleinbürgerliche
Intelligenz ihren Weg zu einer ruhigen und abgeklärten
Leere, zur »neuen Sachlichkeit«. Die Wenigen, die sich
nicht bloß einbildeten, Revolutionäre zu sein, die – wenn
auch damals noch unklar – die proletarische und nicht die
»ewige Menschheitsrevolution« erstrebten, haben mit der
Klärung ihrer Stellung zur Revolution auch das expressionistische Gepäck weggeworfen. Die Entwicklung ist
über den Expressionismus hinweggeschritten.

Aus diesem Tode kann den Expressionismus das sehr geteilte, sehr problematische Interesse, mit dem der Faschismus ihn beehrt, sicher nicht erwecken. Ja, die Tatsache,
daß die Faschisten – mit einem gewissen Recht – im Expressionismus ein für sie brauchbares Erbe erblicken,
macht den Grabstein des Expressionismus nur noch lasten-
der. Goebbels bejaht den Expressionismus, wobei er
gleichzeitig – und das ist aufschlußreich – auch die
»neue Sachlichkeit« gelten läßt, aber den Naturalismus,
der »in Milieuschilderung und marxistische Ideologie entartete«, verwirft, also die stilistische Kontinuität nur mit

der Kunst des Nachkriegsimperialismus aufrechterhält. Er tut es mit folgender, ebenfalls interessanter Begründung: »Der Expressionismus hatte gesunde Ansätze, denn die Zeit hatte etwas Expressionistisches an sich.« Was – wenn Worte einen Sinn haben, und dies ist bei Goebbels sicher nicht immer der Fall – so viel bedeutet, daß Goebbels gerade das expressionistische Wegabstrahieren von der Wirklichkeit, das expressionistische »Wesen«, mit einem Wort: die expressionistische Verzerrung als Methode der Gestaltung der Wirklichkeit für ein passendes faschistisches Propagandamittel hält. Die auf den Kopf gestellte Begründung, daß die Wirklichkeit etwas Expressionistisches an sich hatte, zeigt den Weg, den der mythisierende Idealismus seither gegangen ist: die Expressionisten selbst hielten ihre schöpferische Methode nur erst für ein – stilisierendes – Erfassen des »Wesens«; der verlogene Demagoge Goebbels identifiziert sie bereits mit der Wirklichkeit selbst.

Selbstverständlich ist diese »Auferstehung« des Expressionismus nur eine partielle. Der Expressionismus kann seine herrschende Stellung aus den Jahren 1916 bis 1920 nicht wieder zurückgewinnen. Einerseits wird von Goebbels der Expressionismus mit der »neuen Sachlichkeit« zur »stählernen Romantik« zusammengekoppelt. Anderseits erhält er – z. B. durch den faschistischen Professor Schardt – eine äußerst vornehme Ahnenreihe. Jeder »Naturalismus«, d. h. jedes wirkliche Erfassen und Widerspiegeln der Wirklichkeit, wird von Schardt als »undeutsch« abgelehnt. Dagegen beginnt die Ahnenreihe für den »gotischfaustischen Willen zur Unendlichkeit« mit Walther von der Vogelweide, der Naumburger Plastik und Grünewald und führt zu Stefan George, Nolde und Barlach. Das spezifisch Expressionistische sinkt dabei zu einem bloßen Moment dieses eklektischen Stilsuchens herab, dessen verschiedenartige Elemente nur durch die gemeinsame Absicht der Faschisten, durch die Flucht vor der Gestaltung der Wirklichkeit zusammengehalten werden, aber durch eine Flucht, die sich hochtrabend als »faustisches« Sich-Erheben über die gewöhnliche, »undeutsche« Wirklichkeit maskiert.

Diese Rezeption des Expressionimus als faschistisches Erbteil ist nicht zufällig. Der Faschismus hat – auch auf dem Gebiet der Literatur – nichts wirklich Neues hervorgebracht. Er faßt alle parasitären, alle Verfaulungstendenzen des Monopolkapitalismus zu einer eklektisch-demagogischen »Einheit« zusammen, wobei freilich die Art der Zusammenfassung und insbesondere die Art der Auswertung zur Schaffung einer Massenbasis für den von Krise und Revolution bedrohten Monopolkapitalismus wirklich neu ist. Neu ist auch der Radikalismus, mit dem jede Erkenntnis der objektiven Wirklichkeit abgelehnt wird, mit dem die irrationalistisch-mystischen Bestrebungen der imperialistischen Epoche bis zur Unsinnigkeit auf die Spitze getrieben werden. Es ist klar, daß daraus auf dem Gebiet der Literatur die radikale Ablehnung eines jeden Realismus folgen muß. Der im Vergleich mit der revolutionären Periode der Bourgeoisie so lendenlahme und oberflächliche Naturalismus muß also als »undeutsch« verdammt werden; wo die faschistische Literaturtheorie und -praxis sich dennoch mit einer Art von Realismus einläßt, knüpft sie an pseudorealistische, halb oder ganz apologetische Traditionen der deutschen Spätromantik an. Nur der »Realismus« der »neuen Sachlichkeit« ist so offenkundig apologetisch und führt so deutlich von der dichterischen Reproduktion der Wirklichkeit weg, daß er ins faschistische Erbe einzugehen vermag. Der Expressionismus kommt aber – wie gezeigt wurde – gerade dieser Abwendung von der Wirklichkeit sowohl weltanschaulich als auch in seiner schöpferischen Methode entgegen. Der Expressionismus als schriftstellerische Ausdrucksform des entwickelten Imperialismus beruht auf einer irrationalistisch-mythologischen Grundlage; seine schöpferische Methode geht in die Richtung des pathetisch-leeren, deklamatorischen Manifestes, der Proklamierung eines Scheinaktivismus. Er hat also eine ganze Reihe von wesentlichen Zügen, die die faschistische Literaturtheorie, ohne ihnen oder sich selber einen Zwang anzutun, annehmen konnte. Freilich sind die bewußten Tendenzen des Expressionismus andere, mitunter sogar direkt entgegengesetzte. Darum kann er nur als untergeordnetes Moment der faschistischen »Synthese« einverleibt werden. Aber sein hier aufgezeigtes Wegabstrahieren von der Wirklichkeit, seine Inhaltsleere erleichtern außerordentlich eine solche Einordnung und Gleichschaltung.

Freilich ist auch diese Anerkennung des Expressionismus noch sehr umstritten. Die allgemeinen Richtungskämpfe innerhalb des Nationalsozialismus zeigen sich auch in der Literaturtheorie. Alfred Rosenberg nennt einmal die Anhänger des Expressionismus künstlerische Otto-Strasser-Leute, während die nationalsozialistischen Studenten gegen »die Bilderstürmerei der tollgewordenen Dilettanten und Spießer«, gegen die »Vollbärte und Samtkragen«, gegen den »griechisch-römisch-wilhelminischen Akademismus von den sich nationalsozialistisch gebärdenden Vorortsmalern« wettern.

So heftig diese Diskussionen ab und zu werden, so sollen sie doch nicht überschätzt werden. Rosenberg spricht zwar auch von einem »Zweifrontenkrieg: gegen den Verfall und gegen den Rückschritt«, in Wirklichkeit ist aber Theorie und Praxis des Nationalsozialismus die Einheit von Verfall und Rückschritt. Die Expressionisten wollten zweifellos alles eher als einen Rückschritt. Da sie sich aber weltanschaulich nicht vom Boden des imperialistischen Parasitismus lösen konnten, da sie den ideologischen Verfall der imperialistischen Bourgeoisie kritiklos und widerstandslos mitmachten, ja zeitweilig seine Pioniere waren, braucht ihre schöpferische Methode nicht entstellt werden, wenn sie in den Dienst der faschistischen Demagogie, der

Einheit von Verfall und Rückschritt, gepreßt wird. Zu der allgemeinen »November-Erbschaft« des Nationalsozialismus gehört also mit Recht auch der Expressionismus. Denn er weist, trotz aller hochtrabenden Gesten, nicht über den Horizont des »Weimar« von 1918 hinaus. Wie der Faschismus die notwendige Folge des Novemberverrats von SPD und USPD an der deutschen Arbeiterklasse, an der Revolution ist, so kann er auch literarisch das »November-Erbe« antreten.

(1934)

Anmerkung 1953: Daß die Nationalsozialisten später den Expressionismus als »entartete Kunst« verworfen haben, ändert nichts an der historischen Richtigkeit der hier gegebenen Analyse. G. L.

HERMANN KESTEN

DER HASS

Deutsche Zeitgeschichte von Heinrich Mann

Es gibt mehr Talente als Charaktere. Die Freiheit lieben mehrere. Nur wenige sind gewillt, ihr Opfer zu bringen. Unter ihren Verteidigern findet man leider auch Heuchler und Einfältige und Schurken, von jenen lächerlichen und gefährlichen Tyrannen zu schweigen, die sich des Wortes Freiheit allzu häufig bedienen, um desto stärker die Sache zu treffen! Es gibt Fechter für die Freiheit, die lieber auf der anderen Seite fechten würden, mit dem Degen oder dem Hute in der Hand, wenn man sie nur ließe. Es gibt jene sonderbaren Ritter, die solange die Freiheit im Munde führen, bis sie, endlich an der Macht, eine vielleicht idealistische, aber sicher blutige Tyrannei aufrichten. Es gibt die Heroen der Freiheit, die für sie sterben, unter denen auch jene sind, von denen Hebbel berichtet: »Ein Butterbrot kann ich Ihnen nicht geben, aber wenn Sie mein Leben haben wollen, bitteschön!«

Wir lieben vor allen jene, die für die Freiheit am Leben zu bleiben trachten und das Opfer des Wohllebens bringen, da sie im Elend, in der Emigration, in der Vereinsamung eher zu leben vermögen als unten an den fetten Tischen unsauberer Tyrannen dabei zu sitzen und von Brosamen zu leben, die man zugleich mit Fußtritten verabreicht.

In aufgeregten Zeiten machen gewisse Konflikte zwischen Poesie und Politik schneidender sich geltend als gewöhnlich. An den Dichtern lieben wir zumeist die poeti-

sche Person und freuen uns an schönen Worten und fordern nur, daß sie der Wahrheit dienen. Von Politikern
fordern wir Taten, und wenn sie uns mit mehr oder weniger schönen Worten abzuspeisen trachten, werden wir
mißvergnügt, und selbst Völker, diese enthusiastischen und
häufig törichten Menschheitsgebilde, verlieren zuweilen
die Geduld, und schlagen, mit ihren Ketten fröhlich ras-
selnd, einige übermütige Peiniger tot, indes sie »Freiheit«
rufen.

Es ist ein Kennzeichen unkünstlerischer Menschen, daß
sie in Kunstwerken nicht nur Gesinnung, sondern eine bestimmte politische Gesinnung suchen. Diese kuriosen Leser
hegen einen einfältigen Dualismus: Sie finden in der ganzen Weltliteratur nur zwei Ansichten, ihre eigene und die
entgegengesetzte. Wer nicht für mich ist, ist wider mich.

Wir sind weder so naiv noch so rigoros.

Wir lieben die Poesie um ihrer selbst willen und um
unsretwillen.

Wir lieben die heitere Faszination der Kunst und das
reine Vergnügen der Imagination.

Wir lieben freilich, wie schönere Brüder, wie klügere
Freunde jene wenigen, großen Poeten, die unsere Ideen
größer und reiner aussprechen und für unsere Ideale tapferer und stärker streiten als es unseren zagen Herzen und
schwachen Kräften möglich ist.

Freilich sind es glückliche Momente, da ein solch schöner und freier Geist zu uns spricht, für uns spricht und
seine großen Worte und Werke zu Handlungen und Taten
unsres Gewissens, unsres besten Willens werden. Ein solcher großer und charaktervoller Poet ist Heinrich Mann,
eine solche Tat ist sein Buch »Der Haß. Deutsche Zeitgeschichte.« (Querido Verlag, Amsterdam).

Heinrich Mann, ein großer, europäischer Schriftsteller,
einer der größten lebenden deutschen Dichter, mußte aus
Deutschland fliehen, damit man ihn nicht in ein Konzentrationslager sperre oder totschlage. Er mußte fliehen,

weil er zeit seines Lebens die Wahrheit gesprochen und
die Freiheit des Geistes geliebt und für die Unterdrückten,
»Die Armen« gestritten hat. Er mußte fliehen, weil er mit-
helfen wollte, aus dem »Untertan« einen Bürger zu machen. Er mußte fliehen, weil er die demokratische Republik dem Zweiten und dem Dritten Reiche vorzog. Er
mußte sein Land, dessen Ehre und Ruhm er ist, verlassen,
weil er ein großer Dichter ist und im Dritten Reiche die
Kunst nichts und die gewisse Gesinnung alles gilt, ach,
eine Gesinnung, der ein denkender Mensch um so schwerer
anzuhangen vermag, weil sie unbestimmt und schwankend
ist, von ihren sonstigen Qualitäten ganz zu schweigen.

Seine Bücher wurden auf den öffentlichen Plätzen aller
Städte Deutschlands verbrannt, seine Schriften verboten,
die Buchhändler strichen seinen Namen aus ihrem großen
Kataloge, aus öffentlichen und privaten Bibliotheken riß
man seine Bücher heraus, nach einem neuen und raschen
Gesetz sprach man ihm die deutsche Nationalität ab, in
den deutschen Zeitungen ward sein Name geschmäht, sein
Werk besudelt, seine Person für vogelfrei erklärt.

Ein solches Schicksal ist weder neu noch schön. Schon
die alten Juden haben ihren Propheten übel mitgespielt.
Einer von ihnen wurde sogar gekreuzigt. Dante stieg die
traurigen Treppen der Fremde herauf und herunter und
brach das bittere Brot der Emigration. Victor Hugo und
Zola verließen das Vaterland. Wie lange ist es her, daß
das freie England Bücher seines großen Poeten Lawrence
verbot? Dante war nicht der letzte italienische Dichter,
der emigrieren mußte. Ein russischer Dichter, der sein Vaterland verlassen mußte, erhielt soeben den Nobelpreis,
und soeben holte Spanien feierlich die Asche eines land-
flüchtigen Dichters. Schiller floh, Heine floh, Büchner floh,
Fichte floh, es flohen die guten Dichter, es fliehen auch
viele miserable Skribenten. Durch die Jahrhunderte hindurch sieht man die Dichter, den Staub des undankbaren
Vaterlandes von den Sohlen schüttelnd, fliehen; Firdusi

floh, Strindberg floh, Voltaire floh, Karl Marx floh, Trotzki floh, Cicero floh, es fliehen die Revolutionäre und die Reaktionäre, die politischen und unpolitischen Philosophen und Lyriker, ein unendlicher Zug von Flüchtlingen, die nicht ihr volles Herz zu wahren wußten.

»Der Haß, deutsche Zeitgeschichte«, trägt die Widmung »Meinem Vaterland«, und ein wichtiger Teil des Buches war schon in Deutschland entstanden, bevor man Heinrich Mann verbot.

Es ist der glänzende Essay »Das Bekenntnis zum Übernationalen«. Heinrich Mann schildert im ersten Abschnitt dieses Essays den »Ablauf eines Zeitalters«, den Konflikt zwischen der Wirklichkeit und dem Gedanken, zwischen Macht und Idee. Dieser Konflikt trägt die Hauptschuld an der Diktatur, die heute in Deutschland herrscht. In der Diktatur kennen Gedanken und Wirklichkeit einander nicht. Aber die Sicherheit des Lebens ist wichtiger als die Sicherheit der Grenzen. Heinrich Mann vergleicht und kritisiert das deutsche Kaiserreich von 1871–1918 und die Republik. Er schildert den Wandel der Weltanschauung in diesen Jahrzehnten, den Weg vom Rationalismus zum Irrationalismus, den Weg des Nationalismus, den er die entscheidende Bewegung dieses halben Jahrhunderts nennt. Er kommt zum Schluß, daß das Ende der irrationalen Epoche, die dem 19. Jahrhundert, der »großen Zeit des Denkens«, folgte, abzusehen sei, er wagt die Prophezeiung: »Das Zeitalter des Irrationalen wird gegen 1940 ablaufen.«

Er schildert den »Unfall einer Republik«, die ihre sozialen und internationalen Ideale aufstellte und verriet. Der aufgeschriebene Sinn dieser Republik hieß »Völkerversöhnung«, aber der Nationalhaß »das leerste, unverstandenste, unerlebteste aller Gefühle« feierte seine Triumphe in ihr und mit ihr. Die Republik hatte sich selber nicht ernst genommen. Ihr »System« war das System, das sie vorgefunden. »Wo alle dieselbe Denkart haben,

wird das Geschrei siegen.« Der Nationalsozialismus, »die
Neuheit einer Alterserscheinung, der Anspruch der Krüppel und der Leeren auf großen Um- und Auftrieb«, über-
nahm die Macht. Aber »wenn ›Freiheit‹ kein Blendwerk
ist, dann bedeutet sie den innigen Anspruch, niemandem
zu gehorchen als nur der Vernunft«.

Heinrich Mann spricht von den »unbeliebten Tatsachen«. Er glaubt, daß es nur »an Menschen liegt, an ihrer Bereitschaft und ihrem Willen, ob ein Zeitalter der
Vernunft anbricht«. Der Nationalismus, »anfangs leben-
fördernd, wie andere Ideen, ist heute eine Verengerung
der Möglichkeit zu leben«, und »auf den Nationalismus
berufen sich alle, die menschliches Elend verursachen und
ausnützen«. Er zitiert Herrn von Papens Wort (»der einzelne Herr, der kürzlich hier regieren und alle belehren
durfte, sprach von ›volksfremden Geistigen‹«). Heinrich
Mann antwortet: »Es gibt nur übernationalen Geist, da es
nur Geist schlechthin gibt und weder französischen noch
deutschen. Das Gesetz des Geistes ist die Wahrheit.«
Heinrich Mann fordert »das Bekenntnis«. Er fordert das
Bekenntnis zum Übernationalen, er fordert Bekenner gegen den Nationalstaat, denn das Vaterland, in Gestalt des
»bisherigen Macht- und Nationalstaates hat jeden Sinn
und Wert verloren«.

Der zweite Teil des Buches bringt die schärfste Kritik
am Dritten Reich und die kritische Apologie der deutschen
Republik und der wenigen Freiheitsjahre der Deutschen.
Heinrich Mann unterscheidet aufs schärfste zwischen
Deutschland und dem Nationalsozialismus, eine Unter-
scheidung, die eine endgültige Scheidung ist. Wie es für
den Geist keine Grenzen gibt, gibt es auch keine für den
Ungeist.

Der Haß ist das Grundgefühl des Nationalsozialismus,
und zwar nicht der Haß gegen Institutionen, sondern gegen Personenkreise, gegen die Intellektuellen, gegen die
Marxisten, gegen die Juden, also nicht einmal der Haß

gegen böse Mächtige, sondern der Haß gegen Arme,
Schwache und Einzelne. Das wahre Deutschland sind die
Nationalsozialisten nicht. Ihr Feind ist die Vernunft. Ihre
Hauptlehre, die Rassenlehre, ist ein Phantasieerzeugnis.
Heinrich Mann sieht verschiedene Typen der Führer die-
ser Partei, die komödiantisch hemmungslose »Künstlerna-
tur« Adolf Hitler, dann die Bestie und den abtrünnigen
Zivilisierten, den Typ Göring (»Bestie mit Mystik«) und
den Typ Goebbels (»der verkrachte junge Literat, der ge-
genwärtig Minister für Propaganda ist«).

»Der Aufstand der weniger Gesitteten gegen die Vernunft und ihre Verteidiger, daraus besteht diese Bewegung ganz.« In der Republik haßten sie nicht die wirkliche, sondern das Ideal einer Republik, im Marxismus
den sozialen Gedanken, im »jüdischen Geist« einfach den
Geist. Da Heinrich Mann im Nationalsozialismus keine
Ideen vorfindet, nichts als eine »Bewegung«, wird seine
Kritik am Nationalsozialismus hauptsächlich zur psychologischen Personalkritik. Die Nationalsozialisten, die
Deutschland und ihren großen Mann, den »Führer« Adolf
Hitler identifizieren, scheinen Heinrich Mann zu bestätigen.

Haß, Neid und Furcht sind die herrschenden Triebe des
Dritten Reiches. Es war vermeidbar und ward herbeige-
führt, um eine Korruptionsaffäre zu vertuschen. Sein Ini-
tiator sei der enttäuschte Verräter, Herr von Papen. Die
stärkste Gefahr ist die sittliche Verderbnis der heranwach-
senden Jugend durch eine militaristische Erziehung. Geschaffen habe dieser Staat nichts, außer den Folgen seines
ordinären Antisemitismus. Im Grunde sei das Dritte Reich
ein Irrenhaus. Dieses Reich sei nicht Deutschland, sondern
Deutschland »hole jetzt seine Bestien und Verrückten hervor«. Gerechtigkeit, Freiheit, Wahrheit, selbständiges
Denken, Handeln nach eigenem Gewissen, uneigennützige
Erkenntnis, alles heißt den Nationalsozialisten »Kultur-
bolschewismus«, alles wollen sie ausrotten. »Denn die ge-

genwärtigen Diktaturen haben den Drang, die Demokratie zu zerstören bis zu dem Grad, daß künftige Geschlechter nicht einmal den Begriff mehr kennen.«

Das Urteil Heinrich Manns über die Nationalsozialisten lautet: »Die Wahrheit ist, daß die Zivilisation keinen ärgern Feind hat, als diese Mörder aus Überzeugung, die Rassenfanatiker und Totengräber der bürgerlichen Ordnung.«

Diese haben nichts mit dem deutschen Volk zu schaffen. »Mit diesem Volk konnte man alles anfangen. Man kann es mit jedem anderen Volk auch, in Zeiten, da es sich ratlos und mit sich selbst nicht im reinen fühlt. Ich kenne es (das deutsche Volk) zeit meines Lebens und kann versichern, daß es der Güte fähig ist wie nur irgendeine andere Nation.«

Heinrich Mann endet diesen Teil und das gerechte Kapitel über »die erniedrigte Intelligenz« mit folgenden Sätzen: »Wir können uns nur in Geduld fassen, wir Intellektuelle, die unser Land verließen um unsrer Geistesfreiheit willen und damit wir selbst in Freiheit blieben. Ich hatte die Pflicht, einigen Stunden deutscher Zeitgeschichte ihren eigentlichen Sinn abzugewinnen, und dies zum Besten der Nation, der ich angehöre, wie auch anderer Nationen. Ich wahre meine persönliche Aufrichtigkeit und wache über ein paar Funken der Wahrheit, die in keinem Fall nur deutsch ist; sie ist Menschenbesitz.

Ich glaube wie je, daß literarische Bemühungen niemals ohne Wirkung bleiben, wie lange es auch dauern mag, bis die greifbare Welt ihnen zugänglich wird. Künftige Menschen können sich einem gerechten Handeln nur dann gewachsen zeigen, wenn wir verharrt haben in der Sprache der Wahrheit.«

Dem Buche ist ein Anhang beigegeben: »Szenen aus dem Nazileben«. Er enthält Dialoge aus dem Dritten Reiche, im Café, auf der Straße, beim Grafen Helldorf in Potsdam, im Konzentrationslager, in einer Vorstadtgegend, Dialoge im Gerichtssaal, im Hause Hindenburgs, und im Palais des Reichstagspräsidenten Göring.

Diese kurzen Szenen sollen die Illustration und höhere Wirklichkeit zu dem Kommentar des Buches liefern. So, sagt Heinrich Mann, unterhalten sich die Führer und Minister des Dritten Reiches, so seine Fememörder und Henker und Totengräber und Schieber, so scharwenzeln seine schmutzigen, kleinen Überläufer und Verräter, so, ganz so nackt und roh und widerlich und erbärmlich und lächerlich und unheimlich und komisch brutal ist das Bild und das Leben und das Getriebe im Dritten Reiche.

Auf jeder Seite dieser Dialoge stehen die wahren, authentischen Sätze, die der und jener Figurant bei kürzlicher Gelegenheit so wörtlich aussprach, hier sind sie nebeneinandergestellt wie in den Puppenspielen des Volkstheaters, der Mörder zappelt und grinst neben der zappelnden Figur des Ministers, kaum unterscheidet man sie, alle reden gleichen Dialekt, dies, sagt Heinrich Mann, ist der Dialekt der Helden des Dritten Reiches.

Heinrich Mann hat dieses kämpfende, richtende, schneidende, bittere, unerbittliche Buch im ersten größten Zorn geschrieben, mit dem innigen Zorne aller Propheten und Kritiker des eignen Volkes, die immer Kritiker in eigener Sache sind. Er hat dieses Buch zusammengefügt aus drei ungleichen Teilen, aus dem großen und großartigen Bekenntnis zum Übernationalen, aus den maßlosen und flammenden Pamphleten gegen eine siegreiche Diktatur, und aus den echten und bitter witzigen Karikaturen der Puppenspieler einer aufgeregten Zeit. Die klassische deutsche Literatur ist keineswegs arm an solchen Pamphleten seiner großen Dichter.

»In tyrannos« schrieb Schiller. Gegen die Tyrannei schreibt Heinrich Mann.

Ich hoffe und glaube, dieses Bekenntnis gegen den Nationalismus, dieses Pamphlet gegen den Nationalsozialismus, sie werden den Nationalismus und den Nationalsozialismus überdauern. Denn die Tyrannen sind sterblich, und Institutionen oder Fiktionen vergehen, aber konstant ist der Geist, und seine Taten dauern eine lange Zeit.

(1934)

WALTER BENJAMIN

BRECHTS DREIGROSCHENROMAN

ACHT JAHRE

Zwischen Dreigroschenoper und Dreigroschenroman liegen acht Jahre. Das neue Werk hat sich aus dem alten entwickelt. Aber das geschah nicht in der versponnenen Weise, in der man sich das Reifen des Kunstwerks gewöhnlich
vorstellt. Denn diese Jahre waren politisch entscheidende.
Ihre Lektion hat der Verfasser sich zu eigen gemacht, ihre
Untaten hat er beim Namen genannt, ihren Opfern hat er
ein Licht aufgesteckt. Er hat einen satirischen großen Roman großen Formats geschrieben.

Zu diesem Buch hat er weit ausgeholt. Weniges ist von
den Grundlagen, weniges von der Handlung der Oper geblieben. Nur die Hauptpersonen sind noch dieselben. Sie
waren es ja, die vor unseren Augen begannen in diese
Jahre hineinzuwachsen und ihrem Wachstum so blutig
Platz schufen. Als die Dreigroschenoper zum ersten Mal
in Deutschland über die Bühne ging, war ihm der Gang-
ster noch ein fremdes Gesicht. Inzwischen hat er sich dort
heimisch gemacht und die Barbarei eingerichtet. Erst spät
weist ja auf seiten der Ausbeuter die Barbarei jene Drastik auf, die das Elend der Ausgebeuteten schon zu Beginn
des Kapitalismus kennzeichnet. Brecht hat es mit beiden
zu tun; er zieht darum die Epochen zusammen und weist
seinen Gangstertypen Quartier in einem London an, das
den Rhythmus und das Aussehen der Dickenszeit hat. Die
Umstände des Privatlebens sind die früheren, die des
Klassenkampfes die heutigen. Diese Londoner haben kein

Telephon, aber ihre Polizei hat schon Tanks. Am heutigen
London, hat man gesagt, zeigt sich, daß es für den Kapitalismus gut ist, wenn er sich eine gewisse Rückständigkeit
bewahrt. Dieser Umstand hat für Brecht seinen Wert gehabt. Die schlechtgelüfteten Kontore, feuchtwarmen Ba-
deanstalten, nebligen Straßen bevölkert er mit Typen,
die in ihrem Auftreten oft altväterisch, in ihren Maßnahmen immer modern sind. Solche Verschiebungen gehören zur Optik der Satire. Brecht unterstreicht sie durch
die Freiheiten, die er sich mit der Topographie von London genommen hat. Das Verhalten seiner Figuren, das er
der Wirklichkeit abgelauscht hat, ist, so darf sich der Satiriker sagen, um vieles unmöglicher als ein Brobdignag
oder London, das er in seinem Kopf erbaut haben mag.

ALTE BEKANNTE

Jene Figuren traten also von neuem vor ihren Dichter. –
Da ist Peachum, der immer den Hut aufbehält, weil es
kein Dach gibt, von dem er nicht gewärtigt, daß es ihm
über dem Kopfe zusammenstürzt. Er hat seinen Instru-
mentenladen vernachlässigt und ist einem Kriegsgeschäft
mit Transportschiffen nähergetreten, in dessen Verlauf
seine Bettlergarde in kritischen Augenblicken als »erregte
Volksmenge« Verwertung findet. Die Schiffe sollen im
Truppentransport während des Burenkrieges eingesetzt
werden. Da sie morsch sind, gehen sie mit der Mannschaft
unweit der Themsemündung zugrunde. Peachum, der es
sich nicht nehmen läßt, zu der Trauerfeier für die ertrun-
kenen Soldaten zu gehen, hört dort mit vielen anderen,
unter denen auch ein gewisser Fewkoombey ist, eine Predigt des Bischofs über die biblische Mahnung, mit dem an-
vertrauten Pfunde zu wuchern. Vor bedenklichen Folgen des Lieferungsgeschäfts hat er sich zu diesem Zeitpunkt bereits durch Beseitigung seines Partners gesichert.

Doch begeht er den Mord nicht selbst. Auch seine Tochter,
der Pfirsich, streift kriminelle Verwicklungen – aber nur
so, wie es für eine Dame sich machen läßt: in einer Ab-
treibungssache und einem Ehebruch. Wir lernen den Arzt
kennen, dem sie den Eingriff zumutet, und aus seinem
Mund eine Rede, die ein Gegenstück zu der des Bischofs
ist.

Der Held Macheath stand in der Dreigroschenoper seinen Lehrjahren noch sehr nahe. Der Roman rekapituliert
sie nur kurz; er ehrt das Schweigen über ganzen »Gruppen
von Jahren ... das die Biographien unserer großen Geschäftsleute auf vielen Seiten so stoffarm macht«, und er
läßt es dahingestellt, ob am Anfang der Verwandlung, in
deren Abfolge aus dem Holzhändler Beckett der Groß-
kaufmann Macheath geworden ist, der Raubmörder Stan-
fort Sills, genannt »Das Messer«, gestanden hat. Klar ist
nur so viel, daß der Geschäftsmann treu zu gewissen früheren Freunden steht, die den Weg in die Legalität nicht
gefunden haben. Das trägt seinen Lohn in sich, da diese
durch Diebstahl die Warenmengen beschaffen, die der La-
denkonzern von Macheath konkurrenzlos billig vertreibt.

Macheath' Konzern bilden die B.-Läden, deren Inha-
ber – selbständige Existenzen – nur zur Abnahme seiner
Ware und zur Zahlung der Ladenmiete an ihn verpflichtet
sind. In einigen Zeitungsinterviews hat er sich über »seine
entscheidende Entdeckung des menschlichen Selbständig-
keitstriebes« geäußert. Allerdings stehen sich diese selbständigen Existenzen schlecht, und eine von ihnen geht in
die Themse, weil Macheath aus geschäftlichen Gründen
die Warenzufuhr zeitweilig einstellt. Es kommt Mordver-
dacht auf; es entsteht eine Kriminalsache. Aber diese Kriminalsache geht bruchlos in den satirischen Vorwurf ein.
Die Gesellschaft, die nach dem Mörder der Frau sucht,
welche Selbstmord begangen hat, wird niemals imstande
sein, ihn in Macheath zu erkennen, der nur seine vertrag-
lichen Rechte ausgeübt hat. »Die Ermordung der Klein-

gewerbetreibenden Mary Swayer« steht nicht nur in der
Mitte der Handlung, sie enthält auch deren Moral. Die
ausgemergelten Ladeninhaber, die Soldaten, die auf lek-
ken Schiffen verstaut werden, die Einbrecher, deren Auf-
traggeber den Polizeipräsidenten bezahlt – diese graue
Masse, die im Roman den Platz des Chors in der Oper
einnimmt – stellt den Herrschenden ihre Opfer. An ihr
üben sie ihre Verbrechen aus. Ihr gehört Mary Swayer an,
die man zwingt, ins Wasser zu gehen, und aus ihrer Mitte
ist Fewkoombey, der zu seinem Erstaunen wegen Mordes
an ihr gehängt wird.

Ein neues Gesicht

Der Soldat Fewkoombey, dem im Vorspiel in einem Ver-
schlage Peachums »die Bleibe« angewiesen und dem im
Nachspiel in einem Traum »das Pfund der Armen« offenbart wird, ist ein neues Gesicht. Oder vielmehr kaum
eines, sondern »durchsichtig und gesichtslos« wie die Millionen es sind, die Kasernen und Kellerwohnungen füllen.
Hart am Rahmen ist er eine lebensgroße Figur, die ins
Bild zeigt. Er zeigt auf die bürgerliche Verbrechergesell-
schaft im Mittelgrund. Er hat in dieser Gesellschaft das
erste Wort, denn ohne ihn würde sie keine Profite machen; darum steht Fewkoombey im Vorspiel. Und er steht
im Nachspiel, als Richter, weil sie sonst das letzte behalten
würde. Zwischen beiden liegt die kurze Frist eines halben
Jahres, die er hinträdelt, während deren aber gewisse Angelegenheiten der Oberen sich so weit und so günstig entwickelt haben, daß sie mit seiner Hinrichtung enden, die
von keinem »reitenden Boten des Königs« gestört wird.

   Kurz vorher hat er, wie gesagt, einen Traum. Es ist der
Traum von einer Gerichtsverhandlung, in der es sich um
ein »besonderes Verbrechen« dreht. »Weil niemand einen
Träumer davon abhalten kann zu siegen, wurde unser

Freund Vorsitzender des größten Gerichts aller Zeiten,
des einzig wirklich notwendigen, umfassenden und gerechten... Nach langem Nachdenken, das allein schon Monate dauerte, beschloß der Oberste Richter, den Anfang
mit einem Manne zu machen, der, nach Aussage eines Bischofs in einer Trauerfeier für untergegangene Soldaten,
ein Gleichnis erfunden hatte, das zweitausend Jahre lang
von allen Kanzeln herab angewendet worden war und
nach Ansicht des Obersten Richters ein besonderes Verbrechen darstellte.« Diese Ansicht beweist der Richter, indem er die Folgen des Gleichnisses namhaft macht und die
lange Reihe von Zeugen vernimmt, die über *ihr* Pfund
aussagen sollen.

» ›Hat Euer Pfund sich vermehrt?‹ fragt der Oberste
Richter streng. Sie erschraken und sagten ›Nein.‹ ›Hat
er‹ – es ist von dem Angeklagten die Rede – ›gesehen,
daß es sich nicht vermehrte?‹ Auf diese Frage wußten sie
nicht gleich, was sie sagen sollten. Nach einer Zeit des
Nachdenkens trat aber einer vor, ein kleiner Junge ...
›Er muß es gesehen haben; denn wir haben gefroren,
wenn es kalt war, und gehungert vor und nach dem Essen.
Sieh selber, ob man es uns ansieht oder nicht.‹ Er streckte
zwei Finger in den Mund und pfiff und ... heraus ... trat
eine Frauensperson und glich genau der Kleingewerbetrei-
benden Mary Swayer.« Als dem Angeklagten nun angesichts einer so belastenden Beweisaufnahme ein Verteidiger bewilligt wird – »Aber er muß zu Ihnen passen«,
sagt Fewkoombey – und Herr Peachum als solcher sich
vorstellt, präzisiert sich die Schuld des Klienten. Er muß
der Beihilfe bezichtigt werden. Weil er, sagt der Oberste
Richter, seinen Leuten dieses Gleichnis in die Hand gegeben hat, das auch ein Pfund ist. Anschließend verurteilt
er ihn zum Tode. – Aber an den Galgen kommt nur der
Träumer, der in einer wachen Minute begriffen hat, wie
weit die Spuren der Verbrechen zurückführen, denen er
und seinesgleichen zum Opfer fallen.

Die Partei des Macheath

In den Handbüchern der Kriminalistik werden Verbrecher als asoziale Elemente gekennzeichnet. Das mag für deren Mehrzahl zutreffen. Für einige aber hat die Zeitgeschichte es widerlegt. Indem sie viele zu Verbrechern machten, wurden sie zu sozialen Vorbildern. So steht es mit Macheath. Er ist aus der neuen Schule, während sein ebenbürtiger, lange ihm verfeindeter Schwiegervater noch zur alten zu zählen ist. Peachum versteht es nicht aufzutreten. Seine Habgier versteckt er hinter Familiensinn, seine Impotenz hinter Askese, seine Erpressertätigkeit hinter Armenpflege. Am liebsten verschwindet er in seinem Kontor. Das kann man von Macheath nicht sagen. Er ist eine Führernatur. Seine Worte haben den staats-, seine Taten den kaufmännischen Einschlag. Die Aufgaben, denen er zu entsprechen hat, sind ja die mannigfachsten. Sie waren für einen Führer nie schwerer als heutzutage. Es genügt nicht, Gewalt zur Erhaltung der Eigentumsverhältnisse aufzubieten. Es genügt nicht, die Enteigneten selbst zu deren Ausübung anzuhalten. Diese praktischen Aufgaben wollen gelöst sein. Aber wie man von einer Balletteuse nicht nur verlangt, daß sie tanzen kann, sondern auch, daß sie hübsch ist, so verlangt der Faschismus nicht nur einen Retter des Kapitals, sondern auch, daß dieser ein Edelmensch ist.

Das ist der Grund, aus dem ein Typ wie Macheath in diesen Zeiten unschätzbar ist. Er versteht es, zur Schau zu tragen, was der verkümmerte Kleinbürger sich unter einer Persönlichkeit vorstellt. Regiert von Hunderten von Instanzen, Spielball von Teuerungswellen, Opfer von Krisen, sucht dieser Habitué von Statistiken einen Einzigen, an den er sich halten kann. Niemand will ihm Rede stehen, Einer soll es. Und der kann es. Denn das ist die Dialektik der Sache: will er die Verantwortung tragen, so danken ihm die Kleinbürger mit dem Versprechen, keiner-

lei Rechenschaft von ihm zu verlangen. Forderungen zu
stellen, lehnen sie ab, »weil das Herrn Macheath zeigen
würde, daß wir das Vertrauen zu ihm verloren haben«.
Seine Führernatur ist die Kehrseite ihrer Genügsamkeit.
Die befriedigt Macheath unermüdlich. Er versäumt keine
Gelegenheit hervorzutreten. Und er ist ein anderer vor
den Bankdirektoren, ein anderer vor den Inhabern von
B.-Läden, ein anderer vor Gericht und ein anderer vor
den Mitgliedern seiner Bande. Er beweist, »daß man alles
sagen kann, wenn man nur einen unerschütterlichen Willen besitzt!«, zum Beispiel das Folgende:

»Meiner Meinung nach, es ist die Meinung eines ernsthaft arbeitenden Geschäftsmannes, haben wir nicht die
richtigen Leute an der Spitze des Staates. Sie gehören alle
irgendwelchen Parteien an, und Parteien sind selbstsüchtig. Ihr Standpunkt ist einseitig. Wir brauchen Männer,
die über den Parteien stehen so wie wir Geschäftsleute.
Wir verkaufen unsere Ware an arm und reich. Wir verkaufen Jedem ohne Ansehen der Person einen Zentner
Kartoffeln, installieren ihm eine Lichtleitung, streichen
ihm sein Haus an. Die Leitung des Staates ist eine moralische Aufgabe. Es muß erreicht werden, daß die Unternehmer gute Unternehmer, die Angestellten gute Ange-
stellte, kurz: die Reichen gute Reiche und die Armen gute
Arme sind. Ich bin überzeugt, daß die Zeit einer solchen
Staatsführung kommen wird. Sie wird mich zu ihren Anhängern zählen.«

PLUMPES DENKEN

Macheath' Programm und zahlreiche andere Betrachtungen hat Brecht kursiv setzen lassen, so daß sie sich aus dem
erzählenden Text herausheben. Er hat damit eine Sammlung von Ansprachen und Sentenzen, Bekenntnissen und
Plädoyers geschaffen, die einzig zu nennen ist. Sie allein

würde dem Werk seine Dauer sichern. Was da steht, hat noch nie jemand ausgesprochen, und doch reden sie alle so. Die Stellen unterbrechen den Text; sie sind – darin der Illustration vergleichbar – eine Einladung an den Leser, hin und wieder auf die Illusion zu verzichten. Nichts ist einem satirischen Roman angemessener. Einige dieser Stellen beleuchten nachhaltig die Voraussetzungen, denen Brecht seine Schlagkraft verdankt. Da heißt es zum Beispiel: »Die Hauptsache ist, plump denken zu lernen. Plumpes, das ist das Denken der Großen.«

Es gibt viele Leute, die unter einem Dialektiker einen Liebhaber von Subtilitäten verstehen. Da ist es ungemein nützlich, daß Brecht auf das »plumpe Denken« den Finger legt, welches die Dialektik als ihren Gegensatz produziert, in sich einschließt und nötig hat. Plumpe Gedanken gehören gerade in den Haushalt des dialektischen Denkens, weil sie gar nichts anderes darstellen als die Anweisung der Theorie auf die Praxis. *Auf* die Praxis, nicht *an* sie: Handeln kann natürlich so fein ausfallen wie Denken. Aber ein Gedanke muß plump sein, um im Handeln zu seinem Recht zu kommen.

Die Formen des plumpen Denkens wechseln langsam, denn sie sind von den Massen geschaffen worden. Aus den abgestorbenen läßt sich noch lernen. Eine von diesen hat man im Sprichwort, und das Sprichwort ist eine Schule des plumpen Denkens. »Hat Herr Macheath Mary Swayer auf dem Gewissen?« fragen die Leute. Brecht stößt sie mit der Nase auf die Antwort und setzt über diesen Abschnitt: »Wo ein Fohlen ersoffen ist, da war Wasser.« Einen anderen könnte er überschreiben: »Wo gehobelt wird, gibt es Späne.« Es ist der Abschnitt, in dem Peachum, »die erste Autorität auf dem Gebiet des Elends«, sich die Grundlagen des Bettelgeschäfts vor Augen führt.

»Es ist mir auch klar«, sagt er sich, »warum die Leute die Gebrechen der Bettler nicht schärfer nachprüfen, bevor sie geben. Sie sind ja überzeugt, daß da Wunden sind, wo

sie hingeschlagen haben! Sollen keine Ruinierten weg-
gehen, wo sie Geschäfte gemacht haben? Wenn sie für ihre
Familien sorgten, sollten da nicht Familien unter die
Brückenbögen geraten sein? Alle sind von vornherein
überzeugt, daß angesichts ihrer eigenen Lebensweise all-
überall tödlich Verwundete und unsäglich Hilfsbedürftige
herumkriechen müssen. Wozu sich die Mühe machen zu
prüfen. Für die paar Pence, die man zu geben bereit ist!«

Die Verbrecher-gesellschaft

Peachum ist seit der Dreigroschenoper gewachsen. Vor seinen unbetrüglichen Blicken liegen die Bedingungen seiner
erfolgreichen wie die Fehler seiner mißglückten Spekula-
tionen. Kein Schleier, nicht die mindeste Illusion verhüllt
ihm die Gesetze der Ausbeutung. Damit beglaubigt sich
dieser altmodische, kleine weltabgewandte Mensch als ein
höchst aktueller Denker. Er könnte sich ruhig mit Spengler messen, welcher gezeigt hat, wie unbrauchbar die hu-
manitären und philanthropischen Ideologien aus den Anfängen des Bürgertums für den heutigen Unternehmer geworden sind. Die Errungenschaften der Technik kommen
eben in erster Linie den herrschenden Klassen zugute. Das
gilt von den fortgeschrittenen Denkformen so gut wie von
den modernen Bewegungsformen. Die Herren im Dreigroschenroman haben zwar keine Autos, aber sie sind
sämtlich dialektische Köpfe. Peachum zum Beispiel sagt
sich, daß Strafen auf Morden stehen. »Aber auf dem
Nichtmorden«, sagt er sich, »stehen auch Strafen und
furchtbarere ... Ein Herunterkommen in die Slums, wie
es mir mit meiner ganzen Familie drohte, ist nicht weniger
als ein Inszuchthauskommen. Das sind Zuchthäuser auf
Lebenszeit!«
  Der Kriminalroman, der in seiner Frühzeit bei Dostojewski viel für die Psychologie geleistet hat, stellt sich auf

dem Höhepunkt seiner Entwicklung der Sozialkritik zur
Verfügung. Wenn Brechts Buch die Gattung erschöpfender
verwertet als Dostojewski, so kommt das unter anderem
daher, daß darin – wie in der Wirklichkeit – der Verbrecher sein Auskommen in der Gesellschaft, die Gesellschaft – wie in der Wirklichkeit – ihren Anteil an seinem Raub hat. Dostojewski ging es um Psychologie; er
brachte das Stück Verbrecher, das im Menschen steckt,
zum Vorschein. Brecht geht es um Politik; er bringt das
Stück Verbrecher, das im Geschäft steckt, zum Vorschein.

Bürgerliche Rechtsordnung und Verbrechen – das sind
nach der Spielregel des Kriminalromans Gegensätze.
Brechts Verfahren besteht darin, die hochentwickelte
Technik des Kriminalromans beizubehalten, aber dessen
Spielregel auszuschalten. Das Verhältnis zwischen bürgerlicher Rechtsordnung und Verbrechen wird in *diesem*
Kriminalroman sachgemäß dargestellt. Das letztere erweist sich als ein Sonderfall der Ausbeutung, die von der
ersteren sanktioniert wird. Gelegentlich ergeben sich zwischen beiden zwanglose Übergänge. Der nachdenkliche
Peachum stellt fest, »wie die komplizierten Geschäfte oft
in ganz einfache, seit urdenklichen Zeiten gebräuchliche
Handlungsweisen übergehen! ... Mit Verträgen und Regierungsstempeln fing es an, und am Ende war Raubmord
nötig! Wie sehr bin gerade ich gegen Mord! ... Und wenn
man bedenkt: daß wir nur Geschäfte miteinander gemacht
haben!«

Es ist natürlich, daß in diesem Grenzfall des Kriminalromans der Detektiv nichts zu suchen hat. Die Rolle, die
ihm der Spielregel nach als Sachverwalter der gesetzlichen
Ordnung zufällt, übernimmt hier die Konkurrenz. Was
sich zwischen Macheath und Peachum abspielt, ist ein
Kampf zweier Banden und ein Gentleman's Agreement
das Happy-End, das die Verteilung der Beute notariell
festlegt.

DIE SATIRE UND MARX

Brecht entkleidet die Verhältnisse, unter denen wir leben, ihrer Drapierung durch Rechtsbegriffe. Nackt wie es auf die Nachwelt gelangen wird, tritt das Menschliche aus ihnen heraus. Leider wirkt es entmenscht. Aber das ist nicht dem Satiriker zuzuschreiben. Den Mitbürger zu entkleiden ist seine Aufgabe. Wenn er ihn seinerseits neu ausstaffiert, ihn wie Cervantes im Hund Berganza, wie Swift in der Pferdegestalt, wie Hoffmann in einem Kater vorstellt, so kommt es ihm im Grunde dabei doch nur auf die eine Positur an, wo derselbe nackt zwischen seinen Kostümen steht. Der Satiriker hält sich an seine Blöße, die er ihm im Spiegel vor Augen führt. Darüber geht sein Amt nicht hinaus.

So begnügt sich Brecht mit einer kleinen Umkostümierung der Zeitgenossen. Sie reicht im übrigen gerade aus, um die Kontinuität mit jenem neunzehnten Jahrhundert herzustellen, das nicht nur den Imperialismus, sondern auch den Marxismus hervorgebracht hat, der so nützliche Fragen an diesen zu stellen hat. »Als der deutsche Kaiser an den Präsidenten Krüger telegraphierte, welche Aktien stiegen da und welche fielen? Natürlich fragen das nur die Kommunisten.« Aber Marx, der es zuerst unternahm, die Verhältnisse zwischen Menschen aus ihrer Erniedrigung und Vernebelung in der kapitalistischen Wirtschaft wieder ans Licht der Kritik zu ziehen, ist damit ein Lehrer der Satire geworden, der nicht weit davon entfernt war, ein Meister in ihr zu sein. In seine Schule ist Brecht gegangen. Die Satire, die immer eine materialistische Kunst war, ist bei ihm nun auch eine dialektische. Marx steht im Hintergrund seines Romans – ungefähr so wie Konfuzius und Zoroaster für die Mandarine und Schahs, die in den Satiren der Aufklärung unter den Franzosen sich umsehen. Marx bestimmt hier die Weite des Abstandes, den der große Schriftsteller überhaupt, besonders aber der große Satiriker seinem Objekt gegenüber einnimmt. Es war immer dieser Abstand, den die Nachwelt sich zu eigen gemacht hat, wenn sie einen Schriftsteller klassisch nannte. Vermutlich wird sie sich im Dreigroschenroman ziemlich leicht zurechtfinden.

(1935)

Robert Musil

ÜBER DIE DUMMHEIT

Vortrag auf Einladung des Österreichischen Werkbunds
gehalten in Wien am 11. und wiederholt
am 17. März 1937

Meine Damen und Herren!
Einer, so sich unterfängt, über die Dummheit zu sprechen,
läuft heute Gefahr, auf mancherlei Weise zu Schaden zu
kommen; es kann ihm als Anmaßung ausgelegt werden, es
kann ihm sogar als Störung der zeitgenössischen Entwicklung ausgelegt werden. Ich selbst habe schon vor etlichen
Jahren geschrieben: »Wenn die Dummheit nicht dem
Fortschritt, dem Talent, der Hoffnung oder der Verbesse-
rung zum Verwechseln ähnlich sähe, würde niemand
dumm sein wollen.« Das ist 1931 gewesen; und niemand
wird zu bezweifeln wagen, daß die Welt auch seither noch
Fortschritte und Verbesserungen gesehen hat! So entsteht
allmählich eine gewisse Unaufschieblichkeit der Frage:
Was ist eigentlich Dummheit?

Ich möchte auch nicht außer acht lassen, daß ich als
Dichter die Dummheit noch viel länger kenne, könnte ich
doch sogar sagen, ich sei manches Mal in kollegialem Verhältnis zu ihr gestanden! Und sobald in der Dichtung ein
Mann die Augen aufschlägt, sieht er sich überdies einem
kaum beschreiblichen Widerstand gegenüber, der alle Formen annehmen zu können scheint: sei es persönliche, wie
etwa die würdige eines Professors der Literaturgeschichte,
der, gewohnt, auf unkontrollierbare Entfernungen zu zie-
len, in der Gegenwart unheilstiftend danebenschießt; sei

es luftartig allgemeine, wie die der Umwandlung des kritischen Urteils durch das kaufmännische, seit Gott in seiner uns schwer begreiflichen Güte die Sprache des Menschen auch den Erzeugern von Tonfilmen verliehen hat. Ich habe früher schon ein oder das andere Mal mehr solcher Erscheinungen beschrieben; aber es ist nicht nötig, das zu wiederholen oder zu vervollständigen (und anscheinend wäre es sogar unmöglich angesichts eines Hanges zur Größe, den alles heute hat): es genügt, als sicheres Ergebnis hervorzuheben, daß sich die unkünstlerische Verfassung eines Volkes nicht erst in schlechten Zeiten und auf rüde Weise äußert, sondern auch schon in guten und auf jegliche Weise, so daß Bedrückung und Verbot nur dem Grade nach verschieden sind von Ehrendoktoraten, Akademieberufungen und Preisverteilungen.

Ich habe immer vermutet, daß dieser vielgestaltige Widerstand eines sich der Kunstliebe rühmenden Volkes gegen die Kunst und den feineren Geist nichts als Dummheit sei, vielleicht eine besondere Art davon, eine besondere Kunst- und vielleicht auch Gefühlsdummheit, jedenfalls aber so sich äußere, daß, was wir Schöngeistigkeit nennen, zugleich auch eine Schöndummheit wäre; und ich sehe auch heute nicht gerade viele Gründe, von dieser Auffassung abzugehen. Natürlich läßt sich nicht alles auf die Dummheit schieben, wovon ein so vollmenschliches Anliegen, wie es die Kunst ist, verunstaltet wird; es muß, wie besonders die Erfahrungen der letzten Jahre gelehrt haben, auch für die verschiedenen Arten der Charakterlosigkeit Platz bleiben. Aber nicht dürfte eingewendet werden, daß der Begriff der Dummheit hier nichts zu suchen habe, weil er sich auf den Verstand beziehe, und nicht auf Gefühle, die Kunst hingegen von diesen abhänge. Das wäre ein Irrtum. Selbst der ästhetische *Genuß* ist *Urteil* und Gefühl. Und ich bitte Sie um die Erlaubnis, dieser großen Formel, die ich Kant entlehnt habe, nicht nur die Erinnerung anfügen zu dürfen, daß Kant von einer ästhetischen

*Urteils*kraft und einem Geschmacks*urteil* spricht, sondern auch gleich die Antinomien wiederholen zu dürfen, zu denen es führt:

Thesis: das Geschmacksurteil gründet sich nicht auf Begriffe, denn sonst ließe sich darüber disputieren (durch Beweis entscheiden).

Antithesis: Es gründet sich auf Begriffe, denn sonst ließe sich darüber nicht einmal streiten (eine Einstimmung anstreben).

Und nun möchte ich fragen, ob nicht ein ähnliches Urteil mit ähnlicher Antinomie auch der Politik zugrunde liege und dem Wirrsal des Lebens schlechthin? Und darf man nicht, wo Urteil und Vernunft zu Hause sind, auch ihre Schwestern und Schwesterchen, die verschiedenen Weisen der Dummheit, erwarten? So viel über deren Wichtigkeit. Erasmus von Rotterdam hat in seinem entzückenden und heute noch unverbrauchten *Lob der Torheit* geschrieben, daß ohne gewisse Dummheiten der Mensch nicht einmal auf die Welt käme!

Ein Gefühl von der ebenso schamverletzenden wie gewaltigen Herrschaft der Dummheit über uns legen denn auch viele Menschen an den Tag, indem sie sich freundlich und konspiratorisch überrascht zeigen, sobald sie vernehmen, einer, dem sie Vertrauen schenken, habe vor, dieses Untier beim Namen zu beschwören. Diese Erfahrung habe ich nicht nur anfangs an mir selbst machen können, sondern habe bald auch ihre historische Geltung erfahren, als mir auf der Suche nach Vorgängern in der Bearbeitung der Dummheit – von denen mir auffallend wenige bekannt geworden sind; aber die Weisen ziehen es anscheinend vor, über die Weisheit zu schreiben! – von einem gelehrten Freund der Druck eines im Jahre 1866 gehaltenen Vortrags zugeschickt worden ist, der zum Verfasser Johann Eduard Erdmann, den Hegelschüler und Hallenser Professor, gehabt hat. Dieser Vortrag, der *Über Dummheit*

heißt, beginnt denn gleich damit, daß man schon seine An-
kündigung lachend begrüßt habe; und seit ich weiß, daß
das sogar einem Hegelianer widerfahren kann, bin ich
überzeugt, daß es mit solchem Verhalten der Menschen zu
denen, die über Dummheit sprechen wollen, eine besondere Bewandtnis hat, und befinde mich sehr unsicher in
der Überzeugung, eine gewaltige und tief zwiespältige
psychologische Macht herausgefordert zu haben.

Ich will darum auch lieber gleich meine Schwäche bekennen, in der ich mich ihr gegenüber befinde: ich weiß
nicht, was sie ist. Ich habe keine Theorie der Dummheit
entdeckt, mit deren Hilfe ich mich unterfangen könnte,
die Welt zu erlösen; ja, ich habe nicht einmal innerhalb
der Schranken wissenschaftlicher Zurückhaltung eine Untersuchung vorgefunden, die sie zu ihrem Gegenstande gemacht hätte, oder auch nur eine Übereinstimmung, die sich
wohl oder übel bei der Behandlung verwandter Dinge in
Ansehung ihres Begriffs ergeben hätte. Das mag an meiner
Unkenntnis liegen, aber wahrscheinlicher ist es, daß die
Frage: Was ist Dummheit? so wenig den heutigen Denk-
gepflogenheiten entspricht wie die Fragen, was Güte,
Schönheit oder Elektrizität seien. Trotzdem zieht der
Wunsch, sich diesen Begriff zu bilden und eine solche Vor-
frage alles Lebens so nüchtern wie möglich zu beantwor-
ten, nicht wenig an; darum bin denn auch ich eines Tags
der Frage anheimgefallen, was Dummheit wohl »wirklich« sei, und nicht, wie sie paradiere, was zu beschreiben
weit eher meine Berufspflicht und -geschicklichkeit gewesen wäre. Und da ich mir weder auf dichterische Weise
helfen wollte, noch es auf wissenschaftliche tun konnte,
habe ich es auf das naivste versucht, wie es in solchen Fällen allemal naheliegt, indem ich einfach dem Gebrauch des
Wortes dumm und seiner Familie nachging, die üblichsten
Beispiele aufsuchte, und was ich gerade aufschrieb, anein-
anderzubringen trachtete. Ein solches Verfahren hat leider
immer etwas von einer Kohlweißlingsjagd an sich: Was

man zu beobachten glaubt, verfolgt man zwar eine Weile, ohne es zu verlieren, aber da aus anderen Richtungen auf ganz gleichen Zickzackwegen auch andere, ganz ähnliche Schmetterlinge herankommen, weiß man bald nicht mehr, ob man noch hinter dem gleichen her sei. So werden also auch die Beispiele aus der Familie der Dummheit nicht immer unterscheiden lassen, ob sie noch wirklich urständlich zusammenhängen oder bloß äußerlich und unversehens die Betrachtung vom einen zum andren führen, und es wird nicht ganz einfach sein, sie unter einen Hut zu bringen, von dem sich sagen läßt, er gehöre wirklich zu einem Dummkopf.

Wie man beginnt, ist unter solchen Umständen aber nahezu einerlei, lassen Sie uns also irgendwie beginnen: Am besten wohl gleich bei der Anfangsschwierigkeit, daß jeder, der über Dummheit sprechen oder solchem Gespräch mit Nutzen beiwohnen will, von sich voraussetzen muß, daß er nicht dumm sei; und also zur Schau trägt, daß er sich für klug halte, obwohl es allgemein für ein Zeichen von Dummheit gilt, das zu tun! Geht man nun auf diese Frage ein, warum es als dumm gelte, zur Schau zu tragen, daß man klug sei, so drängt sich zunächst eine Antwort auf, die den Staub von Urväterhausrat an sich zu haben scheint, denn sie meint, es sei vorsichtiger, sich nicht als klug zu zeigen. Es ist wahrscheinlich, daß diese tief mißtrauische, heute aufs erste gar nicht mehr verständliche Vorsicht noch aus Verhältnissen stammt, wo es für den Schwächeren wirklich klüger war, nicht für klug zu gelten: seine Klugheit konnte dem Starken ans Leben gehen! Dummheit hingegen lullt das Mißtrauen ein; sie »entwaffnet«, wie noch heutigentags gesagt wird. Spuren solcher alten Pfiffigkeit und Dummlistigkeit finden sich denn auch wirklich noch in Abhängigkeitsverhältnissen, wo die Kräfte so ungleich verteilt sind, daß der Schwächere sein Heil darin sucht, sich dümmer zu stellen als er ist; sie zei-

gen sich zum Beispiel als sogenannte Bauernschlauheit,
dann im Verkehr von Dienstboten mit der bildungszüngigen Herrschaft, im Verhältnis des Soldaten zum Vorgesetzten, des Schülers zum Lehrer und des Kindes zu den
Eltern. Es reizt den, der die Macht hat, weniger, wenn der
Schwache nicht kann, als wenn er nicht will. Dummheit
bringt ihn sogar »in Verzweiflung«, also unverkennbar in
einen Schwächezustand!

Damit stimmt aufs trefflichste überein, daß ihn die
Klugheit leicht »in Harnisch« bringt! Wohl wird sie am
Unterwürfigen geschätzt, aber nur so lange, als sie mit
bedingungsloser Ergebenheit verbunden ist. In dem
Augenblick, wo ihr dieses Leumundszeugnis fehlt und es
unsicher wird, ob sie dem Vorteil des Herrschenden dient,
wird sie seltener klug genannt als unbescheiden, frech oder
tückisch; und es entsteht oft ein Verhältnis, als ginge sie
dem Herrschenden mindestens wider die Ehre und Autorität, auch wenn sie ihn nicht wirklich an seiner Sicherheit
bedroht. In der Erziehung drückt sich das darin aus, daß
ein aufsässiger begabter Schüler mit größerer Heftigkeit
behandelt wird als ein aus Dumpfheit widerstrebender.
In der Moral hat es zu der Vorstellung geführt, daß ein
Wille um so böser sein müsse, je besser das Wissen sei, wider das er handle. Sogar die Justiz ist von diesem persönlichen Vorurteil nicht ganz unberührt geblieben und beurteilt die kluge Ausführung eines Verbrechens meist mit
besonderer Ungunst als »raffiniert« und »gefühlsroh«.
Und aus der Politik mag sich jeder die Beispiele holen, wo
er sie findet.

Aber auch die Dummheit – so wird hier wohl eingewandt werden müssen – vermag zu reizen und besänftigt
durchaus nicht unter allen Umständen. Um es kurz zu
machen, sie erregt gewöhnlich Ungeduld, sie erregt in ungewöhnlichen Fällen aber auch Grausamkeit; und die Abscheu einflößenden Ausschreitungen dieser krankhaften
Grausamkeit, die landläufig als Sadismus bezeichnet wer

den, zeigen oft genug dumme Menschen in der Rolle des
Opfers. Offenbar rührt dies davon her, daß sie den grausamen leichter als andere zur Beute fallen; aber es scheint
auch damit zusammenzuhängen, daß ihre nach allen Seiten fühlbare Widerstandslosigkeit die Einbildung wild
macht wie der Blutgeruch die Jagdlust und sie in eine Öde
verlockt, wo die Grausamkeit beinahe bloß darum »zu
weit« geht, weil sie an nichts mehr eine Grenze findet. Das
ist ein Zug von Leiden am Leidenbringer selbst, eine
Schwäche, die in seine Roheit eingebettet ist; und obwohl
die bevorrechtete Empörung des beleidigten Mitgefühls es
selten bemerken läßt, so gehören doch auch zur Grausamkeit, wie zur Liebe, zwei, die zueinander passen! Das zu
erörtern, wäre nun freilich wichtig genug in einer Menschheit, die von ihrer »feigen Grausamkeit gegen Schwächere« (und so lautet doch wohl auch die gebräuchlichste
Begriffsumschreibung des Sadismus) so geplagt ist wie die
gegenwärtige; aber in Ansehung des verfolgten Zusammenhangs nach seiner Hauptlinie und beim flüchtigen Ein-
sammeln der ersten Beispiele muß wohl auch das, was davon gesagt worden, schon als Abschweifung gelten, und im
ganzen ist davon nicht mehr zu gewinnen, als daß es
dumm sein kann, sich klug zu preisen, aber auch nicht immer klug ist, den Ruf der Dummheit zu erwecken. Es läßt
sich daran nichts verallgemeinern; oder die einzige Verallgemeinerung, die schon hier zulässig wäre, müßte die sein,
daß es das klügste sei, sich in dieser Welt überhaupt so wenig wie möglich bemerkbar zu machen! Und wirklich ist
dieser abschließende Strich unter alle Weisheit auch nicht
gar selten gezogen worden. Noch öfter aber wird von dem
menschenscheuen Ergebnis bloß halber oder nur sinnbild-
lich-stellvertretender Gebrauch gemacht, und dann führt
es die Betrachtung in den Kreis der Bescheidenheitsgebote
und noch umfassenderer Gebote ein, ohne daß sie den Bereich der Dummheit und Klugheit ganz zu verlassen
hätte.

Sowohl aus Angst, dumm zu erscheinen, als auch aus der, den Anstand zu verletzen, halten sich viele Menschen zwar für klug, sagen es aber nicht. Und wenn sie sich doch gezwungen fühlen, davon zu sprechen, umschreiben sie es, indem sie etwa von sich sagen: »Ich bin *nicht dümmer* als andere.« Noch beliebter ist es, so unbeteiligt und sachlich wie möglich die Bemerkung anzubringen: »Ich darf von mir wohl sagen, daß ich eine normale Intelligenz besitze.« Und manchmal kommt die Überzeugung von der eigenen Klugheit auch hintenherum zum Vorschein, so etwa in der Redensart: »Ich lasse mich nicht dumm machen!« Um so bemerkenswerter ist es, daß sich nicht nur der heimliche einzelne Mensch in seinen Gedanken als überaus klug und wohlausgestattet ansieht, sondern daß auch der geschichtlich wirkende Mensch von sich, sobald er die Macht dazu hat, sagt oder sagen läßt, daß er über alle Maßen klug, erleuchtet, würdig, erhaben, gnädig, von Gott auserlesen und zur Historie berufen sei. Ja, er sagt es auch von einem anderen gern, von dessen Widerspiegelung er sich bestrahlt fühlt. In Titeln und Anreden, wie Majestät, Eminenz, Exzellenz, Magnifizenz, Gnaden und ähnlichen hat sich das versteint erhalten und ist kaum noch von Bewußtsein beseelt; aber in voller Lebendigkeit zeigt es sich alsogleich wieder, wenn der Mensch heute als Masse spricht. Namentlich ein gewisser unterer Mittelstand des Geistes und der Seele ist dem Überhebungsbedürfnis gegenüber völlig schamlos, sobald er im Schutz der Partei, Nation, Sekte oder Kunstrichtung auftritt und Wir statt Ich sagen darf.

Mit einem Vorbehalt, wie er sich von selbst versteht und beiseite bleiben mag, läßt sich diese Überheblichkeit auch Eitelkeit nennen, und wirklich wird die Seele vieler Völker und Staaten heute von Gefühlen beherrscht, unter denen unleugbar die Eitelkeit einen vordersten Platz einnimmt; zwischen Dummheit und Eitelkeit besteht aber seit alters eine innige Beziehung, und vielleicht gibt sie einen Fingerzeig. Ein dummer Mensch wirkt gewöhnlich schon darum eitel, weil ihm die Klugheit fehlt, es zu verbergen; aber eigentlich bedarf es nicht erst dessen, denn die Verwandtschaft von Dummheit und Eitelkeit ist eine unmittelbare: Ein eitler Mensch erweckt den Eindruck, daß er weniger leistet, als er könnte; er gleicht einer Maschine, die ihren Dampf an einer undichten Stelle entweichen läßt. Der alte Spruch: »Dummheit und Stolz wachsen auf einem Holz« meint nichts als das, ebenso wie der Ausdruck, daß Eitelkeit »verblende«. Es ist wirklich die Erwartung einer Minderleistung, was wir mit dem Begriff der Eitelkeit verbinden, denn das Wort »eitel« besagt in seiner Hauptbedeutung beinahe das gleiche wie »vergeblich«. Und diese Verminderung der Leistung wird auch dort erwartet, wo in Wahrheit Leistung ist: Eitelkeit und Talent sind ja nicht selten auch miteinander verbunden; aber wir empfangen dann den Eindruck, es könnte noch mehr geleistet werden, hinderte sich der Eitle nicht selbst daran. Diese zäh anhaftende Vorstellung der Leistungsverminderung wird sich später auch als die allgemeinste Vorstellung herausstellen, die wir von Dummheit haben.

Das eitle Verhalten wird aber bekanntlich nicht darum gemieden, weil es dumm sein kann, sondern vornehmlich auch als Störung des Anstands. »Eigenlob stinkt«, sagt ein Kernwort, und es bedeutet, daß Großsprecherei, viel von sich selbst zu reden und sich zu rühmen, nicht nur als unklug, sondern auch als unanständig gilt. Wenn ich nicht irre, gehören die davon verletzten Forderungen des Anstands zu den vielgestaltigen Geboten der Zurückhaltung und des Abstandhaltens, die dazu bestimmt sind, den Eigendünkel zu schonen, wobei vorausgesetzt wird, dieser sei in einem anderen nicht geringer als in einem selbst. Solche Distanzgebote richten sich auch gegen den Gebrauch zu offener Worte, regeln Gruß und Anrede, gestatten nicht, daß man einander ohne Entschuldigung widerspreche, oder daß ein Brief mit dem Worte Ich beginne, kurz, sie fordern die Beachtung gewisser Regeln, damit man einander nur nicht »zu nahe trete«. Ihre Aufgabe ist es, den Umgang auszugleichen und zu ebnen, die Nächsten- und Eigenliebe zu erleichtern und gleichsam auch eine mittlere Temperatur des menschlichen Verkehrs zu erhalten; und solche Vorschriften finden sich in jeder Gesellschaft vor, in der primitiveren sogar noch mehr als in der hochzivilisierten, ja auch die wortlose tierische kennt sie, was sich vielen ihrer Zeremonien leicht ablesen läßt. Im Sinne dieser Distanzgebote ist es aber nicht nur untersagt, sich selbst, sondern auch andere aufdringlich zu loben. Jemand ins Gesicht zu sagen, daß er ein Genie oder ein Heiliger sei, wäre fast ebenso ungeheuerlich, wie es von sich selbst zu behaupten; und sich selbst das Gesicht zu beschmieren und die Haare zu raufen, wäre nach heutigem Gefühl nicht besser, als einen andern zu beschimpfen. Man begnügt sich mit den Bemerkungen, daß man nicht gerade dümmer oder schlechter als andere sei, wie es denn auch vorhin schon erwähnt worden ist!

Es sind offenbar die maßlosen und zuchtlosen Äußerungen, worauf in geordneten Zuständen der Bann ruht. Und so vorhin von der Eitelkeit die Rede war, darin Völker und Parteien sich heute in Ansehung ihrer Erleuchtung überheben, muß jetzt nachgeholt werden, daß die sich auslebende Mehrzahl – geradeso wie der einzelne Größenwahnsinnige in seinen Tagträumen – nicht nur die Weisheit gepachtet hat, sondern auch die Tugend, und sich tapfer, edel, unbesieglich, fromm und schön vorkommt; und daß in der Welt besonders ein Hang ist, daß sich die Menschen, wo sie in großer Zahl auftreten, alles gestatten, was ihnen einzeln verboten ist. Diese Vorrechte des groß gewordenen Wir machen heute geradezu den Eindruck, daß die zunehmende Zivilisierung und Zähmung der Einzelperson durch eine im rechten Verhältnis wachsende Entzivilisierung der Nationen, Staaten und Gesinnungsbünde ausgeglichen werden soll; und offenbar tritt darin eine

Affektstörung, eine Störung des affektiven Gleichgewichts in Erscheinung, die im Grunde dem Gegensatz von Ich und Wir und auch aller moralischen Bewertung vorangeht. Aber ist das – wird man wohl fragen müssen – noch Dummheit, ja hängt es mit Dummheit auch nur auf irgendeine Art noch zusammen?

Verehrte Zuhörer! Niemand zweifelt daran! Aber lassen Sie uns lieber doch noch vor der Antwort an einem Beispiel, das nicht unliebenswürdig ist, Atem holen! Wir alle, wenn auch vornehmlich wir Männer, und besonders alle bekannten Schriftsteller, kennen die Dame, die uns durchaus den Roman ihres Lebens anvertrauen möchte und deren Seele sich anscheinend immer in interessanten Umständen befunden hat, ohne daß es zu einem Erfolg gekommen wäre, den sie vielmehr erst von uns erwartet. Ist diese Dame dumm? Irgend etwas aus der Fülle der Eindrücke Kommendes pflegt uns zuzuflüstern: Sie ist es! Aber die Höflichkeit wie auch die Gerechtigkeit erfordern die Einräumung, daß sie es nicht durchaus und immer ist. Sie spricht viel von sich, und sie spricht überhaupt viel. Sie urteilt sehr bestimmt und über alles. Sie ist eitel und unbescheiden. Sie belehrt uns oft. Sie ist gewöhnlich mit ihrem Liebesleben nicht in Ordnung, und überhaupt glückt ihr das Leben nicht so recht. Aber gibt es denn nicht andere Arten von Menschen, auf die alles oder das meiste davon auch zutrifft? Viel von sich zu sprechen, ist beispielsweise auch eine Unart der Egoisten, der Unruhigen und sogar einer Art von Schwermütigen. Und alles zusammen trifft vornehmlich auf die Jugend zu; bei der es geradezu unter die Wachstumserscheinungen gehört, viel von sich zu sprechen, eitel zu sein, belehrend und mit dem Leben nicht recht in Ordnung, mit einem Wort, genau die gleichen Abweichungen von Klugheit und Anstand aufzuweisen, ohne daß sie deshalb dumm wäre oder dümmer, als es auf natürliche Weise dadurch bedingt ist, daß sie – eben noch nicht klug geworden ist!

Meine Damen und Herren! Die Urteile des täglichen Lebens und seiner Menschenkunde treffen eben wohl meistens zu, gewöhnlich aber auch noch daneben. Sie sind nicht um einer richtigen Lehre willen entstanden, sondern stellen eigentlich bloß geistige Zustimmungs- und Abwehrbewegungen dar. Auch dieses Beispiel lehrt also nur, daß etwas dumm sein kann, aber es nicht sein muß, daß die Bedeutung mit der Verbindung wechselt, in der etwas auftritt, und daß die Dummheit dicht verwoben mit anderem ist, ohne daß irgendwo der Faden hervorstünde, der das Gewebe in einem Zug auftrennen läßt. Sogar die Genialität und die Dummheit hängen unlöslich zusammen, und daß es, bei Androhung der Strafe, für dumm zu gelten, verboten ist, viel zu reden und viel von sich zu reden, wird von der Menschheit auf eigentümliche Weise umgangen: durch den Dichter. Er darf im Namen der Menschlichkeit erzählen, daß es ihm geschmeckt hat, oder daß die Sonne am Himmel steht, darf sich selbst offenbaren, Geheimnisse ausplaudern, Geständnisse machen, rücksichtlos persönliche Rechenschaft ablegen (wenigstens halten viele Dichter darauf!); und alles das sieht ganz so aus, als ob sich die Menschheit da in einer Ausnahme etwas gestattete, was sie sich sonst verböte. Sie spricht auf diese Weise unablässig von sich selbst und hat mit Hilfe des Dichters die gleichen Geschichten und Erlebnisse schon millionenmal erzählt, bloß die Umstände abwandelnd, ohne daß irgendein Fortschritt und Sinnesgewinn für sie hervorgekommen wäre: sollte sie da, im Gebrauch, den sie von ihrer Dichtung macht, und in deren Anpassung an diesen Gebrauch, nicht am Ende auch der Dummheit verdächtig sein? Ich, für meine Person, halte das keineswegs für unmöglich!

Zwischen den Anwendungsbereichen der Dummheit und der Unmoral — letzteres Wort in dem heute nicht üblichen weiteren Sinn verstanden, der beinahe das gleiche wie Ungeistigkeit, aber nicht wie Unverständigkeit,

ist – besteht jedenfalls eine verwickelte Identität und
Verschiedenheit. Und dieses Zusammengehören ist ohne
Zweifel ähnlich, wie es Johann Eduard Erdmann an einer
bedeutenden Stelle seines vorhin erwähnten Vortrags mit
den Worten ausgedrückt hat, daß die Roheit »die Praxis
der Dummheit« sei. Er sagte: »Worte sind ... nicht die
einzige Erscheinung eines Geisteszustandes. Derselbe offenbart sich auch in Handlungen. So auch die Dummheit.
Das Dumm- nicht nur sein, sondern handeln, das Dummheiten begehen« – also die Praxis der Dummheit – »oder
die Dummheit in Action, nennen wir Roheit.« Diese ge-
winnende Behauptung lehrt nun nicht weniger, als daß
Dummheit ein Gefühlsfehler sei – denn Roheit ist doch
einer! Und das führt geradeswegs in die Richtung jener
»Affektstörung« und »Störung des affektiven Gleichgewichts« zurück, die andeutungsweise schon erwähnt werden konnte, ohne daß sie eine Erklärung gefunden hätte.
Auch die in Erdmanns Worten liegende Erklärung kann
mit der Wahrheit nicht ganz übereinstimmen, denn abgesehen davon, daß sie bloß auf den rohen, ungeschliffenen
einzelnen Menschen im Gegensatz zur »Bildung« gezielt
hat und keineswegs alle Anwendungsformen der Dummheit umfaßt, ist doch auch die Roheit nicht bloß eine
Dummheit, und die Dummheit nicht bloß eine Roheit,
und es bleibt darum an dem Verhältnis von Affekt und
Intelligenz, wenn sie sich zur »angewandten Dummheit«
vereinen, noch manches zu erklären, das erst, und am besten wohl wieder an Beispielen, hervorgekehrt werden
muß.

Sollen dabei die Umrisse des Begriffes der Dummheit richtig hervortreten, ist es vor allem anderen nötig, das Urteil
zu lockern, daß die Dummheit bloß oder vornehmlich ein
Mangel an Verstand sei; wie denn auch schon erwähnt
worden ist, daß die allgemeinste Vorstellung, die wir von
ihr haben, die des Versagens bei den verschiedensten Tä-

tigkeiten, die des körperlichen und geistigen Mangels
schlechthin zu sein scheint. Es gibt dafür in unseren heimischen Mundarten ein ausdrucksvolles Beispiel, die Bezeichnung der Schwerhörigkeit, also eines körperlichen Fehlers,
mit dem Worte »derisch« oder »terisch«, das wohl »tö-
risch« heißt und damit der Dummheit nahesteht. Denn
genauso wie da wird der Vorwurf der Dummheit volks-
mäßig auch sonst gebraucht. Wenn ein Wettkämpfer im
entscheidenden Augenblick nachläßt oder einen Fehler begeht, sagt er nachher: »Ich bin wie vernagelt gewesen!«
oder: »Ich weiß nicht, wo ich meinen Kopf gehabt hab'!«,
obgleich der Anteil des Kopfes am Schwimmen oder Bo-
xen immerhin als unscharf begrenzt gelten darf. Ebenso
wird unter Knaben und Sportbrüdern einer, der sich ungeschickt anstellt, dumm heißen, auch wenn er ein Hölderl-
lin ist. Auch gibt es geschäftliche Verhältnisse, unter denen ein Mensch, der nicht listig und gewissenlos ist, als
dumm gilt. Alles in allem sind das die Dummheiten zu
älteren Klugheiten als der, die heute öffentlich in Ehren
steht; und wenn ich gut unterrichtet bin, sind in der alt-
germanischen Zeit nicht nur die moralischen Vorstellungen, sondern auch die Begriffe von dem, was kundig, erfahren, weise ist, also die intellektuellen Begriffe in Beziehung zu Krieg und Kampf gestanden. So hat jede
Klugheit ihre Dummheit, und sogar die Tierpsychologie
hat in ihren Intelligenzprüfungen herausgefunden, daß
sich jedem »Typus von Leistung« ein »Typus von Dummheit« zuordnen lasse.

Wollte man darum einen allgemeinsten Begriff der
Klugheit suchen, so ergäbe sich aus diesen Vergleichen etwa der Begriff der Tüchtigkeit, und alles, was untüchtig
ist, könnte dann gelegentlich auch dumm heißen; in Wirklichkeit ist es auch dann so, wenn die zu einer Dummheit
gehörende Tüchtigkeit nicht wörtlich als Klugheit angesprochen wird. Welche Tüchtigkeit dabei im Vordergrund
steht und zu einer Zeit den Begriff der Klugheit und

Dummheit mit ihrem Inhalt erfüllt, hängt von der Form des Lebens ab. In Zeiten persönlicher Unsicherheit werden sich List, Gewalt, Sinnesschärfe und körperliche Geschicklichkeit im Begriff der Klugheit ausprägen, in Zeiten vergeistigter – mit den leider nötigen Einschränkungen läßt sich auch sagen: – bürgerlicher Lebensgesinnung tritt die Kopfarbeit an ihre Stelle. Richtiger gesagt, es sollte das die höhere Geistesarbeit tun, aber im Gang der Dinge ist daraus das Übergewicht der Verstandesleistung geworden, das der geschäftigen Menschheit in das leere Gesicht unter der harten Stirn geschrieben steht; und so ist es gekommen, daß heute Klugheit und Dummheit, als könnte es gar nicht anders sein, bloß auf den Verstand und die Grade seiner Tüchtigkeit bezogen werden, obwohl das mehr oder minder einseitig ist.

Die mit dem Worte dumm von Ursprung verbundene allgemeine Vorstellung der Untüchtigkeit – sowohl in der Bedeutung der Untüchtigkeit zu allem als auch in der Bedeutung jeder beliebigen Untüchtigkeit – hat denn auch eine recht eindrückliche Folge, nämlich die, daß »dumm« und »Dummheit«, weil sie die generelle Unfähigkeit bedeuten, gelegentlich für jedes Wort einspringen können, das eine besondere bezeichnen soll. Das ist einer der Gründe, warum der gegenseitige Vorwurf der Dummheit heute so ungeheuerlich verbreitet ist. (In andrem Zusammenhang auch die Ursache davon, daß sich der Begriff so schwer abgrenzen läßt, wie unsere Beispiele gezeigt haben.) Man sehe sich die Bemerkungen an, die sich an den Rändern anspruchsvollerer Romane vorfinden, die längere Zeit im fast anonymen Leihbüchereiverkehr gestanden sind; hier, wo der Leser mit dem Dichter allein ist, drückt sich sein Urteil mit Vorliebe in dem Worte »dumm!« aus oder in dessen Äquivalenten, wie »blöd!«, »Unsinn!«, »unaussprechliche Dummheit!« und ähnlichem. Und ebenso sind das die ersten Worte der Empörung, wenn der Mensch in Theateraufführungen oder Bilderausstellungen

gegen den Künstler in Masse auftritt und Anstoß nimmt.
Auch des Wortes »Kitsch« wäre hier zu gedenken, das als
erstes Urteil unter Künstlern selbst so beliebt ist wie kein
anderes; ohne daß sich aber, wenigstens meines Wissens
nicht, sein Begriff bestimmen und seine Verwendbarkeit
erklären ließe, es sei denn durch das Zeitwort »verkit-
schen«, das in mundartlichem Gebrauch soviel besagt wie
»unter dem Preis abgeben« oder »verschleudern«. »Kitsch«
hat also die Bedeutung von zu billiger oder Schleuderware,
und ich glaube wohl, daß sich dieser Sinn, natürlich ins
Geistige übertragen, jedesmal unterlegen läßt, wo das
Wort unbewußt richtig gebraucht wird.

Da Schleuderware, Kram hauptsächlich nach der mit ihnen verbundenen Bedeutung von untüchtiger, untaugli-
cher Ware in das Wort eingehen, die Untüchtigkeit und
Untauglichkeit aber auch die Grundlage für den Gebrauch
des Wortes dumm bildet, ist es kaum eine Übertreibung zu
behaupten, daß wir geneigt sind, alles, was uns nicht recht
ist – zumal wenn wir es, abgesehen davon, als hoch- oder
schöngeistig zu achten vorgeben! – als »irgendwie dumm«
anzusprechen. Und zur Bestimmung dieses »Irgendwie«
ist es bedeutsam, daß der Gebrauch der Dummheitsaus-
drücke innig durchdrungen wird von einem zweiten, der
die ebenso unvollkommenen Ausdrücke für das Gemeine
und sittlich Widerwärtige umfaßt, was den Blick zu etwas
zurückleitet, das ihm schon einmal aufgefallen ist, zu der
Schicksalsgemeinschaft der Begriffe »dumm« und »unanständig«. Denn nicht nur »Kitsch«, der ästhetische Ausdruck intellektueller Herkunft, sondern auch die moralischen Worte »Dreck!«, »widerlich!«, »scheußlich!«,
»krankhaft!«, »frech!« sind kernhaft-unentwickelte
Kunstkritiken und Urteile über das Leben. Vielleicht enthalten diese Ausdrücke aber noch eine geistige Anstrengung, einen Unterschied an Bedeutung, auch wenn sie un-
terschiedslos benutzt werden; dann springt als letztes für
sie der wirklich schon halb sprachlose Ausruf »Solch eine

Gemeinheit!« ein, der alles andere ersetzt und sich mit
dem Ausruf »Solch eine Dummheit!« in die Herrschaft
der Welt zu teilen vermag. Denn offenbar ist es so, daß
diese beiden Worte gelegentlich für alle anderen einspringen können, weil »dumm« die Bedeutung der generellen
Untüchtigkeit und »gemein« die der generellen Sittenverletzung angenommen hat; und belauscht man, was Menschen heute übereinander sagen, so scheint es, daß das
Selbstporträt der Menschheit, wie es unbeaufsichtigt aus
gegenseitigen Gruppenaufnahmen entsteht, durchaus nur
aus den Abwandlungen dieser beiden mißfarbenen Worte
gemischt ist!

Vielleicht lohnt es sich, darüber nachzudenken. Sonder
Zweifel stellen sie beide die unterste Stufe eines nicht zur
Ausbildung gelangenden Urteils, eine noch völlig ungegliederte Kritik dar, die wohl fühlt, etwas sei falsch, aber
nicht anzugeben vermag, was. Der Gebrauch dieser Worte
ist der schlichteste und der schlechteste abwehrende Ausdruck, der sich finden läßt, er ist der Anfang einer Erwiderung und schon auch ihr Ende. Das hat etwas von einem
»Kurzschluß« an sich und wird besser verständlich, wenn
berücksichtigt wird, daß Dumm und Gemein, was immer
sie bedeuten mögen, auch als Schimpfworte benutzt werden. Denn die Bedeutung von Schimpfworten liegt bekanntlich nicht so sehr an ihrem Inhalt als an ihrem Gebrauch; und viele unter uns mögen die Esel lieben, werden
aber beleidigt sein, wenn man sie einen nennt. Das Schimpfwort vertritt nicht, was es vorstellt, sondern ein Gemisch
von Vorstellungen, Gefühlen und Absichten, das es nicht
im mindesten auszudrücken, sondern nur zu signalisieren
vermag. Nebenbei bemerkt, ist ihm das mit den Mode-
und Fremdworten gemeinsam, weshalb solche unentbehrlich erscheinen, auch wenn sie sich vollkommen ersetzen
ließen. Aus diesem Grunde ist an Schimpfworten auch etwas unvorstellbar Aufregendes, das wohl mit ihrer Absicht übereinstimmt, aber nicht mit ihrem Inhalt; und am

deutlichsten zeigt sich das vielleicht an den Hänsel- und
Neckworten der Jugend: ein Kind kann »Busch!« oder
»Moritz!« sagen und damit ein anderes auf Grund gehei-
mer Beziehungen in Raserei versetzen.

Was sich so von den Schimpf-, Neck-, Mode- und
Fremdworten sagen läßt, läßt sich aber auch von den
Witz-, Schlag- und Liebesworten sagen; und das Gemeinsame aller dieser, sonst so ungleichartigen, Worte ist es,
daß sie im Dienst eines Affekts stehn und daß es gerade
ihre Ungenauigkeit und ihre Unsachlichkeit sind, was sie
im Gebrauch befähigt, ganze Bereiche besser zutreffender,
sachlicher und richtiger Worte zu verdrängen. Offenbar
besteht im Leben manchmal ein Bedürfnis darnach, und
sein Wert soll ihm gelassen werden; aber dumm, sozusagen die gleichen Wege wandelnd wie die Dummheit, ist es
ohne Zweifel, was in solchen Fällen geschieht; dieser Zusammenhang läßt sich am deutlichsten an einem Haupt-
und Staatsbeispiel der Kopflosigkeit, an der Panik, studie-
ren. Wenn etwas auf einen Menschen einwirkt, das zu
stark für ihn ist, sei es ein jäher Schreck oder ein anhalten-
der seelischer Druck, so kommt es vor, daß dieser Mensch
plötzlich »etwas Kopfloses« tut. Er kann zu brüllen beginnen, im Grunde nicht anders, als es ein Kind macht,
kann »blindlings« vor einer Gefahr davonlaufen oder sich
ebenso blindlings in die Gefahr stürzen, eine berstende
Neigung zum Zerstören, zum Schimpfen oder zum Jam-
mern kann ihn erfassen. Alles in allem wird er an Stelle
einer zweckmäßigen Handlung, die von seiner Lage gefordert würde, eine Fülle anderer hervorbringen, die
scheinbar immer, allzu oft aber auch wirklich zwecklos, ja
zweckwidrig sind. Man kennt diese Art des Widerspiels
am besten durch den »panischen Schreck«; aber wenn das
Wort nicht zu eng verstanden wird, läßt sich auch von Pa-
niken der Wut, der Gier und sogar der Zärtlichkeit sprechen, wie denn auch überall dort, wo sich ein Aufregungs-
zustand auf eine ebenso lebhafte wie blinde und sinnlose

Weise nicht genugtun kann. Daß es eine Panik der Tapferkeit gebe, die sich von der der Angst bloß durch die umgekehrte Wirkungsrichtung unterscheide, ist von einem ebenso geistvollen wie tapferen Manne bereits längst bemerkt worden.

Psychologisch wird das, was sich beim Eintreten einer Panik abspielt, als ein Aussetzen der Intelligenz, und überhaupt der höheren geistigen Artung, angesehen, an deren Stelle älteres seelisches Getriebe zum Vorschein kommt; aber es darf wohl hinzugefügt werden, daß mit der Lähmung und Abschnürung des Verstandes in solchen Fällen nicht sowohl ein Hinabsinken zum instinktiven Handeln vor sich geht als vielmehr eines, das durch diesen Bereich hindurch bis zu einem Instinkt der letzten Not und einer letzten Notform des Handelns führt. Diese Handlungsweise hat die Form völliger Verwirrung, sie ist planlos und scheinbar von der Vernunft wie von jedem rettenden Instinkt verlassen; aber ihr unbewußter Plan ist der, die Qualität der Handlungen durch deren Zahl zu ersetzen, und ihre nicht geringe List beruht auf der Wahrscheinlichkeit, daß sich unter hundert blinden Versuchen, die Nieten sind, auch ein Treffer findet. Ein Mensch in seiner Kopflosigkeit, ein Insekt, das so lange gegen die geschlossene Fensterhälfte stößt, bis es durch Zufall bei der geöffneten ins Freie »stürzt«, sie tun in Verwirrung nichts anderes, als es mit berechnender Überlegung die Kriegstechnik tut, wenn sie ein Ziel mit einer Feuergarbe oder mit Streufeuer »eindeckt«, ja schon wenn sie ein Schrapnell oder eine Granate anwendet.

Mit anderen Worten heißt das, ein gezieltes Handeln durch ein voluminöses vertreten zu lassen, und nichts ist so menschlich, wie die Beschaffenheit von Worten oder Handlungen durch deren Menge zu ersetzen. Nun ist an dem Gebrauch undeutlicher Worte aber etwas sehr dem Gebrauch vieler Worte Ähnliches, denn je undeutlicher ein Wort ist, um so größer ist der Umfang dessen, worauf es bezogen werden kann; und von der Unsachlichkeit gilt das gleiche. Sind diese dumm, so ist Dummheit durch sie mit dem Zustand der Panik verwandt, und auch der übermäßige Gebrauch dieses Vorwurfs und seinesgleichen wird einem seelischen Rettungsversuch mit archaisch-primitiven – und, wie wohl mit Recht gesagt werden kann, krankhaften – Methoden nicht allzu fernstehen. Und wirklich läßt sich an dem rechten Gebrauch des Vorwurfs, etwas sei wahrhaftig eine Dummheit oder eine Gemeinheit, nicht nur ein Aussetzen der Intelligenz erkennen, sondern auch die blinde Neigung zum sinnlosen Zerstören oder Flüchten. Diese Worte sind nicht nur Schimpfworte, sondern sie vertreten einen ganzen Schimpfanfall. Wo etwas bloß noch durch sie ausgedrückt werden kann, ist die Tätlichkeit nahe. Auf früher erwähnte Beispiele zurückzukommen, Bilder werden in solchen Fällen mit Regenschirmen angegriffen (noch dazu an Stelle dessen, der sie gemalt hat), Bücher werden, als ließen sie sich so entgiften, zur Erde geschleudert. Aber auch der entmächtigende Druck ist vorhanden, der dem vorangeht und von dem es befreien soll: man »erstickt fast« an seinem Ärger; »kein Wort genügt«, außer eben den allgemeinsten und sinnärmsten; es bleibt einem »die Sprache weg«, man muß sich »Luft schaffen«. Das ist der Grad der Sprachlosigkeit, ja Gedankenlosigkeit, der dem Zerbersten vorangeht! Er bedeutet einen schweren Zustand der Unzulänglichkeit, und schließlich wird der Ausbruch dann gewöhnlich mit den tief durchsichtigen Worten eingeleitet, daß einem »endlich etwas *zu* dumm geworden« sei. Dieses Etwas aber ist man selbst. In Zeiten, wo große, zupackende Tatkraft sehr geschätzt wird, ist es notwendig, sich auch an das zu erinnern, was ihr manchmal zum Verwechseln ähnlich sieht.

Meine Damen und Herren! Man spricht heute vielfach von einer Vertrauenskrise der Humanität, einer Krisis des

Vertrauens, das bis jetzt noch in die Menschlichkeit gesetzt wird; sie ließe sich auch eine Panik nennen, die im Begriffe ist, an die Stelle der Sicherheit zu treten, daß wir imstande seien, unsere Angelegenheiten in Freiheit und mit Vernunft zu führen. Und wir dürfen uns nicht darin täuschen, daß diese beiden sittlichen, und auch sittlich-künstlerischen Begriffe, Freiheit und Vernunft, die als Wahrzeichen der Menschenwürde aus dem klassischen Zeitalter der deutschen Weltbürgerlichkeit auf uns gekommen sind, schon seit der Mitte des neunzehnten Jahrhunderts oder einem wenigen später nicht mehr so ganz bei Gesundheit gewesen sind. Sie sind allmählich »außer Kurs« gekommen, man hat nichts mehr mit ihnen »anzufangen« gewußt, und daß man sie einschrumpfen ließ, ist weniger der Erfolg ihrer Gegner als der ihrer Freunde gewesen. Wir dürfen uns also auch nicht darin täuschen, daß wir, oder die nach uns, wohl nicht zu diesen unveränderten Vorstellungen zurückkehren werden; unsere Aufgabe, und der Sinn der dem Geist auferlegten Prüfungen, wird es vielmehr sein – und das ist die so selten begriffene schmerzlich-hoffnungsvolle Aufgabe eines jeden Zeitgeschlechts – den immer nötigen, ja sehr erwünschten Übergang zum Neuen mit möglichst geringen Verlusten zu vollziehen! Und um so mehr, als man den Übergang auf bewahrendveränderte Ideen, der zur rechten Zeit stattfinden muß, verabsäumt hat, bedarf man bei solchem Tun helfender Vorstellungen von dem, was wahr, vernünftig, bedeutend, klug, und also in verkehrter Spiegelung auch von dem, was dumm ist. Welcher Begriff oder Teilbegriff der Dummheit läßt sich aber bilden, wenn der des Verstandes und der Weisheit wankt? Wie sehr sich die Anschauungen mit den Zeiten ändern, dafür möchte ich als ein kleines Beispiel bloß anführen, daß in einem ehedem sehr bekannten psychiatrischen Lehrbuch die Frage: »Was ist Gerechtigkeit?« und die Antwort darauf: »Daß der *andere* bestraft wird!« als ein Fall von Imbezillität ange-

führt werden, wogegen sie heute die Grundlage einer viel
erörterten Rechtsauffassung bilden. Ich fürchte also, daß
sich selbst die bescheidensten Ausführungen nicht werden
abschließen lassen, ohne auf einen von zeitlichen Wand-
lungen unabhängigen Kern wenigstens hinzudeuten. So
ergeben sich noch einige Fragen und Bemerkungen.

Ich habe kein Recht, als Psychologe aufzutreten, und
will es auch nicht tun, aber wenigstens einen flüchtigen
Blick in diese Wissenschaft zu werfen, ist wohl das erste,
wovon man sich in unserem Fall Hilfe erhoffen wird. Die
ältere Psychologie hat zwischen Empfindung, Wille, Gefühl und Vorstellungsvermögen oder Intelligenz unterschieden, und für sie ist es klar gewesen, daß Dummheit
ein geringer Grad von Intelligenz sei. Die heutige Psychologie hat die elementare Unterscheidung der Seelen-
vermögen aber ihrer Wichtigkeit entkleidet, hat die gegenseitige Abhängigkeit und Durchdringung der verschiedenen Leistungen der Seele erkannt und – hat damit die
Antwort auf die Frage, was Dummheit psychologisch bedeute, viel weniger einfach gemacht. Es gibt natürlich eine
bedingte Selbständigkeit der Verstandesleistung auch nach
heutiger Auffassung, doch sind dabei selbst in den ruhig-
sten Verhältnissen Aufmerksamkeit, Auffassung, Gedächtnis und anderes, ja beinahe alles, was dem Verstand angehört, wahrscheinlich auch von den Eigenschaften des
Gemüts abhängig; wozu dann überdies noch im bewegten
Erleben ebenso wie im durchgeistigten eine zweite Durchdringung von Intelligenz und Affekt kommt, die schier
unlöslich ist. Und diese Schwierigkeit, Verstand und Gefühl im Begriff der Intelligenz auseinanderzuhalten, spiegelt sich natürlich auch im Begriff der Dummheit wider;
und wenn zum Beispiel von der medizinischen Psychologie das Denken geistesschwacher Menschen mit Worten beschrieben wird wie: arm, ungenau, unfähig der Abstraktion, unklar, langsam, ablenkbar, oberflächlich, einseitig,
steif, umständlich, überbeweglich, zerfahren, so läßt sich

ohne weiters erkennen, daß diese Eigenschaften teils auf
den Verstand, teils auf das Gefühl hinweisen. Man darf
also wohl sagen: Dummheit und Klugheit hängen sowohl
vom Verstand als auch vom Gefühl ab; und ob das eine
oder das andere mehr, ob zum Beispiel bei der Imbezillität die Schwäche der Intelligenz »im Vordergrund steht«
oder bei manchem angesehenen moralischen Rigoristen die
Lahmheit des Gefühls, das mag den Fachleuten überlas-
sen bleiben, indes wir Laien uns auf etwas freiere Weise
behelfen müssen.

Im Leben versteht man unter einem dummen Menschen
gewöhnlich einen, der »ein bißchen schwach im Kopf« ist.
Außerdem gibt es aber auch die verschiedenartigsten geistigen und seelischen Abweichungen, von denen selbst eine
unbeschädigt eingeborene Intelligenz so behindert und
durchkreuzt und irregeführt werden kann, daß es im ganzen auf etwas hinausläuft, wofür dann die Sprache wieder nur das Wort Dummheit zur Verfügung hat. Dieses
Wort umfaßt also zwei im Grunde sehr verschiedene Arten: eine ehrliche und schlichte Dummheit und eine andere, die, ein wenig paradox, sogar ein Zeichen von Intelligenz ist. Die erstere beruht eher auf einem schwachen
Verstand, die letztere eher auf einem Verstand, der bloß
im Verhältnis zu irgend etwas zu schwach ist, und diese
ist die weitaus gefährlichere.

Die ehrliche Dummheit ist ein wenig schwer von Begriff und hat, was man eine »lange Leitung« nennt. Sie
ist arm an Vorstellungen und Worten und ungeschickt in
ihrer Anwendung. Sie bevorzugt das Gewöhnliche, weil
es sich ihr durch seine öftere Wiederholung fest einprägt,
und wenn sie einmal etwas aufgefaßt hat, ist sie nicht geneigt, es sich so rasch wieder nehmen zu lassen, es analysieren zu lassen oder selbst daran zu deuteln. Sie hat überhaupt nicht wenig von den roten Wangen des Lebens!
Zwar ist sie oft unbestimmt in ihrem Denken, und die
Gedanken stehen ihr vor neuen Erfahrungen leicht ganz

still, aber dafür hält sie sich auch mit Vorliebe an das
sinnlich Erfahrbare, das sie gleichsam an den Fingern ab-
zählen kann. Mit einem Wort, sie ist die liebe »helle
Dummheit«, und wenn sie nicht manchmal auch so leichtgläubig, unklar und zugleich so unbelehrbar wäre, daß es
einen zur Verzweiflung bringen kann, so wäre sie eine
überaus anmutige Erscheinung.

Ich mag mir nicht versagen, diese Erscheinung noch mit
einigen Beispielen auszuzieren, die sie auch von anderen
Seiten zeigen und die ich Bleulers *Lehrbuch der Psychia-*
trie entnommen habe: Ein Imbeziller drückt, was wir mit
der Formel »Arzt am Krankenbett« abtäten, mit den
Worten aus: »Ein Mann, der hält dem andern die Hand,
der liegt im Bett, dann steht da eine Nonne.« Es ist die
Ausdrucksweise eines malenden Primitiven! Eine nicht
ganz klare Magd betrachtet es als schlechten Scherz, wenn
man ihr zumutet, sie solle ihr Erspartes der Kasse übergeben, wo es Zinsen trage: So dumm werde niemand sein,
ihr noch etwas dafür zu bezahlen, daß er ihr das Geld
aufbewahre! gibt sie zur Antwort; und es drückt sich darin eine ritterliche Gesinnung aus, ein Verhältnis zum Geld,
das man vereinzelt noch in meiner Jugend an vornehmen
alten Leuten hat wahrnehmen können! Einem dritten Im-
bezillen endlich wird es symptomatisch aufgeschwärzt,
daß er behauptet, ein Zweimarkstück sei weniger wert als
ein Markstück und zwei halbe, denn – so lautet seine Begründung: man müsse es wechseln, und dann bekäme man
zuwenig heraus! Ich hoffe, nicht der einzige Imbezille in
diesem Saal zu sein, der dieser Werttheorie für Menschen,
die beim Wechseln nicht aufpassen können, herzlich zu-
stimmt!

Um aber nochmals auf das Verhältnis zur Kunst zu-
rückzukehren, die schlichte Dummheit ist wirklich oft eine
Künstlerin. Statt auf ein Reizwort mit einem andern Wort
zu erwidern, wie es in manchen Experimenten einstens
sehr üblich war, gibt sie gleich ganze Sätze zur Antwort,

und man mag sagen, was man will, diese Sätze haben etwas wie Poesie in sich! Ich wiederhole, indem ich zuerst das Reizwort nenne, einige von solchen Antworten:

»Anzünden: Der Bäcker zündet das Holz an.

Winter: Besteht aus Schnee.

Vater: Der hat mich einmal die Treppe hinuntergeworfen.

Hochzeit: Dient zur Unterhaltung.

Garten: In dem Garten ist immer schön Wetter.

Religion: Wenn man in die Kirche geht.

Wer war Wilhelm Tell: Man hat ihn im Wald gespielt; es waren verkleidete Frauen und Kinder dabei.

Wer war Petrus: Er hat dreimal gekräht.«

Die Naivität und große Körperlichkeit solcher Antworten, der Ersatz höherer Vorstellungen durch das Erzählen einer einfachen Geschichte, das wichtige Erzählen von Überflüssigem, von Umständen und Beiwerk, dann wieder das abkürzende Verdichten wie in dem Petrus-Beispiel, das sind uralte Praktiken der Dichtung; und wenn ich auch glaubte, daß ein Zuviel davon, wie es recht in Schwang ist, den Dichter dem Idioten annähert, so ist doch auch das Dichterische in diesem nicht zu verkennen, und es fällt ein Licht darauf, daß der Idiot in der Dichtung mit einer eigentümlichen Freude an seinem Geist dargestellt werden kann.

Zu dieser ehrlichen Dummheit steht nun die anspruchsvolle höhere in einem wahrhaft nur zu oft schreienden Gegensatz. Sie ist nicht sowohl ein Mangel an Intelligenz als vielmehr deren Versagen aus dem Grunde, daß sie sich Leistungen anmaßt, die ihr nicht zustehen; und sie kann alle schlechten Eigenschaften des schwachen Verstandes an sich haben, hat aber außerdem auch noch alle die an sich, die ein nicht im Gleichgewicht befindliches, verwachsenes, ungleich bewegliches, kurz, ein jedes Gemüt verursacht, das von der Gesundheit abweicht. Weil es keine »genormten« Gemüter gibt, drückt sich, richtiger gesagt, in dieser

Abweichung ein ungenügendes Zusammenspiel zwischen
den Einseitigkeiten des Gefühls und einem Verstand aus,
der zu ihrer Zügelung nicht hinreicht. Diese höhere Dummheit ist die eigentliche Bildungskrankheit (aber um einem
Mißverständnis entgegenzutreten: sie bedeutet Unbildung,
Fehlbildung, falsch zustande gekommene Bildung, Miß-
verhältnis zwischen Stoff und Kraft der Bildung), und sie
zu beschreiben, ist beinahe eine unendliche Aufgabe. Sie
reicht bis in die höchste Geistigkeit; denn ist die echte
Dummheit eine stille Künstlerin, so die intelligente das,
was an der Bewegtheit des Geisteslebens, vornehmlich
aber an seiner Unbeständigkeit und Ergebnislosigkeit mit-
wirkt. Schon vor Jahren habe ich von ihr geschrieben:
»Es gibt schlechterdings keinen bedeutenden Gedanken,
den die Dummheit nicht anzuwenden verstünde, sie ist
allseitig beweglich und kann alle Kleider der Wahrheit
anziehen. Die Wahrheit dagegen hat jeweils nur ein Kleid
und einen Weg und ist immer im Nachteil.« Die damit
angesprochene Dummheit ist keine Geisteskrankheit, und
doch ist sie die lebensgefährlichste, die dem Leben selbst
gefährliche Krankheit des Geistes.

Wir sollten sie gewiß jeder schon in uns verfolgen, und
nicht erst an ihren großen geschichtlichen Ausbrüchen erkennen. Aber woran sie erkennen? Und welches unver-
kennbare Brandmal ihr aufdrücken?! Die Psychiatrie benutzt heute als Hauptkennzeichen für die Fälle, die sie
angehen, die Unfähigkeit, sich im Leben zurechtzufinden,
das Versagen vor allen Aufgaben, die es stellt, oder auch
plötzlich vor einer, wo es nicht zu erwarten wäre. Auch
in der experimentellen Psychologie, die es vornehmlich
mit dem Gesunden zu tun hat, wird die Dummheit ähnlich definiert. »Dumm nennen wir ein Verhalten, das eine
Leistung, für die alle Bedingungen bis auf die persönlichen gegeben sind, nicht vollbringt«, schreibt ein bekannter Vertreter einer der neuesten Schulen dieser Wissenschaft. Dieses Kennzeichen der Fähigkeit sachlichen Ver-

haltens, der Tüchtigkeit also, läßt für die eindeutigen
»Fälle« der Klinik oder der Affenversuchsstation nichts
zu wünschen übrig, aber die frei herumlaufenden »Fälle«
machen einige Zusätze nötig, weil das richtige oder falsche »Vollbringen der Leistung« bei ihnen nicht immer so
einleuchtend ist. Erstens liegt doch in der Fähigkeit, sich
allezeit so zu verhalten, wie es ein lebenstüchtiger Mensch
unter gegebenen Umständen tut, schon die ganze höhere
Zweideutigkeit der Klugheit und Dummheit, denn das
»sachgemäße«, »sachkundige« Verhalten kann die Sache
zum persönlichen Vorteil benutzen oder ihr dienen, und
wer das eine tut, pflegt den, der das andre tut, für dumm
zu halten. (Aber medizinisch dumm ist eigentlich nur,
wer weder das eine noch das andere kann.) Und zweitens
läßt sich auch nicht leugnen, daß ein unsachliches Verhalten, ja sogar ein unzweckmäßiges, oft notwendig sein
kann, denn Objektivität und Unpersönlichkeit, Subjektivität und Unsachlichkeit haben Verwandtschaft miteinander, und so lächerlich die unbeschwerte Subjektivität ist,
so lebens-, ja denkunmöglich ist natürlich ein völliges ob-
jektives Verhalten; beides auszugleichen ist sogar eine der
Hauptschwierigkeiten unserer Kultur. Und schließlich
wäre auch noch einzuwenden, daß sich gelegentlich keiner
so klug verhält, wie es nötig wäre, daß jeder von uns also,
wenn schon nicht immer, so doch von Zeit zu Zeit dumm
ist. Es ist darum auch zu unterscheiden zwischen Versagen
und Unfähigkeit, gelegentlicher oder funktioneller und
beständiger oder konstitutioneller Dummheit, zwischen
Irrtum und Unverstand. Es gehört das zum wichtigsten,
weil die Bedingungen des Lebens heute so sind, so unüber-
sichtlich, so schwer, so verwirrt, daß aus den gelegentli-
chen Dummheiten der einzelnen leicht eine konstitionel-
le der Allgemeinheit werden kann. Das führt die Beobachtung also schließlich auch aus dem Bereich persönlicher
Eigenschaften hinaus zu der Vorstellung einer mit geistigen Fehlern behafteten Gesellschaft. Man kann zwar, was

psychologisch-real im Individuum vor sich geht, nicht auf Sozietäten übertragen, also auch nicht Geisteskrankheiten und Dummheit, aber man dürfte heute wohl vielfach von einer »sozialen Imitation geistiger Defekte« sprechen können; die Beispiele dafür sind recht aufdringlich.

Mit diesen Zusätzen ist der Bereich der psychologischen Erklärung natürlich wieder überschritten worden. Sie selbst lehrt uns, daß ein kluges Denken bestimmte Eigenschaften hat, wie Klarheit, Genauigkeit, Reichtum, Löslichkeit trotz Festigkeit und viele andere, die sich aufzählen ließen; und daß diese Eigenschaften zum Teil angeboren sind, zum Teil neben den Kenntnissen, die man sich aneignet, auch als eine Art Denkgeschicklichkeit erworben werden; bedeuten doch ein guter Verstand und ein geschickter Kopf so ziemlich das gleiche. Hierbei ist nichts zu überwinden als Trägheit und Anlage, das läßt sich auch schulen, und das komische Wort »Denksport« drückt nicht einmal so übel aus, worauf es ankommt.

Die »intelligente« Dummheit hat dagegen nicht sowohl den Verstand als vielmehr den Geist zum Widerpart, und wenn man sich darunter nicht bloß ein Häuflein Gefühle vorstellen will, auch das Gemüt. Weil sich Gedanken und Gefühle gemeinsam bewegen, aber auch weil sich in ihnen der gleiche Mensch ausdrückt, lassen sich Begriffe wie Enge, Weite, Beweglichkeit, Schlichtheit, Treue auf das Denken wie auf das Fühlen anwenden; und mag der daraus entstehende Zusammenhang selbst noch nicht ganz klar sein, so genügt es doch, um sagen zu können, daß zum Gemüt auch Verstand gehört und daß unsere Gefühle nicht außer Verbindung mit Klugheit und Dummheit sind. Gegen diese Dummheit ist durch Vorbild und Kritik zu wirken.

Die damit vorgetragene Auffassung weicht von der üblichen Meinung ab, die durchaus nicht falsch, wohl aber äußerst einseitig ist und nach der ein tiefes, echtes Gemüt

des Verstandes nicht brauchte, ja durch ihn bloß verun-
reinigt würde. Die Wahrheit ist, daß an schlichten Menschen gewisse wertvolle Eigenschaften, wie Treue, Beständig-
keit, Reinheit des Fühlens und ähnliche ungemischt
hervortreten, aber das doch eigentlich nur tun, weil der
Wettbewerb der anderen schwach ist; und ein Grenzfall
davon ist uns vorhin im Bilde des freundlich zusagenden
Schwachsinns zu Gesicht gekommen. Nichts liegt mir ferner, als das gute, rechtschaffene Gemüt mit diesen Ausführungen erniedrigen zu wollen – sein Fehlen hat sogar ge-
ziemlichen Anteil an der höheren Dummheit! –, aber noch
wichtiger ist es heute, ihm den Begriff des Bedeutenden
voranzusetzen, was ich freilich nur noch gänzlich utopi-
scherweise erwähne.

Das Bedeutende vereint die Wahrheit, die wir an ihm
wahrnehmen können, mit den Eigenschaften des Gefühls,
die unser Vertrauen haben, zu etwas Neuem, zu einer
Einsicht, aber auch zu einem Entschluß, zu einem erfrisch-
ten Beharren, zu irgend etwas, das geistigen *und* seelischen
Gehalt hat und uns oder anderen ein Verhalten »zumutet«; so ließe sich sagen, und was im Zusammenhang mit
der Dummheit das wichtigste ist, das Bedeutende ist an
der Verstandes- wie an der Gefühlsseite der Kritik zugänglich. Das Bedeutende ist auch der gemeinsame Gegensatz von Dummheit und Roheit, und das allgemeine Miß-
verhältnis, worin heute die Affekte die Vernunft zerdrük-
ken, statt sie zu beflügeln, schmilzt im Begriff der Bedeutung zu. Genug von ihm, ja vielleicht schon mehr, als zu
verantworten sein möchte! Denn sollte noch etwas hinzugefügt werden müssen, so könnte es nur das eine sein, daß
mit allem Gesagten durchaus noch kein sicheres Erken-
nungs- und Unterscheidungszeichen des Bedeutenden gegeben ist und daß wohl auch nicht leicht ein ganz genü-
gendes gegeben werden könnte. Gerade das führt uns aber
auf das letzte und wichtigste Mittel gegen die Dummheit:
auf die Bescheidung.

Gelegentlich sind wir alle dumm; wir müssen gelegentlich auch blind oder halbblind handeln, oder die Welt stünde still; und wollte einer aus den Gefahren der Dummheit die Regel ableiten: »Enthalte dich in allem des Urteils und des Entschlusses, wovon du nicht genug verstehst!«, wir erstarrten! Aber diese Lage, von der heute recht viel Aufhebens gemacht wird, ist ähnlich einer, die uns auf dem Gebiet des Verstandes längst vertraut ist. Denn weil unser Wissen und Können unvollendet ist, müssen wir in allen Wissenschaften im Grunde voreilig urteilen, aber wir bemühen uns und haben es erlernt, diesen Fehler in bekannten Grenzen zu halten und bei Gelegenheit zu verbessern, wodurch doch wieder Richtigkeit in unser Tun kommt. Nichts spricht eigentlich dagegen, dieses exakte und stolz-demütige Urteilen und Tun auch auf andere Gebiete zu übertragen; und ich glaube, der Vorsatz: Handle, so gut du kannst und so schlecht du mußt, und bleibe dir dabei der Fehlergrenzen deines Handelns bewußt! wäre schon der halbe Weg zu einer aussichtsvollen Lebensgestaltung.

Aber ich bin mit diesen Andeutungen schon eine Weile am Ende meiner Ausführungen, die, wie ich schützend vorgekehrt habe, nur eine Vorstudie bedeuten sollen. Und ich erkläre mich, den Fuß auf der Grenze, außerstande, weiterzugehen; denn einen Schritt über den Punkt, wo wir halten, hinaus, und wir kämen aus dem Bereich der Dummheit, der selbst theoretisch noch abwechslungsreich ist, in das Reich der Weisheit, eine öde und im allgemeinen gemiedene Gegend.

(1937)

KLAUS MANN

ÖDÖN VON HORVATH

In meinem ersten Bericht für die »Washington Post« habe ich auf den jungen deutsch-ungarischen Romancier und Dramatiker Ödön von Horvath hingewiesen; ich rühmte Reiz und Bedeutung seines Romans »Jugend ohne Gott«, der inzwischen in viele Sprachen übersetzt worden ist und über dessen Verfilmung verhandelt wird. Ödön von Horvath aber lebt nicht mehr. Er ist eines schrecklichen und sonderbaren Todes gestorben. Ein Baum auf den Pariser Champs-Elysées hat ihn erschlagen. Die Nachricht klang so grauenvoll und phantastisch, daß wir – seine Freunde – sie erst nicht glauben wollten. Und doch verhielt es sich so: der Dichter war in einer stürmischen Nacht auf den Champs-Elysées spaziert; der schwere Ast eines stürzenden Baumes hatte ihn ins Genick getroffen. Bei allem Entsetzen und aller Traurigkeit spürten wir, daß dies makabre Ende auf eine unheimliche und genaue Art zu Horvath paßte. Ein Baum wird zum Mörder –: dieser schreckliche Einfall könnte von Horvath sein; er hätte das Genie und er hätte den Mut zu ihm gehabt. In seinen Büchern und in seinen Theaterstücken sind die ausgefallenen, grotesken und tödlichen Katastrophen solcher Art häufig zu finden. Ist es nicht so, daß die Dichter oft am Ende wirklich erleben und am eigenen Leibe erleiden müssen, was sie – diese spielerischen Götter – zuerst nur ausgedacht und über ihre erfundenen Geschöpfe grausam-willkürlich verhängt hatten? Es gibt strenge und mysteriöse Gesetze der Identität zwischen Person und Werk ...
Er war ein Dichter, nur wenige verdienen diesen Eh-

rennamen. Die Atmosphäre echter Poesie war in jedem
Satz, den er geschrieben hat, und sie war auch um seine
Person, war in seinem Blick, seiner Rede. Er hatte eine
merkwürdige, langsame, etwas träge, zugleich schläfrige
und eindringliche Art des Sprechens. Mit einem Lächeln,
das kindlich, aber nicht ganz ohne Grausamkeit war, liebte er es, wunderliche und schreckliche Geschichten vorzu-
tragen – Geschichten, in denen seltsame Krüppel oder groteske Unglücksfälle, komische, ausgefallene, fürchterliche
Begebenheiten ihre Rolle spielten. Er sah aus wie ein ge-
mütlicher Mann, der gern ißt und trinkt und mit Freunden plaudert. Er aß und trank auch gern, und er plau-
derte gern mit Freunden. Freilich waren seine Plaudereien von solcher Art, daß es den Freunden zuweilen eis-
kalt den Rücken hinunterlief. Er war verliebt ins Unheimliche; aber durchaus nicht spielerischer, ästhetizisti-
scher, literarischer Weise; vielmehr war das Unheimliche,
war das Dämonische *in ihm*, als ein Element seines Wesens. In seiner poetischen Produktion wie in seiner Natur
trafen sich zärtliche und naive, lyrisch heitere Stimmungen aufs reizvollste und originellste mit den finsteren, den
dämonischen Zügen.

Übrigens hatte er wohl auch Ahnungen, und zwar recht
deutliche Ahnungen, was sein eigenes Ende betraf. Als
wir ihm zuletzt in Zürich begegneten, ein paar Tage ehe
ihn sein sonderbares und grausiges Schicksal traf, sagte er
uns, und sagte er zu anderen Freunden: »Ich habe keine
Angst vorm Krieg oder vor der Gefangenschaft. Ich habe
Angst *vor der Straße*. Auf der Straße kann etwas passieren. Ein Ziegelstein kann einem auf den Kopf fallen . . .«
Dann machte der gesunde, kräftige junge Mann sein Testament, das er seinem Verleger in Amsterdam anvertraute.

Er hatte eine charakteristische, unvergeßliche Manier,
über all die grauenvollen Dinge, die in seinen Anekdoten
vorkamen, kindlich amüsiert, dabei etwas drohend zu la-

chen. Dieses Lachen schien auszudrücken: Es ist ja unter-
haltend und seltsam und recht interessant, daß die Welt
so schauerlich, so bunt verderbt, so reich an Absurdität
und Grauen ist. Aber, andererseits, sollten wir doch wohl
unser Teil dafür tun, daß sie ein bißchen besser und ver-
nünftiger, etwas weniger tragikomisch werde.

Denn der Dichter war auch Moralist. Er war es nicht so
sehr infolge von sozialen oder ökonomischen Überlegungen und Erkenntnissen; eher aus einer religiösen Veranlagung heraus. Da er an Gott glaubte und sich innig viel
mit Gott beschäftigte, war es ihm nicht möglich, das Böse
und Häßliche wie ein krasses Schauspiel nur zu genießen.
Er haßte es auch, und schließlich kam er sogar dazu, es zu
bekämpfen – mit den Mitteln, die ihm gegeben waren:
mit den dichterischen Mitteln.

Wäre er nicht im Grunde doch ein Moralist gewesen, er
hätte sich ja sehr wohl mit Nazi-Deutschland abfinden
können, wo man gegen den ungarischen »Arier« wohl
nicht viel einzuwenden gehabt hätte, und wo seine Vorliebe für das schaurig Groteske üppig auf ihre Kosten gekommen wäre. Indessen trennte er sich unbedingt vom
Dritten Reich: zunächst wohl einfach aus Gründen des
guten Geschmacks – um seiner Würde als Schriftsteller
willen; dann aber auch aus einem Anstand, der mehr als
nur Anständigkeit, nämlich Moral im ernstesten, tiefsten
Sinn des Wortes war. Er erschauerte vor dem Bösen, das
im Dritten Reich täglich schamlos-nackt triumphiert. Der
Roman, den er im Exil veröffentlicht hat, »*Jugend ohne
Gott«,* ist von der ersten bis zur letzten Zeile atemberau-
bend erfüllt von diesem Schauder und von diesem Grauen.

Mit diesem Roman, dessen internationaler Erfolg bedeutend ist, hatte Horvath sich ganz neue Möglichkeiten
eröffnet. Zuerst war er als Dramatiker berühmt gewesen.
Nun hatte er eine neue Form gefunden: die Form des lyrisch abgekürzten, dramatisch gespannten, indirekt zeit-
kritischen Romans. Auf dieser Linie wollte er weiterarbei-

ten. Ein neues Buch liegt abgeschlossen vor und wird bald erscheinen. Der kurze Roman »Ein Kind unserer Zeit« bildet die thematische Fortsetzung der Erzählung »Jugend ohne Gott«. Anderes war geplant.

Und nun die Klage der Freunde: Warum so früh? Warum gerade er? Was hätte er noch alles machen können! Wie bitter wird er uns fehlen! Wir stimmen ein in die Klage. Doch mischt sich in unsere Trauer auch noch ein andres Gefühl – ein Gefühl, das oft sehr mächtig in uns ist, wenn Menschen und besonders wenn Dichter »ihren eigenen Tod« sterben.

»Voici le temps des assassins!« rief seherisch Arthur Rimbaud: er konnte kaum die relativ friedlichen Jahre des ausgehenden XIX. Jahrhunderts meinen; er wußte die Greuel unserer Epoche voraus. Sie scheint furchtbar gefährlich für die höher entwickelten Menschen, diese Epoche. Wen die Henker in den Kerkern und Lagern verschonen, den tötet der Sturm: ein unschuldiger Baum auf der schönsten Straße der Welt wird zum Mörder. *(1938)*

ERNST BLOCH

DISKUSSIONEN ÜBER EXPRESSIONISMUS

Trefflich, daß hier Kämpfe wieder beginnen. Vor kurzem schien dies undenkbar, der »Blaue Reiter« war tot. Jetzt melden sich nicht nur Stimmen, die sich seiner mit Achtung erinnern. Fast wichtiger ist, daß sich andere über eine vergangene Bewegung so akut ärgern, als wäre sie eine heutige und stünde ihnen im Weg. Sie ist gewiß keine so heutige, aber hat sie noch nicht ausgelebt?

Einer stellte das so dar, als spuke sie nur in einzelnen älteren Herzen fort. Ehemals waren diese jugendbewegt, nun bekennen sie sich zum klassischen Erbe, leiden aber noch an gewissen Resten. Ziegler (im »Wort«, Moskau, 1937, Heft 9) sieht einen besonders prägnant erscheinenden Expressionisten – Benn – im Fascismus enden und schließt daraus: »Dieses Ende ist gesetzmäßig.« Die übrigen Expressionisten wären nur nicht konsequent genug, es zu finden; heute ließe sich klar erkennen, wes Geistes Kind der Expressionismus war, und wohin dieser Geist, ganz befolgt, führe: »in den Faschismus.« Danach wäre also der neuerweckte Ärger an den Expressionisten nicht nur ein privater, sondern ein kulturpolitischer, antifaschistischer: die »Menschheitsdämmerung« von ehemals war eine – Prämisse Hitlers. Hier passierte nur Ziegler (er heißt in Wahrheit Alfred Kurella und blieb so erhalten) das Mißgeschick, daß Hitler einige Wochen, bevor Zieglers Ahnenforschung veröffentlicht wurde, in seiner Münchner Rede und Ausstellung die Prämisse gar nicht wiedererkannte. Im Gegenteil, wie bekannt: rascher und sinnfälliger wurde eine falsche Herleitung, ein eilig negatives Werturteil selten ad absurdum geführt.

Wurde es auch grundsätzlich, das heißt auf eine uns angemessene Weise ad absurdum geführt? Die Übereinstimmung, in der sich Ziegler, zu seinem Schreck, mit Hitler fand, ist gewiß tödlich, aber der Betrüger in München hätte ja einen Grund dafür haben können (man sieht freilich nicht, welchen), die Spuren des Fascismus zu verwischen. Um die grundsätzliche Frage daher zu klären, ist es angezeigt, den chronologischen Unfall des Ziegler-Artikels, aber auch den Artikel selbst nicht einzeln zu pointieren, sondern jene »Vorarbeit« des Ganzen aufzusuchen, auf die Leschnitzer in seinem lyrischen Diskussionsbeitrag bereits hingewiesen hat. Wir meinen also den vier Jahre alten Aufsatz von Lukács: »›Größe und Verfall‹ des Expressionismus« (Internationale Literatur, 1934, Heft 1, wiederabgedruckt in »Schicksalswende«, Aufbau-Verlag, 1948, S. 180–235); darin ist das Konzept für die neueste Grabrede auf den Expressionismus. Wir beziehen uns in folgendem wesentlich auf diesen Aufsatz; denn er liegt den Beiträgen Zieglers, auch Leschnitzers gedanklich zugrunde. Lukács ist zwar in den Schlußformulierungen bedeutend vorsichtiger, er betont, daß die bewußten Tendenzen des Expressionismus keine fascistischen waren, daß er schließlich »nur als untergeordnetes Moment in die fascistische ›Synthese‹ einverleibt werden« konnte. Aber das Fazit bemerkt trotzdem, daß »die Faschisten – mit einem gewissen Recht – im Expressionismus ein für sie brauchbares Erbe erblicken«. Goebbels findet hier für das Seine »gesunde Ansätze«, denn »der Expressionismus als schriftstellerische Ausdrucksform des entwickelten Imperialismus (!) beruht auf einer irrationalistisch-mythologischen Grundlage; seine schöpferische Methode geht in die Richtung des pathetisch-leeren, deklamatorischen Manifestes, der Proklamierung eines Scheinaktivismus ... Die Expressionisten wollten zweifellos alles eher als einen Rückschritt. Da sie sich aber weltanschaulich nicht vom Boden des imperialistischen Parasitismus loslösen konnten, da sie den ideologischen Verfall der imperialistischen Bourgeoisie kritiklos und widerstandslos mitmachten, ja zeitweilig seine Pioniere waren, muß ihre schöpferische Methode nicht entstellt werden, wenn sie in den Dienst der faschistischen Demagogie, der Einheit von Verfall und Rückschritt gepreßt wird.« Man erkennt: die Auffassung, daß Expressionismus und Fascismus Kinder des gleichen Geistes seien, hat hier ihren grundsätzlichen Ausgangspunkt. Auch ist die Antithese: Expressionismus und – sage man – klassisches Erbe bei Lukács genauso starr wie bei Ziegler, nur besteht sie weniger aus Feuilletoneifer, ist begrifflich fundiert.

Freilich nicht ebenso sachlich, dem Stoff nach; hier liegt manches im argen. Wer Lukács' Aufsatz zur Hand nimmt (was sehr ratsam, das Original lehrt immer am besten), der merkt zunächst, daß in keiner Zeile ein expressionistischer Maler vorkommt. Marc, Klee, Kokoschka, Nolde, Kandinsky, Grosz, Dix, Chagall sind nicht vorhanden (um von musikalischen Parallelen, vom damaligen Schönberg zu schweigen). Das überrascht desto mehr, als nicht nur die Zusammenhänge zwischen Malerei und Literatur damals die engsten waren, sondern die expressionistischen Bilder viel bezeichnender für die Bewegung sind als die Literatur. Zudem hätte sie eine wünschenswerte Erschwerung des vernichtenden Urteils abgegeben, denn einige dieser Bilder bleiben dauernd bedeutsam und groß. Aber auch die literarischen Gebilde sind weder in einer quantitativ noch qualitativ zureichenden Weise beachtet; der Kritiker begnügt sich mit einer sehr geringen, wenig charakteristischen »Auswahl«. Gänzlich fehlen Trakl, Heym, Else Lasker-Schüler; der frühe Werfel wird nur hinsichtlich des pazifistischen Tenors weniger Verszeilen zur Kenntnis genommen, ebenso Ehrenstein und Hasenclever. Während von den frühen, oft bedeutenden Gedichten Johannes R. Bechers nur versichert wird, daß es dem Autor gelungen sei, die expressionistische Methode »allmählich wegzuwerfen«, werden Auchdichter wie Ludwig Rubiner durchaus zitiert, jedoch wiederum nur zu dem Zweck, um an ihnen zu erhärten, was – abstrakter Pazifismus sei. Hier tritt bezeichnenderweise auch ein Zitat aus René Schickele an, obwohl Schickele niemals ein Expressionist war, sondern eben nur ein abstrakter Pazifist (wie damals viele brave Dichter und Männer, Hermann Hesse, Stefan Zweig dazu). Was aber ist nun das Material, an dem Lukács eine Expressionismus-Auffassung kenntlich macht? Es sind Vorworte oder Nachworte zu Anthologien, »Einleitungen« von Pinthus, Zeitschrift-Artikel von Leonhardt, Rubiner, Hiller und dergleichen mehr. Es ist derart nicht die Sache selbst, mit ihrem konkreten Eindruck an Ort und Stelle, mit ihrer nachzuerfahrenden Wirklichkeit, sondern das Material ist schon selber ein indirektes, ist Literatur über den Expressionismus, die nochmals literarisiert, theoretisiert und kritisiert wird. Gewiß zum Zweck, »die gesellschaftliche Basis und die aus ihr entspringenden weltanschaulichen Voraussetzungen dieser Bewegung« klarzustellen, aber mit der methodischen Begrenztheit, daß ein Begriff von Begriffen, ein Essay über Essays und Minderes gegeben wird. Von daher auch die fast ausschließliche Kritik bloßer expressionistischer Tendenzen und Programme (meist solcher, die erst die Literatoren der Bewegung formuliert, wo nicht hineingetragen haben). Sehr viele richtige und feine Konstatierungen finden sich in diesem Zusammenhang; Lukács charakterisiert den Abstraktpazifismus, den Boheme-Begriff der »Bürgerlichkeit«, den »Fluchtcharakter«, die »Fluchtideologie«, dann wieder die bloß subjektive Revolte im Expressionismus, auch die abstrakte Mystifizierung des »Wesens« der expressionistisch dargestellten Dinge. Aber bereits die subjektive Revolte dieser Bewegung ist kaum genügend erfaßt, wenn Lukács – an Hand der »Vorworte« – lediglich die »fanfarenhafte Überheblichkeit«, die »blecherne Monumentalität« ankreidet. Wenn er inhaltlich le-

diglich »kleinbürgerliche Ratlosigkeit und Verlorenheit im
Getriebe des Kapitalismus« vorfindet, »das ohnmächtige
Aufbegehren des Kleinbürgers gegen sein Zermürbt- und
Zertretenwerden durch den Kapitalismus«. Wäre selbst
nichts sonst zum Vorschein gekommen, hätten die Expressionisten während des Weltkriegs wirklich nichts anderes
zu melden gehabt als Frieden, Ende der Tyrannei, so wäre
das noch kein Grund, ihren Kampf, wie Lukács tut, als
bloßen Scheinkampf zu bezeichnen, ja ihm zu attestieren,
daß er eine bloße »pseudokritische, abstrakt-verzerrende,
mythisierende Wesensart der *imperialistischen* (von mir
hervorgehoben, E. B.) Scheinoppositionen darstellte. Es
ist wahr, Werfel und andere seiner Art haben ihren Abstraktpazifismus *nach* Kriegsende zu einer Kindertrompe-
te verwandelt; die Parole »Gewaltlosigkeit« wurde dadurch, der neuen Lage, der Revolution gegenüber, zu
einer objektiv gegenrevolutionären. Aber das hebt den
Umstand nicht auf, daß diese Parole *während des Krieges selbst* und vor seiner möglichen Umwandlung in den
Bürgerkrieg eine durchaus revolutionäre, auch objektiv-
revolutionäre war, daß sie von den Durchhaltepolitikern
auch so verstanden worden ist. Übrigens haben viele Expressionisten auch der »bewaffneten Güte« ein Wort gesungen, der Peitsche Christi, die die Wechsler aus dem
Tempel trieb; so völlig begriffslos war diese Menschenliebe nicht. Gar die Mitteilung, daß der Expressionismus
den »gemeinsamen weltanschaulichen Boden des deutschen
Imperialismus« nicht verlassen habe, daß er infolgedessen
dem Imperialismus durch bloße »apologetische Kritik«
auch noch genützt habe, ist nicht nur einseitig und schief,
sondern gibt überdimensioniert schief ein Schulbeispiel für
den banalen, gerade von Lukács bekämpften Soziologis-
mus und Schematismus. Doch wie gesagt, das von Lukács
fast einzig Zitierte gehörte gar nicht zum *gestaltenden*
Expressionismus, wie er uns als Phänomen doch einzig interessiert. Es gehört wesentlich zum »Ziel-Jahrbuch« und

ähnlicher mit Recht verschollener Diatribe, (wenn diese auch, unter Führung von Heinrich Mann, keineswegs imperialisierte). Aber in den nach wie vor rätselhaften Subjektausbrüchen, in den archaisch-utopischen Hypostasen der damaligen Kunst ist, wie nicht erst versichert zu werden braucht, auch bedeutend mehr als die »USP-Ideologie« anzutreffen, auf die Lukács den Expressionismus zudem reduzieren möchte. Subjektausbrüche ins nur Gegenstandslose sind zwar zweifellos noch bedenklicher, als sie rätselhaft sind; ihr Material aber ist durch bloße »kleinbürgerliche Ratlosigkeit und Verlorenheit« kaum genügend umschrieben. Es ist ein anderes Material, zum Teil aus archaischen Bildern, zum Teil aber auch aus revolutionärer Phantasie, aus kritischer und häufig konkreter. Wer Ohren gehabt hätte zu hören, hätte in diesen Ausbrüchen ein revolutionär Produktives wahrnehmen können, auch wenn es ungeregelt und ohne Obhut war. Auch wenn es noch soviel »klassisches Erbe«, das heißt zur damaligen Zeit: klassischen Schlendrian »zersetzt« hat. Dauernder Neuklassizismus oder der Glaube, daß alles, was nach Homeros und Goethe hervorgebracht wurde, unrespektabel sei, wenn es nicht nach deren Vorbild, vielmehr der Abstraktion daraus gemacht sei, dieses ist allerdings keine Warte, um die Kunst der vorletzten Avantgarde zu beurteilen und in ihr nach dem Rechten zu sehen.

Was überhaupt wird, bei solcher Haltung, an neueren künstlerischen Versuchen nicht abgekanzelt? Sie werden ohne weiteres der kapitalistischen Fäulnis zugeordnet, und das nicht nur, wie selbstverständlich, zu einem bestimmten Teil, sondern hundertprozentig, in Bausch und Bogen. Avantgarde innerhalb der spätkapitalistischen Gesellschaft gibt es dann nicht, antizipierende Bewegungen im Überbau sollen nicht wahr sein. So will es eine Schwarz-Weiß-Zeichnung, die den wirklichen Umständen schwerlich gerecht wird, den propagandistischen erst recht nicht. Sie rechnet fast alle Oppositionen gegen die herrschende

Klasse, die nicht von vornherein kommunistisch sind, der herrschenden Klasse zu. Sie rechnet sie auch dann zu, wenn die Opposition, wie Lukács im Fall Expressionismus konsequenzlos eingesteht, subjektiv gutwillig war und den Tendenzen des späteren Fascismus entgegengesetzt fühlte, malte, schrieb. Im Zeitalter der Volksfront scheint eine Fortsetzung dieser Schwarz-Weiß-Technik weniger als je angebracht; sie ist mechanisch, nicht dialektisch. Der gesamten Abkanzlung und schlechthin negativistischen Kritik liegt die Theorie zugrunde, daß seit der Beendigung des Weges Hegel–Feuerbach–Marx von der Bourgeoisie überhaupt nichts mehr zu lernen sei, außer Technik und gegebenenfalls Naturwissenschaft; alles andere sei bestenfalls »soziologisch« interessant. Daher werden selbst so eigentümliche und bisher unerhörte Erscheinungen wie der Expressionismus von vornherein als pseudo-revolutionär gerichtet. Daher werden den Nazis die Expressionisten als Vorläufer zugebilligt, ja zugetrieben, Streichers Ahnentafel sieht sich völlig unwahrscheinlich, höchst verwirrend aufgebessert. Ziegler gar machte eine Klimax aus Namen, die durch Abgründe voneinander getrennt sind, er trennt sie aber nur durch Kommata und setzt hintereinander, als Brüder des gleichen »nagenden« Geistes: »Bachofen, Rohde, Burckhardt, Nietzsche, Chamberlain, Bäumler, Rosenberg«. Lukács bezweifelt aus den angegebenen Gründen jetzt selbst an Cézanne die malerische Substanz, und von den großen Impressionisten insgesamt (also nicht nur von den Expressionisten) spricht Lukács wie vom Untergang des Abendlandes. Er läßt in seinem Aufsatz nichts von ihnen übrig als »die Inhaltsleere ... die in der Häufung wesenloser, nur subjektiv bedeutsamer Oberflächenzüge künstlerisch zum Vorschein kommt«. Riesig steigt dagegen der Klassizismus auf, bei Ziegler sogar die Winckelmann-Antike, die edle Einfalt, stille Größe, die Kultur des unzerfallenen Bürgertums, die Welt vor hundert und noch mehr Jahren; sie allein sei das Erbe. Gegen solche

Simplifizierung darf wohl daran erinnert werden, daß die Zeit des Klassizismus nicht nur die Zeit des aufsteigenden deutschen Bürgertums war, sondern auch der Heiligen Allianz; daß Säulenklassizismus, der »strenge« Herrenhaus-Stil dieser Reaktion Rechnung tragen; das selbst die Winckelmann-Antike keineswegs ohne feudale Gelassenheit ist. Es ist wahr: die laudatores temporis acti halten bei Homeros und Goethe nicht ausschließlich an. Lukács verehrt Balzac aufs höchste, macht Heine als nationalen Dichter kenntlich und ist gegebenenfalls von Klassik so fern, daß er Mörike, der allen Freunden früherer Dichtung als einer der echtesten deutschen Lyriker gilt, im Heine-Aufsatz einen »niedlichen Zwerg« genannt hat. Überall sonst aber ist hier Klassik das Gesunde, Romantik das Kranke, Expressionismus das Allerkränkste, und dieses nicht nur wegen des chronologischen Decrescendo dieser Gebilde, sondern freilich auch – wie Lukács mit geradezu romantischer Beschwörung geschlossener Zeiten betont – wegen des schön Geschwungenen und Ebenmaßes, wegen des *unzerfallenen objektiven Realismus*, der der Klassik eignet. Es ist hier nicht der Ort, auf diesen Punkt einzugehen; gerade wegen seiner Wichtigkeit erforderte er die gründlichste Behandlung, doch müßten dazu alle Probleme der dialektisch-materialistischen Abbildlehre zur Sprache kommen. Hier nur soviel: Lukács setzt überall eine geschlossen zusammenhängende Wirklichkeit voraus, dazu eine, in der zwar der subjektive Faktor des Idealismus keinen Platz hat, dafür aber die ununterbrochene »Totalität«, die in idealistischen Systemen, und so auch in denen der klassischen deutschen Philosophie, am besten gediehen ist. Ob das Realität ist, steht zur Frage; wenn sie es ist, dann sind allerdings die expressionistischen Zerbrechungs- und Interpolationsversuche, ebenso die neueren Intermittierungs- und Montageversuche, leeres Spiel. Aber vielleicht ist Lukács' Realität, die des unendlich vermittelten Totalitätszusammenhangs, gar nicht so – objektiv; vielleicht enthält Lukács' Realitätsbegriff selber noch klassisch-systemhafte Züge; vielleicht ist die echte Wirklichkeit auch – Unterbrechung. Weil Lukács einen objektivistisch-geschlossenen Realitätsbegriff hat, darum wendet er sich, bei Gelegenheit des Expressionismus, gegen jeden künstlerischen Versuch, ein Weltbild zu zerfällen (auch wenn das Weltbild das des Kapitalismus ist). Darum sieht er in einer Kunst, die *reale* Zersetzungen des Oberflächenzusammenhangs auswertet und Neues in den Hohlräumen zu entdecken versucht, selbst nur subjektivistische Zersetzung; darum setzt er das Experiment des Zerfällens mit dem Zustand des Verfalls gleich.

An dieser Stelle läßt, zu guter Letzt, sogar der Scharfsinn nach. Zweifellos haben die Expressionisten den spätbürgerlichen Verfall benutzt und sogar weitergetrieben. Lukács nimmt ihnen übel, daß »sie den ideologischen Verfall der imperialistischen Bourgeoisie kritiklos und widerstandslos mitmachten, ja zeitweilig seine Pioniere waren«. Aber erstens stimmt das sehr wenig, was den flachen Sinn des »Mitmachens« angeht; Lukács selbst erkennt den Expressionismus an als einen »ideologisch nicht unwesentlichen Bestandteil der deutschen Antikriegsbewegung«. Sodann aber, was das »Mitmachen« im produktiven Sinn angeht, das eigentliche Weitertreiben des *kulturellen* Verfalls: gibt es zwischen Verfall und Aufgang keine dialektischen Beziehungen? Gehört selbst das Verworrene, Unreife und Unverständliche ohne weiteres, in allen Fällen, zur bürgerlichen Dekadenz? Kann es nicht auch – entgegen dieser simplistischen, sicher nicht revolutionären Meinung – zum Übergang aus der alten in die neue Welt gehören? Mindestens zum Ringen um diesen Übergang; wobei lediglich immanent-konkrete Kritik, aber keine aus allwissenden Vor-Urteilen weiterhelfen kann. Die Expressionisten waren »Pioniere« des Zerfalls: wäre es besser, wenn sie Ärzte am Krankenbett des Kapitalismus hätten sein wollen? Wenn sie den Oberflächenzusammen-

hang wieder geflickt hätten (etwa im Sinn der neuen
Sachlichkeit oder des Neuklassizismus), statt ihn immer
weiter aufzureißen? Ziegler wirft den Expressionisten sogar »Zersetzung der Zersetzung« vor, also ein doppeltes
Minus, ohne in seinem Haß zu bedenken, daß daraus gemeinhin ein Plus wird; für den Niedergang des Klassizismus hat er überhaupt keinen Sinn. Erst recht keinen für
die seltsamsten Inhalte, die gerade im Einsturz der Ober-
flächenwelt sichtbar wurden, und für das Problem der
Montage. Ihm ist das alles »kläglich geleimtes Gerümpel«,
und eines, das er den Fascisten nachträgt, obwohl sie es
gar nicht haben wollen und ganz seiner Meinung sind.
Der Expressionismus hatte gerade in dem Bedeutung,
worin ihn Ziegler verurteilt: er hat den Schlendrian und
Akademismus zersetzt, zu dem die »Kunstwerke« verkommen waren. Er hat statt der ewigen »Formanalyse«
am objet d'art auf den Menschen und seinen Inhalt verwiesen, der zum möglichst echten Ausdruck drängt. Daß
sich Schwindler gerade dieser ungesicherten und leicht
imitierbaren Direktheit bemächtigt haben, daß die allzu
subjektivistischen Durchbruchs- und Ahnungsinhalte nicht
immer, ja sogar selten, kanonisch waren, unterliegt keinem Zweifel. Aber eine gerechte und sachliche Wertung
muß sich an die wirklichen Expressionisten halten und
nicht, der leichteren Kritik zuliebe, an Zerrbilder oder
gar nur an die Zerrbilder der eigenen Erinnerung. Der
Expressionismus war als Erscheinung bisher unerhört,
aber er fühlte sich durchaus nicht traditionslos; im Gegenteil, er suchte, wie der »Blaue Reiter« beweist, durchaus seine Zeugen in der Vergangenheit, er glaubte Kor-
respondenzen bei Grünewald, in der Primitive, sogar im
Barock zu treffen, er betonte eher zu viel Korresponden-
zen als zu wenig. Er sah literarische Vorgänger im Sturm
und Drang, hochverehrte Vorbilder in den Visionsgebil-
den des jungen und des greisen Goethe, in »Wanderers
Sturmlied«, der »Harzreise im Winter«, in »Pandora«

und dem späten Faust. Der Expressionismus hatte auch
gar keinen volksfremden Hochmut, wieder im Gegenteil:
der »Blaue Reiter« bildete Murnauer Glasbilder ab, er
öffnete zuerst den Blick auf diese rührende und unheimliche Bauernkunst, auf Kinder- und Gefangenenzeichnun-
gen, auf die erschütternden Dokumente der Geisteskran-
ken, auf die Kunst der Primitiven. Er pointierte die nordische Ornamentik, das heißt das wild verschlungene
Schnitzwerk, wie es sich auf Bauernstühlen und Bauern-
truhen bis ins achtzehnte Jahrhundert erhalten hat, als
ersten »organisch-psychischen Stil«. Er pointierte dies Wesen als geheime Gotik und setzte es dem menschenleeren,
dem kristallinischen Herren-Stil Ägyptens und gar des
Klassizismus entgegen. Daß der kunstwissenschaftliche
Fachausdruck »nordische Ornamentik«, ja selbst die Feierlichkeit, womit dies Wesen expressionistisch begrüßt worden ist, nichts mit Rosenbergs Nordschwindel gemein hat
und nicht seine »Anfänge« darstellt, braucht kaum versichert zu werden. Um so weniger, als die nordische
Schnitzkunst voll von orientalischen Einflüssen ist; der
Teppich, das »Liniengeschöpf« der Ornamentik überhaupt, war dem Expressionismus ein anderer Zuschuß.
Und eben noch eines, das Wichtigste: der Expressionismus
war bei aller Lust an »Barbarenkunst« aufs Humane gezielt, er umkreiste fast ausschließlich Menschliches und die
Ausdrucksform seines Inkognito. Davon zeugen, vom Pazifismus ganz abgesehen, selbst noch die expressionistischen Karikaturen und Industrialisierungen; das Wort
»Mensch« wurde damals genauso häufig gebraucht wie
heute von den Nazis sein Gegenteil: die schöne Bestie. Es
wurde auch mißbraucht, da gab es auf Schritt und Tritt
»entschlossene Menschlichkeit«, die Anthologien hießen
»Menschheitsdämmerung« oder »Kameraden der Menschheit« – lauter verblasene Kategorien, aber zuverlässig
keine vorfascistischen. Der echtrevolutionäre, materiali-
stisch klare Humanismus hat allen Grund, diese verbla-

senen Kategorien abzulehnen, niemand verlangt auch, daß er den Expressionismus als Muster oder seinerseits als »Vorläufer« nimmt. Aber es besteht ebensowenig Anlaß, ein neuklassizistisches Interesse durch verjährten Kampf mit entwertetem Expressionismus interessant zu machen. Was kein Vorläufer ist, kann deshalb – in seinem Ausdruckswillen und seiner Zwischenzeiten-Existenz – jungen Künstlern dennoch näherstehen als ein dreifach epigonaler Klassizismus, der sich auch noch »sozialistischer Realismus« nennt und so administriert wird. Erstickend wird das der Bild-, Bau-, Schreibkunst der Revolution aufgesetzt und ist kein griechisch Vasenbild dabei, sondern der spätere Becher als roter Wildenbruch und Zieglerisches als das Wahre, Gute, Schöne. So irreal wie möglich wird eine untergehende Welt aus Scherben-Ineinander, eine aufgehende aus Tendenz und Experiment mit falschem Formmaß von gestern »abgebildet«. Selbst echterer Klassizismus ist wohl Kultur, aber abgezogen, abstrakt-gebildet gewordene; er ist Kultur, gesehen durch kein Temperament.

Immerhin regt die frühere Glut, auch als solche, noch auf. Ist also der Expressionismus noch nicht verjährt, hat er noch nicht ausgelebt? Mit dieser Frage wäre man, fast unfreiwillig, an den Anfang unserer Betrachtungen zurückgekehrt. Die ärgerlichen Stimmen reichen gewiß noch nicht zur Bejahung aus, auch Zieglers drei andere Probleme am Schluß seines Artikels verbreiten hierüber kein Licht. Ziegler fragt zum Zweck einer anti-expressionistischen Selbstprüfung erstens: »Die Antike: ›Edle Einfalt und stille Größe‹ – sehen wir sie so?« Zweitens: »Der Formalismus: Hauptfeind einer Literatur, die wirklich zu großen Höhen strebt – sind wir damit einverstanden?« Drittens: »Volksnähe und Volkstümlichkeit: die Grundkriterien jeder wahrhaft großen Kunst – bejahen wir das unbedingt?« Es ist klar, daß auch derjenige, der diese Fragen verneint, erst recht der andere, der sie als unrich-

tig gestellt ansieht, deshalb noch keine »Reste des Expressionismus« in sich bergen muß. Hitler – diese Erinnerung
läßt sich bei so summarisch gestellten Fragen leider nicht
vermeiden – Hitler hat ja die erste und dritte Frage bereits vorbehaltlos bejaht und ist trotzdem nicht unser
Mann. Aber lassen wir die »edle Einfalt und stille Größe«,
eine rein historisch-kontemplative Frage und eine kontemplative Haltung vor Historischem. Bleiben wir bei den
Fragen »Formalismus« und »Volksnähe«, so unscharf diese Probleme im vorliegenden Zusammenhang auch gestellt
sein mögen. Zuverlässig aber ist Formalismus der geringste Fehler der expressionistischen Kunst gewesen (die man
nicht mit der kubistischen verwechseln darf). Sie litt eher
an zu wenig Formung, an einer roh oder wild oder durcheinander hinausgeschleuderten Ausdrucksfülle; das Ungestaltete war ihr Stigma. Dafür freilich auch die Volksnähe, die Folklore: ganz im Gegensatz also zu der Meinung Zieglers, der sich Winckelmanns Antike und den
Akademismus, der aus ihr gezogen wurde, als eine Art
Naturrecht in der Kunst vorstellte. Volkstümlich im
schlechten Sinn ist freilich auch der Kitsch; der Bauer des
neunzehnten Jahrhunderts vertauschte seinen gemalten
Schrank gegen ein Fabrik-Vertiko, die uraltbunten Glasbilder gegen einen Öldruck, und hielt sich für arriviert.
Aber diese übelsten Früchte der Kapitalisierung wird
man kaum als volkhaft ansprechen wollen; sie sind erweisbar auf anderem Boden gewachsen und verschwinden mit
ihm. Nicht so sicher ist der Neuklassizismus ein Gegenmittel gegen den Kitsch und ein Element wirklicher Volksnähe; dafür ist er selber viel zu sehr das »Höhere«, das
unecht Aufgesetzte. Wogegen die Expressionisten allerdings, wie schon bemerkt, auf Volkskunst durchaus zurückgingen, Folklore liebten und ehrten, ja malerisch zuerst entdeckt haben. Besonders Maler aus Völkern von
junger Selbständigkeit, tschechische, lettische, jugoslawische Maler fanden um 1918 im Expressionismus eine Aus-

drucksweise, die ihrer heimischen Folklore bezeichnend
näher lag als die meisten Kunststile bisher (vom Akademismus zu schweigen). Und wenn expressionistische Kunst
in vielen Fällen (nicht in allen, man denke an Grosz oder
Dix oder auch den jungen Brecht) dem Betrachter unverständlich blieb, so kann das bedeuten, daß Angestrebtes
nicht erreicht wurde, es kann aber auch bedeuten, daß der
Betrachter weder die Auffassungsgabe unverbildeten
Volks noch die Aufgeschlossenheit entgegenbringt, die für
das Verständnis jeder neuen Kunst unentbehrlich ist. Ist
der Wille des Künstlers für Ziegler maßgeblich, so war
der Expressionismus geradezu ein Durchbruch zur Volksnähe. Ist die erreichte Leistung maßgeblich, so darf Verständnis nicht für jedes einzelne Stadium des Prozesses
verlangt werden: Picasso malte als erster »geleimtes Gerümpel«, zum Entsetzen sogar des gebildeten Volks; oder
sehr viel weiter herab: Heartfields satirische Photoklebe-
bilder waren so volksnah, daß mancher Gebildete nichts
von Montage wissen will. Und wenn der Expressionismus heute noch zu Erregungen Anlaß gibt, jedenfalls nicht
undiskutabel geworden ist, dann scheint auch die »USP-
Ideologie«, die heute zuverlässig ohne Unterbau ist, nicht
die einzige im Expressionismus gewesen zu sein. Seine Probleme bleiben so lange denkwürdig, bis sie durch bessere
Lösungen, als es die expressionistischen waren, aufgehoben sind. Eine Abstraktion jedoch, die die letzten Jahrzehnte unserer Kulturgeschichte überschlagen möchte, sofern sie keine rein proletarische ist, gibt diese besseren
Lösungen kaum. Das Erbe des Expressionismus ist noch
nicht zu Ende, denn es wurde noch gar nicht damit ange-
fangen.

(1938)

BERTOLT BRECHT

VOLKSTÜMLICHKEIT UND REALISMUS

Wenn man Parolen für die zeitgenössische deutsche Literatur aufstellen will, muß man berücksichtigen, daß, was Anspruch erheben will, Literatur genannt zu werden, ausschließlich im Ausland gedruckt und fast ausschließlich nur im Ausland gelesen werden kann. Die Parole *Volkstümlichkeit* für die Literatur erhält dadurch eine eigentümliche Note. Der Schriftsteller soll da für ein Volk schreiben, mit dem er nicht lebt. Jedoch ist bei näherer Betrachtung die Distanz des Schriftstellers zum Volk doch nicht so sehr gewachsen, wie man denken könnte. Sie ist jetzt nicht ganz so groß, wie es scheint, und sie war ehedem nicht ganz so klein, wie es schien. Die herrschende Ästhetik, der Buchpreis und die Polizei haben immer eine beträchtliche Distanz zwischen Schriftsteller und Volk gelegt. Trotzdem wäre es unrichtig, nämlich unrealistisch, die Vergrößerung der Distanz als eine nur »äußerliche« zu betrachten. Es sind zweifellos besondere Bemühungen nötig, um heute volkstümlich schreiben zu können. Andererseits ist es leichter geworden, leichter und dringender. Das Volk hat sich deutlicher getrennt von seiner Oberschicht, seine Unterdrücker und Ausbeuter sind aus ihm herausgetreten und haben sich in einen nicht mehr übersehbaren, blutigen Kampf mit ihm verwickelt. Es ist leichter geworden, Partei zu ergreifen. Unter dem »Publikum« ist sozusagen eine offene Schlacht ausgebrochen.

Auch die Forderung nach einer realistischen Schreibweise kann heute nicht mehr so leicht überhört werden. Sie hat etwas Selbstverständliches bekommen. Die herrschenden Schichten bedienen sich offener der Lüge als ehedem und dickerer Lüge. Die Wahrheit zu sagen erscheint als immer dringendere Aufgabe. Die Leiden haben sich vergrößert, und die Masse der Leidenden hat sich vergrößert. Angesichts der großen Leiden der Massen wird die Behandlung von kleinen Schwierigkeiten und von Schwierigkeiten kleiner Gruppen als lächerlich, ja verächtlich empfunden.

Gegen die zunehmende Barbarei gibt es nur einen Bundesgenossen: das Volk, das so sehr darunter leidet. Nur von ihm kann etwas erwartet werden. Also ist es naheliegend, sich an das Volk zu wenden, und nötiger denn je, seine Sprache zu sprechen.

So gesellen sich die Parolen *Volkstümlichkeit* und *Realismus* in natürlicher Weise. Es liegt im Interesse des Volkes, der breiten, arbeitenden Massen, von der Literatur wirklichkeitsgetreue Abbildungen des Lebens zu bekommen, und wirklichkeitsgetreue Abbildungen des Lebens dienen tatsächlich nur dem Volk, den breiten, arbeitenden Massen, müssen also unbedingt für diese verständlich und ergiebig, also volkstümlich sein. Trotzdem müssen diese Begriffe vor dem Aufstellen von Sätzen, in denen sie verwendet und verschmolzen werden, erst gründlich gereinigt werden. Es wäre ein Irrtum, diese Begriffe für ganz geklärt, geschichtslos, unkompromittiert, eindeutig zu halten (»Wir wissen ja alle, was gemeint ist damit, seien wir keine Haarspalter«). Der Begriff *volkstümlich* selber ist nicht allzu volkstümlich. Es ist nicht realistisch, dies zu glauben. Eine ganze Reihe von »Tümlichkeiten« müssen mit Vorsicht betrachtet werden. Man denke nur an *Brauchtum, Königstum, Heiligtum,* und man weiß, daß auch *Volkstum* einen ganz besonderen, sakralen, feierlichen und verdächtigen Klang an sich hat, den wir keineswegs überhören dürfen. Wir dürfen diesen verdächtigen Klang nicht überhören, weil wir den Begriff *volkstümlich* unbedingt brauchen.

Es sind gerade die sogenannten poetischen Fassungen, in denen »das Volk« besonders abergläubisch oder besser Aberglauben erweckend vorgestellt wird. Da hat das Volk seine unveränderlichen Eigenschaften, seine geheiligten Traditionen, Kunstformen, Sitten und Gebräuche, seine Religiosität, seine Erbfeinde, seine unversiegbare Kraft und so weiter und so weiter. Da tritt eine merkwürdige Einheit auf von Peiniger und Gepeinigtem, von Ausnutzer und Ausgenutztem, von Lügner und Belogenem, und es handelt sich keineswegs einfach um die »kleinen«, vielen, arbeitenden Leute im Gegensatz zu den Oberen.

Die Geschichte der vielen Fälschungen, die mit diesem Begriff *Volkstum* vorgenommen wurden, ist eine lange, verwickelte Geschichte und eine Geschichte der Klassenkämpfe. Wir wollen hier nicht darauf eingehen, wir wollen nur die Tatsache der Verfälschung im Auge behalten, wenn wir davon sprechen, daß wir volkstümliche Kunst brauchen und damit Kunst für die breiten Volksmassen meinen, für die vielen, die von den wenigen unterdrückt werden, »die Völker selber«, die Masse der Produzierenden, die so lange das Objekt der Politik war und die das Subjekt der Politik werden muß. Wir wollen uns erinnern, daß dieses *Volk* lange durch mächtige Institutionen von der vollen Entwicklung zurückgehalten, künstlich und gewalttätig durch Konventionen geknebelt wurde und daß der Begriff *volkstümlich* zu einem geschichtslosen, statischen, entwicklungslosen gestempelt wurde. Und mit dem Begriff in dieser Ausgabe haben wir nichts zu tun, besser gesagt, ihn haben wir zu bekämpfen.

Unser Begriff *volkstümlich* bezieht sich auf das Volk, das an der Entwicklung nicht nur voll teilnimmt, sondern sie geradezu usurpiert, forciert, bestimmt. Wir haben ein Volk vor Augen, das Geschichte macht, das die Welt und sich selbst verändert. Wir haben ein kämpfendes Volk vor Augen und also einen kämpferischen Begriff *volkstümlich*.

Volkstümlich heißt: den breiten Massen verständlich,
ihre Ausdrucksform aufnehmend und bereichernd / ihren
Standpunkt einnehmend, befestigend und korrigierend /
den fortschrittlichsten Teil des Volkes so vertretend, daß
er die Führung übernehmen kann, also auch den andern
Teilen des Volkes verständlich / anknüpfend an die Traditionen, sie weiterführend / dem zur Führung streben-
den Teil des Volkes Errungenschaften des jetzt führenden
Teils übermittelnd.

Und jetzt kommen wir zu dem Begriff *Realismus*. Und
auch diesen Begriff werden wir als einen alten, viel und
von vielen und zu vielen Zwecken gebrauchten Begriff
vor der Verwendung erst reinigen müssen. Das ist nötig,
weil die Übernahme von Erbgut durch das Volk in einem
Expropriationsakt vor sich gehen muß. Literarische Werke können nicht wie Fabriken übernommen werden, literarische Ausdrucksformen nicht wie Fabrikationsrezepte.
Auch die realistische Schreibweise, für die die Literatur
viele voneinander sehr verschiedene Beispiele stellt, ist geprägt von der Art, wie, wann und für welche Klasse sie
eingesetzt wurde, geprägt bis in die kleinsten Details hinein. Das kämpfende, die Wirklichkeit ändernde Volk vor
Augen, dürfen wir uns nicht an »erprobte« Regeln des
Erzählens, ehrwürdige Vorbilder der Literatur, ewige
ästhetische Gesetze klammern. Wir dürfen nicht bestimmten vorhandenen Werken *den* Realismus abziehen, sondern wir werden alle Mittel verwenden, alte und neue,
erprobte und unerprobte, aus der Kunst stammende und
anderswoher stammende, um die Realität den Menschen
meisterbar in die Hand zu geben. Wir werden uns hüten,
etwa nur eine bestimmte, historische Romanform einer bestimmten Epoche als realistisch zu bezeichnen, sagen wir
die der Balzac oder der Tolstoi, so für den Realismus nur
formale, nur literarische Kriterien aufstellend. Wir werden nicht nur dann von realistischer Schreibweise sprechen, wenn man zum Beispiel »alles« riechen, schmecken,

fühlen kann, wenn »Atmosphäre« da ist und wenn Fabeln so geführt sind, daß seelische Expositionen der Personen zustande kommen. Unser *Realismus*begriff muß breit und politisch sein, souverän gegenüber den Konventionen.

Realistisch[1] heißt: den gesellschaftlichen Kausalkomplex aufdeckend / die herrschenden Gesichtspunkte als die Gesichtspunkte der Herrschenden entlarvend / vom Standpunkt der Klasse aus schreibend, welche für die dringendsten Schwierigkeiten, in denen die menschliche Gesellschaft steckt, die breitesten Lösungen bereit hält / das Moment der Entwicklung betonend / konkret und das Abstrahieren ermöglichend.

Das sind riesige Anweisungen, und sie können noch ergänzt werden. Und wir werden dem Künstler erlauben, seine Phantasie, seine Originalität, seinen Humor, seine Erfindungskraft dabei einzusetzen. An allzu detaillierten literarischen Vorbildern werden wir nicht kleben, auf allzu bestimmte Spielarten des Erzählens werden wir den Künstler nicht verpflichten.

Wir werden feststellen, daß die sogenannte sensualistische Schreibweise (bei der man alles riechen, schmecken, fühlen kann) nicht ohne weiteres mit der realistischen Schreibweise zu identifizieren ist, sondern wir werden anerkennen, daß es sensualistisch geschriebene Werke gibt, die nicht realistisch, und realistische Werke, die nicht sensualistisch geschrieben sind. Wir werden sorgfältig untersuchen müssen, ob wir die Fabel wirklich am besten führen, wenn wir als Endeffekt die seelische Exposition der Personen anstreben. Unsere Leser werden vielleicht nicht finden, daß sie den Schlüssel zu den Ereignissen ausgeliefert bekommen, wenn sie, durch viele Künste verführt,

---

[1] »Das Wort« verdankt besonders G. Lukács einige sehr bemerkenswerte Aufsätze, die den Realismusbegriff erhellen, auch wenn sie, meines Erachtens, ihn etwas zu eng definieren.

sich lediglich an den seelischen Emotionen der Helden unserer Bücher beteiligen. Ohne gründliche Prüfung die Formen der Balzac und Tolstoi übernehmend, würden wir vielleicht unsere Leser, das Volk, ebenso ermüden, wie es diese Schriftsteller oft tun. Realismus ist keine bloße Frage der Form. Wir würden, die Schreibweise dieser Realisten kopierend, nicht mehr Realisten sein.

Denn die Zeiten fließen, und flössen sie nicht, stünde es schlimm für die, die nicht an den goldenen Tischen sitzen. Die Methoden verbrauchen sich, die Reize versagen. Neue Probleme tauchen auf und erfordern neue Mittel. Es verändert sich die Wirklichkeit; um sie darzustellen, muß die Darstellungsart sich ändern. Aus nichts wird nichts, das Neue kommt aus dem Alten, aber es ist deswegen doch neu.

Die Unterdrücker arbeiten nicht zu allen Zeiten auf die gleiche Art. Sie können nicht zu allen Zeiten in der gleichen Weise dingfest gemacht werden. Es gibt so viele Methoden, sich der Vernehmung zu entziehen. Ihre Heerstraßen taufen sie Autostraßen. Ihre Tanks sind bemalt, daß sie wie die Büsche des Macduff aussehen. Ihre Agenten zeigen Schwielen an den Händen vor, als seien sie Arbeiter. Nein, den Jäger in das Wild zu verwandeln, das braucht Erfindung. Was gestern volkstümlich war, ist es nicht heute, denn wie das Volk gestern war, so ist es nicht heute.

Jeder, der nicht in formalen Vorurteilen befangen ist, weiß, daß die Wahrheit auf viele Arten verschwiegen werden kann und auf viele Arten gesagt werden muß. Daß man Empörung über unmenschliche Zustände auf vielerlei Arten erwecken kann, durch die direkte Schilderung in pathetischer und in sachlicher Weise, durch die Erzählung von Fabeln und Gleichnissen, in Witzen, mit Über- und Untertreibung. Auf dem Theater kann die Wirklichkeit dargestellt werden in sachlicher und in phantastischer Form. Die Schauspieler können sich nicht (oder

kaum) schminken und sich »ganz natürlich« geben, und
alles kann Schwindel sein, und sie können Masken gro-
tesker Art tragen und die Wahrheit darstellen. Darüber
ist doch kaum zu streiten: Die Mittel müssen nach dem
Zweck gefragt werden. Das Volk versteht das, die Mittel
nach dem Zweck zu fragen. Die großen Theaterexperi-
mente Piscators (und meine eigenen), bei denen fortge-
setzt konventionelle Formen zerschlagen wurden, fanden
ihre große Stütze in den fortgeschrittensten Kadern der
Arbeiterklasse. Die Arbeiter beurteilten alles nach dem
Wahrheitsgehalt, sie begrüßten jede Neuerung, die der
Darstellung der Wahrheit, des wirklichen sozialen Getriebes, förderlich war, sie lehnten alles ab, was spielerisch
schien, Maschinerie, die um ihrer selbst willen arbeitete,
das heißt ihren Zweck noch nicht oder nicht mehr erfüllte.
Die Argumente der Arbeiter waren niemals literarische
oder theaterästhetische. Man kann nicht Theater mit Film
mischen, das hörte man niemals hier. War der Film nicht
richtig eingesetzt, hieß es höchstens: Der Film da ist überflüssig, der lenkt ab. Arbeiterchöre sprachen kompliziert
rhythmisierte Verspartien (»Wenn's Reime wären, dann
ging's runter wie Wasser, und nichts bliebe hängen«) und
sangen schwierige (ungewohnte) Eislersche Kompositionen
(»Da ist Kraft drin«). Aber wir mußten bestimmte Verszeilen umändern, deren Sinn nicht einleuchtete oder falsch
war. Wenn in Marschliedern, die gereimt waren, damit
man sie schneller lernen konnte, und die einfacher rhyth-
misiert waren, damit sie besser »durchgingen«, gewisse
Feinheiten (Unregelmäßigkeiten, Kompliziertheiten) waren, sagten sie: »Da ist ein kleiner Dreh drinnen, das ist
lustig.« Das Ausgelaufene, Triviale, das so Gewöhnliche,
daß man sich nichts mehr dabei denkt, liebten sie gar nicht
(»Da kommt nichts bei raus«). Wenn man eine Ästhetik
brauchte, konnte man sie hier haben. Ich vergesse nie, wie
mich ein Arbeiter anschaute, dem ich auf seine Anregung,
in einen Chor über die Sowjetunion noch etwas einzu-

bauen (»Da *muß* noch das rein – sonst wozu?«), erwi-
derte, das würde die künstlerische Form sprengen: mit
dem Kopf auf die Seite gelegt, lächelnd. Ein ganzer Trakt
der Ästhetik stürzte durch dieses höfliche Lächeln zusammen. Die Arbeiter hatten keine Angst, uns zu lehren, und
sie hatten keine Angst, selber zu lernen.

Ich spreche aus Erfahrung, wenn ich sage: Man braucht
nie Angst zu haben, mit kühnen, ungewohnten Dingen
vor das Proletariat zu treten, wenn sie nur mit seiner
Wirklichkeit zu tun haben. Es wird immer Leute mit Bildung, Kunstkenner, geben, die sich dazwischendrängen
mit einem »Das versteht das Volk nicht«. Aber das Volk
schiebt ungeduldig diese Leute beiseite und verständigt
sich direkt mit den Künstlern. Es gibt hochgezüchtetes
Zeug, für Klüngel gemacht, um Klüngel zu bilden, die
zweitausendste Umformung des alten Filzhutes, die Pa-
prizierung des alten, in Verwesung übergegangenen Stücks
Fleisch: Das Proletariat weist das zurück (»Sorgen haben
die«) mit einem ungläubigen, eigentlich nachsichtigen
Schütteln des Kopfes. Es ist nicht der Paprika, der da zu-
rückgewiesen wird, sondern das verfaulte Fleisch; nicht
die zweitausendste Form, sondern der alte Filz. Wo sie
selber dichteten und Theater machten, waren sie hinrei-
ßend originell. Die sogenannte Agitpropkunst, über die
nicht die besten Nasen gerümpft werden, war eine Fund-
grube neuartiger künstlerischer Mittel und Ausdrucks-
arten. In ihr tauchten längst vergessene großartige Elemente echt volkstümlicher Kunstepochen auf, den neuen
gesellschaftlichen Zwecken kühn zugeschnitten. Waghal-
sige Abkürzungen und Komprimierungen, schöne Vereinfachungen; da gab es oft eine erstaunliche Eleganz und
Prägnanz und einen unerschrockenen Blick für das Komplexe. Manches mochte primitiv sein, aber die Primitivität war doch nie von der Art Primitivität, an der die
scheinbar so differenzierten Seelengemälde der bourgeoisen Kunst litten. Man tut nicht gut, wegen einiger ver-

unglückter Stilisierungen einen Darstellungsstil zu verwerfen, der sich bemüht (und so oft mit Erfolg bemüht),
das Wesentliche herauszuarbeiten und die Abstraktion zu
ermöglichen. Das scharfe Auge der Arbeiter durchdrang
die Oberfläche der naturalistischen Wirklichkeitsabbildun-
gen. Wenn die Arbeiter im »Fuhrmann Henschel« über
die Seelenzergliederungen sagten: »So genau wollen wir
das gar nicht wissen«, steckte dahinter der Wunsch, die
unter der Oberfläche des ohne weiteres Sichtbaren wirken-
den eigentlichen sozialen Triebkräfte genauer dargestellt
zu bekommen. Um eigene Erfahrungen anzuführen: Sie
stießen sich nicht an den phantastischen Einkleidungen,
dem scheinbar unrealen Milieu der »Dreigroschenoper«.
Sie waren nicht eng, sie haßten das Enge (ihre Wohnun-
gen waren eng). Sie waren großzügig, die Unternehmer
waren knickrig. Sie fanden einiges überflüssig, von dem
die Künstler behaupteten, es sei für sie notwendig, aber
da waren sie generös, sie waren nicht gegen den Überfluß,
im Gegenteil, sie waren gegen den Überflüssigen. Dem
Ochsen, der da drischet, verbanden sie nicht das Maul,
allerdings sahen sie nach, ob er drosch. »Die« Methode,
an so was glaubten sie nicht. Sie wußten, sie hatten viele
Methoden nötig, ihr Ziel zu erreichen.

Die Kriterien für Volkstümlichkeit und Realismus müssen also sowohl weitherzig als sehr sorgfältig gewählt
werden und dürfen nicht nur bestehenden realistischen
Werken abgezogen werden, wie es häufig geschieht. So
vorgehend, bekäme man formalistische Kriterien und eine
Volkstümlichkeit und einen Realismus nur der Form nach.

Ob ein Werk realistisch ist oder nicht, das kann man
nicht feststellen, indem man nur nachsieht, ob es bestehenden, realistisch genannten, für ihre Zeit realistisch zu nen-
nenden Werken gleicht oder nicht. Man muß in jedem einzelnen Fall die Schilderung des Lebens (statt nur mit einer
anderen Schilderung) mit dem geschilderten Leben selber
vergleichen. Und auch was Volkstümlichkeit anlangt, gibt

es ein ganz formalistisches Vorgehen, vor dem man sich hüten muß. Die Verständlichkeit eines literarischen Werkes ist nicht nur gegeben, wenn es genauso geschrieben ist wie andere Werke, die verstanden wurden. Auch diese anderen Werke, die verstanden wurden, wurden nicht immer so geschrieben wie die Werke vor ihnen. Für ihre Verständlichkeit war etwas getan worden. So müssen auch wir etwas für die Verständlichkeit der neuen Werke tun. Es gibt nicht nur das *Volkstümlichsein,* sondern auch das *Volkstümlichwerden.*

Wenn wir eine lebendige kämpferische, von der Wirklichkeit voll erfaßte und die Wirklichkeit voll erfassende, wahrhaft volkstümliche Literatur haben wollen, müssen wir Schritt halten mit der reißenden Entwicklung der Wirklichkeit. Die großen arbeitenden Volksmassen sind bereits im Aufbruch begriffen. Die Geschäftigkeit und die Brutalität ihrer Feinde beweist es.

(1938)

Zu Volkstümlichkeit und Realismus

1 Die Wendung zum Volk

Ein Teil der emigrierten (geflohenen, verjagten, diskriminierten) Literatur wendet sich immer noch an die bürgerliche Klasse. Sie denunziert die Ausrottung humanistischer Ideale, sie spricht von Barbarei für Barbarei. Sie deutet gelegentlich an, daß die unhumanen Maßnahmen mit gewissen Profiten, ja sogar Kasteninteressen verknüpft sind. Aber sie stellt nicht fest, daß die Liquidierung der humanistischen Ideale der Aufrechterhaltung der bürgerlichen Besitzverhältnisse dient. Ganz naiv sucht die das Bürgertum zu überzeugen, diese Besitzverhältnisse könnten auch ohne diese Maßnahmen unhumaner Art aufrechterhalten werden, mit mehr Güte, Freiheit, Menschlichkeit. Das Volk würde wohl derlei Naivitäten, kämen sie hinein, ein wenig komisch finden. Es würde glauben, einer Unterhaltung darüber beizuwohnen, wieviel Unterdrückung nötig sei, um die Ausbeutung aufrechtzuerhalten. Ob das ohne Krieg geht oder nur mit dem Krieg. Ob mit humanem Krieg oder mit unhumanem Krieg. Und so weiter und so weiter. Wo die Parole *Für den Humanismus!* noch nicht ergänzt ist durch die Parole *Gegen die bürgerlichen Besitzverhältnisse!*, ist die Wendung der Literatur zum Volk noch nicht erfolgt.

2 Der Zeitpunkt

Und schließlich muß man, um ein bestimmtes Beginnen dem Urteil auszuliefern, doch auch berichten, wann es stattgefunden hat. Das Anbringen gewisser Gemälde an den inneren Wänden von Schiffen kann sehr töricht sein, wenn es stattfindet zu einem Zeitpunkt, wo der Untergang schon eingesetzt hat, was mit dem Ausbruch eines Seekriegs der Fall sein kann. Tatsächlich finden wir, um dies Bild weiterzuführen, noch im Augenblick des eigentlichen Sinkens Künstler mit dem Ausdenken und Ausführen von Gemälden beschäftigt.

3 Sich an alle wenden

Man braucht nicht die Forderung aufzustellen, daß künstlerische Werke sogleich allen, die sie zu sehen kriegen, verständlich sein sollen, wenn man eine Literatur für das Volk haben will. Das Volk kann sich literarischer Werke auf vielerlei Art bemächtigen, in Gruppen, selbst kleinen Gruppen, die schnell verstehen und das Verständnis verbreiten, oder indem es sich an einiges in den betreffenden Werken hält, das es sogleich versteht und von dem aus

es durch Rückschlüsse im Zusammenhang das anfänglich
Unverständliche sich klärt. Schreiben für kleine Gruppen
ist nicht gleichbedeutend mit Verachten des Volks. Es
kommt darauf an, ob diese Gruppen ihrerseits die Interessen des Volks bedienen oder ihnen entgegenarbeiten. Ein
solches den Interessen des Volks Entgegenarbeiten liegt
allerdings schon vor, wenn solche Zirkel ihre Belieferung
zur Aufrechterhaltung ihrer selbst benutzen können und
Monopole angestrebt (und vom Schreibenden ermöglicht)
werden. Der Strom muß die Sammelstellen sozusagen
überfluten.

4 Volkstümlich von oben herab

Zweifellos haftet dem Begriff etwas Hochmütiges an. Das
Wort wird sozusagen von oben nach unten gesprochen. Es
scheint eine Forderung nach größtmöglicher Vereinfachung zu enthalten. Man soll etwas fürs Volk machen,
weg mit dem Kaviar! Etwas, was das Volk versteht, das
ja etwas begriffsstutzig ist. Das Volk, das ist etwas Zurück-
gebliebenes. Es muß die Dinge gereicht bekommen, wie es
das gewöhnt ist. Es lernt schwer, es ist Neuem nicht zugänglich. Der dänische proletarische Dichter Henry Jul
Andersen hat ein Gedicht geschrieben über die Gewohnheiten, welche Sklavenketten sind. Wir haben nichts zu
tun mit diesem Begriff *volkstümlich*, von oben herab gesprochen. Volkstümliches Schreiben, das ist kein formales
Problem.

5 Die Dichter, Sprechwerkzeuge des Volkes

Das Volk, das die Dichter, einige davon, als seine Sprech-
werkzeuge benutzt, verlangt, daß ihm aufs Maul geschaut
wird, aber nicht, daß ihm nach dem Maul gesprochen

wird. Es verlangt, daß seine Interessen bedient werden, der ganze riesige Komplex seiner Interessen, von der nacktesten, existentiellen bis zu den sublimsten. Es ist an der Romanform so wenig interessiert und so sehr interessiert wie an der Staatsform. Um Konservierung handelt es sich nicht. Die Fortführung der Tradition ist ihm nichts Heiliges, sie erfolgt auf mitunter unheilige Weise.

VOLKSTÜMLICHE LITERATUR

Ob ein literarisches Werk volkstümlich ist oder nicht, das ist keine formale Frage. Es ist keineswegs so, als ob man, um vom Volk verstanden zu werden, ungewohnte Ausdrucksweise vermeiden, nur gewohnte Standpunkte einnehmen müßte. Es ist nicht im Interesse des Volkes, seinen Gewohnheiten (hier Lesegewohnheiten) diktatorische Macht zuzusprechen. Das Volk versteht kühne Ausdrucksweise, billigt neue Standpunkte, überwindet formale Schwierigkeiten, wenn seine Interessen sprechen. Es versteht Marx besser als Hegel, es versteht Hegel, wenn es marxistisch geschult ist. Rilke ist nicht volkstümlich; um das zu sehen, braucht man nicht seine komplizierten, formal überspitzten Gedichte zu lesen; auch jene seiner Gedichte, die im Volksliedton geschrieben sind, sind nicht volkstümlich. Lukács zieht da eine sehr illustrative Strophe ans Tageslicht (»Und wenn ihn Trauer überkam«); sie ist formal verständlich, weit verständlicher als Majakowskis Strophen. Aber es ist nicht das drinnen, was das Volk Verstand nennen würde. Sie ist formalistisch, indem in mitleidigem Tonfall von Bestialitäten gesprochen wird und das Mitleid auf den Verbrecher gelenkt ist. Da ist eine Trauer so ausgedrückt, als ob jeder sie teilen könnte, was nicht der Fall ist. Es wird, auf dem Papier, formal, durch einfache Formwahl, durch einen ästhetischen Kniff, der Eindruck erzeugt, solches könne das Volk singen, das heißt meinen und fühlen. Fühlte und meinte das Volk so, so würde es seine Interessen verraten. Bei den »komplizierteren«, »sublimeren« Gedichten desselben Menschen wird man die gleiche Gegnerschaft zum Volk feststellen können, in anderer Form. Da ist die Flucht aus der Banalität in den Snobismus. Da wird aus nichts etwas gemacht. Dem Gehalt nach ist es nichts, der Form nach ist es etwas. Dem Gehalt nach ist es alt, der Form nach ist es neu. Diese Gedichte »sagen dem Volk nichts«, teils auf verständliche, teils auf unverständliche Art.

(1938)

BERTOLT BRECHT

ÜBER DIE POPULARITÄT
DES KRIMINALROMANS

Ohne Zweifel trägt der Kriminalroman alle Merkmale eines blühenden Literaturzweiges zur Schau. In den periodischen Umfragen nach den »Bestsellers« wird er zwar kaum je genannt, und das braucht keineswegs daher zu kommen, daß er überhaupt nicht zur »Literatur« gerechnet wird. Es ist viel wahrscheinlicher, daß die breite Masse wirklich immer noch den psychologischen Roman bevorzugt und der Kriminalroman nur von einer, wenn auch zahlenmäßig kräftigen, aber eben doch nicht überwältigenden Gemeinde von Kennern auf den Schild gehoben wird. Bei diesen jedoch hat das Kriminalromanlesen den Charakter und die Stärke einer Gewohnheit angenommen. Es ist eine intellektuelle Gewohnheit.

Man kann das Lesen psychologischer (oder sollen wir sagen: literarischer) Romane nicht mit derselben Sicherheit eine intellektuelle Beschäftigung nennen, denn der psychologische (literarische) Roman erschließt sich dem Leser durch im wesentlichen andere Operationen als durch logisches Denken. Der Kriminalroman handelt vom logischen Denken und verlangt vom Leser logisches Denken. Er steht dem Kreuzworträtsel nahe, was das betrifft.

Dementsprechend hat er ein Schema und zeigt seine Kraft in der Variation. Kein Kriminalromanschreiber wird die leisesten Skrupel fühlen, wenn er seinen Mord im Bibliothekszimmer eines lordlichen Landsitzes vorgehen läßt, obwohl das höchst unoriginell ist. Die Charaktere werden selten gewechselt, und Motive für den Mord gibt es nur ganz wenige. Weder in die Kreierung neuer

Charaktere noch in die Aufstöberung neuer Motive für die Tat investiert der gute Kriminalromanschreiber viel Talent oder Nachdenken. Es kommt nicht darauf an. Wer, zur Kenntnis nehmend, daß ein Zehntel aller Morde in einem Pfarrhof passieren, ausruft: »Immer dasselbe!«, der hat den Kriminalroman nicht verstanden. Er könnte ebensogut im Theater schon beim Aufgehen des Vorhangs ausrufen: »Immer dasselbe!« Die Originalität liegt in anderem. Die Tatsache, daß ein Charakteristikum des Kriminalromans in der Variation mehr oder weniger festgelegter Elemente liegt, verleiht dem ganzen Genre sogar das ästhetische Niveau. Es ist eines der Merkmale eines kultivierten Literaturzweigs.

Übrigens beruht das »Immer dasselbe« des Nichtkenners auf dem gleichen Irrtum wie das Urteil des weißen Mannes, daß alle Neger gleich aussehen. Es gibt eine Menge von Schemata für den Kriminalroman, wichtig ist nur, daß es Schemata sind.

Wie die Welt selber wird auch der Kriminalroman von den Engländern beherrscht. Der Kodex des englischen Kriminalromans ist der reichste und der geschlossenste. Er erfreut sich der strengsten Regeln, und sie sind in guten essayistischen Arbeiten niedergelegt. Die Amerikaner haben weit schwächere Schemata und machen sich, vom englischen Standpunkt aus, der Originalitätshascherei schuldig. Ihre Morde geschehen am laufenden Band und haben Epidemiecharakter. Gelegentlich sinken ihre Romane zum Thriller herunter, das heißt, der Thrill ist kein spiritueller mehr, sondern nur noch ein rein nervenmäßiger.

Der gute englische Kriminalroman ist vor allem fair. Er zeigt moralische Stärke. To play the game ist Ehrensache. Der Leser wird nicht getäuscht, alles Material wird ihm unterbreitet, bevor der Detektiv das Rätsel löst. Er wird instand gesetzt, die Lösung selber in Angriff zu nehmen.

Es ist erstaunlich, wie sehr das Grundschema des guten

Kriminalromans an die Arbeitsweise unserer Physiker erinnert. Zuerst werden gewisse Fakten notiert. Da ist ein
Leichnam. Die Uhr ist zerbrochen und zeigt auf 2 Uhr.
Die Haushälterin hat eine gesunde Tante. Der Himmel
war in dieser Nacht bewölkt. Und so weiter und so weiter. Dann werden Arbeitshypothesen aufgestellt, welche
die Fakten decken können. Durch den Hinzutritt neuer
Fakten oder die Entwertung bereits notierter Fakten entsteht der Zwang, eine neue Arbeitshypothese zu suchen.
Am Ende kommt der Test der Arbeitshypothese: das Experiment. Wenn die These richtig ist, dann muß der Mörder auf Grund einer bestimmten Maßnahme dann und
dann da und da erscheinen. Entscheidend ist, daß nicht
die Handlungen aus den Charakteren, sondern die Charaktere aus den Handlungen entwickelt werden. Man
sieht die Leute agieren, in Bruchstücken. Ihre Motive sind
im dunkeln und müssen logisch erschlossen werden. Als
ausschlaggebend für ihre Handlungen werden ihre Interessen angenommen, und zwar beinahe ausschließlich ihre
materiellen Interessen. Nach ihnen wird gesucht.

Man sieht die Annäherung an den wissenschaftlichen
Standpunkt und den enormen Abstand zum introspektiv
psychologischen Roman.

Demgegenüber ist es weit weniger wichtig, daß im Kriminalroman wissenschaftliche Methoden geschildert werden und Medizin, Chemie und Mechanik eine große Rolle
spielen: Die ganze Konzeptionsweise der Kriminalromanschreiber ist von der Wissenschaft beeinflußt.

Wir können hier erwähnen, daß auch im modernen literarischen Roman, bei Joyce, Döblin und Dos Passos, ein
deutliches Schisma zu konstatieren ist zwischen subjektiver und objektiver Psychologie, und selbst im neuesten
amerikanischen Verismus tauchen solche Tendenzen auf,
obgleich es sich hier wieder um Rückbildungen handeln
dürfte. Natürlich muß man sich von ästhetischen Wertun-
gen frei halten, um die Verbindung zwischen diesen höchst

komplizierten Werken der Joyce, Döblin und Dos Passos mit dem Kriminalroman der Sayers, Freeman und Rhode zu sehen. Sieht man jedoch die Verbindung, dann erkennt man, daß der Kriminalroman bei all seiner Primitivität (nicht nur ästhetischer Art) den Bedürfnissen der Menschen eines wissenschaftlichen Zeitalters sogar noch mehr entgegenkommt, als die Werke der Avantgarde es tun.

Wir müssen freilich, wenn wir die Popularität des Kriminalromans besprechen, dem Hunger des Lesers nach abenteuerlichen Geschehnissen, einfacher Spannung und so weiter, den er befriedigt, einen breiten Raum gewähren. Es bereitet schon Genuß, Menschen *handelnd* zu sehen, Handlungen mit faktischen, ohne weiteres feststellbaren Folgen mitzuerleben. Die Menschen des Kriminalromans hinterlassen nicht nur Spuren in den Seelen ihrer Mitmenschen, sondern auch in ihren Körpern und auch in der Gartenerde vor dem Bibliothekszimmer. Der literarische Roman und das wirkliche Leben stehen hier auf der einen Seite, der Kriminalroman, ein besonderer Ausschnitt des wirklichen Lebens, auf der andern. Der Mensch im wirklichen Leben findet selten, daß er Spuren hinterläßt, zumindest solange er nicht kriminell wird und die Polizei diese Spuren aufstöbert. Das Leben der atomisierten Masse und des kollektivisierten Individuums unserer Zeit verläuft spurenlos. Hier bietet der Kriminalroman gewisse Surrogate.

Ein Abenteuerroman könnte kaum anders geschrieben werden als als Kriminalroman: Abenteuer in unserer Gesellschaft sind kriminell.

Aber der intellektuelle Genuß kommt zustande bei der *Denkaufgabe*, die der Kriminalroman dem Detektiv und dem Leser stellt.

Zunächst bekommt die Beobachtungsgabe ein Feld, auf dem sie spielen kann. Aus den Deformierungen der Szenerie wird der Vorgang aufgebaut, der sich abgespielt hat; aus dem Schlachtfeld wird die Schlacht rekonstruiert.

Das Unerwartete spielt eine Rolle. Wir haben *Unstimmig-keiten* zu entdecken. Der Chirurg hat schwielige Hände, der Fußboden ist trocken, obwohl das Fenster offensteht und es geregnet hat; der Butler war wach, aber er hat den Schuß nicht gehört. Dann werden die Zeugenaussagen kritisch gemustert: dies ist Lüge, das Irrtum. Im letzteren Fall beobachten wir sozusagen durch Instrumente, die ungenau registrieren, und haben die Grade der Abweichungen zu konstatieren. Dieses Beobachtungen-Anstellen, daraus Schlüsse-Ziehen und damit zu Entschlüssen-Kommen gewährt uns allerhand Befriedigung schon deshalb, weil der Alltag uns einen so effektiven Verlauf des Denkprozesses selten gestattet und sich für gewöhnlich viele Hindernisse zwischen Beobachtung und Schlußfolgerung sowie zwischen Schlußfolgerung und Entschluß einschalten. In den meisten Fällen sind wir überhaupt nicht in der Lage, unsere Beobachtungen zu verwerten, es gewinnt keinen Einfluß auf den Verlauf unserer Beziehungen, ob wir sie machen oder nicht. Wir sind weder Herr unserer Schlüsse noch Herr unserer Entschlüsse.

Wir bekommen im Kriminalroman jeweils ausgezirkelte Lebensabschnitte vorgesetzt, isolierte, abgesteckte kleine Komplexe von Geschehnissen, in denen die Kausalität befriedigend funktioniert. Das ergibt genußvolles Denken. Nehmen wir ein einfaches Beispiel, diesmal aus der Kriminalgeschichte, nicht aus dem Roman. Der Mord ist vermittels Leuchtgas vollführt worden. Es kommen zwei Leute als Täter in Betracht. Der eine hat ein Alibi für Mitternacht, der andere für morgens. Die Lösung wird aus dem Fakt gezogen, daß ein paar tote Fliegen am Fenstersims gefunden werden. Der Mord ist also gegen Morgen erfolgt: die Fliegen befanden sich am erhellten Fenster – auf solche Weise können Fragen in bezug auf unser so verwickeltes Leben wirklich *entschieden* werden.

Die Identifizierung eines unbekannten Ermordeten geschieht ebenfalls durch genußvolle Schlußfolgerungen auf abgegrenztem Untersuchungsfeld. Es wird vermittels exakter Beobachtungen sein sozialer Standort ermittelt, außerdem sein geographischer. Die kleinen Dinge, die man an ihm findet, bekommen langsam ihre Biographie. Seine Zahnbrücke ist bei dem und dem Zahnarzt gebaut worden. Aber schon, bevor man das feststellt, weiß man, daß er, zumindest zur Zeit, wo er diese Brücke setzen ließ, sich in guten finanziellen Verhältnissen befunden haben muß: es ist eine teure Brücke.

Auch der Kreis der Verdächtigen ist klein. Ihr Verhalten kann exakt beobachtet, kleinen Tests unterworfen werden. Der Untersuchende (Detektiv und Leser) hält sich in einer merkwürdig konventionsfreien Atmosphäre auf. Sowohl der schurkische Baronet als auch der lebenslängliche treue Diener oder die siebzigjährige Tante *kann* der Täter sein. Kein Kabinettsminister ist frei von Verdacht. Von einem Feld her, wo nur Motiv und Gelegenheit funktionieren, wird entschieden, ob er einen Mitmenschen getötet hat.

Wir ziehen Vergnügen aus der Art, wie der Kriminalromanschreiber uns zu vernünftigen Urteilen bringt, indem er uns zwingt, unsere Vorurteile aufzugeben. Er muß dazu die Kunst der Verführung beherrschen. Er muß die in den Mord verwickelten Personen ebenso mit unsympathischen als mit attraktiven Zügen ausrüsten. Er muß unsere Vorurteile provozieren. Der menschenfreundliche alte Botaniker *kann* nicht der Mörder sein, läßt er uns ausrufen. Einem zweimal wegen Wilderns vorbestraften Gärtner ist alles zuzutrauen, läßt er uns seufzen. Er führt uns irre durch seine *Charakterschilderungen*.

Tausendmal gewarnt (nämlich durch die Lektüre von tausend Kriminalromanen), vergessen wir wieder, daß nur Motiv und Gelegenheit entscheiden. Es sind lediglich die gesellschaftlichen Umstände, die das Verbrechen ermöglichen oder nötig machen: Sie vergewaltigen den Charakter, sowie sie ihn gebildet haben. Natürlich ist der

Mörder ein böser Mensch, aber das zu finden, müssen wir
ihm eben den Mord anhängen können. Einen direkteren
Weg zur Ausfindung seiner Moral zeigt der Kriminalroman nicht.

So bleibt es bei der Aufspürung des Kausalnexus.

Die Kausalität menschlicher Handlungen zu fixieren ist
die hauptsächlichste intellektuelle Vergnügung, die uns der
Kriminalroman bietet.

Die Schwierigkeiten unserer Physiker auf dem Gebiet
der Kausalität treffen wir zweifellos in unserem Alltagsleben allenthalben an, aber nicht im Kriminalroman. Wir
sind im Alltagsleben, soweit es sich um gesellschaftliche
Situationen handelt, ganz wie die Physiker auf bestimmten Gebieten, auf eine *statistische* Kausalität angewiesen.
In allen Existenzfragen, vielleicht ausgenommen nur die
allerprimitivsten, müssen wir uns mit Wahrscheinlich-
keitsberechnungen begnügen. Ob wir mit den und den
Kenntnissen die und die Stellung bekommen werden, das
kann höchstens wahrscheinlich sein. Nicht einmal für unsere eigenen Entscheidungen vermögen wir eindeutige Motive anzugeben, geschweige denn für die anderer. Die Gelegenheiten, die wir vorfinden, sind höchst undeutlich,
verhüllt, verwischt. Das Kausalitätsgesetz funktioniert
höchstens halbwegs.

Im Kriminalroman funktioniert es wieder. Einige
Kunstgriffe beseitigen die Störungsquellen. Das Gesichts-
feld ist geschickt eingeengt. Und die Schlußfolgerungen
werden im nachhinein, von der Katastrophe aus, vorgenommen. Dadurch kommen wir in eine der Spekulation
natürlich sehr günstige Position.

Zugleich können wir hier ein Denken benützen, das unser Leben in uns ausgebildet hat.

Wir kommen zu einem wesentlichen Punkt unserer kleinen Untersuchung, warum die intellektuellen Operationen, die uns der Kriminalroman ermöglicht, in unserer
Zeit so überaus populär sind.

Wir machen unsere Erfahrungen im Leben in katastrophaler Form. Aus Katastrophen haben wir die Art und Weise, wie unser gesellschaftliches Zusammensein funktioniert, zu erschließen. Zu den Krisen, Depressionen, Revolutionen und Kriegen müssen wir, denkend, die »inside story« erschließen. Wir fühlen schon beim Lesen der Zeitungen (aber auch der Rechnungen, Entlassungsbriefe, Gestellungsbefehle und so weiter), daß irgendwer irgendwas gemacht haben muß, damit die offenbare Katastrophe eintrat. Was also hat wer gemacht? Hinter den Ereignissen, die uns gemeldet werden, vermuten wir andere Geschehnisse, die uns nicht gemeldet werden. Es sind dies die *eigentlichen* Geschehnisse. Nur wenn wir sie wüßten, verstünden wir.

Nur die Geschichte kann uns belehren über diese eigentlichen Geschehnisse – soweit es den Akteuren nicht gelungen ist, sie vollständig geheimzuhalten. Die Geschichte wird *nach* den Katastrophen geschrieben.

Diese Grundsituation, in der die Intellektuellen sich befinden, daß sie Objekte und nicht Subjekte der Geschichte sind, bildet das Denken aus, das sie im Kriminalroman genußvoll betätigen können. Die Existenz hängt von unbekannten Faktoren ab. »Es muß irgendwas geschehen sein«, »es zieht sich was zusammen«, »es ist eine Situation entstanden« – das fühlen sie, und der Geist geht auf Patrouille. Wenn überhaupt, dann kommt Klarheit aber erst nach der Katastrophe. Der Mord ist geschehen. Was hat sich da zuvor zusammengezogen? Was war geschehen? Was für eine Situation war entstanden? Nun, man kann es vielleicht erschließen.

Dieser Punkt mag nicht der entscheidende sein, er ist möglicherweise nur ein Punkt unter anderen. Die Popularität des Kriminalromans hat viele Ursachen. Jedoch scheint mir diese Ursache immerhin eine der interessantesten.

(1938)

BERTOLT BRECHT

ÜBER DEN KRIMINALROMAN

Aber die handelnden Typen sind sehr grob gezeichnet, die
Motive des Handelns sind massiv, die Vorkommnisse
plump, alles, besonders die Verkettung, ist so unwahrscheinlich, es gibt viel zuviel Zufall darinnen; es herrscht
ein niederer Geist. Es hat keinen Sinn, zu bestreiten, daß
die Zeichnung der handelnden Typen meist nur oberflächlich erfolgt. Es wird über sie meist nur eben so viel ausgesagt, wie der Leser zum Verständnis ihres Handelns
braucht; der Aufbau der Charaktere vor dem Leser geschieht im allgemeinen zugweise; es besteht eine ständige
Verknüpfung mit den Handlungsweisen. Der und der
Mensch ist rachsüchtig, darum schreibt er den Brief, oder
der und der Brief ist von einem Rachsüchtigen geschrieben: wer ist der Rachsüchtige? Am Aufbau des Charakters nimmt der Leser als an einer Tätigkeit teil; es ist eine
Enthüllung, die gemacht sein will. Und da der Verfolgte,
der Mensch, von dem die Charakterzeichnung angefertigt
werden soll, davon meist Nachteile zu erwarten hat, gibt
er seine Charakterzüge nur sehr ungern preis. Er drückt
sich nicht nur aus, sondern er produziert Züge, er fälscht:
er stört das Experiment bewußt. Man denkt wieder an die
moderne Physik: Das beobachtete Objekt wird durch die
Beobachtung verändert. Solche Gipfelleistungen der literarischen Psychologie (Gipfelleistungen, weil vom Standpunkt der modernen wissenschaftlichen Psychologie die
Menschenschilderung des Romans völlig veraltet ist) ergeben sich im Kriminalroman sofort daraus, daß hier das
bürgerliche Leben als Erwerbsleben aufgefaßt und be-

schrieben wird. Mitunter finden sich selbst Gestaltungen höherer Art. Der Schachdenker Poes, Conan Doyles Sherlock Holmes und der Pater Brown Chestertons.

Thomas Mann

DIE KUNST DES ROMANS

Über die *Kunst des Romans* soll ich in diesen Tagen zu
Ihnen sprechen. Nun, ich könnte mir einen Menschen denken, der leugnete, daß der Roman überhaupt eine Kunstform sei. »Man rechnet zwar«, wird ein solcher Ästhetiker sagen, »den Roman zur epischen Dichtung, einer
Hauptgattung der Poesie, die außer dem eigentlichen epischen Heldengedicht, dem aus Sagen hervorgegangenen
Volksepos und dem individuellen Kunstepos auch die
Epopöe, die Idylle und Legende, die Ballade und Roman-
ze, das Märchen und schließlich eben auch den Roman und
die Novelle umfaßt. Aber erstens« (ich lasse immer noch
diesen gestrengen Ästhetiker reden) »ist die epische Kunstform überhaupt erst die zweite im Rang: sie ist nicht
ebenbürtig dem Drama, welches alle übrigen Dichtungs-
arten in sich vereinigt und in der Tat der Gipfel der Poesie, die Königin in ihrem Reiche ist. Und zweitens ist der
Prosa-Roman eine minderwertige, formal sehr würdelose
Auflösungsform des Versepos und der Romanschreiber
nur ein Halbbruder des Dichters, ein illegitimer Sohn der
Poesie.«

So der Schulästhetiker. Man hört ihn mit schuldigem
Respekt, aber diesen oder jenen Einwand kann man nicht
unterdrücken, weder gegen sein Erstens noch gegen sein
Zweitens. Es bleibt die müßigste und doktrinärste der
Unternehmungen, irgendwelche prinzipielle Rangordnung
aufzustellen im Bereich der Kunstarten und -gattungen.
So töricht es wäre, eine Erscheinungsform der Kunst: die
Musik etwa oder die Malerei oder die Dichtung als die

höchste und edelste über die anderen zu erhöhen (aus
Gründen, die sich gut anhören könnten, deren aber ebenso
gute für die Erhöhung und Krönung jeder anderen Kunst-
art zu finden wären), so abgeschmackt ist es, innerhalb
einer Sphäre des Schöpferischen, der Dichtung, eine Rangordnung der Formen und Gattungen aufzustellen. Der
grundsätzliche Vorrang des Dramas etwa vor der erzählenden Dichtung ist so leicht zu bestreiten, daß man dabei
in Versuchung kommt, in denselben Fehler zu verfallen
und die Rangordnung umzukehren. Vielleicht ist der epische Geist, der ja übrigens das lyrische und dramatische
Element mit zu umfassen vermag, so gut wie im Drama
auch Epos und Lyrik beschlossen sind, – vielleicht, sage
ich, ist der Geist der Erzählung, das Ewig-Homerische,
dieser weltweite, weltwissende, kündende Geist der Ver-
gangenheitsschöpfung die verehrungswürdigste Erscheinungsform des Dichterischen und der Erzähler, dieser rau-
nende Beschwörer des Imperfekts, sein würdevollster Repräsentant. Die erzählenden Veden der Inder hießen auch
›Itihasa-Hymnen‹, nach dem Worte »Iti ha asa«, »So war
es«. Vielleicht ist dieses »So war es« eine weihevollere
dichterische Haltung als das »Hier ist es« des Dramas.
Aber das sind objektiv unbeantwortbare Fragen, Fragen
des Temperaments und Geschmacks; und bei den Kunst-
gattungen kommt es immer nur auf die Kunst an und
nicht auf die Gattung.

Etwas besser steht es zweifellos um das zweite Argument gegen den Prosa-Roman: er sei eine Verfallsform
des ›eigentlichen‹, das heißt des Vers-Epos. Es ist wahr,
historisch gesehen bedeutet der Roman regelmäßig ein
späteres, unnaiveres, sozusagen ›moderneres‹ Stadium im
epischen Leben der Völker, und das Epos stellt im Vergleich mit ihm immer etwas vor wie die gute alte, die
klassische Zeit. Hymnisch-hieratisch beginnt es und wird
dann realistisch-demokratisch. Zuweilen besteht auch diese populär-unterhaltsame Sphäre schon gleich neben der

feierlichen, wie in *Ägypten,* wo schon die Zeit der sechsten Dynastie solche Prosa hervorbringt wie die berühmten ›Abenteuer des Sinuhe‹, auf die dann der Roman des Schiffbrüchigen, die Geschichte des beredten Bauern, die Geschichte von den zwei Brüdern folgen, welche wahrscheinlich das Vorbild der biblischen Josephsnovelle ist, und dann der ›Schatz des Rhampsinit‹ – lauter Dinge, aus denen man über das alte Ägypten viel mehr lernen kann als aus aller offiziellen Götter-Hymnik. – In *Indien* haben wir erst das nahezu heiliggehaltene ›Mahabharata‹ mit seinen hunderttausend Doppelversen und dann den indischen Roman, der wie eine vegetativ wuchernde, phantastisch-zügellose und sprachlich tolle Ausartung davon wirkt. Im *Lande Homers* ist es erst der Hellenismus und Alexandrinismus, der den Prosa-Roman begünstigt: Da entsteht der Reise-Roman von den ›Wundern jenseits Thule‹, der nur ein später Ableger der ›Odyssee‹ ist; da haben wir Parthenios, der mit seinem Buch ›Über Liebesabenteuer‹ den prosaischen Liebesroman begründet. Da haben wir solche ungebundenen und uferlosen Abenteuer wie die ›Geschichte der Leukippe und des Kleitophon‹ von Achilleus Tatios aus Alexandria. Wir haben aber auch damals des Aisopos ›Tierfabeln‹, die in das Kulturgut aller Nationen eingegangen sind, auf die mittelalterliche Tierdichtung eingewirkt haben und in Goethes ›Reineke Fuchs‹ wieder gebundenes Epos werden. – In *Rom* sind erst die Heldengesänge des Vergil und erst dann der Zeitroman des Petronius, erst dann der ›Goldene Esel‹ des Apulejus, der freilich ein Glanzstück der Welt-Romanliteratur ist und die reizende Novelle von ›Amor und Psyche‹ einschließt. – Kein Zweifel, daß in *Persien* eine Romanliteratur von geschwätziger Weisheit und Buntheit erst auf die klassische Epik eines Nisami und Firdusi als ihr Auflösungsprodukt folgt; aber sie bringt immerhin das ›Papageienbuch‹ hervor, eine gerahmte Sammlung von zweiundfünfzig erotischen Geschichten, die der Vor-

läufer des ›Decamerone‹ und der Novellistik des Ban-
dello ist. In den Roman wiederum geht das *fränkische*
Heldengedicht aus: Erst kommt das ›Rolandslied‹ und
dann die Prosa des ›Lanzelot‹, ein Roman, von dem wir
außer dem Titel nur den Namen seines Verfassers wissen:
Arnaut Daniel. Das Buch ist verlorengegangen, und doch
lebt es auf eine geisterhaft-ruhmreiche Weise in der Weltliteratur fort. Es ist nämlich wahrscheinlich das Buch,
worin, bei Dante, Paolo und Francesca miteinander lasen
– bis zu einer bestimmten Stelle, wo es dann heißt: »An
diesem Abend lasen sie nicht weiter.« – Ein interessanter Fall: daß ein Prosa-Roman als Motiv in die Handlung des hohen Epos aufgenommen und darin gefeiert
wird!

Bleiben wir einen Augenblick bei Dante! Er ist ein Sänger, kein Erzähler. Man würde es unpassend finden, die
›Göttliche Komödie‹ einen Roman zu nennen. Welches
ist aber die lexikale Definition des Romans? Woher
kommt der Name, das Wort, das auch im Englischen nicht
immer novel und fiction, sondern ›romance‹, wie im
Deutschen ›Roman‹, im Französischen ›roman‹, im Italienischen ›romanzo‹ lautet? Es bedeutet ursprünglich sehr
einfach ein Erzählwerk, das unter einem romanischen
Volk *in der Volkssprache* abgefaßt wurde. Nun, die ›Divina Commedia‹ tut dieser Bestimmung Genüge: sie ist in
der lingua parlata geschrieben und nicht in Latein, sie ist
in diesem Sinn ein populäres, dem Volke zugängliches
Werk; sie tritt gerade damit aus dem Mittelalter in die
neue Zeit hinaus, – dieses sakrale Epos, Quellwerk des
heutigen Italienisch, ist dem Wortsinn nach ›romanzo‹,
Roman.

Aber gehen wir weiter. Die Artus-Romane sind Prosa-
Auflösungen des anglo-normannischen Heldengedichts,
der Gralsepen. Aber im vierzehnten Jahrhundert dringen
diese Romane des französischen Artus-Zyklus, die Romane der Tafelrunde, in *Spanien* ein, und von ihrer Art ist

der ›Amadis de Gaula‹ – Prototyp jener Ritter-Romane,
die dem Don Quijote des Cervantes den Kopf verdrehen.
Aus ursprünglich bloß satirischer Absicht gegen die
idealistisch-heroische Ritter-Romantik entsteht ein Volks-
und Weltbuch, ein Roman, den niemand zögert, mit den
höchsten Erzeugnissen dichterischen Geistes, mit Shakespeare, mit Goethe in einem Atem zu nennen. Hier stehen
wir vor einer schöpferischen Erscheinung, in der der theo-
retisch-ästhetische Rangunterschied von Epos und Roman
sich völlig aufhebt und das Ewig-Epische selbst, gleichviel
ob gesungen oder gesagt, ob Vers oder Prosa, sich in seiner
Einheit und Selbstheit offenbart. Ist die ›Divina Commedia‹ ein Roman, war schon die ›Odyssee‹ einer, so
ist der ›Don Quijote‹ ein Epos, und zwar eines der größten. Die Kunst*form* wird gleichgültig, wenn der Genius
der Kunst*gattung* selbst in seiner Souveränität und freien
Größe hervortritt.

Erlauben Sie mir das persönliche und unakademische
Bekenntnis, daß der Kunstgattung eben, dem *Genius der
Epik* selbst meine Liebe und mein Interesse gehören, und
sehen Sie es mir nach, wenn ein Vortrag über ›Die Kunst
des Romans‹ mir unversehens zum Lobe des epischen
Kunstgeistes selber wird. Es ist ein gewaltiger und maje-
stätischer Geist, expansiv, lebensreich, weit wie das Meer
in seiner rollenden Monotonie, zugleich großartig und genau, gesanghaft und klug-besonnen; er will nicht den Ausschnitt, die Episode, er will das Ganze, die Welt mit unzähligen Episoden und Einzelheiten, bei denen er selbst-
vergessen verweilt, als käme es ihm auf jede von ihnen
besonders an. Denn er hat keine Eile, er hat unendliche
Zeit, er ist der Geist der Geduld, der Treue, des Aushar-
rens, der Langsamkeit, die durch Liebe genußreich wird,
der Geist der verzaubernden Langenweile. Anzufangen
weiß er kaum anders als mit dem Urbeginn aller Dinge,
und enden mag er überhaupt nicht, – von ihm gilt das
Wort des Dichters: »Daß du nicht enden kannst, das

macht dich groß.« Aber seine Größe ist mild, geruhig, heiter, weise, ›objektiv‹. Sie nimmt Abstand von den Dingen, sie *hat* Abstand von ihnen ihrer Natur nach, sie schwebt darüber und lächelt auf sie herab, so sehr sie zugleich den Lauschenden oder Lesenden in sie verwickelt, in sie einspinnt. Die Kunst der Epik ist ›apollinische‹ Kunst, wie der ästhetische Terminus lautet; denn Apollo, der Fernhintreffende, ist der Gott der Ferne, der Gott der Distanz, der Objektivität, der Gott der Ironie. Objektivität ist Ironie, und der epische Kunstgeist ist der Geist der Ironie.

Hier werden Sie stutzen und sich fragen: Wie, Objektivität und Ironie, was hat das miteinander zu tun? Ist nicht Ironie das Gegenteil der Objektivität? Ist sie nicht eine höchst subjektive Haltung, Ingredienz eines romantischen Libertinismus, welcher aller klassischen Ruhe und Sachlichkeit als ihr Widerpart gegenübersteht? – Das ist richtig. Ironie kann diese Bedeutung haben. Aber ich gebrauche das Wort hier in einem weiteren, größeren Sinn, als der romantische Subjektivismus ihm verleiht. Es ist ein in seiner Gelassenheit fast ungeheurer Sinn: der Sinn der *Kunst* selbst, eine Allbejahung, die eben als solche auch Allverneinung ist; ein sonnenhaft klar und heiter das Ganze umfassender Blick, der eben der Blick der Kunst, will sagen der Blick höchster Freiheit, Ruhe und einer von keinem Moralismus getrübten Sachlichkeit ist. Es war der Blick Goethes, – der in dem Grade Künstler war, daß er über die Ironie das seltsam-unvergeßliche Wort gesprochen hat: »Sie ist das Körnchen Salz, durch das das Aufgetischte überhaupt erst genießbar wird.« Nicht umsonst war er zeit seines Lebens ein so großer Bewunderer Shakespeares; denn in dem dramatischen Kosmos Shakespeares herrscht in der Tat diese Welt-Ironie der Kunst, die sein Werk dem Moralisten, der Tolstoi zu sein sich bemühte, so verwerflich erscheinen ließ. Von ihr spreche ich, wenn ich von dem ironischen Objektivismus der Epik spreche.

Sie dürfen dabei nicht an Kälte und Lieblosigkeit, Spott und Hohn denken. Die epische Ironie ist vielmehr eine Ironie des Herzens, eine liebevolle Ironie; es ist die Größe, die voller Zärtlichkeit ist für das Kleine.

Der persische Dichter Firdusi, um das Jahr 1000 nach Christi Geburt, schrieb das Epos ›Schah-nameh‹, das ›Königsbuch‹, eine Erneuerung der persischen Königssage. Zweiundzwanzig Jahre arbeitete er daran im Lande Thus. Er war achtundfünfzig, da kam er nach Gasna zum Sultan, und dieser erbot sich, ihm tausend Goldstücke für je tausend Doppelverse des großen Gedichtes zu zahlen. Firdusi aber sagte: »Ich will erst bezahlt sein, wenn ich fertig bin.« Jahrzehnte vergingen, ehe er fertig wurde, und für sein Gefühl, seine Ansprüche wurde er gewiß niemals fertig. Er saß und wob und knüpfte an dem Riesenteppich seines Gedichtes, voll von Figuren, Geschichten, Abenteuern, Heldentaten, Dämonenzauber und buntem Arabeskengewirk. Er wurde achtzig Jahre darüber. Da erklärte er sein Werk für vollendet. Es war achtmal so groß wie die ›Ilias‹ und zählte sechzigtausend Doppelverse. Der Sultan betrog ihn, indem er ihm für je tausend davon nicht tausend Goldstücke, sondern tausend Silberstücke schickte. Der Greis saß im Bade, als das Honorar ankam. Er schenkte es dem überbringenden Boten und den Badeknechten als Trinkgeld.

Das ist eine Anekdote aus der Welt der Epik, eine großartige Anekdote. Dergleichen gibt es nicht in der Welt des Dramas oder der Lyrik, die kurzatmige und schnell fertige Welten sind im Vergleich mit ihr. Das epische Werk, une mer à boire, ein Wunder von Unternehmen, in welchem Massen von Leben, Geduld, innigem Kunstfleiß, einer ausharrenden, die Inspiration täglich erneuernden Treue investiert werden, – mit seinem gigantischen Miniaturismus, der auf das einzelne versessen zu sein scheint, als sei es ihm alles, und dabei das Ganze unerschütterlich im Auge behält, – dieses hab' ich im Sinn,

da ich vor Ihnen über ›Die Kunst des Romans‹ sprechen
soll; an Firdusi und sein fabelhaftes Königsgedicht muß
ich dabei denken und auch daran, daß er das Honorar
verschenkte, weil man ihm seine Verse nicht mit Gold,
sondern mit Silber aufwog. Und wären es Prosazeilen gewesen, er hätte, wie ich ihn kenne, auch nicht Silber statt
Gold dafür genommen. Mein Gefühl ist unfähig und un-
willig, einen Wesens- oder gar Rangunterschied zu machen zwischen Epos und Roman, zwischen ›Divina Commedia‹ und ›Comédie Humaine‹, und ich finde es glänzend, daß Balzac seinem Romangebäude diesen die Sphären vereinigenden, Ebenbürtigkeit behauptenden Namen
gab.

Auch Leo Tolstoi war ein moderner Roman-Schriftstel-
ler – der mächtigste wohl freilich von allen. Er ist einer
der Fälle, die uns in Versuchung bringen, das von der
Schul-Ästhetik behauptete Verhältnis von Roman und
Epos umzukehren und den Roman nicht als eine Verfallsform des Epos aufzufassen, sondern in dem Epos eine primitive Vorform des Romans zu sehen.

Diese historische Betrachtungsart ist durchaus möglich;
denn mit dem Phänomen der Auflösung und des Verfalls,
der sogenannten Degeneration ist es alles in allem ein
eigenes Ding – es ist, allgemein gesprochen, ein kompli-
ziertes Problem, ein Problem geistiger Biologie, welche
sich mit der natürlichen nicht einfach deckt. In ihrem Bereich können Auflösung und Verfall zu leeren Worten
werden oder zu Worten, die das Gegenteil von dem bezeichnen, was sie im Sinn bloßer Natur-Biologie bezeichnen sollten: Indem sie eine spätere Stufe bezeichnen, bezeichnen sie auch eine höhere, entwickeltere; ›Verfall‹, das
kann Verfeinerung, Vertiefung, Veredelung bedeuten; es
braucht nichts mit Tod und Ende zu tun zu haben, sondern kann Steigerung, Erhöhung, Vervollkommnung des
Lebens sein.

Es ist möglich und vielleicht geboten, Roman und Epos

in einem solchen Verhältnis zu sehen. Das eine ist moderne, das andere archaische Welt. Das Vers-Epos trägt für uns archaisches Gepräge – wie der Vers selbst das Archaische in sich trägt und eigentlich noch Zubehör eines magischen Weltgefühls ist. Die Epen der Urzeit sind ja nicht gelesen oder erzählt worden; sie waren gewiß ein von Saitenspiel begleiteter Sing-Sang; der Name des ›Sängers‹, der dem Dichter in archaisierender Sprache geblieben ist, war lange Zeit, bis ins Mittelalter, bis zum Minne-Wettgesang, wörtlich zutreffend, und vor allem das Epos war kündender Gesang, der Vater Homeros ein blinder Sänger – was nicht hindert, daß schon die ›Gesänge‹ der ›Ilias‹ und ›Odyssee‹, wie sie uns vorliegen, und ebenso die ›Edda‹, das ›Nibelungen-Lied‹ späte literarische Reaktionen der ursprünglichen Rhapsodien sind.

Es wäre eine kühne Behauptung, daß der Schritt zum Prosa-Roman ohne weiteres eine Erhöhung, Verfeinerung des Lebens der Erzählung bedeutet hätte. Zunächst war der Roman wirklich eine krause und willkürlich-abenteuerliche Ausartung gebundener Epik. Aber er trug Möglichkeiten in sich, deren Verwirklichung auf seinem langen Entwicklungsgange von den spätgriechischen und indischen Fabel-Monstren bis zur ›Education sentimentale‹ und den ›Wahlverwandtschaften‹ uns berechtigt, im Epos nur eine archaische Vorform des Romans zu sehen.

Das Prinzip aber, das den Roman diesen menschlich bedeutenden Weg hat gehen lassen, ist das der *Verinnerlichung*. Der deutsche Philosoph Arthur Schopenhauer, der mit der Kunst auf intimerem Fuße stand, als sonst Denker zu tun pflegen, hat das auf gültigste Weise ausgesprochen: »Ein Roman wird desto höherer und edlerer Art seyn, je mehr *inneres* und je weniger *äußeres* Leben er darstellt; und dies Verhältnis wird, als charakteristisches Zeichen, alle Abstufungen des Romans begleiten, vom ›Tristram Shandy‹ an bis zum rohesten und tatenreichsten Ritter- oder Räuberroman hinab. ›Tristram

Shandy‹ freilich hat so gut wie gar keine Handlung; aber wie sehr wenig hat die ›Neue Heloise‹ und der ›Wilhelm Meister‹! Sogar ›Don Quijote‹ hat verhältnismäßig wenig, besonders aber sehr unbedeutende, auf Scherz hinauslaufende Handlung: und diese vier Romane sind die Krone der Gattung. Ferner betrachte man die wundervollen Romane Jean Pauls und sehe, wie sehr viel inneres Leben sie auf der schmalsten Grundlage von äußerem sich bewegen lassen. Selbst die Romane Walter Scotts haben noch ein bedeutendes Übergewicht des innern über das äußere Leben, und zwar tritt letzteres stets nur in der Absicht auf, das erstere in Bewegung zu setzen; während in schlechten Romanen es seiner selbst wegen da ist. Die Kunst besteht darin, daß man mit dem möglichst geringsten Aufwand von äußerem Leben das innere in die stärkste Bewegung bringe; denn das innere ist eigentlich der Gegenstand unsres Interesses. – Die Aufgabe des Romanschreibers ist nicht, große Vorfälle zu erzählen, sondern kleine interessant zu machen.«

Das sind klassische Worte, und besonders der Schluß-Aphorismus hat mir immer ausnehmend gefallen, weil er vom Interessantmachen handelt. Das Geheimnis der Erzählung – denn von einem Geheimnis kann man wohl sprechen – ist es, das, was eigentlich langweilig sein müßte, interessant zu machen. Es wäre ganz aussichtslos, dieses Geheimnis lüften und aufklären zu wollen. Aber nicht zufällig schließt Schopenhauers pointierte Bemerkung über das Interessantmachen des Kleinen an seine Betrachtungen über die *Verinnerlichung* der Erzählkunst an. Das Prinzip der Verinnerlichung muß im Spiele sein bei jenem Geheimnis, daß wir atemlos auf das an und für sich Unbedeutende lauschen und darüber den Geschmack am grob aufregenden, robusten Abenteuer ganz und gar vergessen.

Als der Prosa-Roman sich vom Epos ablöste, trat die Erzählung einen Weg zur Verinnerlichung und Verfeinerung an, der lang war und an dessen Beginn diese Ten-

denz noch gar nicht zu ahnen war. Um ein mir national
nahe liegendes Beispiel zu wählen: Was ist der deutsche
Bildungs-, Erziehungs- und Entwicklungsroman, was ist
Goethes ›Wilhelm Meister‹ anderes als die Verinnerlichung und Sublimierung des Abenteurer-Romans? Wie
sehr es sich bei dieser Verinnerlichung um eine Magisie-
rung des Kleinen und Schlichten, um eine *Verbürgerlichung* der Poesie handelt, das geht mit besonderer und
lehrreichster Deutlichkeit aus einer Kritik hervor, die der
Romantiker Novalis, ein Seraphiker der Poesie, dem
›Wilhelm Meister‹ widmete und die so boshaft wie zutreffend ist. Novalis mochte diesen größten Roman der
Deutschen nicht, er nannte ihn einen »Candide, gerichtet
gegen die Poesie«. »Im höchsten Grade unpoetisch« sei
dieses Buch, so poetisch auch die Darstellung sei; eine Satire auf Poesie, Religion und so weiter; aus Stroh und Ho-
belspänen sei ein wohlschmeckendes Gericht, ein Götter-
bild zusammengesetzt. Hinten sei alles Farce. »Die ökonomische Natur ist die wahre übrigbleibende. Das Romantische geht darin zugrunde, auch die Naturpoesie, das
Wunderbare. Es handelt bloß von gewöhnlichen menschlichen Dingen, die Natur und der Mystizismus sind ganz
vergessen. Es ist eine poetisierte bürgerliche und häusliche
Geschichte . . . Das erste Buch im ›Meister‹ zeigte, wie angenehm sich auch gemeine, alltägliche Begebenheiten hören lassen, wenn sie gefällig moduliert vorgetragen werden, wenn sie, in eine gebildete, geläufige Sprache einfach gekleidet, mäßigen Schrittes vorübergehen . . .«
»Goethe ist ganz *praktischer* Dichter«, sagt Novalis an
anderer Stelle. »Er ist in seinen Werken, was der Engländer in seinen Waren ist: höchst einfach, nett, bequem und
dauerhaft. Er hat in der deutschen Literatur das getan,
was Wedgwood in der englischen Kunstwelt getan hat, er
hat, wie die Engländer, einen natürlichen ökonomischen
und einen durch Verstand erworbenen edlen Geschmack
. . . Seine Neigung ist, eher etwas Unbedeutendes ganz

fertigzumachen, ihm die höchste Politur und Bequemlich-
keit zu geben, als eine Welt anzufangen und etwas zu
tun, wovon man voraus wissen kann, daß man es nicht
vollkommen ausführen wird.« –

Man muß das Negative positiv zu lesen verstehen und
an die Fruchtbarkeit der Bosheit für die Erkenntnis glauben, um diese Kritik zu schätzen, wie ich es tue. Der ästhetische Anglizismus, der Goethe darin zugeschrieben wird,
läßt an den Einfluß denken, den der englische bürgerliche
Roman der Richardson, Fielding, Goldsmith tatsächlich
auf ihn ausgeübt hat. Aber es ist die Bürgerlichkeit des
Romans überhaupt, deren man durch die ›Wilhelm-Mei-
ster‹-Kritik des Novalis gewahr wird, sein eingeborener
Demokratismus, der ihn form- und geistesgeschichtlich
von dem Feudalismus des Epos unterscheidet und ihn zur
dominierenden Kunstform unserer Epoche, zum Gefäß
der modernen Seele gemacht hat. Die erstaunliche Blüte
des Romans in Europa während des neunzehnten Jahrhunderts, in England, in Frankreich, in Rußland, in Skan-
dinavien – diese Blüte ist kein Zufall; sie hängt zusammen mit dem zeitgerechten Demokratismus des Romans,
mit seiner natürlichen Eignung, modernem Leben zum
Ausdruck zu dienen, mit seiner sozialen und psychologischen Passion, welche ihn zur repräsentativen Kunstform
der Epoche und den Romandichter selbst mittleren Formats zum modernen literarischen Künstlertyp par excel-
lence gemacht hat. Diese Auffassung des *Romanciers* als
der eigentlichst modernen Erscheinungsform des Künstlers
überhaupt findet man an vielen Stellen von Nietzsches
Kultur-Kritik: der moderne Romancier mit seiner sozialen und psychologischen Neugier und Nervosität, seiner
konstitutionellen Mischung aus Gefühl und Empfindlich-
keit, gestaltenden und kritizistischen Anlagen, dies diffe-
renzierte Empfangs- und Mitteilungsinstrument feinster
Sensationen und letzter Ergebnisse spielt eine ausgezeichnete Rolle in dem seelischen Zeitbild Nietzsches, der ja

selbst eine hoch-hybride Mischung des Künstlers und des Erkennenden, selbst eine Art von ›Romancier‹ war und Kunst und Wissenschaft näher zusammengebracht, mehr ineinander hat übergehen lassen als irgendein Geist vor ihm.

Und hier, ausdrücklich in Hinsicht auf den Roman und auf seine beherrschende Stellung als Kunstform in unserer Zeit, ist der Bedeutung zu gedenken, welche dem kritischen Element überhaupt für das moderne Dichten, für das literarische Kunstwerk der Gegenwart zukommt. Und wieder einmal gedenke ich dessen, was der russische Philosoph Dmitri Mereschkowski gelegentlich Puschkins und Gogols von der Ablösung der reinen ›Poesie‹ durch die ›Kritik‹ sagte, dem »Übergang vom unbewußten Schaffen zum *schöpferischen Bewußtsein*«. Es handelt sich da um denselben Gegensatz, den Schiller in seinem berühmten Essay auf die Formel des ›Naiven‹ und des ›Sentimentalischen‹ bringt. Was Mereschkowski bei Gogol »die Kritik« oder »das schöpferische Bewußtsein« nennt, und was ihm im Vergleich mit dem »unbewußten Schaffen« Puschkins als das Modernere, Zukünftige erscheint, ist genau das, was Schiller unter dem ›Sentimentalischen‹ im Gegensatz zum ›Naiven‹ versteht, indem er ebenfalls das Sentimentalische, das Schöpfertum des Bewußtseins und der Kritik für die neuere, modernere Entwicklungsstufe erklärt.

Diese Distinktion gehört durchaus zu unserem Thema, zur Charakteristik des Romans. Der Roman repräsentiert als modernes Kunstwerk die Stufe der ›Kritik‹ nach derjenigen der ›Poesie‹. Sein Verhältnis zum Epos ist das Verhältnis des »schöpferischen Bewußtseins« zum »unbewußten Schaffen«. Und es ist hinzuzufügen, daß der Roman als demokratisches Produkt schöpferischen Bewußtseins ihm an *Monumentalität* keineswegs nachzustehen braucht.

Die große soziale Roman-Dichtung der Dickens, Thak-

keray, Tolstoi, Dostojewski, Balzac, Zola, Proust ist geradezu die Monumentalkunst des neunzehnten Jahrhunderts. Das sind englische, russische, französische Namen –
warum fehlt der deutsche? Der Beitrag Deutschlands zur
europäischen Erzählungskunst ist teilweise sublim: er besteht hauptsächlich in dem Erziehungs- und Bildungs-
roman, wie Goethes ›Wilhelm Meister‹ und später Gottfried Kellers ›Der grüne Heinrich‹ ihn darstellen. Wir haben dazu, wiederum von Goethe, eine Perle der Welt-
Romankunst überhaupt, ›Die Wahlverwandtschaften‹,
eine psychologisch-naturphilosophische Prosa-Dichtung
obersten Ranges. Später haben Geister der unzulänglich
verlaufenen bürgerlichen Revolution unseres Landes, Vertreter des ›Jungen Deutschland‹, Immermann, Gutzkow,
soziale Romane geschrieben – sie haben wenig Welt-In-
teresse auf sich gezogen, sind nicht recht ins Europäische
durchgedrungen. Die Roman-Prosa eines Spielhagen ist
heute so welk, daß man schließen darf, sie sei nie eine
wirkliche Beisteuer zu dem gewesen, was wir den europäischen Roman nennen. Man muß Theodor Fontane anführen, unter dessen hochdifferenzierten Alterswerken
mindestens eines, ›Effi Briest‹, ein Meisterwerk, ins Europäische reicht – ohne daß Europa und die Welt sich son-
derlich um ihn gekümmert hätten: Fontane ist außerhalb
Deutschlands fast unbekannt und wird schon in Süd-
deutschland, in der Schweiz kaum gelesen. Nicht sehr verschieden steht es mit den Schweizern deutscher Zunge
selbst: dem in seiner Art sehr großen, ja gewaltigen Bau-
ern-Moralisten Gotthelf, dem liebenswerten Gottfried
Keller, der eine Prosa von wahrem Goldklang schrieb und
ein wunderbarer Erzähler moderner Märchen war, und
mit Conrad Ferdinand Meyer, einem historisierenden No-
vellisten von höchster Noblesse.

Wie kommt es, daß das alles europäisch nicht recht mit-
zählen will? Daß man nur einen der vorhin angeführten
westeuropäischen und russischen Namen zu nennen

braucht, um den Unterschied an Einfluß und Repräsenta-
bilität zu fühlen? Europäischer Einfluß, europäische Re-
präsentabilität, das Weltbezwingende, wie es in jenen Namen großer Romanciers beschlossen liegt, ist in Deutschland ganz woanders zu finden als im Literarisch-Gesell-
schaftskritischen, nämlich in der Musik. Der Name, den
Deutschland jener stolzen Reihe entgegenzustellen oder
beizugesellen hat, ist Richard Wagner, – dessen Werk
zwar mit dem Epos allerlei zu tun hat, aber musikalisches
Drama ist. Der Beitrag Deutschlands zur Monumental-
Kunst des neunzehnten Jahrhunderts ist nicht literarischer, sondern musikalischer Art – höchst charakteristi-
scherweise. Es wären die merkwürdigsten zeitpsychologi-
schen Gemeinsamkeiten aufzuweisen zwischen dem Wag-
nerschen Monumentalwerk und der großen europäischen
Romankunst des neunzehnten Jahrhunderts. Der ›Ring
des Nibelungen‹ hat mit dem symbolischen Naturalismus
der ›Rougon-Macquart‹-Serie Emile Zolas viel gemein –
sogar das ›Leitmotiv‹. Aber der wesentliche und typische
nationale Unterschied ist der Gesellschaftsgeist des französischen, der mythisch-urpoetische Geist des deutschen
Werkes. Man sagt nicht zuviel, wenn man den Roman
europäischer Prägung für eigentlich landfremd in Deutschland erklärt – womit Bedeutsames ausgesagt ist über das
Verhältnis des deutschen Geistes nicht nur zu dem einge-
borenen Demokratismus des Romans als Kunstform, sondern zur Demokratie überhaupt im weitesten und geistigsten Sinne des Wortes.

Wenn ich von der Fremdheit des Romans in Deutschland und der des deutschen Romans in der Welt rede, habe
ich freilich das neunzehnte Jahrhundert im Auge und hier
wieder besonders seine zweite Hälfte; denn der Roman
der Romantik in Deutschland, zu welchem Jean Paul, Novalis, Tieck, Schlegel, Arnim und Brentano Bewunde-
rungswürdiges beigetragen haben, hat wenigstens in dem
einen E. T. A. Hoffmann einen Vertreter, dessen gespen-

stische Fabulierkunst allerdings europäisch geworden ist
und besonders in Frankreich starke Wirkung geübt hat.
Einen ähnlichen Einfluß auf das literarische Europa beginnt heute das höchst eigenartige und bedeutende Erzählungswerk des jung verstorbenen Deutsch-Böhmen
Franz Kafka zu gewinnen, dessen religiös-humoristische
Traum- und Angstdichtung zum Tiefsten und Merkwürdigsten gehört, was die Weltliteratur in prosaischer Form
hervorgebracht hat. – Um die Wende zum zwanzigsten
Jahrhundert und in seinem ersten Drittel ereignet sich
überhaupt etwas wie der formale und geistige Durchbruch
des deutschen Romans in die Sphäre europäischen Interesses. Aber darüber ein andermal.

(1939)

JOHANNES R. BECHER »ABSCHIED«

Die Geschichte eines jungen Menschen im wilhelminischen Zeitalter – das ist der Inhalt des Becherschen Romans.

Das Kind steht auf dem Balkon des Elternhauses in der Neujahrsnacht, die das zwanzigste Jahrhundert einläutet. Die Philistergespräche der Eltern und ihrer Hausfreunde drehen sich um den Beginn einer neuen Ära. Das lebhafte, phantasiebegabte, weiche und haltlose Kind ist mitgerissen von dieser Stimmung. Auch das Kind fühlt, daß das Leben, so wie es bis jetzt war, nicht in Ordnung ist: alles soll »anders« werden.

Der Kampf um dieses »Anderswerden« ist der ideelle, gesellschaftliche und menschliche Inhalt des Romans. Freilich steckt schon in dem Wort selbst ein Doppelsinn. Einerseits sind Menschen mit ihrer äußeren und inneren Lebensgestaltung unzufrieden; es soll etwas Anderes, Besseres kommen. Anderseits wird – bewußt und unbewußt – ein ununterbrochener Kampf darum geführt, was der eigentliche soziale Inhalt dieses »Anderen« sei. Dieser Doppelkampf ergibt die Handlung des Romans.

Auch an seinem Ende klingen die Glocken, wehen die Fahnen: der erste imperialistische Weltkrieg ist ausgebrochen, die Deutschen haben bereits Lüttich eingenommen. Hans Gastl, der Held des Romans, hat sich geweigert, als Kriegsfreiwilliger in die Armee einzutreten, und mußte darum das Elternhaus verlassen. Der latente Gegensatz, der im »Anderswerden« von Anfang an stak, ist nunmehr offenbar geworden. Seine beiden entgegengesetzten Bedeutungen sind zu deutlich sichtbaren Gestalten, zu feindlichen Lagern auseinandergetreten.

Der Traum der alldeutschen Imperialisten hat sich erfüllt: der Krieg ist ausgebrochen. Der nationalistische Einheitsrausch hat fast die ganze Bevölkerung vom Kaiser bis zur Sozialdemokratie erfaßt. Nur wenige Versprengte sind »dagegen«, darunter der Staatsanwaltssohn Hans Gastl. Er hat jetzt seine erste wirkliche Schlacht um das »Anderswerden« geschlagen.

Wir wissen sehr wenig über den Menschen der letzten Jahrzehnte. Dies ist ein Zeichen, daß die deutsche Literatur ihre historische Sendung nicht völlig erfüllt hat. Nicht die Tatsachen fehlen zu einer solchen Kenntnis, auch nicht ihre soziale Analyse. Das allgemeine Bild der deutschen Entwicklung, wenn sie auch historisch noch nicht restlos und zufriedenstellend erforscht ist, der Weg, den das deutsche Volk etwa von 1870 bis heute zurückgelegt hat, steht in seinen Grundzügen klar vor uns. Aber die innere Entwicklung des deutschen Menschen sehen wir nur in äußerst verschwommenen Umrissen. Was Balzac und Stendhal für das Frankreich der Restauration und des Julikönigtums, was Tolstoi, Schtschedrin, Tschechow und Gorki für das Rußland von der Bauernbefreiung bis zur Revolution geleistet haben, fehlt in der deutschen Literatur.

Damit fehlt die Geschichte der kapillarischen Bewegung unterhalb der sichtbaren Oberfläche der historischen Veränderungen, die die »plötzlichen« Wendungen in der Geschichte nicht nur objektiv-ökonomisch, sondern auch subjektiv-menschlich verständlich macht, die uns das psychologische Wesen, die intellektuelle und moralische Physiognomie des heutigen Deutschen klarwerden läßt. Und zwar in seiner Bewegung, nicht nur einfach wie er ist und erscheint. Ohne das ergibt sich fast immer eine metaphysische Starrheit, entsteht der Eindruck eines toten Resul-

tats. Die kapillarische Bewegung hingegen zeigt, wie er
das geworden ist, was er ist; sie ist also die dichterische
Erklärung des Gerade-so-Seins seiner Gesamtphysiogno-
mie in ihrer verwickelten Dialektik: wie aus Tugenden
Wirrsale, Verwirrungen, ja verbrecherische Taten entstehen, wie Untugenden zu Trägern historisch bedeutsamer
Wendungen werden können.

Heinrich Manns Heßling aus dem »Untertan« ist ein
solches die Zukunft enthüllendes Porträt eines Vorkriegs-
deutschen. Die Bertin, Winfried, Kroysing aus Arnold
Zweigs Kriegsromanen stellen die kapillarischen Prozesse
der Verwandlung der deutschen Intelligenz im ersten imperialistischen Krieg dar. In diese wichtige und leider sehr
schüttere Reihe stellt Becher nun seinen Hans Gastl und
die Gestalten, die dessen Jugendweg positiv und negativ
bestimmen. Es ist ein wichtiger und seltener Beitrag zur
Erhellung jenes Dunkels, das die Entwicklungsgeschichte
des deutschen Menschen der Gegenwart noch immer umgibt.

Indem Becher das »Anderswerden« in den Mittelpunkt
seines Romans stellt, vollzieht er einen Bruch mit der
weitverbreiteten Legende vom Vorkriegsparadies. Heinrich Manns Roman hat bereits mit grausamer Satire dieses Trugbild zerfetzt. Aber die – satirisch berechtigte – Ge-
radlinigkeit seiner Destruktion bedurfte einer dichterischen Ergänzung. Die Sommertage des Jahres 1914 waren
historisch notwendig, aber nicht einfach fatalistische Konsequenzen der wilhelminischen Entwicklung, sondern zugleich auch Explosionen ihrer sehr komplizierten inneren Widersprüche. Einerseits sind ganz große Massen
aus einem Traumzustand erwacht; dabei ist für unsere
jetzigen Betrachtungen nicht ausschlaggebend, wie weit es
sich hier um ein idyllisches Träumen oder um einen Alb-
druck gehandelt hat. Anderseits entstand eine kopflose
Flucht in die rauschartig aufleuchtende Illusion von der

Einheit des Volks, vom Untertauchen in den Wellen dieser Gemeinsamkeit, vom Verlassendürfen der egoistischen Kleinlichkeit des Alltags, der abgekapselten Einsamkeit und selbstherrlichen Innerlichkeit. Arnold Zweigs Kriegsromanzyklus hat den eigentlichen Kriegsausbruch noch nicht gestaltet. Aber seine Darstellung des langsamen, qualvollen, widerspruchsreichen, zumeist sehr partiellen Erwachens aus diesem Rausch zeigt, wo dies Problem und seine Lösung zu suchen ist.

Das »Anderswerden« bei Becher gibt nun diesem Problem eine neue, originelle, ergänzende, Lichter aufsetzende Wendung. In seinem Roman ist jeder Mensch mit seinem innern und äußern Zustand unzufrieden. Aber da der Roman in bürgerlichen und kleinbürgerlichen Kreisen spielt und die Arbeiterbewegung nur am Horizont steht, bedeutet dies vorerst und zumeist nur ein dumpfes, wenig bewußtes Unbehagen. Zum Beispiel ein instinktives, gefühlsmäßiges, aber praktisch ohnmächtiges Sich-Sträuben der Mutter Hans Gastls, die in den entscheidenden Momenten der herausplatzenden bürgerlichen Gemeinheit immer »dagegen« ist, aber dennoch alles geschehen lassen muß. So lehnt die Großmutter, aufgewachsen und erzogen in der Periode des Absterbens des klassischen Humanismus, die ordinär-bürgerliche Gegenwart ab, kommt aber natürlicherweise zu keiner offenen Opposition, nur zu leisen, nur mit feinen Ohren hörbaren Ausdrucksnuancen des Protests. Diese sind allerdings für die Entwicklung des sehr empfänglichen, allen Einflüssen offenen Jungen sehr wichtig. Die äußerste Protestgeste, die sie sich leisten kann, ist, daß sie testamentarisch bestimmt, nicht christlich begraben, sondern verbrannt zu werden. Ja, auch der Vater, der Staatsanwalt, die düstere, negative, oft grotesk drohende Macht im Jugendleben Hans Gastls, ist ein Unzufriedener, ein innerlich Zwiespältiger, dessen Tyrannei in der Familie, dessen unbeherrschte Explosionen ebenfalls aus dem innern wie äußern Unbefriedigt-

sein mit dem eigenen Leben stammen. Und diese Linie
führt Becher reich variiert bei allen seinen bürgerlichen
Figuren durch.

In der plebejischen und proletarischen Welt, die das
bürgerliche Heim des Helden umgibt, ist verständlicher-
weise die Sehnsucht nach dem innern und äußern »Anderswerden« noch viel stärker. Hier aber hat diese Sehnsucht und die Unzufriedenheit mit dem Seienden einen
ganz entgegengesetzten Inhalt und eine objektiv rebellische Intention. Diese äußert sich freilich bei sehr vielen
Figuren (Dienstboten usw.) reichlich unbewußt. Aber auch
die ganz unbewußten, ganz unklaren Äußerungen dieser
Unzufriedenheit finden in der Seele des Kindes und des
Jünglings eine starke Resonanz.

Die Sehnsucht dieses Kindes und später des Jünglings
zum »Anderswerden«, sich zu verändern, eine andersge-
artete, neue Welt zu erleben – der innere Gehalt des Romans –, ist also nur die Hauptstimme eines Chorals, in
dem alle Beteiligten auf ihre Weise mitsingen ...

Das bürgerliche Leben wirkt spontan in der Richtung
der Verbürgerlichung der Menschen; die bürgerlichen Eltern, Erzieher usw. bemühen sich zugleich bewußt, schon
aus dem Kind einen Bourgeois zu machen. Es ist nicht
einfach Belohnung und Strafe, die hier wirksam werden.
Es handelt sich vielmehr um einen sehr komplizierten Mechanismus, um ein bewußt-unbewußtes Ineinandergreifen
menschlicher Handlungen, die schon dem Kind einen Abgrund zeigen, wenn es sich instinktiv über die Klassen-
grenzen hinauswagt; dieser Mechanismus läßt es, über
dem Abgrund in Todesangst hängend, eine Weile zap-
peln, um es dann, aufs tiefste erniedrigt und für seine guten Instinkte beschämt, ja diffamiert, für Feigheit, Gemeinheit und Kapitulation gerühmt, am Ende doch zu
»retten«.

Becher schreckt dabei auch vor der Darstellung der
krassesten Fälle nicht zurück. Der kleine Volksschüler

Gastl hat seiner Großmutter zehn Mark gestohlen; er
schwänzt mit seinem proletarischen Schulfreund Hartinger, den Hans' Familie als »Verführer« zu allem Schlechten (das heißt Nicht-Standesgemäßen) haßt und verleumdet, den Unterricht. Beides wird entdeckt, und nun wird
in der Schule – Hartinger bestraft. Der Lehrer zieht ihm
die Hose herunter, drei Schüler, unter ihnen Hans, müssen ihn halten, und so bekommt er fünfundzwanzig Ru-
tenhiebe. Hans hat die gute Aufwallung, seinen Freund
zu retten, einzugestehen, daß er den Hartinger zum
Schwänzen verführt hat, daß er den Diebstahl von sich
aus beging. Aber der Lehrer »weiß es besser«, und Hans
muß bei der Strafe assistieren.

Beiläufig bemerkt, zeigt schon eine solche Episode den
Abstand Bechers von der Mittellinie der heutigen Literatur. Einerseits beschränkt er sich nicht auf den grauen
Durchschnitt des alltäglich Gewohnten, sondern bevorzugt im Gegenteil krasse, extreme Situationen, in denen
oft eine raffinierte und tiefe Grausamkeit zum Ausdruck
kommt; aber anderseits ist diese Kraßheit bei ihm nie
Selbstzweck, sondern nur Anlaß, eine moralische Krise
sinnfällig zu gestalten. Er mildert also darstellerisch nichts
an den grausamen Zügen seiner Situationen, sie rücken
aber durch das Übergewicht des moralischen Konflikts
»von selbst« in den »zweiten Plan«.

Eben diese Gestaltungsart macht es möglich, daß solche
Szenen ungezwungen in der Komposition ihre Stellung
als Knotenpunkte der Entwicklung des Helden erhalten.
Denn die Wirkung einer solchen Szene wie der oben an-
gedeuteten ist nicht einmalig, sondern – mehr oder weniger – dauernd. Gerade Kind und Jüngling sind zu weiche, zu unselbständige Wesen, um gegenüber der öffentlichen Meinung ihrer Umgebung alleinstehn zu können.
In solchen Fällen erhalten sie einen seelischen Schock für
eine ganze Entwicklungsetappe; einige sogar fürs ganze
Leben. Ihre Instinkte kehren sich um; ihr Drang nach

Mut, nach Schönheit, nach Geltung, nach Geliebtsein
wirkt sich zeitweilig in einer völlig verkehrten Richtung
aus. Nach dieser Szene schließt sich Hans Gastl den
schlechtesten Bourgeoisjungen in der Klasse an und verfolgt Hartinger mit einer viel raffinierteren Grausamkeit,
als es die durchschnittlichen und problemloseren Bürger-
kinder tun.

Die Gegenkräfte können für das bürgerliche Kind nicht
organisiert in Erscheinung treten. Aber gerade ein Kind
kann von der plebejischen Seite des Lebens nicht hermetisch abgeschlossen werden: es ist neugierig, lüstern auf
Abenteuer, auf Ungewohntes, Nicht-Alltägliches. Zudem
gibt es Dienstboten, gibt es Nachbarn, gibt es die Volksschule, die von dem Kind zunächst besucht wird. Hier
wirkt sich nun die größere menschliche Echtheit der pleb-
jischen Naturen als Anziehungskraft, als Erweckerin der
guten Instinkte aus. Die Gestaltung der Anhänglichkeit
des kleinen Hans Gastl an das alte Dienstmädchen Chri-
stine, an den Offiziersburschen Xaver gehört zu den
schönsten Teilen dieses reichen Buches. Anderseits bleiben
auch bei der Berührung mit diesen Teilen seiner Umgebung die Klassenschichtung, der Klassenhochmut der Bourgeoisie, die Ungleichheit und Ungerechtigkeit dem Kind
nicht verborgen. Als beispielsweise der zum Jüngling gewordene Hans von einem Schulkameraden, dem Bankiers-
sohn Löwenstein, zum erstenmal etwas über Sozialismus
hört, fragt er ihn, wie er eigentlich auf diese Fragen gestoßen sei. Löwenstein antwortet: »Es war ein Wurstzip-
fel. Die Mutter schnitt ihn ab beim Abendessen. Legte ihn
auf den Teller und stellte den Teller beiseite: den Wurst-
zipfel ißt man nicht, der könnte verdorben sein, den
kriegt die Ursel. Die hat einen besseren Magen. Ursel war
das Dienstmädchen, aber sie hieß gar nicht Ursel. Sie wurde nur Ursel gerufen... So erfuhr ich vom Klassen-
kampf.«

Gegen die Einflüsse von »unten« führen Elternhaus und

Schule einen ununterbrochenen, schlauen, teils offenen, teils versteckten Kleinkrieg. Und in den meisten Fällen, so auch bei Hans, gelingt es ihnen, einen Standesdünkel zu erwecken, der diesem Verkehr ein Ende macht. Der Austritt aus der Volksschule, der Beginn der Gymnasialzeit wirkt automatisch in dieser Richtung, denn er schaltet die plebejisch-proletarischen Elemente aus der Reihe der Schulkameraden aus.

So ist der heranwachsende Jüngling viel einsamer, mehr auf sich selbst angewiesen, als das Kind es war. Und die spontanen Verführungsmittel, die Wege zur Flucht vor sich selbst treten gesellschaftlich spontan viel massenhafter, fast unwiderstehlich auf. In typischer und überzeugender Weise gestaltet Becher diese Flucht als einen Rausch des Sports, als ein Vergessen aller äußern und innern Konflikte im leidenschaftlichen Bestreben seines Helden, Champion im Kurzstreckenschwimmen zu werden.

Aber bei einigermaßen tüchtigen Naturen kann diese Selbsttäuschung nicht andauern. Indem der Druck der Umgebung immer größer, die begangenen bourgeoisen Gemeinheiten immer krasser werden, wird allmählich bei dem noch immer nicht »angepaßten« Helden eine geistigere, bewußtere Widerstandskraft geweckt. Er beginnt seine Verbündeten, seine menschlichen und moralischen Stützen bewußter zu suchen; er beginnt nach einer weltanschaulichen Klärung zu ringen. Freilich wieder auf verschlungenen Wegen: aus schüchternen Anläufen zum Guten entsteht mitunter ganz Böses; Versuche der Opposition führen oft zur schmählichen Kapitulation und Heuchelei. Anderseits ist zuweilen die »Hilfe« des Elternhauses und der Behörden so aufreizend klassenmäßig, daß gerade durch sie ein Widerstand geweckt wird. Dieses komplizierte Auf und Ab schildert Becher mit großer Erfindungskraft in einleuchtenden, typischen und dabei interessanten Situationen. Er zeigt zugleich überzeugend, daß dieses Auf und Ab kein bloßes Schwanken, sondern eine spira-

lenartige Aufwärtsbewegung ist, die mit innerer Notwendigkeit zum Bruch mit dem Elternhaus führt, zum Scheitern des Versuchs der Umgebung, aus Hans Gastl einen
Bourgeois zu machen.

Freilich ist der Bruch mit der bürgerlichen Welt dadurch
noch lange nicht endgültig vollzogen. Und das ist richtig
und wahr. Becher gibt in diesem Roman – folgerichtig –
nur das Vorspiel zur weiteren Entwicklung seines Helden, zur weiteren Erhellung der Psyche des deutschen
Menschen von der Jahrhundertwende bis heute.

(1941)

LION FEUCHTWANGER

ARBEITSPROBLEME DES SCHRIFTSTELLERS IM EXIL

I

In München, als Student, habe ich an einem Seminar teilgenommen, das sich mit dem Thema beschäftigte: »Erlebnis und Dichtung«. Das war in den Zeiten tiefen Friedens vor dem ersten Weltkrieg, der Elfenbeinturm war große literarische Mode, und der Professor, der das Seminar leitete, machte einen säuberlichen Trennungsstrich zwischen äußerem und innerem Erleben. Die innere Form des Dichters schien ihm vorgeschrieben von seiner Geburt an, und er wollte es nicht gelten lassen, daß das Werk des Schriftstellers abhängig sei von dem Platz, an dem sein Schreibtisch stehe.

Es war in jenem Seminar die Rede davon, wie viele Schriftsteller aller Völker und aller Zeiten einen großen Teil ihres Lebens im Exil hatten verbringen müssen und wieviel Werke höchsten literarischen Ranges im Exil entstanden sind. Der leitende Professor erklärte, diese Jahre des Exils hätten zwar die Stoffwahl jener Autoren beeinflußt, nicht aber ihre innere Landschaft. Ich gestehe, daß mir schon damals als blutjungem Studenten diese These verdächtig vorkam. Ich konnte es nicht glauben, daß das Werk Ovids, Li-Tai-Pes, Dantes, Heinrich Heines, Victor Hugos nur im *Stofflichen* beeinflußt sei von der Verbannung dieser Dichter. Mir schien, daß das *innerste Wesen* der Werke, welche diese Dichter in der Zeit ihrer Verbannung geschrieben haben, bedingt war von ihren äußeren Umständen, von ihrem Exil. Der infernalische Haß gewisser Dantescher Terzinen, die blitzende Schärfe Victor Hu-

goscher Streitschriften, die schwermütig-heitere, süße und
tiefe Heimatliebe Li-Tai-Pescher Verse, der elegante und
tödliche Hohn Heinescher Gedichte, das alles ist nicht
denkbar ohne das Exil des Autoren. Das Exil ist kein zufälliger Nebenumstand, es ist die Quelle dieser Werke.
Nicht die Stoffe dieser Dichter haben sich verändert durch
ihre Verbannung, sondern ihr Wesen.

Jetzt, im Beginn des zweiten Jahrzehnts meines Lebens
und Dichtens im Exil, ist mir diese Meinung weit mehr
geworden als eine bloße Meinung, sie gehört zu den
Grundlagen meiner innern Existenz, und wenn ich nun zu
Ihnen spreche über die äußern und innern Probleme, vor
welche das Exil den Autor stellt, so hoffe ich, meine Ausführungen werden nicht zu sehr gefärbt sein von der Farbe sehr schmerzhaften Erlebens.

II

Ich möchte nicht lange verweilen bei dem bittern Thema,
mit wieviel äußern Schwierigkeiten der Schriftsteller im
Exil sich herumzuschlagen hat; ich hoffe, denjenigen unter
Ihnen, welche diese Schwierigkeiten nicht erfahren haben,
werden sie erspart bleiben.

Der Schriftsteller, der den Leserkreis seines eigenen
Landes verliert, verliert mit ihm sehr häufig das Zentrum
seiner wirtschaftlichen Existenz. Sehr viele Schriftsteller,
die in ihrem eigenen Lande marktfähig waren, sind trotz
höchster Begabung im Ausland nicht verkaufbar, sei es,
weil ihr Wert vor allem im Sprachlichen liegt und dieses
Sprachliche nicht übertragbar ist, sei es, weil ihre Stoffe
den ausländischen Leser nicht interessieren. Den gutge-
meinten Anregungen mancher Verleger, Konzessionen an
den Geschmack des ausländischen Publikums zu machen,
können und wollen viele exilierte Schriftsteller nicht nachkommen. Es ist erstaunlich, wie viele Autoren, deren Lei-

stungen die ganze Welt anerkannt hat, jetzt im Exil trotz ernsthaftester Bemühungen völlig hilf- und mittellos dastehen.

Dazu kommt, daß viele Schriftsteller mehr als andere Exilanten leiden unter den läppischen kleinen Miseren, aus denen der Alltag des Exils sich zusammensetzt. Es ist keine große Sache, in einem Hotel wohnen zu müssen und auf Schritt und Tritt bürokratischen Weisungen unterworfen zu sein. Aber einen weitgespannten Roman in einem Hotelzimmer zu schreiben ist nicht jedem Schriftsteller gegeben, es reißt an den Nerven; es reißt doppelt an den Nerven, wenn der Autor nicht weiß, ob er morgen noch dieses Hotelzimmer wird zahlen können, wenn seine Kinder ihn um Essen bitten, und wenn die Polizei ihm mitteilt, daß binnen drei Tagen seine Aufenthaltsbewilligung abgelaufen ist.

Die Leiden der Verbannung sind nur in seltenen Augenblicken heroisch, sie bestehen zumeist in kleinen, albernen Mißlichkeiten, denen sehr oft etwas leise Lächerliches anhaftet. Aber die Überwindung dieser kleinen äußern Schwierigkeiten kostet im günstigsten Fall viel Zeit und Geld. Von mir zum Beispiel verlangte man in verschiedenen Ländern, ich solle Papiere beibringen, die ich als Flüchtling nicht haben konnte, ich solle mit Dokumenten aus meiner Heimat nachweisen, daß ich ich bin, daß ich geboren bin und daß ich Schriftsteller bin. Ich übertreibe nicht, wenn ich konstatiere, daß die Bemühungen, dies nachzuweisen, mich ebensoviel Zeit gekostet haben wie das Schreiben eines Romanes.

Die ökonomischen Schwierigkeiten und der aufreibende Kampf mit Nichtigkeiten, die nicht aufhören, sind das äußere Kennzeichen des Exils. Viele Schriftsteller sind davon zermürbt worden. Viele zogen den Selbstmord dem tragikomischen Leben im Exil vor.

III

Wer Glück hat, wer um all das herumkommt, der sieht sich bei seiner Arbeit inneren Schwierigkeiten gegenüber, von denen er sich in der Heimat nichts träumen ließ.

Da ist zunächst die bittere Erfahrung, abgespalten zu sein vom lebendigen Strom der Muttersprache. Die Sprache ändert sich von Jahr zu Jahr. In den zehn oder elf Jahren unseres Exils ist das Leben sehr schnell weitergegangen, es hat für tausend neue Erscheinungen tausend neue Worte und Klänge verlangt. Wir hören die neuen Worte für diese neuen Erscheinungen zuerst in der fremden Sprache. Immer und für alles haben wir den Klang der fremden Sprache im Ohr, ihre Zeichen dringen täglich, stündlich auf uns ein, sie knabbern an unserem eigenen Ausdrucksvermögen. Einem jeden unter uns kommt es vor, daß sich manchmal das fremde Wort, der fremde Tonfall an die oberste Stelle drängt.

Einige von uns haben es mit einigem Erfolg versucht, in der fremden Sprache zu schreiben: wirklich geglückt ist es keinem. Es kann keinem glücken. Gewiß, man kann lernen, sich in einer fremden Sprache auszudrücken; *die letzten Gefühlswerte* des fremden Tonfalls lernen kann man nicht. In einer fremden Sprache dichten, in einer fremden Sprache gestalten kann man nicht. Einen Barbaren nannten die Griechen und Römer jeden, der sich nicht in ihrer Sprache ausdrücken konnte. Der Dichter Ovid, zu solchen Barbaren verbannt, hat in ihrer barbarischen Sprache gedichtet und wurde von ihnen hoch geehrt. Dennoch hat er geklagt: »Hier bin ich der Barbar, denn keiner versteht mich.«

Seltsam ist es, zu erfahren, wie die Wirkung unserer Werke nicht ausgeht von der Fassung, in welcher wir sie geschrieben, sondern von einer Übersetzung. Der Widerhall, den wir hören, ist nicht der Widerhall des eigenen Worts. Denn auch die beste Übersetzung bleibt ein Frem-

des. Da haben wir etwa um einen Satz, um ein Wort gerungen, und nach langem Suchen haben wir den Satz, das
Wort gefunden, die glückliche Wendung, die sich unserem
Gedanken und Gefühl bis ins Letzte anschmiegte. Und
nun ist da das übersetzte Wort, der übersetzte Satz. Er
stimmt, es ist alles richtig, aber der Duft ist fort, das Leben ist fort. Sehr häufig verhält sich der übersetzte Satz
zu dem unsern wie eine Übertragung der Bibel in Basic
English zum Worte des Herrn.

IV

Allmählich, ob wir es wollen oder nicht, werden wir selber verändert von der neuen Umwelt, und mit uns verändert sich alles, was wir schaffen.

Es gibt keinen Weg zur inneren Vision als den über die
äußere. Das neue Land, in dem wir leben, beeinflußt die
Wahl unserer Stoffe, beeinflußt die Form. Die äußere
Landschaft des Dichters verändert seine innere.

Manche unter uns sind so von innen her gebunden an
die Inhalte und Formen ihrer Jugend und ihrer Heimat,
daß sie davon nicht loskommen und sich nach Kräften
sträuben gegen ihre neue Umwelt. Dieses Sicheinschließen
in die tote Vergangenheit, dieses Sichabsperren von dem
wirklichen Leben ringsum, diese stolze Absonderung ver-
mindert die Kraft der Dichter, macht sie trocken, dörrt sie
aus, die exilierten Schriftsteller, die es so halten – es sind
ihrer eine ganze Reihe, darunter Schriftsteller höchsten
Formates –, haben das schwerste Los gezogen, und ihre
Bitterkeit ist die tiefste.

Ich bemühe mich, wie ich schon im Eingang sagte, nicht
zu viel Ressentiment zu zeigen, wenn ich von den Leiden
des Schriftstellers im Exil erzähle. Das macht meine Schilderung blaß, und ich habe das Gefühl, alles, was ich gesagt habe, ist untertrieben und viel zu trocken. Dafür

steht alles, was ich zu dem Thema »Der Schriftsteller im Exil« sagen könnte, viel besser ausgedrückt in meinem Roman »Paris Gazette«.

Dieser Roman heißt übrigens in seiner Originalfassung keineswegs »Paris Gazette«. Der Titel ist eine Konzession an den Geschmack des Auslandes. Im Original heißt der Titel schlicht und wahr und kühn, oder, wenn man will, frech: »Exil«.

In diesem Roman »Exil« habe ich während einer der trübsten Perioden meines Exils ein allgemeines Kapitel eingefügt über die Wirkungen des Exils. Heute freue ich mich, daß ich auch in jener trüben Zeit den Ton nicht gelegt habe darauf, wie der Künstler im Exil leidet, sondern darauf, wie der Schriftsteller, der wirkliche, derjenige, der diesen Namen verdient, wächst und an Kraft zunimmt im Exil.

Denn wenn das Exil zerreibt, wenn es klein und elend macht, so härtet es auch und macht groß. Es strömt dem Schriftsteller im Exil eine ungeheure Fülle neuen Stoffes und neuer Ideen zu, er ist einer Fülle von Gesichten gegenübergestellt, die ihm in der Heimat nie begegnet wären.

Ja, wenn wir uns bemühen, unser Leben im Exil historisch zu sehen, dann erweist sich jetzt schon, daß beinahe alles, was unsere Arbeit zu behindern schien, ihr am Ende zum Heil ausschlug. Ich darf in diesem Zusammenhang nicht verschweigen, daß zum Beispiel auch der erzwungene ständige Kontakt mit der fremden Sprache, über den ich vorhin so laut zu klagen hatte, sich am Ende als Bereicherung erweist. Der im fremden Sprachkreis lebende Autor kontrolliert beinahe automatisch das eigene Wort ständig am fremden. Häufig dann sieht er, daß die fremde Sprache ein treffenderes Wort hat für das, was er ausdrücken will. Er gibt sich dann nicht zufrieden mit dem, was ihm die eigene Sprache darbietet, sondern er schärft, feilt und poliert an dem Vorhandenen so lange, bis es ein

Neues geworden ist, bis er der eigenen Sprache das neue,
schärfere Wort abgerungen hat. Jeder von uns hat glückliche Wendungen der fremden Sprache seiner eigenen ein-
gepaßt.

V

Es ist wohl so, daß Leiden den Schwachen schwächer, aber
den Starken stärker macht.

Manche unter uns hat das Exil eingeengt, aber den
Kräftigeren, Tauglicheren gab es mehr Weite und Elasti-
zität, es machte ihren Blick freier für das Große, Wesentliche und lehrte sie, nicht am Unwesentlichen zu haften.

»Und solang du das nicht hast, dieses Stirb und Werde,
bist du nur ein trüber Gast auf der dunkeln Erde«, heißt
es bei Goethe. Das Exil ist eine harte Schule, die einem
mit sehr energischen Mitteln beibringt, was dieses Stirb
und Werde bedeutet. Eine ganze Reihe der exilierten
Schriftsteller sind innerlich reifer geworden, haben sich
erneuert, sind jünger geworden. Sie sind nicht nur bitterer geworden, sondern auch weiser, gerechter gegen ihre
neue Welt, dankbarer und der eigenen Sendung tiefer bewußt. Jenes Stirb und Werde wurde ihnen Erlebnis und
Besitz.

Alles in allem hat, glaube ich, die Literatur im Exil die
Probe nicht schlecht bestanden. Wenn sich die Flut verlaufen haben wird, was taugt und was nicht, dann werden
sich unter den Werken der Epoche diejenigen, die im Exil
geschrieben wurden, nicht als die schlechtesten erweisen.

(1943)

DEM GEDENKEN LUDWIG THOMAS

Rede vor den Deutschprofessoren der Princeton-,
der John-Hopkins- und der Maryland-Universität, 1944

Meine Damen und Herren!

Es ist mir, dem Emigranten, der kein Englisch spricht,
eine besondere Freude, vor Ihnen in meiner Muttersprache sprechen zu dürfen, denn in dieser Sprache bin ich aufgewachsen, ihr verdanke ich meine schriftstellerische Existenz, sie ist meine unverlierbare Heimat. In ihrem Geist
suche ich die grenzenlose Welt in ihrer Lebensvielfalt zu
begreifen. Das andere, das scheinbar Fremde zu begreifen
heißt nicht nur, mit ihm in Frieden zu leben, es bedeutet
vielmehr, sich von ihm beständig bereichern zu lassen und
zugleich diesem Fremden, anderen sein Bestes zu geben.
Die ewige Quelle einer Sprache aber war, ist und bleibt
das Volk, die natürliche Gemeinschaft, aus der man
stammt, und je mehr eine Sprache in diesem Volke ›daheim bleibt‹, um so unzerstörbarer ist sie. Die Völker –
dies ist immerhin eine trostreiche Erkenntnis für mich –
wissen nie viel mit Abstraktionen wie ›Nation‹ oder ›Vaterland‹ anzufangen. Tief, unausrottbar aber wissen sie
um das Geborgensein in ihrer ›Heimat‹. Wenn ich es
aphoristisch zugespitzt formulieren darf, so möchte ich
sagen: Das Volk ist der Körper, seine Heimat ist die Seele,
und die Sprache ist der Geist, durch welche das Menschliche dieser Einheit zum Ausdruck kommt. Erst die Er-
fülltheit von Volk und Heimat, die aus einem Dichter-
werk spricht, macht es für alle Völker und Zeiten gültig.

Das gilt besonders für meinen allzufrüh verstorbenen
Landsmann Ludwig Thoma.

Das Leben dieses Mannes, der nur 54 Jahre alt wurde,
war viel zu kurz. Er konnte seine Arbeit nicht sichten und
seine endgültige Stellung zur Welt nicht klären, wie er es
wahrscheinlich später im Sinne gehabt hätte. Er schrieb
viel Tägliches, und er schrieb aus der unmittelbaren Ein-
gebung, die ihm Dinge, Menschen und Begebnisse zutru-
gen. Er nahm diese Arbeiten künstlerisch nie allzu ernst.
In der Vollkraft seines Lebens und seiner Schöpferlust
dachte er nicht daran, das Wesentliche vom Unwesentlichen zu scheiden. Und er war voll von Widersprüchen wie
alle Menschen seiner Generation. Er war durchaus ein
Kind der damaligen Zeit. Als diese Zeit durch eine andere
abgelöst wurde, verstand er das ›Neue‹, das ja immer
nur die Ausdrucksform der nachfolgenden Generation ist,
nicht mehr. Er fing an zu poltern und zu raunzen, und
was dabei herauskam – besonders während des ersten
Weltkrieges und nach dem Zusammenbruch des alten Kai-
serreiches –, war zum Teil recht unerfreulich, recht miß-
verständlich und oft geradezu kannegießerisch dörflerisch,
aber es war nichts anderes als die Abwehr eines Seßhaften,
vom Herkommen Begrenzten gegen den überhitzten Be-
trieb in Literatur und Politik, was ja solche Übergangs-
zeiten immer kennzeichnet. Er war nicht der einzige seiner
Generation, den eine zusammenbrechende Welt, die er
zeitlebens für stabil gehalten hatte, irritierte und zuweilen vollkommen blind machte. Auch Thomas Mann schrieb
damals seine schriftstellerisch glänzenden ›Betrachtungen
eines Unpolitischen‹, die voll von Verkennung und Ressentiments sind und oft geradezu ins Triviale absinken.
Viele Jahre später, nachdem ihn jene national Betonten,
denen er sein Wort geliehen hatte, als ausgewachsene Nazis ausbürgerten, hat er seine Irrtümer eingestanden und
widerrufen. Ludwig Thoma fand keine Zeit mehr dazu,
und das, was er in jenen wirren Jahren so grämlich her-

auspolterte, war herzlich unerheblich. Längst ist vergessen, daß er mit dem übernationalen Admiral Tirpitz und
mit Walther Rathenau damals, als der Krieg für Deutschland bereits gänzlich verloren war, zur Vaterlandsvertei-
digung bis auf den letzten Mann aufrief. Er verstand weder die Friedenssehnsucht der hungernden Massen noch
die Geister, die zu jener Zeit eine gründliche Revolution
herbeiführen wollten. Als diese Revolution zusammengebrochen war und die sogenannte Weimarer Republik sehr
unsicher zu agieren begann, verstand er sie sowenig wie
Thomas Mann und blieb grollend abseits. Darüber starb
er.

Unverhofft und zu schnell wurde er aus dem Leben gerissen. Etliche Tage vorher war er noch auf der Jagd gewesen, verspürte auf einmal heftige Leibschmerzen, die
beängstigend zunahmen, wurde nach München gebracht,
und in der Klinik stellten die Ärzte eine völlige Vereite-
rung der ganzen Bauchhöhle fest. Sie konnten nicht mehr
operieren. Betroffen merkte der Sterbende, daß es zu einer
Regelung seiner Hinterlassenschaft zu spät war. Er
konnte nur noch einige mündliche testamentarische An-
ordnungen geben. Der ausgezeichnete, aber stur nationalistische Literaturkritiker Josef Hofmiller, mit dem er viele
Jahre befreundet war, wurde beauftragt, seine ›Gesammelten Werke‹ herauszugeben. Trotz aller eifrigen Bemü-
hung gelang es auch dem nicht, das Suspekte und ›Un-
nationale‹, das in allen wichtigen Gedichten, Satiren, Geschichten, Artikeln und Romanen Thomas so überreichlich
vorhanden ist, auszuschalten. Auch Hofmiller starb einige
Jahre darauf, und jene Lebensgefährtin – Frau von Lie-
bermann –, die der sterbende Dichter zur Erbin seines
ganzen Nachlasses eingesetzt hatte, wurde von den Nazis
auf Grund ihres nicht reinen ›Ariertums‹ einfach der
Rechte beraubt. Der tote Dichter konnte sich nicht dagegen wehren. In ihm glaubten die Büchervernichter und
Mordbrenner endlich einen echten, rechten bayrischen Na-

tionalheros und ›Blut- und Boden-Dichter‹ gefunden zu haben, ausgerechnet in ihm, der bereits 1905, anläßlich der ersten Marokkokrise, als ein Krieg zwischen Deutschland und Frankreich drohte, den deutschen Arbeitern in einem vielverbreiteten Antikriegsbuch den unvergeßlichen Vierzeiler ›Kanonenfutter‹ widmete:

> Hinter den Mauern, hinter den Schlöten
> liegt euer Vaterland.
> Ihr sollt euch schlagen dafür und töten
> und habt es niemals gekannt!

Da kann man wahrhaftig nur noch sagen: »Spotten ihrer selbst und wissen nicht, wie!«

Ludwig Thoma erkannte diese Lügner und Gewalttäter, längst bevor sie sich einen parteipolitischen Namen gegeben hatten. Er wußte, welche Hilfsmittel sie anwandten und auf welch schamlose Art sie Stimmung zu machen verstanden, um das Volk zu verwirren, um die Völker aufeinanderzuhetzen. Es zeugt nicht nur für seinen Scharfblick, sondern auch für seinen unbeirrbaren Gerechtigkeitssinn, wenn er schon im Jahre 1913 in einem Artikel ›Giftmischer‹ in seiner ausgezeichneten Monatsschrift ›Der März‹ den künstlich erzeugten Chauvinismus in Deutschland *und* in Frankreich schonungslos anprangert. Abermals droht wegen Marokko der Krieg, und Thoma schreibt, nachdem die Gefahr endlich gebannt ist:

»Die Regierungen Frankreichs und Deutschlands haben sich über die strittigen Fragen geeinigt, Verträge geschlossen und unterschrieben. Beide erklären, daß es gegenwärtig keine Differenzen gebe, beide schwören, daß sie nur für die Verteidigung rüsten. Was haben die Völker gegeneinander? Eigentlich – nichts.

Sie lieben den Frieden, die Arbeit, das Recht, sie wollen ehrlich verdienen und sparen, sie denken nicht daran, Leben, Gesundheit, Wohlfahrt für kriegerische Abenteuer einzusetzen.

Wenn die Regierungen und die Völker aufrichtig den Frieden wollen, woher kommt der wütende Lärm, der Haß? Woher kommen die kreischenden Drohungen, als wollte man sich morgen an die Gurgel fahren?

Das Mißtrauen malt sich diese ganze Ruchlosigkeit des Vorhabens aus; die Vorstellung erregt Wut, die sich zur Raserei steigert. Was gibt Anlaß zu diesem gefährlichen Mißtrauen, unter dem alles ruhige Verständnis erstirbt?

Eigentlich – nichts.

In Frankreich verzichtet man auf die graziöse, freie Heiterkeit. Die Jugend bereitet sich auf die Schicksalsstunde vor, so heißt wohl die Redensart, und in Wahrheit erlaubt man den Gassenbuben, das große Wort zu führen, erlaubt man jedem Lumpen, sich mit der Revancheidee interessant zu machen... In das Privatleben greift der politische Haß... und aus der verbitterten Stimmung heraus erwachsen Zustände, die in einem friedlichen und gesitteten Lande kaum mehr erträglich scheinen.

Auch in Deutschland wirkt die immer wieder verkündete Botschaft von dem unvermeidlichen Kriege lähmend und verderblich... Auch wir pfeifen ja leider die Propheten nicht aus, welche im Lande umherreisen und von der ›tatenarmen‹ Zeit faselieren... Zwischen Frankreich und Deutschland türmt sich eine Mauer auf, und von der alten, verständigen Würdigung des Guten hier und dort ist kaum mehr etwas zu merken.

Man ist so weit gekommen, daß man die besten Leistungen des anderen hämisch anzweifelt; höchstens regt sich noch ein mit Sorge vermischter Respekt vor der Verwendung irgendeiner großen Erfindung im Kriege.

Denn alle diese Siege des menschlichen Geistes, die Erfindungen der Flugzeuge, der lenkbaren Luftschiffe, der drahtlosen Telegraphie usw. dienen ja nur dem künftigen, unabwendbaren Zerstörungswerk.

Vor fünfzig Jahren wäre man in Europa selig gewesen über die märchenhaften Fortschritte der Technik, vor achtzig Jahren hätte Herr Biedermeier die Erfinder überschwenglich angedichtet, hätte von der Verbrüderung aller Europäer geträumt! Heute rechnet der Spießbürger aus, wie viele Zentner Dynamit aus einem Luftkreuzer herabgeschmissen werden können, und der Bourgeois von drüben läßt seine ›Adler‹ Jagd machen auf alles, was da kreucht und fleugt.

Das friedliche Behagen aneinander ist verschwunden, jedes Gefühl für gemeinsame Aufgaben ist erstickt.

Michel Bréal und Anatole France predigen gegen den verbrecherischen Wahnsinn jenseits der Vogesen. Was gilt's, sie werden diesseits darum verhöhnt werden!

Es ist alles vergiftet, und das verdanken wir der nationalen Presse. Es ist die Kleinarbeit von 365 Tagen im Jahre, Mosaik, zusammengesetzt aus Gemeinheiten, Entstellungen, Lügen.

Geben wir der chauvinistischen Presse, was der Presse ist. Ehre, wem Ehre gebühret.«

Sie sehen, meine Damen und Herren, Thoma macht immer einen Unterschied zwischen dem Volk und jenen, die es mißleiten. Er redet von den Franzosen nicht anders als von den Deutschen. Und derartige Äußerungen gibt es Hunderte in seinem Werk. Der, der sein Leben lang das Volk beobachtet und geschildert hat, weiß genau, wie leichtgläubig und verführbar *jedes* Volk ist – nie aber hätte er zu den Verführern gehört! Machttrieb, Eitelkeit und die Gier, über wen zu siegen, das sind die Kennzeichen aller großen und kleinen Verführer, aber lieben können sie nicht. Thoma liebte das Volk. Er gehörte so sehr zu ihm wie etwa ein herzlich besorgter Ehemann, dem der Zusammenhalt seiner Familie und die Ausgeglichenheit seines Hausstandes am meisten gilt. Eben deswegen ist er von Anfang an politischer Schriftsteller und Satiriker. Das entspricht auch ganz und gar seiner bäuerlichen Natur. Er kann nicht schweigend zusehen, wenn er etwas für schädlich hält. Er spricht es offen, derb und unzweideutig aus. Aber er versteht es ebenso, das Echte, Starke und Unvergängliche, das er immer nur im Volke findet, ins helle Licht zu rücken, denn er *glaubt* tief und wahrhaft an diese Dinge. Darum eben wird er zum Dichter.

1916, als die Flut des Chauvinismus dank den Ludendorffschen Siegen und der wilden Amtspropaganda zuhöchst getrieben worden war, schrieb Ludwig Thoma sein schönstes und innigstes Buch ›Die Heilige Nacht‹. Kein Wort von Krieg und Völkerhaß steht darin, wohl aber von der entrechteten Armut und vom unbarmherzigen Reichtum. Der Dichter schickt das Buch an den Bauerndoktor Georg Heim und schreibt dazu: »Man kann sich in der künstlerischen und literarischen Produktion niemals anpassen; man muß im Heimatboden wurzeln, wenn Volkstümliches die Frucht sein soll. Dann hilft alles zusammen, Abstammung, Blut, Kindereindrücke, die allemal das stärkste sind ... Ich habe das Buch mühelos geschrieben und hatte niemals Sorge zu tragen, daß der Ton echt bleibt.« Und ein anderes Mal, in einem Brief an Paul Busson, charakterisiert er ein eben beendetes Buch von sich so: »Meinen Sommerroman werde ich in zirka acht Tagen fertig haben. ›Altaich‹ heißt er. Ohne jede Tendenz, bloß harmlos-lustige Menschen zeichnen war die Absicht. Ich glaube, daß mir gerade das gelungen ist.«

Diese beiden Äußerungen kennzeichnen besser als weitschweifige Untersuchungen die Art seines Schaffens. Sie geben aber auch Auskunft über seine Stellung zu seinen Werken. Mehr noch: Mit etlichen, sicher nicht ergrübelten Sätzen erklärt ein Mensch sein ganzes Wesen. Er schreibt das, was er ist, unkompliziert hin. Sogleich weiß man, daß er trotz aller Natürlichkeit scharf unterscheidet zwischen Gewichtigem und Zufälligem, daß er sich und anderen nichts vormacht. Ein durchaus männlicher Mensch mit gesundem Selbstbewußtsein, ohne verwirrende Eitelkeit, steht vor uns.

Aber ist es nicht bezeichnend, daß er in jener Zeit ganz

besonders betont, man müsse im Heimatboden wurzeln, wenn Volkstümlichkeit die Frucht sein soll? Ich nehme an, daß Ihnen dieses Beispiel am besten belegt, was ich eingangs sagte. Genau wie Ludwig Thoma bekannten auch wir Gegner des Hitlersystems uns stets zu unserem Volk, zu unserer Heimat, zu unserer Muttersprache – auch in *dieser*, der jetzigen Zeit.

Glauben Sie doch nicht, daß jeder von uns emigrierten Schriftstellern zu Hause ein wilder, wichtigtuerischer ›Politikant‹ war! Die meisten wollten nur in Frieden und Freiheit unserem größten Kulturerbe dienen und es durch ihr Künstlertum bereichern. Weder Stefan Zweig, der sich in Brasilien auf so tragische Weise das Leben nahm, noch Thomas Mann waren ursprünglich allzusehr politisch interessiert, und ein ganz besonderer Fall ist Albrecht Schaeffer, der stets weltabgewandte, tief religiöse Sprachbildner, der ganz still nach 1933 Deutschland verließ und seitdem in der Nähe von New York eine Schule leitet. Er schweigt und hat nie wieder ein Buch veröffentlicht. Sie alle waren, wie Thomas Mann einmal meinte, weit mehr zu Repräsentanten geschaffen als zu irgendeiner Parteinahme. Doch auch sie mußten erkennen, welche dunkle, unbeschreibliche Barbarei mit dem Nazismus heraufkam und wie diese Barbarei unsere Dichtung, unsere Kunst, unsere reine Wissenschaft, kurzum, das weltgültig Geistige an unserem Volk verfälschte, schändete und erbarmungslos stupid in ihre Dienste zwang.

Die Generation der Manns, der Zweigs und Thomas – vergessen wir das nicht – erlebte das rasche Aufblühen Deutschlands und die großartige Entfaltung auf allen Gebieten. Ein gesunder Patriotismus ohne Aggressivität gegen andere Völker kennzeichnete sie. Unausgesprochen waren all diese Geistigen Bismarckianer mit starkem liberalen Einschlag. Sie waren stolz auf den großen Beitrag, den Deutschland dem Fortschritt der ganzen Welt leistete, aber sie waren zugleich tief empfänglich für alles, was die

Welt ihnen gab. Darum waren sie friedliebend und recht-
lich und *sehr* empfindlich gegenüber dem Treiben der herrschenden Mächte in der Heimat. Das trieb Ludwig Thoma, wie ich schon sagte, zur politischen Tagesschriftstelle-
rei und zur Satire. Und niemand andrer als er hatte ja so
sehr das Zeug dazu! Vergessen Sie aber nicht, daß es auch
damals sehr bedeutende, schöpferische Menschen gab, die
– einfach, weil ihnen jede kämpferische Begabung dieser
Art fehlte – voll Scham und Abscheu über dieses Treiben
der Oberen lieber in die Fremde und Ungewißheit flüchteten. Nach dem Kriege 1870/71, in den Jahren des wil-
desten Gründertums, ging einer der bedeutendsten deutschen Lyriker des ausgehenden 19. und des beginnenden
20. Jahrhunderts *freiwillig* – er war preußischer Junker
und Patriot, war zu Hause keineswegs suspekt und wurde
von keinem System vertrieben! – nach Amerika und lebte fünf Jahre in den kümmerlichsten Verhältnissen in
New York als Stiefelputzer, Klavierlehrer, Stubenmaler
und Stallbursche in diesem selbstgewählten Exil. Er hatte
als tapferer Offizier in zwei Kriegen – Anno 1866 und
Anno 1870/71 – mitgefochten und war durch einen Re-
volverschuß in den Unterleib schwer verwundet worden.

»Der Überdruß vor soviel Schwindel und Verlogenheit
oben und vor soviel Unterwürfigkeit unserer protzigen,
schnell reich gewordenen Bürger ist mir einfach unerträglich. Speiübel wird mir, wenn ich sehe, wie die sogenannten Gebildeten mit und ohne Macht nun darangehen, unser geduldiges Volk jeden Tag besoffen zu machen, um es
um so mehr über die Löffel barbieren zu können«, schrieb
er damals an einen Freund. Er hieß Detlev von Liliencron
und starb, nachdem er verarmt und verbittert heimkehrte,
als kärglicher Ehrenpensionist, wohl mancherlei geehrt,
aber wenig bekannt zu seiner Zeit, im Jahre 1909. Er war
kein Hohenzollerngeist wie etwa Wildenbruch, kein wilder ›Teutscher Barde‹ wie etwa Nikolaus Becker, der die
›Wacht am Rhein‹ dichtete usw., er war ein trotziger, un-

abhängiger Geist, der alles Echte am Deutschen unsagbar liebte – er war ein Dichter!

Das, was *er* liebte und *wie* er es liebte, rückte Ludwig Thoma nur in anderer Art und anderer Form in unser Bewußtsein. Man vergleiche nur einmal die letzten Strophen des ergreifenden Gedichtes ›Abschied und Rückkehr‹ von Liliencron, als er heimkommt:

> Die Mädchen lachen Arm in Arm,
> Soldaten stehen vor der Wache.
> Und aus der Schule bricht ein Schwarm;
> der lustig lärmt in *meiner* Sprache.

> Es schreit mein Herz, es jauchzt und bebt
> der alten Heimat heiß entgegen.
> Und was als Kind ich je durchlebt,
> klingt wieder mir auf allen Wegen

mit dem, was Ludwig Thoma nach einem langwöchigen Aufenthalt in Paris, der Stadt, die ihn wahrhaft bezaubert hat, schreibt. »Aber«, stellt er schlicht und unsentimental fest, »wenn ich an stillen Frühlingsabenden auf den gepflegten Wegen des Bois de Boulogne spazierenging und die Amseln pfeifen hörte, überkam mich doch das Heimweh. Es war mir erst wieder recht wohl, als ich etliche Tage später in Finsterwald vor dem Sixtbauernhause saß. Und roch es auch nicht nach zartem Parfüm und klang es auch nicht nach silbernen Glöckchen, *die* Frühlingsluft wehte stärker, derber und gesunder um mich.«

Und allen jenen, die heute den Mund so voll nehmen und ihn gerne in die Reihen der heutigen Verderber unserer Heimat stellen wollen, sei in Erinnerung gebracht, was dieser scheinbar so engstirnige Bayer in seiner klassischen Betrachtung ›Vaterlandsliebe‹ schrieb, die mit den Worten schließt:

»Ich will nicht den Finger an die Nase legen und fragen, was Vaterlandsliebe ist.

Früher einmal, da hätte ich schnell die Antwort gehabt.

Fehrbellin und Leuthen und Sedan.

Und noch ein paar Namen dazu.

Aber heute will mir das alles nicht mehr langen. Es wird mir deutscher ums Herz, wenn ich einen schlichten Arbeiter sehe oder einen Bauern, dem die Hand am Pfluge hart geworden ist, als wenn mir der schönste General begegnet.

Denn es ist wirklich ein große Frage, *wem* das Vaterland gehört.«

Immer hat dieser Mann unversteckt gesagt, was er für dumm und gefährlich hielt. Seine Stärke bestand darin, daß er nie nach einer Meinung zu suchen brauchte und immer nur aus sich selber schöpfte. Er hatte aber auch stets den Mut zur eigenen Meinung! Was für Gruppen und Parteien sich auch seinerzeit um ihn stritten und wenn auch das Hitlerregime ihn zu dem Ihrigen umlügt – nie wird er irgendwo einzureihen sein. Er war der Ludwig Thoma, nicht mehr und nicht weniger. Er war ein Kopf für sich, ein echtes Herz und ein eigener Mensch.

Man hat immer und immer wieder gesagt und geschrieben, Ludwig Thoma sei ein geborener Erzähler gewesen. Eine solche Behauptung bedarf – soll sie richtig verstanden werden – einer grundsätzlichen Erklärung. Wer es unternimmt, dem Wesen des Erzählerischen bei Thoma auf den Grund zu kommen, der darf nicht mit abgewelkten, Begriff gewordenen und vieldeutigen Worten hantieren. Er muß konkret bleiben und jedes Ding, von dem er spricht, in die Greifbarkeit rücken. *Wie* so eine Geschichte abgefaßt, aufgebaut und beschlossen wird, das muß man betrachten. Die bitterste Anklage, die hinreißendste Satire, das bewegteste Theaterstück, ja sogar noch der Zeitungsartikel – alles bleibt Erzählung. Darum diese Ausgeglichenheit. Anklage, Satire, Zorn und Bitterkeit, Spott und Hingeneigtsein zu einer Sache, alles erhält eben durch dieses Erzählerische das Maß. Thoma kann niemals fanatisieren, schon das unterscheidet ihn von den Nazis. Er kam von daher, wo man nur dann anklagen, wettern, spotten oder predigen kann, wenn sich sozusagen das Wort sogleich ins Bild umsetzt. Er konnte nicht einfach sagen »So ist's!« oder »So muß es sein!«, er mußte zuerst das Drum und Dran, die Atmosphäre haben. Er war unfähig, komplizierte Erklärungen abzufassen. Ihm wurde alles zu einer Art ›Geschichte‹. Ein Erzähler braucht Zeit, er holt – wenn er gefragt wird – weit aus. Er gibt die Antwort mit dem Bericht eines Vorfalles und macht damit das Dafür und Dawider menschlich verständlich. Ein sehr lebendiger Humanismus wirkt dauernd in ihm. Wir wissen von Abraham Lincoln, daß er Ratschläge und Meinungen meist in Form einer Anekdote weitergab, daß er oft, zum nicht geringen Verdruß seiner Umgebung, eine lustige Erinnerung zum besten gab, um das, was er wollte, einleuchtend zu machen. Auch Lincoln blieb zeitlebens ein Stück Volk. Solche Menschen verwenden ihre Logik durch die List der Phantasie und durch die Lust an der Kombination. Alles Knappe und Trockene ist ihnen fremd. Sie sind ohne Absicht episch und darum so ursprünglich. Um überhaupt mit einer Angelegenheit in Fühlung und mit ihr ins reine zu kommen, dazu bedarf es bei einem solchen Menschen einer Erläuterung. Er verlangt stets nach einem sinnfälligen Beispiel. *Dies* ist das letzte Wunder des erzählerischen Menschen. Dies der Schlüssel zu seinem Schaffen.

Ludwig Thoma begann als Dreißiger und stand schon halb in einem anderen Beruf. Als Gebirgler kam er in das bayrische Bauernflachland und wurde Rechtsanwalt in dem – heute so grauenhaft berühmten – Dachau bei München. Es ist – wie man in meiner Heimat zu sagen pflegt – ›ein schönes Lesen‹, wie er in seinen Erinnerungen seine Entwicklung schildert. Ganz so nebenher erzählte er an Stammtischen Gesehenes und Erlebtes. Ein Redakteur ermunterte ihn, diese Dinge niederzuschreiben, ganz so abzufassen, wie er sie über den Tisch weg erzählt habe. Er tut's, und der Redakteur druckt die kleinen Sachen in seiner Zeitung. Sie finden Anklang, und nach einigem Herumsuchen meldet sich auch ein Verleger in Passau, der ein Buch daraus machen will.

›Agricola‹ hießen diese ersten Erzählungen. In der Art des Tacitus wollten sie Leben, Land und Leute der bayrischen Hochebene zwischen Isar und Inn schildern. Darin standen bereits Meisterstücke wie etwa ›Das Sterben‹ eines Bauern, der noch einmal alles regelt, bevor er in die Ewigkeit muß. Ganz sachlich, mit feinstem Instinkt für das Wesentliche, ist alles in die richtige Bedeutung gehoben. Der durchs Fenster dringende, über die Bettdecke fallende Sonnenstrahl und die peinlich genaue Berechnung der Kosten des Leichenschmauses durch den Sterbenden fügen sich zu einem Bild greifbarer Eindringlichkeit.

Der äußere Aufstieg Thomas ging nun sehr schnell. Kurz darauf wurde der Verleger Albert Langen, der Schwiegersohn Björnsons, auf ihn aufmerksam und berief ihn an den ›Simplicissimus‹, das damals künstlerisch und literarisch beste, politisch-satirisch kühnste Witzblatt Europas. Über Nacht fast war Thoma an *die* Stelle gerückt, wo er sich völlig entfalten konnte. Der Bauernanwalt wurde politischer Wortführer gegen jede Reaktion. Deutschland hatte den stärksten Satiriker seiner Zeit und den echtesten Erzähler seines Volkes.

Ganz gewiß gab es in Deutschland schon vor Thoma von Berthold Auerbach bis Anzengruber und Peter Rosegger eine ganze Reihe beachtlicher Volkserzähler, und da waren seine Zeitgenossen Wilhelm von Polenz, den Tolstoj einmal rühmte, dann Ludwig Ganghofer, da war der kräftige Tiroler Schönherr und der viel zuwenig beachtete, bohrende Münchner Joseph Ruederer und auch mein engerer Landsmann, der saftige Georg Queri. Sie alle aber, selbst der liebenswerte, meist aber zu moralisierende Rosegger, blieben mehr oder weniger Beobachter, sie alle hafteten zu eng an der sogenannten ›Heimatkunst‹. Sie blieben gewissermaßen Bildner von außen her, durch das Anschauen und Beschäftigen mit den Menschen, die sie in-

teressierten. Mit Thoma aber trat zum erstenmal der reine
Bauer in die Arena der deutschen Literatur, der bäuerliche
Mensch schlechthin, der aus sich selber heraus bildete. Nur
die jüngere, geniale Bauernmagd aus dem Inntal, die unglückliche Lena Christ, die ihn an erzählerischer Kraft
und dichterischer Unmittelbarkeit sogar manchmal über-
trifft, stammt aus der gleichen Sphäre und bleibt bis zu
ihrem verhängnisvollen Selbstmord im gleichen Kreis. Sie
hat, könnte man sagen, wenn man ihr grandioses Buch
›Erinnerungen einer Überflüssigen‹ liest, gar keinen Verstand, sie ist nur ein Stück rohe, unberechenbare Natur.

Nehmen wir einmal einen solchen Bauern, der – so,
wie er nun einmal ist – ins Gewirr unserer Gesellschaft
gerät. Sein Herkommen, sein Verwachsensein und seine
immerwährende, harte Arbeit mit der widerspenstigen
Erde haben sein Denken und sein Gefühl in eine Richtung
gezwungen, die nur den Vorteil und den natürlichen
Zweck anerkennt. Er verfügt über keine angelernte Klugheit, aber über eine instinktive. Er hat keinen sogenannten
›Geist‹ wie wir, nur einen sehr konkreten Verstand, der
bei ihm lediglich die Rolle eines praktischen Hilfsmittels
spielt. Jahraus, jahrein ist alles, was er tut, den Wider-
ständen und Wechselfällen der Natur ausgesetzt. Er sieht
den Boden an, die Erde, die ihn zeitlebens so plagt, und
fühlt seine ewige Abhängigkeit von ihr, und ohnmächtig
und demütig kommt er zu der Erkenntnis: »So werden
auch wir dereinst. Dreck, und sonst nichts!« Das ist und
bleibt seine unverrückbare Weltanschauung, die er von
sich auf alle anderen Menschen überträgt. Diesem Bauern
werden von vornherein alle unsere Angelegenheiten und
Wichtigkeiten – mögen sie nun noch so scheinbar groß
und bedeutend aussehen – seltsam verschroben vorkom-
men. Dieser ganz und gar Respektlose sieht schärfer hinter
unsere Geziertheiten, unsere Heuchelei. Die Unnatur um
ihn herum wird ihn in kurzer Zeit zur Abwehr zwingen.
Er steht nicht etwa kämpferisch, kriegerisch auf gegen sie,

nein, er ist nicht im geringsten ein Revolutionär! Er
stimmt nur ein Gelächter an über all die Anmaßung und
Unwichtigkeit der Kreatur! Das ungefähr – denke ich
mir – hat Ludwig Thoma zum Satiriker gemacht. Ihm
schien es anfänglich durchaus nicht so, als sei er dazu geschaffen. Eigentlich neigte er nach echter Bauernart sein
Leben lang zur Beschaulichkeit, aber schon die Schule griff
in seine lebhafte Eigenwilligkeit. Später als Rechtsprakti-
kant und Anwalt entschleierte sich ihm das sogenannte
Gesetz, die Gerichtsbarkeit. Die Richter entpuppten sich
als lebensfremde Menschen. Und immer größer wird der
Kreis dieses Widersinns. Schule, Gerichtssaal, Gesetz, Richter sind nur Merkmale eines Systems, antwortet er sich
selber nach einigem Nachdenken und dringt vor bis zu
jener Stätte, wo all diese Wirrsal erzeugt wird, zur Volks-
vertretung, zur Regierung und endlich bis zum Kaiser.
Alle Ströme des Einflusses erspäht er. Muckertum, Bezie-
hungsseuche, Kriecherei und Dummheit entdeckt er, und
nun hat er den ganzen umfassenden Stoff zum Kampf.

Nie hat einer so schnell innerhalb seiner inneren Berufung seine besondere Eignung gefunden wie er. Bei nur
flüchtiger Betrachtung fällt einem sofort die Beweglichkeit
dieses doch gewiß bodenständigen Mannes auf. Er, der
ganz und gar Gegenwärtige, hat fast etwas von einer gut-
redigierten Zeitung – überallhin hat er seine Fühler aus-
gestreckt, alles berührt er, von überallher wird er ange-
regt und nimmt waghalsig dazu Stellung. So voll von Leben und von Lebendigem ist er, daß ihm gleichsam das
Leblose an Menschen, Dingen und Einrichtungen wie eine
ständige Herausforderung vorkommt. Man darf nicht sagen, er sei ein zutiefst Beunruhigter, man ginge sehr fehl,
wenn man ihn etwa einen ›faustischen Kämpfer‹ nennen würde. Nein, nein, das alles ist er nicht – er ist ein
wackerer Streiter, ein echt bayrischer Prozeßhansl. Doch
auch dieser Begriff darf nicht falsch ausgelegt werden.
Weder etwas Kleinhumoristisches noch etwas rein Nörg-

lerisches darf man ihm anhängen. Es soll damit nur sozusagen das Fundament einer Veranlagung gekennzeichnet werden. Denn, wie ich ja schon sagte, das Entscheidende für einen Menschen – und noch dazu für einen Schriftsteller – ist immer das *Wie*. *Wie* Thoma schrieb, *wie* er etwas ansah und uns übermittelte, *das* besiegte uns.

Wer von uns erinnert sich nicht an die Zeit, als Thoma seine ersten Bauerngeschichten und Satiren im ›Simplicissimus‹ veröffentlichte! Wem von uns fällt bei einer solchen Gelegenheit nicht so ein saftig-derbes Sächlein ein, bei dem er unwillkürlich ausrief: »Endlich wieder einmal ein echter Kerl!«

Warum freuten wir uns denn alle so darüber? Warum ging uns denn das alles so an? Warum war es uns so neu, so lebendig, warum riß es uns so mit? Warum gefiel uns denn dieser ›echte Kerl‹ so?

Gewiß, er griff Dinge und Einrichtungen an, an denen jeder etwas auszusetzen hatte. Seine Schärfe und Derbheit ließen ganz Deutschland aufhorchen. Er warf seine Brandfackel in die schwärzeste Finsternis! Licht und Leben verbreitete er, Kampflust spornte er an. Er ›derbleckte‹ – wie man als Bayer sagt – das Wilhelminertum und jene klägliche letzte deutsche Kaisergestalt mit einer derartig vernichtenden Grobheit, wie man sie nie wieder erlebt hat. Und ein schallendes Gelächter dankte ihm. Dieses Gelächter kam nicht nur von den Unteren, von den Benachteiligten und Unzufriedenen allein, es kam sogar noch von weit oben. Denn diese Späße hatten etwas Spezifisches, das nur ihnen anhaftete. Sie waren nicht nur selbstzufriedener Witz. Der Witz wächst aus der etwas überheblichen Gescheitheit, die glaubt, sie allein sei Anfang und Ende aller Dinge. Der Hohn kommt aus der Bitterkeit des Empörten und kennt keine Gerechtigkeit, der Humor aber entstammt einer ererbten Weisheit, er ist Gemeingut eines Volkes. Und er ist im tiefsten Sinn jenes demütige und unverwirrbare Lächeln, das in jedem Hauch die ewige Vergänglichkeit alles Irdischen erkennt. Der Humor entschleiert und erklärt und zwingt schließlich zur Einsicht. Er ist etwas, das die Menschen *zusammenführt*, Hohn und Witz aber sondern ab. Aus der Erkenntnis der Unzulänglichkeit alles Menschlichen schöpft der echte Humorist. Ihn beengt nicht einmal der Haß. Eben deswegen, weil Thomas Satire vom Humor herkam, darum erfaßte sie uns alle so, eben weil er dieses Spezifische in höchstem Maße besaß, darum hatte sie eine solche Stoßkraft. Alles Unklare, alles Programmatische, Prophetie oder Utopie blieben ihm stets fremd. Er kämpfte im Kreis seiner Zeit um die Erträglichmachung des Lebens, weiter nichts. Er blieb immer ein ganz Gegenwärtiger, aber wie er es verstand – zum Beispiel –, das Spezielle stets allgemeingültig zu machen, das zeigt jene klassische – wie viele andere solche Köstlichkeiten nicht ins Gesamtwerk aufgenommene – Satire auf den Ordenswahn Kaiser Wilhelms. Sie heißt ›Der Orden‹ und stand vor langer, langer Zeit im ›Simplicissimus‹. Ich will sie Ihnen nur der Erinnerung, nicht dem Wortlaut nach erzählen:

Ein Kammersänger, der sehr darauf erpicht ist, von Seiner Majestät dekoriert zu werden, darf vor dem Kaiser singen. Er singt und singt, und als er endlich fertig ist, spricht sich Seine Majestät sehr anerkennend darüber aus. Der Kammersänger zerfließt schier vor Devotion, wartet und wartet. Seine Majestät lobt und lobt, und schließlich wird der Sänger entlassen. Es hat keinen Orden gegeben.

Wie vernichtet steigt der Kammersänger drunten im Hof in seine Kutsche. Er macht ein Gesicht – zum Weinen! Die Majestät schaut gnädigst zum Fenster hinunter und bemerkt des Sängers Traurigkeit.

»Na, was ist's denn? Warum machen S' denn so ein Gesicht, Herr Kammersänger!« ruft Seine Majestät leger und erkundigt sich noch leutseliger: »Sagen Sie's nur grad 'raus! Nur keine Angst!«

»Ja . . . hm . . . ja . . . Majestät, wenn ich mir allerunter-

tänigst erlauben darf ... Ich mein' halt! Ich mein'! ...
Ich hätt' halt gern einen Orden mögen«, ermannt sich der
Sänger endlich. Majestät ist sofort im Bilde und ruft: »Ja
so! Ja so! ... Das hab' ich ja ganz vergessen! ... Warten
Sie ein bißl!«, geht an den Schreibtisch, nimmt *zwei* gleiche Orden, wickelt sie ein und wirft sie dem Sänger in den
Wagen hinunter: »Da, bitte!« Wie aber der nun das Päck-
chen aufmacht, wird sein Gesicht noch verdutzter und fas-
sungsloser. Er starrt völlig verblödet zur Majestät empor.

»Na, was haben Sie denn? Ist's nicht recht? ... Hab'
ich schon wieder was falsch gemacht?« fragt Majestät.

»Nein – nein! Nein! ... A–aber, Majestät, es sind
zwei gleiche Orden, *zwei!*« ruft endlich der Sänger ent-
geistert.

»Ja so! Ja so!« besinnt sich Majestät einen Augenblick
und setzt gefaßt dazu: »Ah, geben S' den anderen dem
Kutscher!«

Natürlich war der Kaiser nicht genannt, sondern irgendein Fürst, und Fürsten gab's damals an die dreißig in
Deutschland. Sie glichen dem Herrn in Berlin auf ein Haar.

Sie sehen, nicht die Heftigkeit, nicht heißspornige Empörung trieben Thoma, so zu schreiben, wie er's tat. Er
schaut bloß auf, erspäht etwas, sieht deutlicher hin und
lacht das Jämmerliche, das er da zu sehen bekommt, nieder. Unerreicht in dieser Kunst ist er in seinem berühmten
›Briefwechsel eines bayrischen Landtagsabgeordneten‹.
Diese Briefe, die der Bauer Joseph Filser, der durch Betreiben der Geistlichkeit in das Parlament gewählt wird,
schreibt und erhält, sind wahrhaft etwas Einmaliges. Man
liest sie, allerdings nur, wenn man die Feinheiten des Dia-
lektes kennt, und fragt nicht nach der entschwundenen
Zeit und nach den verschwundenen Menschen, alles ist gegenwärtig. Es sind zwerchfellerschütternde Bekenntnisse
einer sehr pfiffigen Bauernseele, die oft in einem Neben-
satz die ganze Lächerlichkeit der damaligen Treibereien
des Klerus aufdecken, etwa, wenn dieser neugebackene

bäuerliche Landtagsabgeordnete sein Tagewerk beschreibt
und dabei meint, »um neun Uhr geht das Regieren an!«,
oder wenn er sich bei seinem Pfarrer erkundigt: »Schreiben Sie mir meinen Standpunkt, Hochwürden!« Mit fast
dämonischer, breughelscher Deutlichkeit sind in diesem un-
vergleichlichen Buch die Korruption, die Muffigkeit und
Widersinnigkeit des damaligen Staatsbetriebes ins Ewige
gerückt, in die ewige Lächerlichkeit. Nie wieder hat Thoma diese, seine satirische Simplizität überboten.

Die Verfasser der üblichen Literaturgeschichten machen
es sich leicht, wenn sie auf Ludwig Thoma und seine Werke zu sprechen kommen. Jeder dieser Herren scheint in
seinem Gehirn eine geräumige Schublade zu haben, wo all
solche Elemente leicht unterzubringen sind. Droben steht:
›Gemütliche Heimatdichtung.‹ Ich will Sie nicht lange
mit Zitaten aus diesen dickleibigen Büchern aufhalten, ich
brauche nur einige Stellen etwa aus Kurt Martens ›Deutscher Literatur der Gegenwart‹ hervorzuholen, die den
meisten anderen ähneln.

»Auch der Altbayer Ludwig Thoma«, heißt es da kurz
und bündig, »ist um seiner frisch-fröhlichen Bauerng-
schichten und einiger bodenständiger Einakter willen den
Heimatkünstlern zuzuzählen«, und etliche Seiten weiter
wird folgendermaßen charakterisiert: »Die drollige Stam-
meseigenschaft stark umreißenden Dialektreize, auf die
übrigens sich auch Wolzogen in seinen Romanen gut versteht, trugen viel zum Erfolg zweier darin – aber auch
nur darin – verwandter Schriftsteller bei, des Ober-
bayern Ludwig Thoma und des Sachsen Hans Reimann.«

Ich halte mich nun nicht gerade für kompetent, diesen
ausgezeichneten Kennern der deutschen Literatur etwas zu
erwidern. Ich lasse lieber Thoma selber sprechen. Dies
schrieb er 1910 in einem Gedenkartikel für den verstorbenen Wilhelm Raabe, der den Titel ›Oberlehrer‹ trägt:

»Herr Professor Dr. Richard M. Meyer sagt uns denn
auch, warum nicht die allerlauteste Begeisterung und sol-

chergestalt die Note I für den Dahingeschiedenen am Platze ist. Bei der Durchsicht der von Wilhelm Raabe gefertigten Hausaufgaben kam er zu der abgewogenen und gerechten Meinung, daß der Dichter ›nicht das Höchste erreicht hat, was er hätte erreichen können‹. Leider fügt er nicht bei, ob dieses bei ›größerem Fleiße‹ oder bei ›strengerer Sammlung‹ möglich gewesen wäre, aber jedenfalls gibt er ihm die Note kaum I–II, eher II–I.

›Setzen Sie sich, Raabe! Vielmehr legen Sie das Zeugnis dem lieben Gott vor und sagen Sie ihm, daß der Professor Meyer im allgemeinen nicht unzufrieden ist mit dem Talente, das er Ihnen verliehen hat. Der nächste.‹

Ich aber halte es in dieser Schule nicht länger aus; mich überkommt es wie in der Zwetschgenzeit, und indem ich meinen Finger erhebe, rufe ich dringend: ›Herr Professor, ich bitte um die Erlaubnis, hinausgehen zu dürfen.‹«

In der von ihm und Albert Langen gegründeten politischen Wochenschrift ›Der März‹ schrieb Thoma eine ganze Reihe solcher Artikel, die meiner Meinung nach schon längst in die Schulbücher der deutschen Republik gehört hätten. Auch jener umfassende, nicht nur kühne, sondern auch historisch ungemein wichtige Angriffsartikel ›Die Reden Kaiser Wilhelms‹, den der Dichter während einer sechswöchigen Haft schrieb, erschien im ›März‹ 1907. Emil Ludwig, der im ersten Weltkrieg die Fahrten der deutschen Unterseeboote noch emphatisch verherrlichte und uns Deutsche heute alle in eine Strafschule für schwererziehbare Kinder schicken möchte, hat in den Jahren der deutschen Republik sicher einmal diesen Artikel gelesen und gemerkt, daß es nun, da es ja gänzlich ungefährlich geworden war, sehr ruhmreich und einträglich sei, eine solche Kaiservernichtung – wie sagt man doch? – neu zu adaptieren! Hält er doch auch jetzt wieder alle Füllfederhalter, Schreibmaschinen und Sekretärinnen bereit, um sofort nach der Vernichtung Deutschlands wenigstens dem Braunauer Verbrecher, der es in die Vernichtung getrieben

hat, in Form eines sensationellen, dickleibigen Buches ein
Denkmal zu setzen! Vielleicht zwar nicht ein gerade
schmeichelhaftes – aber immerhin ein Denkmal!

Aber bleiben wir bei Thoma. Eben während jener Haft
schrieb er in sein ›Stadelheimer Tagebuch‹, das erst nach
seinem Tode erschien, er möchte einmal etwas Ernstes
schreiben. Wohlgemerkt, das geschieht, nachdem er bereits
den großen Roman ›Andreas Vöst‹, die an ein Gemälde
von Leibl gemahnende ›Hochzeit‹, seine meisten Einakter, die köstlichen ›Lausbubengeschichten‹ und eine ganze
Reihe sehr echter Geschichten geschrieben hat. Niemand
wird bestreiten, daß Thoma der vollgültige Typ des
Bayern ist, aber – sehen Sie – jene Literaturgeschichten-
schreiber und jene federgewandten Leute, die alles charakterisieren können, ohne es zu kennen, haben es im Laufe
der Zeit wirklich fertiggebracht, daß man den Begriff
›Bayern‹ mit einem gewissen schmunzelnden Behagen
von oben herab mit ›Bier, simpler Grobheit und drol-
ligem Dialekt‹ gleichsetzt. Nie scheint man über diese
humoristische Verallgemeinerung hinausgekommen zu
sein. Als gäbe es kein bayrisches Barock, als hätten nie die
mächtigen Baumeister, die Brüder Asam, eine ganze Epoche beeinflußt, als gehörten Jean Paul, Spitzweg und
Hans von Marées, Slevogt, Max Reger und Richard
Strauss nicht zu Bayern und als sei – um diese ganz willkürliche Aneinanderstellung von Namen nicht zu weit
auszudehnen – weder Röntgen noch Albert Einstein
(schließlich trennt nur eine Brücke über die Donau sein
württembergisches Geburtsstädtchen Neu-Ulm vom bayrischen Ulm!) uns zugehörig, als hätten wir nicht zwei ungewöhnlich kunstsinnige Monarchen gehabt, wovon der
eine dem Genie Richard Wagners die Wege ebnete, ja
wahrhaftig, als seien wir ein Volk, krakeelend, saufend,
fressend und Feste feiernd, aber keines, das Kultur, ernst-
haften Bürgerfleiß und ruhige Gedankenarbeit kennt.
Deswegen eben erscheint mir Ludwig Thoma so wichtig.

Auch er hat in seinem erzählerischen Werk das wirkliche Bayern der Welt erschlossen!

Nachdem er lange Jahre im polemischen Kampf gestanden hatte, kehrte er wie nach einer ungemütlichen Fahrt auf einer unserer kleinen Lokalbahnen in seine Heimat, in die geliebten Berge zurück. Jagd trieb er, unter Bauern hockte er als einer ihresgleichen und wünschte sich gewissermaßen nichts anderes mehr, als seine Ernte noch trocken unter Dach zu bringen. Sein früh verstorbener Lebensfreund, der Bildhauer Ignaz Taschner, hatte ihm ein Haus entworfen. Als es fertig dastand, als der Dichter einzog, blickte er noch einmal ins Flachland hinaus, setzte sich hin und schrieb sein Unvergänglichstes, den ›Wittiber‹ und die ›Heilige Nacht‹.

Wie ein langsam heranwachsender Wald hatte sich seine Erzählungskunst entfaltet: Heiteres, sehr wechselvolles Gebüsch wucherte zuerst aus dem Boden. Nie wurde es zum Dickicht, immer blieb es leicht durchschreitbar. Jetzt aber wuchsen die großen, tiefwurzelnden Bäume auf mit ihren patriarchalischen Kronen. Sie ragen empor aus dem heimatlichen Boden, ganz dazugehörig, eins mit Mensch und Landschaft ringsum . . .

Noch im ›Andreas Vöst‹ waren gewaltsame Übergänge, aber wie war da schon die Sprache dem Stoff angepaßt! Klar, einfach und immer bildhaft. Niemals brauchte Thoma zu ›erfinden‹, niemals griff er bei irgendeiner Betrachtung in Gott weiß was für Geistigkeiten und Welten; Boden und Volk, dem er entstammte, trugen ihm die Sprache, ja sogar die Wendungen dieser Sprache zu. Und dieses Deutsch war ein viel farbigeres als das herkömmliche. Es war überzeugender, lebendiger und ist in seiner lapidaren Kraft einzigartig. Indem Thoma dieses Handwerkszeug ganz ausnützte, bereicherte er unseren Sprachschatz, der ja, seiner Meinung nach, immer vom Dialekt her neuen Zustrom bekommt, überhaupt. Wer zum Beispiel Thomas Werke nur daraufhin durchliest, wird Worte

finden, die wir erst seit ihm in ihrer ganzen Ursprünglichkeit kennen, Worte, wie etwa ›Gesurms‹, ›früherszeiten‹,
›derweil‹ oder die schönen Redewendungen als Ausdruck der Verwirrung »Er weiß nicht mehr hott oder
wißt« oder »Wir heimgarten so miteinander« und viele,
viele dem Bauern abgelauschte Bezeichnungen. Sie stehen
so sehr an der richtigen Stelle, gehören so sehr zum Ganzen, daß alles Nachdenken darüber beim Leser aufhört.
Wir erleben ihre wohltuende Heimeligkeit.

Und die durchaus ungesuchten, schlagkräftigen Argumente seiner Artikel setzt er nun ins Dichterische um. Da
ist im ›Vöst‹ der Tod einer Bäuerin, noch stärker als im
›Agricola‹, und da wird gleich am Anfang des Romans
ein Kind, das schon bei der Geburt in den Händen der
Hebamme stirbt und infolgedessen nicht getauft ist, wie
ein Hund in die Erde verscharrt, weil es, wie Thoma ironisch schreibt, »die Vorschrift der Religion ist«. Er aber
hält als menschlich empfindender Christ der unduldsamen,
muffigen Geistlichkeit entgegen: »Ich weiß nicht, ob der
liebe Gott den unchristlichen Zustand eines Kindleins so
hart beurteilt wie seine Geistlichen, aber das eine ist gewiß, daß es nicht in geweihter Erde ruhen darf, worein
nur Christen liegen, darunter manche sonderbare.«

All die durch den Broterwerb scheinbar verschüttete, in
Wirklichkeit aber aufgesparte Kraft, seine ganze Innigkeit, sein unerbittlich-wahrhaftes Anschauen kommen
jetzt zur vollen Geltung, und als er den ›Wittiber‹ fertig hat, sagt er selber, daß er mit dieser Arbeit zufrieden
ist. Ohne jede Eitelkeit, genau wie ein Bauer, der sein Feld
gut bestellt hat, meint er: »Das hält. Wenn jemand nach
hundert Jahren noch wissen will, wie bayrische Bauern
lebten und waren, der ›Wittiber‹ sagt es ihm.« Diese harte, karge Geschichte vom Untergang etlicher Bauernmen-
schen ist ganz aus einer menschlichen Mitte heraus gestaltet. Aus einer solchen Mitte kam einst Jeremias Gotthelf,
so in diese Mitte hinein drang noch einer: Tolstoj.

Es mag mir als Vermessenheit zugeschrieben werden, wenn ich die zwei großen Namen zum Vergleich heranziehe. Wer gerecht nachprüft, kommt zu diesem Ergebnis.

Von dem biederen Schweizer Pfarrer Gotthelf wird erzählt, er sei höchst überrascht gewesen, als man ihm erzählte, daß seine Bücher in ganz Deutschland verbreitet und sogar ins Englische (ich glaube, von John Ruskin) übersetzt seien. Er habe, so meinte er ungefähr, ja gar nichts anderes gewollt, als durch seine lehrhaften Geschichten seinen Pfarrangehörigen schmackhafte Sittenpredigten zu bieten. Er war höchlichst überrascht über seine begeisterten Leser in aller Welt.

Und was war das Lebensziel des großen Russen? Er wurde Christ und Bauer, unterrichtete das Landvolk und wollte einer sein von ihm. Er sieht im Nationalismus den Tod aller menschlichen Kultur, aller Verträglichkeit der Völker untereinander, aber er liebt unendlich sein Stück Heimat, die russische Erde. Er pflügt diese Erde, er erntet, er haßt die Kunst und die Literatur. Er erkennt nichts mehr an als Gott und eben diese Erde. Er will zurück zu den Menschen, die den Boden bebauen und keinen Feind mehr kennen, will eins sein mit ihnen. Und noch sterbend, kurz bevor er verlöscht, als alle so ein Wesens um ihn machen, ruft er in tiefster Bedrängnis: »Aber wie sterben denn die Bauern, die Bauern!«

Es nehme jemand irgendeine Geschichte Gotthelfs, die ›Macht der Finsternis‹ oder die ›Volkserzählungen‹ Tolstojs und Thomas ›Wittiber‹, und er wird überrascht sein. Überall ist das gleiche tief bäuerliche Beharren der geschilderten Menschen, überall trifft man dieselbe Schicksalsverhaftetheit, und – das Merkwürdigste – jeder der drei schaut ähnlich ein Ding an, sogar die gleichen Worte findet man, dieselbe Eindringlichkeit und Unmittelbarkeit.

Geliebt haben sie alle drei: der Schweizer, der Russe, der Bayer. Geliebt, wie man nur lieben kann, wenn man wo ganz daheim ist. Gelehrt haben sie alle drei, jeder auf seine Weise – Gotthelf wie ein glaubensfester Pfarrer aus innerster Berufung, Tolstoj aus der Unruhe des Gottgemarterten, Thoma mit einer Art gesundem Hausverstand, phrasenlos und innig.

›Innig‹? Wie wenig scheint dieses Wort für Thoma zu passen, aber wer einmal erfahren will, was bäuerliche Innigkeit ist, der setze sich zu Weihnachten hin, wenn draußen die Bäume und Felder voll Schnee liegen, und lese seine ›Heilige Nacht‹. Nur für sein Volk scheint er es aufgeschrieben zu haben, dieses ganz im bayrischen Dialekt gehaltene, volksliedhafte Gedicht von der Legende in Bethlehem. Seit Kindheitsgedenken lebt sie als Gleichnis in uns, aber wie verunziert, wie aller Glaubhaftigkeit beraubt hat man sie im Lauf der Jahrhunderte! Thoma unternimmt nichts weiter, als daß er Christi Geburt ungefähr so erzählt wie ein Bauer meiner Heimat. Jede steife Feierlichkeit ist dieser Betrachtungsweise und Vorstellungsart fremd. Zwei arme Menschen, Joseph und Maria, müssen in die nahe Stadt, um allerhand amtliche Angelegenheiten zu erledigen. Es ist harter Winter und tiefer Schnee liegt, sie kommen nur mühsam weiter, und der Reiche, der vorbeifährt, nimmt sie nicht mit. Es wird langsam Nacht. Die zwei Leute haben keinen Pfennig Geld, und nun suchen sie in einem kleinen verschneiten Dorf billig Unterkunft, aber niemand von den Bauern läßt sie ein, bis schließlich der Ärmste, der ›Simmerl‹, ihnen seinen Stall anbietet. Und da kommt nun Maria mit dem Kind nieder.

Welche Leuchtkraft hat jedes kleinste Geschehnis! (Leider kann ich Ihnen die zarten Zwischengesänge, die wirken, als seien sie uralte Volkslieder, wegen des Dialekts nicht vorlesen.) Es mag mir vielleicht als Rührseligkeit ausgelegt werden, wenn ich gestehe, daß ich die ›Heilige Nacht‹ beim Lesen so empfinde, als säße ich als Kind wieder daheim in der warmen Stube und sähe all das Göttliche dieser Legende so menschlich und geheimnislos, als wär's etwas, das jedem von uns geschehen könnte. Ein scheinbar ganz enger Bauer hat dieses innige Gedichtwerk geschrieben, aber jedes Wort vermittelt uns seinen Sinn – uns, dem Volk, uns, den Menschen!

Er hieß Ludwig Thoma und wird immer ein Teil aller Menschen bleiben ...

Meine Damen und Herren! Es ist tröstlich und erhebend, *heute* in einem Land, das mit Deutschland im Krieg steht und eine andere Sprache spricht, über einen deutschen Dichter sprechen zu können, der sich gleichsam als Toter in der Gefangenschaft der nichtigsten Schänder seines Volkes befindet. Es beweist, daß dasjenige, was sein Werk an Allgemeinmenschlichem enthält, die Abgrenzung längst gesprengt hat, daß man den Geist nicht gefangenhalten kann. Er gehört der gesitteten Menschheit. Wie jeder echte Dichter hat auch Thoma das Unvergängliche unseres Volkes zum gültigen Bild gestaltet. Erst wenn jedes Volk vom anderen ein solches Bild hat, sind wir auf dem Wege zu einem haltbaren Frieden. In *dieser* Zeit, da uns die unbeschreiblichen Ereignisse verwirren und oft blind machen für alles, was uns nicht äußerlich zugehört, ist ein Dichtwerk das einzige, was uns innerlich wieder verbinden kann.

Über einen Dichter reden ist immer mehr oder weniger ein Reden über sich selber. Vielleicht habe ich das Lied, das ich Ludwig Thoma sang, zu hoch gestimmt. Verzeihen Sie mir meine nicht gewollten Übertreibungen. Aber – wie sollte es denn anders sein – aus mir sprach das Glück, ihn ganz gelesen zu haben. Seine Werke haben mich durch alle Länder meines Exils begleitet wie die besten Freunde, und sie haben mich immer wieder aufgerichtet, ich empfand bei jeder Zeile, die dieser begnadete Mensch hinterlassen hat, daß ich ein wenig aus dem gleichen Stammholz geschnitten bin, und ich meine, dieses Holz wächst auf dem guten Boden aller Länder.

New York, 20. Oktober 1944

Alfred Döblin

GELEITWORT ZUR ZEITSCHRIFT
»DAS GOLDENE TOR«

Golden strahlt das Tor, durch das die Dichtung, die Kunst, der freie Gedanke schreiten.

Das Tor ist herrlich. Aber was sich jetzt unter seinem weiten Bogen aufhält, sieht nicht nach Friede, Freude, Besinnlichkeit aus. Das schimmernde Gold des Tores und die heiteren und stolzen Reliefs passen schlecht zu den schlaffen, abgerissenen Figuren, die hier herumstehen, am Boden kauern und kaum ein Wort miteinander wechseln.

Das war anders nach dem ersten Kriege.

Damals flutete eine Welle von Spannung und Erregung in den Frieden hinein. Das Kriegsende entband Kräfte, Menschen taten sich zusammen und befehdeten sich. Man sprach und warb um den andern. Man ließ Fahnen wehen, verschiedene Fahnen. Man fühlte, es wollte sich etwas erneuern.

Jetzt sieht und fühlt man: eine Feuersbrunst hat sich ausgerast und hat einen schwarzen verbrannten Boden, Ruinen und Krater hinterlassen. Schutt ist über die Städte und über die Menschen geworfen. Nicht wunderbar, daß die Menschen matt und unsicher herumstehen und versuchen, zu sich zu kommen.

Sie sind in eine sonderbare Pause der Isolierung eingetreten. Die hat ihre Pein und ihre Schrecken, aber auch ihre Vorzüge, ihr Gutes. Denn jetzt kann sich keiner hinter einer »Bewegung« verstecken. Keine Fahne nimmt dem Einzelnen das Nachdenken und die Entscheidung ab und erspart ihm das Gegenüber mit sich selbst, – kein Urzustand, sondern ein Restzustand, ein Folgezustand, der aber Heilsames in sich trägt. Was soll man tun? Wie soll man sich retten?

Wir stellen hier an die Spitze das Bild eines Mannes, der es schwer hatte. Wir könnten viele Namen wählen, denn es gibt wenig Große, die nicht in Kämpfen und im Elend beweisen mußten, was sie waren. Wir wählen einen deutschen Schreiber, Gotthold Ephraim *Lessing*, den Mann, der es schwer hatte.

Ihm blieb wenig erspart. Kein aufgeklärter oder unaufgeklärter Despot zog ihn an seinen Hof. Er mußte kämpfen, kämpfen und abermals kämpfen und blieb fest. Er kämpfte für Humanität und für Wahrheit und kannte keinen Gotthold Ephraim Lessing außerhalb der Humanität und Wahrheit. Und mit dem Kämpfen und Ringen identifizierte er sich so, daß er einmal erklärte, er wolle die Wahrheit, wenn man sie ihm als Geschenk anböte, nicht einmal aus der Hand des himmlischen Gottes entgegennehmen. Der scharfe, nüchterne, ganz helle Geist, der Kritiker, der Feind der Phrasen und undeutlichen Unterscheidungen, der Rhetorik blieb er bis zuletzt. Er war mit einem grenzenlosen Mut ausgestattet. Er zog bewußt die Konsequenzen seiner Handlungen und lernte unaufhörlich. Als er hinsank, war zwar einem Einzelnen die Waffe entfallen, aber er hatte sein Beispiel für den Kampf gegen die Finsternis und gegen den Willen zur Verfinsterung, gegen die Trägheit und den verbreiteten faulen Mystizismus den Lebenden hinterlassen.

Zur Realität hinziehen, die Wirklichkeit mit offenen Augen ansehen und menschlich vor ihr stehen, frei, aufrecht und tapfer im Handeln, Konsequenzen ziehen und lernen, das Gewissen schärfen, um sich und in sich blicken — das hat Lessing den Lebenden hinterlassen, damit sie nicht wie jetzt trüb und versunken herumstehen, ohne auch nur zu klaren Fragen und Antworten zu gelangen.

Ein toter Soldat liegt in Paris unter einem Tor.

Vom Platz der Eintracht mit seinen Marmorschalen und Bildsäulen zieht eine Prachtstraße, rechts und links von Bäumen flankiert, nach Westen. Wo sie endet, öffnet sich ein weiter freier Ring, in den sich strahlenförmig andere Straßen, menschen- und wagenflutend wie jene, einsenken. In seiner Mitte steht das Tor mit dem toten Mann, dem unbekannten Soldaten.

Tag um Tag ziehen Scharen, große und kleine Gruppen, in Zivil und in Uniform, Einheimische und Fremde, mit Fahnen und ohne Fahnen, die prächtige Straße hinauf, um Kränze an dem Grab niederzulegen.

Denn er ist für die Freiheit gestorben, und darum liegt er hier. Eine Flamme lodert über seinem Grab. Und einmal kam von weit her, von der Ostgrenze, von Verdun, die Fackel herüber, um die Flamme zu erneuern, von dem riesigen Friedhof dort an der furchtbaren Festung, wo in unabsehbaren Reihen die Soldaten aller Völker nebeneinanderliegen, eine stille, wartende Bruderschaft, – und schickten ihrem Bruder unter dem Tor von Paris das Zeichen.

Traumhaft liegt vor dem, der in San Francisco von einem Hügel auf das Meer herabblickt, die Bucht und das wellige Land. Eine Brücke, fein wie Filigran, schwingt sich in einem unvorstellbar leichten Bogen von einer Seite der Bucht zur andern. Dies ist die Einfahrt zur Neuen Welt vom alten Asien her. Und siehe, ihr Name ist:

DAS GOLDENE TOR

Unvergeßlich der Anblick. Er ist anders und nicht mit solcher erschütternden Wucht beladen wie der Anblick drüben auf der Ostflanke des Kontinents, wo sich wie eine Riesenschildwache die Wolkenkratzer aufgestellt haben, eine undurchdringliche Mauer. Mit ihren steinernen, grauen Kronen durchbrechen sie den Horizont. Und abends liegen sie auf der Lauer und schauen aus zehntausend hellen flimmernden Äuglein auf das Meer hinaus –, gegen Osten, um die Freiheit zu bewachen, deren Statue das alte Europa, Frankreich, herübergeschickt hat im Gefolge Lafayettes, des Kämpfers gegen Tyrannei.

Im Westen, an dem dunstumwobenen Goldenen Tor, läßt man ein.

Da weht über der Bucht der zarte, schmerzlich weiche Hauch, der unsere Seelen rührt und an Ferne, Weite und Zukunft denken läßt. Hier liegt San Francisco, genannt nach dem heiligen Mann, dem Freund aller Menschen, dem Bruder der Armen, des Feuers, der Sonne, des Wassers und sogar des Todes, – die Stadt San Francisco, wo sich vor einem Jahr die Lebenden, die großen und kleinen Nationen, gedenkend ihrer Toten, vereinten, um die Freiheit zu schützen und die Völker zusammenzuschließen. Denn nicht nur die Toten, die tapferen, wissen, wofür sie gefallen sind. Man hört sie. Sie zwingen zu Handlungen. Sie zwingen die Lebenden.

Die Zyniker lächeln. Sie meinen, man hätte seine Erfahrungen, man sähe auch schon wieder –. Sie sehen schief und halb. Die ganze Realität ist anders.

Und was ist das für eine große Realität, welche die Menschen zwingt, eben noch Krieger, sich hinzusetzen und sich ernsthaft das Versprechen zu geben, zusammenzuhalten und über den Frieden zu wachen, nun dennoch wieder. Sie sind nicht über Nacht Engel geworden, aber sie können nicht umhin zu zeigen, daß sie mehr als ein Stück Natur sind.

Nach diesem beispiellosen, die ganze Erde umlaufenden Wald- und Präriebrand, wo der Boden noch in Schwaden den schweren erstickenden Qualm ausatmet, regt sich wieder im Grunde das Leben, das gute Leben in den Wurzeln der verbrannten Pflanzen. Und sie sind nicht bis in die

Tiefe verbrannt, und das wilde Element ist doch nicht ihrer Herr geworden.

Das »Goldene Tor«, durch das Dichtung, Kunst und die freien Gedanken ziehen, zugleich Symbol für die menschliche Freiheit und die Solidarität der Völker.

Wir werden in diesen Blättern alles tun, was wir vermögen, einmal um den Realitätssinn im Lande zu stärken, auch die Gewissen aufzurufen und Mut einzuflößen, und das andere Mal auf die eine große Realität, die uns als nächste Aufgabe zugefallen ist, hinzuweisen: für die menschliche Freiheit und die Solidarität der Völker zu kämpfen, eine beglückende Realität, zu der uns unsere Menschennatur verpflichtet, von der man nicht nur in Hymnen singt, und die den Menschen tapfer werden läßt wie der Mann, dessen Bild wir an die Spitze gestellt haben.

Wie werden wir es anstellen?

Wer wird uns helfen?

Für die Enttrümmerung und das Abräumen im Geistigen haben wir die Instrumente des Urteils und der Kritik. Wir wollen die guten Dinge, für die wir einstehen und die entstellt und aus dem Gesichtskreis gerückt waren, wieder an ihren Platz stellen und sind gewiß, damit Spalten schließen zu helfen und zu stärken.

Verschüttet war über ein Jahrzehnt eine ungeheure Masse von seelischer und geistiger Kraft im Lande. Während man die Kohle der Bergwerke und das Erz der Minen aufs äußerste ausbeutete zu unheilsamen Zwecken, ließ man das Gute, das jeder in sich trug, unausgenutzt. Die Kräfte stehen wieder zur Verfügung. Wir werden uns aber keinen Illusionen hingeben und nicht erwarten, nun eine doppelt und dreifach reiche Ernte einzubringen. Es ist in Deutschland anders als in Frankreich, wo während der Besetzung der erbitterte unterirdische Kampf die Kräfte steigerte und jene junge originelle Literatur der

Résistance ins Leben rief, die eine vitale Funktion erfüllte. Wir werden an die Verhinderung und Absperrung in Deutschland denken. Man wird sehen, es lebt und regt sich hier wieder, der Geist ist nicht erschlagen, die Erholung ist gewiß.

Verschüttet und nicht vorhanden für das Land waren die Kräfte, die man zu Tausenden einsperrte und ins Ausland jagte. Auf ihre Stimme warten viele im Lande. Das »Goldene Tor« läßt die Exilierten ein. Wir werden auf diesen Blättern ihre Worte lesen.

Daß wir das Fenster nach dem Ausland weit öffnen, versteht sich von selbst. Man lebt weder in der Gesellschaft noch unter Völkern allein: für die Deutschen, die mehr übersetzten als andere, keine Neuigkeit.

Das Gesicht dieser Zeitschrift wird, wie es die Umstände mit sich bringen, nicht sofort bestimmt hervortreten.

Die Grundzüge werden aber, aus Geleitwort und Inhalt, erkenntlich sein.

Das Wort haben die Autoren.

(1946)

Friedrich Luft

GÜNTHER WEISENBORN »DIE ILLEGALEN«

Hier ist ein Stück, das sein Thema aus der jüngsten Vergangenheit nimmt. Es beginnt auf einer Berliner Straße zur Nacht. Ein Mann schleicht heran. Pfeifend. Schlendernd. Beobachtend. Er lehnt an einer halbzerbombten Litfaßsäule und spricht zu uns, wie nebenher und beiläufig. Und redet doch »Hochverrat«. Er »spannt«, er hält Ausschau, ob die Luft rein ist. Ein illegaler Kämpfer gegen Hitler. Er sondiert dies triste Straßenterrain, ob die Polizei im Wege ist, ob die Gestapo Streife schiebt. Morgen werden 200 Flugblätter an Säulen, Häuserresten, Wänden und Mauern kleben. Aufrufe gegen die braune Diktatur. Rufe zur Freiheit. Vielleicht werden sie von hundert Menschen gelesen werden. Vielleicht von dreien verstanden. Vielleicht von einem beherzigt. Für diesen einen geht er »spannen«, der stille Vorreiter der illegalen Klebekolonne. Ein Pfiff. Die Luft ist rein. Er geht weiter. Und was ihm da als Liebespaar folgt, sind zwei Mitglieder seiner Widerstandsgruppe. Sie spielen Liebespaar. Sie treiben Hochverrat. Sie kleben den Aufruf an die halbzerbombte Litfaßsäule und gehen weiter. Der da vorne pfeift schon wieder. Die Luft ist rein.

Und nun sehen wir zwei Stunden lang den scheinbar so sinnlosen Kampf dieser Gruppe. Sieben Menschen, die in ihrem Haß gegen Hitler und in ihrer Liebe für die Sache der Freiheit sich den Tod als nächsten Nachbarn gewählt haben. Der Hexentanz der letzten Jahre spielt sich vor unseren Augen ab. Sieben Menschen gegen ein System. Sie verbreiten Nachrichten. Sie kleben. Sie drucken insgeheim

Weckrufe. Sie betreiben einen Geheimsender und rufen ihren heißen Ingrimm für die Freiheit in den Himmel. Verschworene, wie es zu keiner Zeit ähnliche gab. Denn zu keiner Zeit gab es ähnliche Tyrannei. Zu keiner Zeit diesen unbeschreiblichen Druck. Nie waren Menschen so umstellt von Verrat. Nie so ausgestoßen aus der Welt, in der Arglosigkeit, Liebe und etwas Wärme wohnt. Nie so ummauert von Argwohn. Im nächsten Freunde, der sich zur Hilfe anbot, konnte der Verrat zu Hause sein. Jener Mann, der ihnen vielleicht zufällig folgte, konnte ein Gestapo-Bulle sein. Ein beiläufiges Wort. Eine hingeworfene Bemerkung. Das leiseste Sich-gehen-Lassen – alles konnte verloren sein. Das eigene Leben. Die geheime Sache. Das Leben der Gruppe. Menschen mußten, um das Gute zu vollbringen, das Handwerk von Verbrechern ergreifen, solange die Verbrecher selbst zu Gericht saßen und das Gewissen täglich auf der Anklagebank. Aufrechte mußten sprechen mit der Stimme des Verrats. Sie mußten ihr glühendes Gesicht verhängen. Sie mußten lügen, um der Wahrheit treu zu bleiben. Sie mußten im Dunkel wohnen, um das Helle zu tun. Die Welt war verkehrt und die Moral aus den Fugen wie nie. Sieben Menschen bringen es nicht mehr über sich, zu schweigen. Sie rotten sich zusammen. Sie bilden eine Gruppe. Sie treten in Aktion.

Das ist der Vorgang dieses Stückes. Der große Partner dieser, aller illegalen Gruppen tritt nicht auf. Oder besser: er ist immer auf der Szene. Unfaßbar, gefährlich, lauernd, ein Netz der Beobachtungen und Verdächtigungen. Er lauert in jedem Klopfen an der Tür. Er ist zu vermuten in jedem Passanten, der ins Fenster hereinsieht. Er ist zu argwöhnen in jedem Schritt, der sich nähert. Nicht faßbar ist der große, braune Gegenspieler dieser Gruppe. Aber spürbar immer. Und immer furchtbar und von äußerster Grausamkeit. Im Lande geht ein Stöhnen aus von dreihundert Konzentrationslagern. Von den Grenzen kommt der triste Donner eines falschen Krieges, eines wahnwitzig angezettelten. Über den Städten liegt der Rauch der Bombennächte. Aber hier gehen sieben Menschen aus, Nadelstiche zu führen gegen die große, gewaltige Bestie eines irrsinnigen Staates. Nadelstiche. Kaum, daß sie es ritzen werden, das große Tier. Aber ihr Gewissen treibt sie, um dieses Stiches willen ihren Kopf täglich und nächtlich in die Schlinge zu legen.

Das ist es, was hier gezeigt wird. Und nun, liebe Hörer, merke ich, wie Sie skeptisch werden. Wie Sie daheim den Kopf schütteln und einen unangenehmen Geschmack im Munde verspüren. Und dann ist das Wort da, nach dem Sie suchen: Tendenz. Und nun glauben Sie, das Stück, von dem ich rede, eingeordnet und damit beiseite gestellt zu haben.

Haben Sie aber keineswegs! Tendenz – schön und gut. Warum soll es einem, der wie Günther Weisenborn all dies aus eigenster Erfahrung gnadenlos erfuhr – warum soll es ihm verwehrt sein, diese Erfahrungen auf die Bühne zu bringen und zu zeigen: So waren die Kämpfer gegen Hitler! So verachteten sie das eigene Leben aus Liebe für die Sache der Menschlichkeit. So sind sie gestorben. Sie wußten wohl: geklebte Zettel, Geheimsendungen, verbreitete Parolen – das tötet die Unmenschlichkeit des Dritten Reiches noch nicht. Aber sie standen auf und mußten es trotzdem tun. Einzelne. Gruppen. Viele Gruppen. Und immer noch längst nicht genug. Denn das Untier wurde nicht von uns selbst erlegt. Der tödliche Stoß kam von außen.

Tendenz – gewiß, sie ist da, wenn Freiheit eine Tendenz ist, Selbstvergessenheit, heiße Besessenheit für die Wahrheit, tödlichster Haß gegen das System der täglichen Lüge, Verstellung und Unterdrückung.

Keine üble Tendenz, scheint mir. Und ein solches Tendenzstück soll immer mein Auge haben und meine beste Aufmerksamkeit. Es hat aber meine deutliche Begeisterung, wenn es mehr ist. Wenn es Dichtung ist. »Die Illegalen« von Günther Weisenborn sind Dichtung.

Hier ist einer am Werke, der das Gesetz der Bühne im Blute hat. Der rechnet nicht. Der klügelt nicht aus. Der tüftelt nicht. Er sieht beim Schreiben. Sie stehen auf, die Gestalten. Sie sprechen. Zwangsläufig und klar. Das ist nicht gemacht. Das atmet, hat Eigenleben, kommt aus einer unverstellten Natur, ist natürlich, ist Dichtung. Ist tatsächlich Sprache des Menschen, Klage, kleines, echtes Nebengespräch, Aufschrei, ist tastendes Wort der Liebe zur Frau, ist Angst, ist Verzweiflung, ist Lächerlichkeit und Notdurft und Kleinheit des Menschen, ist Angst der Mutterliebe, ist Sehnsucht des Spießers nach etwas Grün, Frieden und Eigenleben. Ist die ganze Jämmerlichkeit des Menschen am Sarge. Ist kläglicher Eigensinn in der plärrenden Stimme einer Zimmervermieterin. Ist das tückisch Freundliche, ist die verhängte Brutalität in der Tonlage der Macht und der Polizei. – Alles das ist in dem Stück. Alle diese Stimmen werden laut und leben. Nicht in der Sprache des Tages, oder doch nur mit ihrem Anflug. Die Stimmen alle sind erhoben auf die höhere Tonlage des Überwirklichen, ohne daß sie ihre Realität verlieren. Sie alle sind nicht Abklatsch des Alltags. Sie haben ihren deutlichen Sinn und jeweiligen Einsatz im Chorwerk des Dramas. Sie sind Ausdruck. Expression. Weisenborn ist Dichter.

Stellen, die nicht ganz sicher verzahnt sind – Passagen, in den Monologen zumeist, die nicht immer ausgeruht durchdacht wurden – zwei, drei Längen – – ich weiß. Oder besser: ich will es nicht wissen. Denn das soll jetzt zurückstehen. Ich finde es ein Glück, daß uns ein wirkliches Drama aus den letzten Jahren in die Hand gegeben ist. Ich weiß, daß es gut ist und von einem Dichter. Ich kann kein Vergnügen und keinen Sinn darin finden, meinen Scharfsinn im Aufspüren der Fehler, die es wie jedes Stück hat, beweisen zu wollen.

Das Hebbel-Theater hatte die Aufführung seinem »Studio« anvertraut. Hier stellt es Nachwuchs zur Diskussion. Männer, die zum Teil ihren Namen noch nicht bewähren konnten. Franz Reichert hatte die Regie. Ich fand, daß er das Stück mit viel Glück angefaßt hat. Er hat den überhöhten Ton der Dialoge verstanden und ihn in den meisten Fällen richtig angesetzt. Er tat gut daran – für mein Empfinden – wenn er Sentenzen und Monologe, die aus der realen Szene ins Gedankliche abführten, gerade ins Publikum gewendet sprechen ließ. Er nahm den verhaltenen Expressionismus des Textes sicher auf. Und nur zum Anfang hätte man sich ein wenig mehr Licht auf der Szene und etwas mehr Tempo in der Sprache gewünscht. Da schleppt es und kommt nur knirschend in Gang.

Heinrich Kilger baute hier seine ersten Bühnenbilder. Sie trafen genau und gaben den günstigsten Hintergrund. Ein großer Prospekt, an dem jeweils nur die Lichtkonturen der weiteren Umwelt, dürftig und bewußt skizziert, aufleuchteten: die Zeichnung angebombter Häuser. Ein bizarrer Blick über Dächer. Eine Straße. Und davor gesetzt jeweils nur die Andeutung des nahen Schauplatzes: eine Kneipe von innen. Mansarde. Straßenecke. Möbliertes Zimmer. Das war sehr glücklich gelöst, gab jeweils die Idee des gezeigten Raumes genau und ließ den Hintergrund und die städtische Umwelt spüren.

Mit den Männern des Hebbel-Theaters könnte man über die Schauspieler, die hier eingesetzt waren, diskutieren. Ich beispielsweise glaube, aus der Rolle des eigentlichen Helden könnte mehr herauszuholen sein an Intensität und Natürlichkeit, als es Wilhelm Borchert gelang. Ob auch Lu Säuberlich alles zutage brachte, was der Text ihr gab – auch darüber bin ich schon mit Freunden in Streit geraten. Ich fand, das Unerlöste der Frau, die Tragik ihrer notwendigen Verhärtung im Politischen und ihr endliches Weichwerden und Frauwerden in den hastigen Stunden einer Liebesnacht hätten deutlicher kommen müssen. Die Rolle ist verteufelt schwer. Ich weiß. Und ich stelle sozusagen nur eine Frage.

Wundervoll war die spaßige, liebenswerte Spießigkeit von Karl Etlinger als Kneipwirt. Kate Kühl machte mit Herz und mit Schnauze die zitternde Angst der Mutter deutlich. Ganz mühelos und schließlich im Ausbruch vor dem Tode ergreifend war O. E. Hasse. Eigentlich die am besten erfaßte Gestalt. Am Rande Fritz Rasp, Franz Nicklisch, Clemens Hasse, Karin Friedrich, Hans Wiegner und Peter Timm Schaufuß. Man merkte ihnen das Glück an, in Gestalten sich bewegen und sprechen zu dürfen, deren Worte tatsächlich jedesmal einen eigenen Ton und unverwechselbares Leben hatten.

Ich weigere mich, zu kritisieren, weil mir an diesem Abend das geschah, wonach sich der Kritiker sehnt: ich vergaß, daß ich Kritiker bin. Ich war dabei. Ich horchte hin. So leicht wirft mich nichts um. Hier geschah's.

Ich fasse nach diesem Stück mit beiden Händen, weil es gut ist und mit den Worten eines Dichters gemacht. Ich gestehe: ich bin nicht ohne Furcht und ohne Skepsis vorgestern in das Hebbel-Theater gegangen. Das Thema des Stückes ist noch sehr nah. Wie leicht kommt da ein falscher Ton in die Stimme. Er kam nicht.

Und schließlich merkte ich, wie mit der Beschwörung jener Kämpfer gegen Hitler noch ein anderes von der Bühne kam. Eine Nebenwirkung, aber keine unwichtige, gewiß: daß hier einer uns und der Welt zeigt –: auch in Deutschland sind sie aufgestanden gegen das Unrecht. Auch hier gab es Männer, die die Freiheit mehr liebten als das Leben. Ehrfurcht vor ihnen und Dank ihnen.

Günther Weisenborn hat selbst drei Jahre im Zuchthaus gesessen, der Dinge wegen, die er hier zeigt. Er widmet das Stück den Kameraden seiner Gruppe, die an der Schafottfront gegen Hitler fielen. Er darf sprechen. In seiner Stimme ist Berechtigung und Wahrheit. Und ich will hoffen, daß viele gehen, sie zu hören.   23.3.46

DAS IST UNSER MANIFEST

Helm ab Helm ab: – Wir haben verloren!

Die Kompanien sind auseinandergelaufen. Die Kompanien, Bataillone, Armeen. Die großen Armeen. Nur die Heere der Toten, die stehn noch. Stehn wie unübersehbare Wälder: dunkel, lila, voll Stimmen. Die Kanonen aber liegen wie erfrorene Urtiere mit steifem Gebein. Lila vor Stahl und überrumpelter Wut. Und die Helme, die rosten. Nehmt die verrosteten Helme ab: Wir haben verloren.

In unsern Kochgeschirren holen magere Kinder jetzt Milch. Magere Milch. Die Kinder sind lila vor Frost. Und die Milch ist lila vor Armut.

Wir werden nie mehr antreten auf einen Pfiff hin und Jawohl sagen auf ein Gebrüll. Die Kanonen und die Feldwebel brüllen nicht mehr. Wir werden weinen, scheißen und singen, wann wir wollen. Aber das Lied von den brausenden Panzern und das Lied von dem Edelweiß werden wir niemals mehr singen. Denn die Panzer und die Feldwebel brausen nicht mehr und das Edelweiß, das ist verrottet unter dem blutigen Singsang. Und kein General sagt mehr Du zu uns vor der Schlacht. Vor der furchtbaren Schlacht.

Wir werden nie mehr Sand in den Zähnen haben vor Angst. (Keinen Steppensand, keinen ukrainischen und keinen aus der Cyrenaika oder den der Normandie – und nicht den bitteren bösen Sand unserer Heimat!) Und nie mehr das heiße tolle Gefühl in Gehirn und Gedärm vor der Schlacht.

Nie werden wir wieder so glücklich sein, daß ein ande-

rer neben uns ist. Warm ist und da ist und atmet und
rülpst und summt – nachts auf dem Vormarsch. Nie werden wir wieder so zigeunerig glücklich sein über ein Brot
und fünf Gramm Tabak und über zwei Arme voll Heu.
Denn wir werden nie wieder zusammen marschieren, denn
jeder marschiert von nun an allein. Das ist schön. Das ist
schwer. Nicht mehr den sturen knurrenden Andern bei
sich zu haben – nachts, nachts beim Vormarsch. Der alles
mit anhört. Der niemals was sagt. Der alles verdaut.

Und wenn nachts einer weinen muß, kann er es wieder.
Dann braucht er nicht mehr zu singen – vor Angst.

Jetzt ist unser Gesang der Jazz. Der erregte hektische
Jazz ist unsere Musik. Und das heiße verrückttolle Lied,
durch das das Schlagzeug hinhetzt, katzig, kratzend. Und
manchmal nochmal das alte sentimentale Soldatengegröl,
mit dem man die Not überschrie und den Müttern ab-
sagte. Furchtbarer Männerchor aus bärtigen Lippen, in die
einsamen Dämmerungen der Bunker und der Güterzüge
gesungen, mundharmonikablechüberzittert:

Männlicher Männergesang – hat keiner die Kinder gehört, die sich die Angst vor den lilanen Löchern der Kanonen weggrölten?

Heldischer Männergesang – hat keiner das Schluchzen
der Herzen gehört, wenn sie Juppheidi sangen, die Ver-
dreckten, Krustigen, Bärtigen, Überlausten?

Männergesang, Soldatengegröl, sentimental und über-
mütig, männlich und baßkehlig, auch von den Jünglingen
männlich gegrölt: Hört keiner den Schrei nach der Mutter? Den letzten Schrei des Abenteurers Mann? Den
furchtbaren Schrei: Juppheidi? Unser Juppheidi und unsere Musik sind ein Tanz über den Schlund, der uns an-
gähnt. Und diese Musik ist der Jazz. Denn unser Herz
und unser Hirn haben denselben heißkalten Rhythmus:
den erregten, verrückten und hektischen, den hemmungslosen.

Und unsere Mädchen, die haben denselben hitzigen Puls

in den Händen und Hüften. Und ihr Lachen ist heiser und
brüchig und klarinettenhart. Und ihr Haar, das knistert
wie Phosphor. Das brennt. Und ihr Herz, das geht in
Synkopen, wehmütig wild. Sentimental. So sind unsere
Mädchen: wie Jazz. Und so sind die Nächte, die mädchen-
klirrenden Nächte: wie Jazz: heiß und hektisch. Erregt.

Wer schreibt für uns eine neue Harmonielehre? Wir
brauchen keine wohltemperierten Klaviere mehr. Wir
selbst sind zuviel Dissonanz.

Wer macht für uns ein lilanes Geschrei? Eine lilane Erlösung? Wir brauchen keine Stilleben mehr. Unser Leben
ist laut.

Wir brauchen keine Dichter mit guter Grammatik. Zu
guter Grammatik fehlt uns Geduld. Wir brauchen die mit
dem heißen heiser geschluchzten Gefühl. Die zu Baum
Baum und zu Weib Weib sagen und ja sagen und nein sagen: laut und deutlich und dreifach und ohne Konjunktiv.

Für Semikolons haben wir keine Zeit und Harmonien
machen uns weich und die Stilleben überwältigen uns:
Denn lila sind nachts unsere Himmel. Und das Lila gibt
keine Zeit für Grammatik, das Lila ist schrill und ununterbrochen und toll. Über den Schornsteinen, über den
Dächern: die Welt: lila. Über unseren hingeworfenen Lei-
bern die schattigen Mulden: die blaubeschneiten Augen-
höhlen der Toten im Eissturm, die violettwütigen Schlünde der kalten Kanonen — und die lilane Haut unserer
Mädchen am Hals und etwas unter der Brust. Lila ist
nachts das Gestöhn der Verhungernden und das Gestam-
mel der Küssenden. Und die Stadt steht so lila am nächtlich lilanen Strom.

Und die Nacht ist voll Tod: Unsere Nacht. Denn unser
Schlaf ist voll Schlacht. Unsere Nacht ist im Traumtod
voller Gefechtslärm. Und die nachts bei uns bleiben, die
lilanen Mädchen, die wissen das und morgens sind sie noch
blaß von der Not unserer Nacht. Und unser Morgen ist
voller Alleinsein. Und unser Alleinsein ist dann morgens

wie Glas. Zerbrechlich und kühl. Und ganz klar. Es ist das
Alleinsein des Mannes. Denn wir haben unsere Mütter bei
den wütenden Kanonen verloren. Nur unsere Katzen und
Kühe und die Läuse und die Regenwürmer, die ertragen
das große eisige Alleinsein. Vielleicht sind sie nicht so nebeneinander wie wir. Vielleicht sind sie mehr mit der
Welt. Mit dieser maßlosen Welt. In der unser Herz fast
erfriert.

Wovon unser Herz rast? Von der Flucht. Denn wir sind
der Schlacht und den Schlünden erst gestern entkommen
in heilloser Flucht. Von der furchtbaren Flucht von einem
Granatloch zum andern – die mütterlichen Mulden – davon rast unser Herz noch – und noch von der Angst.

Horch hinein in den Tumult deiner Abgründe. Erschrickst du? Hörst du den Chaoschoral aus Mozartmelodien und Herms-Niel-Kantaten? Hörst du Hölderlin
noch? Kennst du ihn wieder, blutberauscht, kostümiert
und Arm in Arm mit Baldur von Schirach? Hörst du das
Landserlied? Hörst du den Jazz und den Luthergesang?

Dann versuche zu sein über deinen lilanen Abgründen.
Denn der Morgen, der hinter den Grasdeichen und Teer-
dächern aufsteht, kommt nur aus dir selbst. Und hinter
allem? Hinter allem, was du Gott, Strom und Stern,
Nacht, Spiegel oder Kosmos und Hilde oder Evelyn
nennst – hinter allem stehst immer du selbst. Eisig einsam. Erbärmlich. Groß. Dein Gelächter. Deine Not. Deine
Frage. Deine Antwort. Hinter allem, uniformiert, nackt
oder sonstwie kostümiert, schattenhaft verschwankt, in
fremder fast scheuer ungeahnt grandioser Dimension: Du
selbst. Deine Liebe. Deine Angst. Deine Hoffnung.

Und wenn unser Herz, dieser erbärmliche herrliche
Muskel, sich selbst nicht mehr erträgt – und wenn unser
Herz uns zu weich werden will in den Sentimentalitäten,
denen wir ausgeliefert sind, dann werden wir laut ordi-
när. Alte Sau, sagen wir dann zu der, die wir am meisten
lieben. Und wenn Jesus oder der Sanftmütige, der einem

immer nachläuft im Traum, nachts sagt: Du, sei gut! –
dann machen wir eine freche Respektlosigkeit zu unserer
Konfession und fragen: Gut, Herr Jesus, warum? Wir haben mit den toten Iwans vorm Erdloch genauso gut in
Gott gepennt. Und im Traum durchlöchern wir alles mit
unsern MGs: Die Iwans. Die Erde. Den Jesus.

Nein, unser Wörterbuch, das ist nicht schön. Aber dick.
Und es stinkt. Bitter wie Pulver. Sauer wie Steppensand.
Scharf wie Scheiße. Und laut wie Gefechtslärm.

Und wir prahlen uns schnodderig über unser empfind-
liches deutsches Rilke-Herz rüber. Über Rilke, den fremden verlorenen Bruder, der unser Herz ausspricht und der
uns unerwartet zu Tränen verführt: Aber wir wollen keine Tränenozeane beschwören – wir müssen denn alle er-
saufen. Wir wollen grob und proletarisch sein, Tabak und
Tomaten bauen und lärmende Angst haben bis ins lilane
Bett – bis in die lilanen Mädchen hinein. Denn wir lieben
die lärmend laute Angabe, die unrilkesche, die uns über
die Schlachtträume hinüberrettet und über die lilanen
Schlünde der Nächte, der blutübergossenen Äcker, der
sehnsüchtigen blutigen Mädchen. Denn der Krieg hat uns
nicht hart gemacht, glaubt doch das nicht, und nicht roh
und nicht leicht. Denn wir tragen viele weltschwere wäch-
serne Tote auf unseren mageren Schultern. Und unsere
Tränen, die saßen noch niemals so lose wie nach diesen
Schlachten. Und darum lieben wir das lärmende laute lila
Karussell, das jazzmusikene, das über unsere Schlünde rü-
berorgelt, dröhnend, clownig, lila, bunt und blöde – vielleicht. Und unser Rilke-Herz – ehe der Clown kräht –
haben wir es dreimal verleugnet. Und unsere Mütter weinen bitterlich. Aber sie, sie wenden sich nicht ab. Die Mütter nicht!

Und wir wollen den Müttern versprechen:

Mütter, dafür sind die Toten nicht tot: Für das mar-
morne Kriegerdenkmal, das der beste ortsansässige Stein-
metz auf dem Marktplatz baut – von lebendigem Gras

umgrünt, mit Bänken drin für Witwen und Prothesenträger. Nein, dafür nicht. Nein, dafür sind die Toten nicht tot: Daß die Überlebenden weiter in ihren guten Stuben leben und immer wieder neue und dieselben guten Stuben mit Rekrutenfotos und Hindenburgporträts. Nein, dafür nicht.

Und dafür, nein, dafür haben die Toten ihr Blut nicht in den Schnee laufen lassen, in den naßkalten Schnee ihr lebendiges mütterliches Blut: Daß dieselben Studienräte ihre Kinder nun benäseln, die schon die Väter so brav für den Krieg präparierten. (Zwischen Langemarck und Stalingrad lag nur eine Mathematikstunde.) Nein, Mütter, dafür starbt ihr nicht in jedem Krieg zehntausendmal!

Das geben wir zu: Unsere Moral hat nichts mehr mit Betten, Brüsten, Pastoren oder Unterröcken zu tun – wir können nicht mehr tun als gut sein. Aber wer will das messen, das »Gut«? Unsere Moral ist die Wahrheit. Und die Wahrheit ist neu und hart wie der Tod. Doch auch so milde, so überraschend und so gerecht. Beide sind nackt.

Sag deinem Kumpel die Wahrheit, beklau ihn im Hunger, aber sag es ihm dann. Und erzähl deinen Kindern nie von dem heiligen Krieg: Sag die Wahrheit, sag sie so rot wie sie ist: voll Blut und Mündungsfeuer und Geschrei. Beschwindel das Mädchen noch nachts, aber morgens, morgens sag dann die Wahrheit: Sag, daß du gehst und für immer. Sei gut wie der Tod. Nitschewo. Kaputt. For ever. Parti, perdu und never more.

Denn wir sind Neinsager. Aber wir sagen nicht nein aus Verzweiflung. Unser Nein ist Protest. Und wir haben keine Ruhe beim Küssen, wir Nihilisten. Denn wir müssen in das Nichts hinein wieder ein Ja bauen. Häuser müssen wir bauen in die freie Luft unseres Neins, über den Schlünden, den Trichtern und Erdlöchern und den offenen Mündern der Toten: Häuser bauen in die reingefegte Luft der Nihilisten, Häuser aus Holz und Gehirn und aus Stein und Gedanken.

Denn wir lieben diese gigantische Wüste, die Deutschland heißt. Dies Deutschland lieben wir nun. Und jetzt am meisten. Und um Deutschland wollen wir nicht sterben. Um Deutschland wollen wir leben. Über den lilanen Abgründen. Dieses bissige, bittere, brutale Leben. Wir nehmen es auf uns für diese Wüste. Für Deutschland. Wir wollen dieses Deutschland lieben wie die Christen ihren Christus: Um sein Leid.

Wir wollen diese Mütter lieben, die Bomben füllen mußten – für ihre Söhne. Wir müssen sie lieben um dieses Leid.

Und die Bräute, die nun ihren Helden im Rollstuhl spazieren fahren, ohne blinkernde Uniform – um ihr Leid.

Und die Helden, die Hölderlinhelden, für die kein Tag zu hell und keine Schlacht schlimm genug war – wir wollen sie lieben um ihren gebrochenen Stolz, um ihr umgefärbtes heimliches Nachtwächterdasein.

Und das Mädchen, das eine Kompanie im nächtlichen Park verbrauchte und die nun immer noch Scheiße sagt und von Krankenhaus zu Krankenhaus wallfahrten muß – um ihr Leid. Und den Landser, der nun nie mehr lachen lernt –

und den, der seinen Enkeln noch erzählt von einunddreißig Toten nachts vor seinem, vor Opas MG –

sie alle, die Angst haben und Not und Demut: Die wollen wir lieben in all ihrer Erbärmlichkeit. Die wollen wir lieben wie die Christen ihren Christus: Um ihr Leid. Denn sie sind Deutschland. Und dieses Deutschland sind wir doch selbst. Und dieses Deutschland müssen wir doch wieder bauen im Nichts, über Abgründen: Aus unserer Not, mit unserer Liebe. Denn wir lieben dieses Deutschland doch. Wie wir die Städte lieben um ihren Schutt – so wollen wir die Herzen um die Asche ihres Leides lieben. Um ihren verbrannten Stolz, um ihr verkohltes Heldenkostüm, um ihren versengten Glauben, um ihr zertrümmertes Vertrauen, um ihre ruinierte Liebe. Vor allem müssen wir die Mütter lieben, ob sie nun achtzehn oder achtundsechzig sind – denn die Mütter sollen uns die Kraft geben für dies Deutschland im Schutt.

Unser Manifest ist die Liebe. Wir wollen die Steine in den Städten lieben, unsere Steine, die die Sonne noch wärmt, wieder wärmt nach der Schlacht –

Und wir wollen den großen Uuh-Wind wieder lieben, unseren Wind, der immer noch singt in den Wäldern. Und der auch die gestürzten Balken besingt –

Und die gelbwarmen Fenster mit den Rilkegedichten dahinter – Und die rattigen Keller mit den lilagehungerten Kindern darin – Und die Hütten aus Pappe und Holz, in denen die Menschen noch essen, unsere Menschen, und noch schlafen. Und manchmal noch singen. Und manchmal und manchmal noch lachen –

Denn das ist Deutschland. Und das wollen wir lieben, wir, mit verrostetem Helm und verlorenem Herzen hier auf der Welt.

Doch, doch: Wir wollen in dieser wahn-witzigen Welt noch wieder, immer wieder lieben!

(1947)

EUGEN GOTTLOB WINKLER

Als Eugen Gottlob Winkler, vierundzwanzig Jahre alt, im Oktober 1936 freiwillig in den Tod ging, hatte er nur etwa ein Dutzend Aufsätze über literarische Themen und einige kurze Stücke erzählender Prosa in Zeitungen und Zeitschriften veröffentlicht. Trotzdem war er unter Kennern berühmt und hatte sich in knapp zwei Jahren einer angestrengten schriftstellerischen Tätigkeit einen Namen erworben, der für einen nicht unbeträchtlichen Leserkreis einen prickelnden avantgardistischen Klang hatte und wie ein erregendes Vibrato in der Luft lag, wo man sich um die Erkenntnis der modernen Welt bemühte. Es erschienen Nachrufe und Aufsätze, in denen er als ein Phänomen frühreifer Meisterschaft, als ein Virtuose der erzählerischen und essayistischen Darstellungskunst gepriesen wurde. In jenem ungemein gepflegten, präzisen und oft preziösen oder »kalligraphischen« Stil, zu dem die »weltanschauliche« Tyrannis eine breite Schicht deutscher Publizisten indirekt erzogen hatte, wurde Winklers Sprache als das Modernste und Fortgeschrittenste deutscher Prosa bewundert, und sein Thema: der Existenz- und Verzweiflungskampf des menschlichen Geistes mit dem Nichts, als der Ausdruck einer radikalen Wahrheitsliebe und als kühne und unverfälschte Diagnose der wirklichen Situation der Zeit gewürdigt. In einer literarischen Umwelt, wo die eigentlichen formalen und thematischen Probleme der Zeit durch eine ideologische Kulturpolitik verdrängt, durch Propaganda erstickt, durch die Überzüchtung rein stofflicher Interessen am Historischen, Nationalen und »Völkischen« oder eine verlogene und hinterwäldlerische Idyllik umgangen und verfälscht oder auch durch das schriftstellerische Kunstgewerbe abseitiger Ästheten und Manieristen verschleiert wurden, in einer solchen Umwelt mußten Winklers Schriften mit ihrer thematischen und sprachlichen Stoßkraft alarmierend und faszinierend wirken. Gewiß, es gab Ernst Jünger, es gab einige großartige Gedichte von Weinheber, es gab Theodor Haecker, Rudolf Alexander Schröder und noch zwei oder drei andere, über die sich reden ließ. Es gab die Existenzphilosophie, die neue Theologie und eine Geistes- und Kunstwissenschaft von hohem Rang. Aber dieser junge Mann als Sprecher einer Generation, die man ganz an den politischen Ungeist der Zeit verloren glaubte, war etwas Besonderes. Unter einer Unzahl von Bauerndichtern, SA-Lyrikern, Hamsun- und Stifter-Epigonen wirkte sein Wort wie ein Fanal. Sein brennender Weltschmerz schoß wie eine Stichflamme empor und verzehrte allen ideologischen Wust. Er war, das fühlte jeder Leser, auf einigen Seiten seiner Prosa – nicht in seinen Gedichten, die alle mißglückt sind – durchaus »auf der Höhe der Zeit«, um einen Ausdruck von Ortega y Gasset anzuwenden, er hatte auf der Skala der geistigen Ränge jene Linie erreicht, welche die Masse des Belanglosen scheidet vom Belang- und Bedeutungsvollen, den Bereich einer inferioren Zeitlosigkeit von dem, was echte und eigentliche Zeitgenossenschaft hat im Sinne fruchtbarer Übereinstimmung zwischen der strengen und redlichen Subjektivität eines Autors und den objektiven Konstellationen des Zeitgeistes.

Vieles an der Erscheinung Winklers blieb damals undeutlich oder absichtlich verschleiert. Man sah in ihm vor allem den »rabiaten Einzelgänger«, als den er selbst sich verstanden hat. Wie sehr er trotz der »internationalen« oder »romanischen« Eleganz seiner Sprache der deutschen Situation von 1936 verhaftet und nur aus ihr heraus zu begreifen war, wird erst heute erkennbar. Damals war es schon eine politische Pikanterie, ein vorsichtiger Ausdruck intellektuellen Widerstandes, Winklers tiefe Skepsis gegen alles Ideelle und Ideologische zu apostrophieren und zu zeigen, wie schonungslos er die damalige Gegenwart, die doch voller Größe, Hoffnung und Zukunft sein sollte, dem Nichts preisgegeben hatte. Aber wie erheblich in Wahrheit die politischen Hintergründe waren, vor denen seine scheinbar so unpolitische Aussage stand, und daß sein Leben und sein früher Tod von einem gefährlichen politischen Wetterleuchten umwittert waren, das blieb verborgen. Erst heute wird ganz deutlich, wie eng in der damaligen Welt die verschiedenartigsten Phänomene miteinander zusammenhingen, die Kalligraphie mit der Diktatur und der Nihilismus mit dem Ideologismus. Gerade in der zeitgenössischen Bezogenheit auf diese Problematik, in der elektrisch knisternden Aktualität einer zwischen der verlogenen Euphorie der Ideologen und der eigenen Verzweiflung gezüchteten Prosa liegt das Geheimnis von Winklers Ruhm. Auch er gehörte zur Gruppe der Kalligraphen. Das Gepreßte und Kondensierte, wie in der Retorte Gezogene seiner Sprache ist charakteristisch für den Moment 1936. Auch seine Gefahr ist das präzis Preziöse und Künstliche, auch er hat wie so viele andere eine Neigung zu seltenen, kostbaren und antiquierten Konstruktionen, besonders Genitivkonstruktionen, die sehr leicht zu grammatischen Schnitzern und logischen Fehlern verführen, und zwar desto häufiger, je rascher er gegen Ende seines Lebens zu arbeiten sich zwingt.

Im Herbst 1933 widerfuhr ihm, was in einer Zeit, in der die Begriffe Freiheit, Recht und Würde des Menschen nur noch vom Hörensagen bekannt sind, schon zu den stereotypen Zügen einer zeitgenössischen Biographie und als Möglichkeit zu den Gegenständen der täglichen Sorge gehört: er wurde verhaftet. Man hatte ihn beschuldigt, ein Wahlplakat beschädigt und eine Nein-Stimme gegen Hitler abgegeben zu haben. In der Gefängniszelle öffnete er

sich die Pulsadern, wurde aber gerettet. Ein erbarmungs-
loser Schmerz hatte sich seiner bemächtigt. Die Brechung
des Rechts und die Beseitigung der persönlichen Freiheit
durch die nationalsozialistischen Machthaber peinigten
ihn bis zur Unerträglichkeit. Er konnte, wie er sagte,
»nicht mehr widerstehen« und flüchtete sich in eine »Welt
des reinen Geistes«.

Obwohl er bekannte, antifaschistisch »bis in die letzten
Fasern seines Wesens« gesinnt zu sein, war es nicht eigentlich das Pathos des politischen Widerstandes, was ihn erfüllte, sondern ein grimmiges Leiden am Dasein überhaupt, das in der Epoche, die mit seiner Lebenszeit zu-
sammenfiel, politische Formen annehmen mußte. Sein
Thema war die theoretische Unerträglichkeit des Lebens,
der Welt- und Urschmerz einer Seele, die unter dem geheimnisvollen Verhängnis der Melancholie, ohne den
Flaum eines kreatürlichen Leichtsinns, die Schutzschicht
einer naiven Lebensfreude und Lebensgnade, wie sie den
meisten Sterblichen eigen ist, geboren wurde und jene
Traumata einer qualvollen Kindheit, die in der Erzählung
»Missetat« geschildert sind, niemals verwinden konnte.
Anders als der religiöse Denker hielt Winkler »Schmerz«
und »Geist« auseinander und sah den Geist des Menschen
immer auf der Flucht vor dem Schmerz als dem weißglü-
henden Kern des Bewußtseins. Er fürchtete das Leiden,
die Armut und die Unfreiheit. Sein Idol war »Sicherheit«,
seine Sehnsucht ein schmerzfreies Dasein. Gewaltsam ver-
legte er die konkrete Freiheit in einen imaginären Raum
der ökonomischen Unabhängigkeit und einer apolitischen
Geistigkeit. Er lechzte nach Schonung, er pries den Reichtum, den Schlaf und den Genuß. Immer wieder in seinen
Schriften und zuletzt noch in dem Aufsatz über den späten Hölderlin findet sich vor allem das Motiv einer Glo-
rifizierung des Reichtums, von dem es heißt, er »erzeuge
das einzig entsprechende Klima, unter dem der Mensch zu
seiner vollen Würde gedeiht«. Würde, Freiheit, Unabhän-

gigkeit: Winkler nahm diese Begriffe so wörtlich und bestand mit einer so unbedingten und undialektischen Leidenschaft auf ihrer Verwirklichung, daß sie ihm aus dem Bereiche des Lebens entrückt wurden in den des Todes. Freiheit verstand er in einem sehr abstrakten und unphilosophischen Sinne als ein absolutes Verfügen über sich selbst. Freiheit war uneingeschränkter Selbstbesitz, und der einzige ganz reine Akt aus solcher Vollmacht war der Selbstmord. Er war die einzige Chance, dem Chaos und der Tortur des Bewußtseins endgültig zu entrinnen, die einzige Form, in der ein echter Nihilismus seinen existentiellen Ernst beweisen konnte. Der Selbstmord war für Winkler mehr als eine Versuchung, der er schließlich erlag, er war für ihn eine Idee, die äußerste, kühnste und frevelhafteste seiner Ideen.

Nach der Tübinger Verhaftung blieben ihm noch drei Jahre. Er verbrachte sie leidend und genießend, anschauend, erkennend und produzierend mit einer außerordentlichen Intensität. Er las, malte und schrieb, reiste in Frankreich, Italien und Dalmatien, suchte immer wieder die lichtüberströmten, konturenscharfen Landschaften des Südens, plante eine Reise in die Südsee. Er legte den größten Wert darauf, viel Geld zu verdienen, um unabhängig zu sein, arbeitete wie ein Besessener, hatte Erfolg, hatte Frauen und Freunde. Mit unaufhörlicher Produktivität verdrängte er das Nichts, das sein Bewußtsein zu erobern drohte, mit jeder Arbeit schob er seinen Selbstmord wieder um Wochen hinaus. Er war durchaus kein düsterer, ungeselliger und weltfeindlicher Mensch. Sein Aufenthalt auf Erden war voller Figur, Tätigkeit, Ereignis, voller Umgang und menschlicher Verstrickung, und während im Hintergrunde das Verhängnis einer unheilbaren Schwermut waltete, spielten sich an der Rampe seines Lebens häufig Szenen von einer trockenen und graziösen Heiterkeit ab. Seine Seele, neugierig, weltsüchtig, faszinierbar und sinnlich, neigte dazu, sich in vordergründige Eupho-

rien zu flüchten, liebte den Genuß und verschmähte auch
die Ausschweifung nicht, die in diesem Zusammenhang als
eine abgekürzte und abstrahierende Reaktion auf die pure
Qualität einer reizgeladenen äußeren Welt erscheint. Er
schätzte die Atmosphäre der Boulevards und saß gerne
vor einem Kaffeehaus zwischen Topfpalmen in der Sonne,
hatte eine närrische Passion für teure und elegante Koffer,
in denen sowohl seine Reiselust als auch das ganz und gar
Heimatlose, Unbehauste und Unbürgerliche seiner Existenz sich manifestierte. Sein Anzug war überaus gewählt
und in einem höchst persönlichen Geschmack gehalten, der
das Bajuwarische mit dem Englischen und dem Wienerisch-
Balkanischen verband. Alles in allem hatte er etwas vom
Dandy, dem vollkommen einsamen und ästhetischen Menschen im Sinne Baudelaires.

Im Spätsommer 1936 hatte er die »Insel« geschrieben,
ein glänzendes Stück Prosa über einen Aufenthalt auf
Frauenchiemsee, der mit einer unvergeßlichen Hierogly-
phe des Weltschmerzes schließt: ein alter Mann an einem
Grabe stehend und einen selbstgeschriebenen Brief in kleine Fetzen zerreißend. Worte werden von einem Grabstein
abgelesen, die den Erzähler »auf das Sterben nahezu neugierig« machen. Diese letzten Seiten Winklers sind trotz
gewisser sprachlicher Manierismen ganz »spät« und ganz
reif und haben den Zauber des Vollendeten. Seine Lebens-
und Leistungskurve strebte nach einem für menschliche
Gedanken unerkennbaren Gesetz dem Ende zu. Er war
damals in einer furchtbaren und großartigen Verfassung.
Der spanische Bürgerkrieg tobte in seiner Phantasie und
drohte ihre Fassungskraft zu erschöpfen. Er hielt die
grauenhafte Geschichte des 20. Jahrhunderts für inkom-
mensurabel. Am Tage der Wiedereinführung der allgemeinen Wehrpflicht in Deutschland hatte er eine Vision,
die ihm die Jahreszahl 1941, in Rauch und Feuer und Blut
gehüllt, als die Kennziffer einer ungeheuerlichen Katastrophe offenbarte. Wer ihm entgegenhalten wollte, daß

alle Leiden der Menschheit und alle Greuel der Geschichte
in den Abgründen der Passion Christi gleichsam versenkt
und aufgehoben seien, bekam etwa zu hören: »Ich glaube
nur noch an die Fliege an der Wand.« Als man ihm sagte:
»Ihr Prosastil ist ein Beitrag zum Harakiri«, war ein
gleichmütiges Kopfnicken die Antwort. In seiner kühnen
und abrupten Art, Schlüsse zu ziehen und Entscheidungen
zu treffen, hatte er die Welt schon hinter sich gelassen, als
der letzte Sommer seines Lebens zu Ende ging, und alle
Energie und Aktivität seines Geistes auf den eigenen Tod
gerichtet. Eines Abends, nachdem er lange im »Joseph in
Ägypten« gelesen hatte, stand er in Gedanken versunken
vor der verlassenen Bogenhauser Villa Thomas Manns, als
er plötzlich von einem Kriminalbeamten angesprochen
und nach seinen Personalien gefragt wurde. Der Mann
hatte, wie sich später herausstellen sollte, ganz unpolitische und vergleichsweise harmlose Absichten gehabt, aber
Winkler, der sich seit seinen Tübinger Erfahrungen als
Gezeichneter fühlte, sah die Furien des politischen Terrors
auf sich zukommen und setzte dem Angriff der Angst keinen Widerstand mehr entgegen. Wie eine brennende Lun-
te trug er sein Motiv nach Hause, bereitete sich einen Tee
und verschwand in seinem Zimmer. Als man am nächsten
Morgen bei ihm eindrang, lag sein gesunder und kräftiger
Körper in verzweifeltem Kampfe gegen eine tödliche Do-
sis Veronal. Neben seinem Bette fand sich eine leere Tasse
und ein Spiegel, mit dem er versucht hatte, das eigene
Sterben zu beobachten. Am 28. Oktober, nach einer langen und qualvollen Agonie, war er tot.

Winkler war davon überzeugt, ein voraussetzungsloser
Denker zu sein. Alles, was die Menschheit im Laufe der
Jahrtausende an Ideen und Glaubenssätzen, philosophischen Systemen und Ideologien ausgebildet hatte, vor allem das, was Theologie und Philosophie über den Bereich
des Transzendenten ausgesagt hatten, forderte sein radi-

kales Mißtrauen heraus. Für ihn waren alle Religionen
und Philosophien nur Versuche des Menschen, das Chaos
zu ordnen und dem Sinnlosen einen Sinn zu unterlegen.
Er wollte nicht gelten lassen, daß die Welt im Sinne He-
raklits vom Logos durchwaltet, und an ihren unendlich
mannigfaltigen Gegebenheiten mögliche Wahrheit objektiv ablesbar ist. Er verschmähte den dicht gewirkten Teppich der Wahrheit, den die Überlieferung uns anbietet,
und wollte außerhalb ihrer Muster und Figuren erkennen,
was ist. So brachte er es fertig, im Hinblick auf den Obersten Lawrence einen beinah frivol, beinah »ungebildet«
klingenden Satz zu schreiben wie diesen: »So wenig er sich
fähig fühlt, es (das Leben) metaphysisch auszuweiten, um
von dorther einen Sinn zu erhalten, so wenig wiederholt
er den von der Antike und ihren späteren Nachbetern un-
ternommenen Versuch, das Dasein vor Idolen hinzubrin-
gen.«

Genau genommen, setzte auch Winkler etwas voraus,
nämlich ein Bild der Welt, das unter dem Basiliskenblick
der Schwermut gleichsam geronnen, in ein konfuses
Durcheinander anarchischer Einzelheiten zerfallen ist. Er
setzte das Axiom voraus, daß die Welt sinnlos sei. Er
fixierte sein Thema, das Nichts oder die Sinnlosigkeit, im
Stande der eigenen sinnblinden Verzweiflung, in der er,
wie Kierkegaard sagen würde, »verzweifelnd nicht er
selbst sein« wollte, und setzte die Prämissen zu einer allgemeinen, philosophisch gemeinten, philosophisch ver-
bindlichen »Verzweiflung« als gegeben voraus. Er urteilte
in einer Situation, wo die Welt im Spiegel der Melancholie ihre Sinnfülle zu verlieren scheint, ohne zu warten, was
sie darüber hinaus noch zu sagen hat. Er leugnete, daß die
Welt Kontinuität hat, immer wieder als Problem vor Geist
und Seele sich aufwirft und unerschöpflich denkbar, deutbar, fühlbar, lebbar bleibt. Er leugnete, daß ihr Reiz-,
Sinn- und Wertgehalt grenzenlos, und daß sie weder im
Positiven noch im Negativen perfektibel ist. Winkler

wollte immer alle Brücken nach vorne abbrechen, wollte
immer am Rande des Erkennens sein. Sein tiefstes Unglück war vielleicht seine Ungeduld, die Unfähigkeit zu
warten. Seine Konzeption war eine Philosophie der Ungeduld, der Diskontinuität und des Selbstmords. Wie Kirilow in Dostojewskis »Dämonen« sich selbst tötet, um zu
beweisen, daß es keinen Gott gibt, so wollte Winkler
durch seinen ideisierten Selbstmord beweisen, daß die
Schöpfung ein Chaos ist, und das Nichts wahrer als das
Sein, und daß der Mensch erst dann seine Freiheit ganz
gewinnt, wenn er souverän sich selbst aufhebt und heim-
kehrt ins Nichts, also im Grunde dasselbe wie Kirilow.

Einem so konsequenten, so axiomatischen Theoretiker
des Nichts könnte man mit Gründen und Beweisen nicht
beikommen, es sei denn mit einem einfachen Hinweis auf
das Sein selbst, das die Fülle seines Wahrseins im Geiste
des Menschen entfaltet. Wo der Gedanke des Nichts den
Geist überwältigt, da kann nicht Wahrheit entstehen,
denn es spricht alles dafür, daß »Wahrheit« nicht denkbar
ist ohne eine gewisse positive Struktur, nicht ohne ein Ingredienz von Gegebenheit und Seinshaltigkeit, nicht ohne
ein Moment der »Fruchtbarkeit«, um Goethe zum Zeugen
anzurufen. Alle Wahrheit hat etwas Synthetisches, im
strengen Sinne Erbauliches. Wo die Welt sinnlos ist, da ist
Wahrheit nicht mehr möglich. Der Denker des Nichts ist
ein Attentäter gegen den Begriff der Wahrheit. Er ist
Mann an der Grenze oder schon jenseits der Grenze, eine
Randfigur am Kosmos des Geistes. Seine Idee entspricht
der Chimäre an den Türmen der Kathedrale von Notre
Dame, in der der mittelalterliche Geist das dunkle My-
sterium von Gnadenwahl und Verwerfung auf eine ebenso robuste wie geniale Weise anschaulich gemacht hat.

In der Tat spielt die Idee der Wahrheit in Winklers
Schriften keine Rolle. Er berief sich auf »Erlebnisse«. Was
er sah, war ein »vorstadtartiger Wirrwarr von Dingen,
deren Oberflächen in Wie und Warum zerschilferten, die

schwankten und voller Fragwürdigkeit waren, mit Spalten und unerklärlichen Klüften dazwischen«. Er lebte in einer Epoche, welche die Fassungskraft des Menschen auf eine außerordentliche Probe stellte und seine Seele enormen Druck- und Stoßwirkungen aussetzte. Was Nietzsche in den achtziger Jahren des vorigen Jahrhunderts vorweggenommen hatte, der Protest gegen die alten idealen, vom Begriffe der objektiven Wahrheit beherrschten Ordnungen des Denkens, das Pathos eines Philosophierens vom »Willen« und vom »Leben« her, das war vierzig, fünfzig Jahre später, als die alte soziale und politische Ordnung im Trommelfeuer des ersten Weltkrieges zugrunde gegangen war, zum Erlebnis einer Generation, ja beinahe schon wieder zum vulgären Vorurteil geworden. Eine ganze Jugend war vom »antiintellektuellen« und »antiliberalen« Affekt ergriffen und protestierte gegen die Herrschaft eines objektiven und rationalen Begriffes von der Wahrheit. »Die Vernunft«, sagt Winkler in seinem Aufsatz über Ernst Jünger, »als die Begleiterin der Erkenntnis, verliert ihre Glaubwürdigkeit zugunsten der Empfindung und des Gefühls. Dieses kann nicht mehr plausibel gemacht werden. Doch wohnt ihm eine Überzeugungskraft inne, die aus der Gewalt der Erfahrung stammt, und vor der jeder Einwand der Vernunft wirkungslos abprallt.« Es ist das Pathos des Unbedingten, des Schützengrabenkämpfers und Handgranatenwerfers auf zehn Meter Entfernung, das Pathos – unter Umständen – auch des politischen Terroristen, das unterhalb der Ebene der Diskussionsfähigkeit bleibt und alle Brücken humaner Kommunikation abbricht, alle Möglichkeiten gemeinsamer Wahrheitsfindung leugnet: »Zwischen der Verschiedenheit zweier Erfahrungen kann es kein Streitgespräch geben.« In dieser Lage wird bewußt und ausdrücklich auf Wahrheit verzichtet, denn »der Streit um Irrtum und Wahrheit kann nur in einem Lebensbezirk vonstatten gehen, in dem der denkende Mensch nicht zugleich um Sein oder Nicht-

sein kämpft«. Darum ist ein »lebendiger Irrtum« einer
»toten Wahrheit« entschieden vorzuziehen.

Winkler mischt sich hier unter jene Schar moderner
Denker, die, alle mehr oder weniger unmittelbar zum
Strahlungsbereich der Philosophie Nietzsches gehörend,
Geist und Seele, Leben und Vernunft, Bewußtsein und Vitalität auseinandergerissen haben. Er bekennt sich gelegentlich zur Gruppe der Dynamiker, Vitalisten und Anti-
intellektualisten von Spengler und Klages bis zu den
Theoretikern des politischen Aktivismus. Wie bei Klages
erscheint der Geist als »Widersacher der Seele«. Aus den
Begriffen »Bewußtsein« und »Vitalität« wird eine beunruhigende, prickelnde und verführerische Dialektik entwickelt, die darauf hinausläuft, daß eines das andere aus-
schließen, gleichzeitig aber auch beleuchten und steigern
soll, und die, wo sie auf unreife oder primitive Köpfe
trifft, wie ein zu scharfer Drink die bedenklichsten geistigen Räusche hervorrufen kann. Jünger selbst, aus dessen
Büchern man auf jeder Seite das Glück und die Lust des
Denkens herausfühlt, wird kurzerhand auf das »Unglück
des Denkens« festgelegt. Die spiritualen und die epikurei-
schen Züge in der Physiognomie seines Werkes werden
übersehen. Seine Diagnosen haben für Winkler einen »un-
erträglichen Zug von Verzweiflung«. Er erscheint als der
absolute Nihilist, der »den Sinn im Sinnlosen selbst« findet und, in einem tapferen Agnostizismus verharrend, den
Schmerz des modernen Daseins auf einen unbekannten
Wert bezieht, den erst die Zukunft enthüllen wird. »Man
muß also glauben ... ohne den Inhalt des Glaubens zu
kennen.«

Es geht hier nicht nur um die Spannung von Geist und
Leben, sondern immer auch um den Gegensatz von Denken und Glauben. In einem frühen Brief aus Italien spricht
er einmal von der »Abstrusität« des Christentums, und
doch ist der gläubige Christ für ihn eine Erscheinung, die
»Neid und Sehnsucht« in ihm erweckt. Überall, wo er die

Denkfiguren des Unglaubens und die inneren Biographien
der für ihn vorbildlichen Existenzen wie Nietzsche, Jünger oder Lawrence entwirft, da zeichnet er gleichzeitig das
ihn faszinierende Gegenbild des gläubigen Menschen. Es
fällt immer erstaunlich primitiv aus und beweist, daß er
für die religiösen Bewegungen und die metaphysischen
Aufschwünge der menschlichen Seele kein Auge hatte und
für die großen theologischen Gedankengänge der europäischen Geistesgeschichte kein Organ besaß. Der Gläubige ist
für ihn ein Mensch, der auf Grund einer rätselhaften Im-
munität gegen die Schrecken eines sinnlosen Daseins »auch
die unerklärlichsten Konstellationen dieser Welt gelasse-
nen Mutes ertrüge, indem er ihr den jenseits gewußten
Sinn unterlegt«. Er erlangt Sicherung gegen den ewig drohenden Einbruch des Nichts, »indem er das Leben metaphysisch bezieht. Ihn kann es niemals bestürzen. Auch das
Gräßlichste, das ihm geschieht, ist für ihn in eine Ordnung
eingebunden, demzufolge er sich noch im Untergang gesichert weiß«.

Winkler sieht das Phänomen einer gläubigen Seele aus
weiter Ferne und darum sehr ungenau, gleichwie man
vom Lande aus ein Schiff auf hoher See nur in groben
Umrissen erblickt, ohne Einzelheiten zu erkennen. Er sieht
nicht, daß der »Glaube« ein Thema von großartiger Dramatik und Spannweite ist, in dem die Summe der Denk-
arbeit einer ganzen Kette von Jahrhunderten Platz gefunden hat, er bemerkt nicht, wieviel an Dialektik, an
differenziertester Bewußtheit, ja wieviel an Zweifel und
Verzweiflung der christliche Glaube im Laufe seiner Geschichte von Paulus und Augustinus bis zu Thomas, Lu-
ther, Pascal und Kierkegaard hat bergen und bewältigen
können. Winkler meint über Erfahrungen zu verfügen,
denen das Christentum nicht mehr gewachsen ist. »Solchem Geschehen«, sagt er polemisch im Hinblick auf den
ersten Weltkrieg, »konnte nicht mehr die Bezogenheit auf
die Person eines höheren Wesens (das die Summe der Lie-

be sein sollte) zugedacht werden.« Und doch zieht die Gestalt des gläubigen Christen, so naiv und undifferenziert er sie auch wiedergibt, als fester Gegenhalt, ja zuletzt als einzig sichere Orientierungsmöglichkeit ihn mit magnetischer Kraft immer wieder an. »Allein die Annahme eines sich offenbarenden Gottes«, so heißt es im Jünger-Aufsatz, »ermöglicht ein Denken, das in seinen letzten und abgetriebensten Auszweigungen und Enden der Einigkeit eines Sinnes begegnet. Ist dieser Uranfang aber verloren, so kann der Sinn, an welche Stelle er nun auch verlegt wird, als unbegründet sogleich dahingestellt werden.« Schließlich führt er in großzügig vereinfachender Weise die Vielzahl der Denkformen, die das Zeitalter hervorgebracht hat, auf zwei polare Typen zurück und unterscheidet den »christlichen Menschen« vom »tragischen Menschen, der keine Erlösung kennt, da er der Gnade entbehrt«. Die Selbstverständlichkeit, mit der hier der Begriff »Gnade« aus dem Wortschatz der »Gegenseite« verwendet wird, um die Unseligkeit der eigenen Situation zu begründen, ist ergreifend. Christlicher Denkstil, christliche Haltungen und Kategorien bleiben für Winkler vorbildlich und merkwürdig kanonisch bis zuletzt, und gegen Ende der kurzen, aber sehr gedrängten und ereignisreichen Entwicklung seines Geistes sind der christliche und der tragische Mensch für ihn fast gleichartig geworden. In der Demut ihrer Gebärde als Erkennende und Besitzende, in ihrer ganzen seelischen Physiognomie sind sie einander ähnlich wie Geschwister, nur daß die Sinnfrage sie trennt und die metaphysischen Vorzeichen ihrer Existenz verschieden sind, nur daß dem einen ein feiner Zug unheilbarer Schwermut ins Antlitz gezeichnet ist, den der andere nicht hat. »Nur der Mensch, der zwischen den Grenzen irrt«, schreibt Winkler in seiner Studie über den späten Hölderlin, »ein im Hiesigen eigentlich Heimatloser, vermag sie (die Wirklichkeiten) wahrhaft beim Namen zu nennen. Dem Materialisten bleiben sie unauffällig: – ein

Stoff, den er handhabt; dem Idealisten sind sie ein Hindernis, kantig und trübe. Der Demut aber des Gastes, des christlichen wie des bloßen, übergeben sich die Dinge in ihrer Ganzheit als Gastgeschenk.«

Die Schwermut, die gnaden- und hoffnungslose acherontische Schwermut begriff Winkler als sein unabwendbares Geschick. Über sie hat er Sätze gesagt, die auch nach Jahren noch im Ohre haften. »Die Schwermut«, so heißt es in der Arbeit über Hölderlin, »vermag weder Wasser zu schöpfen noch Trauben zu greifen. Und tantalusgleich vermag sie auch nicht zu verenden . . .« Das Vergehen der Zeit wird zur Marter: »jener fremdländischen Hinrichtungsart vergleichbar, bei der dem unbeweglich festgebundenen Verurteilten gelinde, anfangs kaum merkliche Tropfen von Wasser auf ein und dieselbe Stelle seines Hauptes fallen, bis er daran stirbt.« Die einzige Oase in der Wüste dieses Daseins ist der Schlaf, »denn wir werden durch ihn vom Leben erlöst, ohne der Gewalttätigkeit des Todes anheimzufallen«.

In solchen Sätzen hat die Entwicklung, die Nietzsche mit den Worten: »Gott ist tot« eingeleitet hat, ihren Höhepunkt erreicht. »Im Glauben gelähmt« und »von Hoffnung entblößt«, empfindet Winkler »die Unordnung als Gesetz«. Leben ist Kampf um »Sicherung«, Kampf des Geistes gegen das Nichts, Ausgrenzung des Nichts durch das Figurenspiel des Geistes. Das Nichts ist wie die weiße Seite Mallarmés, die durch ihre Leere und Reinheit die schöpferische Initiative des Geistes magisch erzwingt. In seinem nach dem Vorbilde des Valéryschen »Eupalinos« geformten Dialog von der »Erkundung der Linie« hat Winkler in präziser und anmutiger Sprache eine Art Philosophie oder Mythologie der Linie formuliert, indem er die spielerische Zeichnung einer künstlerischen Hand stellvertretend setzt für menschliches Ordnungschaffen, Denken und Handeln überhaupt: »Ja, höchste Erschaffung, reinste und wirklichste zugleich, an die ich immer denke,

wenn ich der Gangart einer Linie folge, die eine viel ver-
mögende Hand veranlaßt hat, und sehe, wie sie das ebene
Weiß-sein eines Papiers teilt und das Nichts mit Räumen
ausfüllt, darin sich Formen aufhalten, gleichfalls gebildet
aus dem Nichts, das aber kraft der Linie sich zu Wirkli-
chem verdichtet.«

In solchen Partien ist Winklers beste und denkwürdig-
ste Idee zu erkennen, das eigentümliche Anliegen, das ihn
trotz seiner intellektuellen Unbedachtsamkeiten zu einem
unverwechselbaren Autor macht. In allem, was Kontur
hat, Grenzen, Konstellation, figürlichen Zusammenhang,
erkennt er wohltätige Sicherungen gegen das Chaos oder
das Nichts. Der Tempel von Segesta, den er in der Reise-
beschreibung »Gedenken an Trinakria« glänzend und feurig, mit einer an Rilke geschulten, fast exaltierten Dring-
lichkeit des Schauens, vergegenwärtigt hat, ist für ihn ein
kostbares Stück Ordnung und Sinn als Triumph über das
Chaos eines kunstlosen Seins: »Dies mochte es einst gewesen sein, was diesen Raum erbaute: das Verlangen nach
Ordnung, die Angst vor dem Endlosen.« Hier, vor diesem
Tempel, an den er mit einer merkwürdig frühen Entschlossenheit seine stärksten Erlebniskräfte verpfändet,
erkennt Winkler gewisse Prinzipien, die für ihn metaphysischen Charakter haben. In einer Prosa, die beschreibende
und reflektive Elemente zu makelloser Einheit vermählt,
formuliert er seine Metaphysik des Schönen: »Panische
Stunde. Nichts geschah in der sichtbaren Welt. Der anhal-
tend gleißende Ton, den die Heuschrecken unermüdlich
erregten, war längst zum Bestandteil der Stille geworden.
Die Falken über dem Tempel waren niedergegangen, verschwunden in den kleinen Höhlen, die das himmlische
Wasser in den Kalkstein des Tempels genagt hatte, ohne
die Gewalt seiner Formen zu schwächen. Unversehrt gingen die Linien ihrer Bestimmung entgegen. Die Umrisse
der Giebel, gefaltet zu dem breiten, zweimal göttliche
Heiterkeit spendenden Dreieck, formten aus der Luft ein

unzerstörbares Dach. Lichtgetroffen trat jede Säule hinter den Schattenstreifen der nächsten, bis die beiden Reihen einander in der lichtgebadeten Ecksäule trafen.

Ich mußte mich plötzlich an etwas erinnern, das lange zurücklag. In Zuständen von Verwirrung und Bedrücktsein war es mir immer erschienen als etwas Richtiges und Klares, dessen Gegenwart im Geiste mich stets erleichterte und erhob. Es war dies ein alter riesiger Tisch, der in einem weiten Zimmer stand, das ich einmal einen Sommer lang in Florenz bewohnt hatte. Der Boden war mit kühlen roten Fliesen belegt. Durch die geschlossenen Fensterläden drang gedämpft das Licht. Während ich morgens Stadt und Landschaft durchstreifte, pflegte ich nachmittags, während der heißen Stunden, mit Ausschließlichkeit und einem unbeschreiblichen Entzücken Platon zu lesen. Ich bewahrte die Bücher in meinem Gepäck, mit Ausnahme des einen, mit dem ich mich jeweils beschäftigte. Das lag auf dem dunkel geölten, grob gemaserten und abgebrauchten Holz der Tischplatte, immer aufgeschlagen an der Stelle, wo ich gerade las. Einfache Dinge umgaben das Buch, eine strohumflochtene Weinflasche, einige Früchte, Tomaten, Feigen und Pfirsiche, – ein Messer, die Pfeife und ein feucht bedeckter Krug mit Tabak. Eines Tages, ich las im ›Phaidros‹, ergriff mich ein seltsames Gefühl. Mit einer Beschwingtheit, wie ich sie noch niemals erfahren hatte, folgte mein Geist der Entwicklung der Gedanken. Ich geriet an die Stelle, da Plato jene schwierigen dunklen Worte erfindet, mit denen er das Übersinnliche, selbst wo es unfaßlich scheint, noch ergreift und mittelbar macht. Da fiel mein Blick ganz zufällig über die Zeilen des Buches hinweg auf das ruhige Rot einer Frucht.

Täglich legte ich diese Dinge, wie ich sie kaufte und brauchte, auf die Platte des Tisches, ohne eine Absicht in ihrer Anordnung zu verfolgen. Nun aber, beschworen von der Magie jener Worte, deren Sinn mir unter dem Einfluß dieser gnädigen Stunde plötzlich wahrnehmbar geworden war wie ein rundes sinnliches Ding, das man betrachtend zwischen den Händen dreht, mußte ich in diesen Gegenständen, die ich höchstens ihrer Dinglichkeit wegen liebte und hinlegte, etwas anderes sehen als sonst. Ich erkannte in ihrer Lage plötzlich das Gesetz einer besonderen Ordnung. Es war nicht die Regelmäßigkeit. Früchte und Gegenstände lagen scheinbar wahllos zerstreut umher. Aber dennoch werde ich nie vergessen, auf welche Art und Weise diese Dinge zueinander lagen. Es war das Schöne. Die Erscheinungen waren plötzlich belanglos geworden nach Zweck und Bedeutung, waren ihrer Stofflichkeit ... entkleidet, doch sie wurden, getragen von jener unerschütterlichen Ordnung, die mein Geist in ihnen erkannte, unendlich und wunderbar als Farbe und Form.

Daran dachte ich wieder, als ich die im Stoff des goldenen Steines errichtete Ordnung des Tempels erblickte.«

In ganz verschiedenartigen Phänomenen entdeckt Winkler immer wieder dasselbe figürliche Prinzip, sei es die einfache und heitere, jederzeit beliebig herzustellende Form und Regel des Bocciaspiels, das alle Teilnehmer aus dem Chaos des wirklichen Lebens entrückt und in die leichte und sorglose, sportlich bewegte Konstellation des Spieles versetzt, sei es der klare Umriß und die leicht übersehbare Oberfläche der »Insel«, die ihr »Maß in sich selbst« trägt, »friedlich und grün und unbeschreiblich gesichert«, überragt von einem Turm, von dem es heißt: »er besaß die absolute Höhe seiner Idee. Er war hoch, weil er Turm war«. Er findet es schließlich auch in den bewegten Mustern des arabischen Feldzuges des Obersten Lawrence, der für ihn die »Angelegenheit einer einzelnen Seele« war, »verzweifelter Versuch, an Stelle der Leere etwas zu setzen«, und der mit all seinen Wechselfällen, Überraschungen und retardierenden Momenten jenseits von Zweck und Ziel die »höhere Vollkommenheit des reinen, sich selbst genügenden Spieles erfüllte«. Was in der »Erkundung der Linie« die weiße Seite war, das ist hier die arabische Wüste: ein Gleichnis des Nichts und die Umwelt eines voraussetzungslosen Daseins ohne ideelle »Vorwände« und transzendente Sicherheiten, Spielfeld eines außerordentlichen Geistes, der in einer geschichtlichen Tat sich selbst bestätigt wissen will, ohne an den Sinn dieser Tat zu glauben.

Das Lawrence-Porträt, das Winkler in glühender Bewunderung und dem leidenschaftlichen Gefühl der Wahlverwandtschaft gezeichnet hat, ist wohl die gelungenste unter seinen essayistischen Leistungen: nobel, rassig, erregend und funkelnd von eleganten und gefährlichen Pointen. Lawrence als die vielleicht edelste und großartigste Gestalt aus der internationalen Ritterschaft der großen Abenteurer unseres Jahrhunderts: Asket und Täter, Ethiker und Nihilist, Märtyrer einer höllischen Bewußtheit, sehr hart, sehr männlich, sehr differenziert und ausgestattet mit der Energie und Geduld eines Heiligen. Vielleicht die echteste und eigentliche Verkörperung des Heldischen in unserer Epoche, ein Held nämlich, der schon im Augenblick seines Triumphes hinter sich tritt, »weil nichts sich lohnt zu tun, und nichts wert ist, getan zu werden«, und vor seinem Ruhme zurückweicht in die äußerste Anonymität als der Soldat Shaw, Flugzeugwärter der königlich englischen Luftflotte. Dieser Mann, der in den Heeresdienst eintritt »wie der gläubige Mensch in ein Kloster«, setzt all seinen Stolz darein, den neuen Typ eines Schnellbootes für Wasserflugzeuge entwickelt zu haben, und will am Ende selber nur noch »Teil der Maschine« sein, denn: »Ich bin zu der Überzeugung gekommen«, sagt er, »daß heute nicht das einzelne Genie den Fortschritt bewirkt, sondern die Gemeinschaftsarbeit.«

Wenn in diesem Zusammenhange soziale und politische Motive anklingen (»Gemeinschaftsarbeit«, »Dienst an der Maschine«), so ist das immer als eine »Flucht nach vorne«, eine Flucht des kulturmüden, tief skeptischen und eigentlich apolitischen und asozialen Intellekts in die pure Aktivität und bloße Tatsächlichkeit zu verstehen. Diese Motive, wenn sie auch zuweilen als Anspielungen auf gewisse legitime Anliegen des Zeitgeistes, z. B. die Idee des Sozialismus, erscheinen, werden von Winkler gewaltsam übersteigert und auf das Modell eines Menschen angewendet, der die Rangordnung der Werte verleugnet, den Begriff der Wahrheit aufgegeben hat und sich schließlich »der Materie als der einzig unbezweifelbaren Wirklichkeit unterwirft«. Hier fehlt es offenbar an innerem Maß und geistigem Takt: aus der Höhe einer sublimen und differenzierten Problematik stürzt der Gedanke wie ein steuerloses Flugzeug plötzlich steil ab, um in einer ausgemachten Plattheit zu zerschellen. Der Geist gibt sich selbst auf und verrät sich an das Zweifelhafteste, was es gibt, die sogenannte »Materie«. Wo das Bewußtsein von der Realität der Werte geschwunden ist, da droht das Gefühl und der Begriff für die Wirklichkeit überhaupt zu schwinden. Kurz vor seinem Tode stand Winkler einmal vor dem Hause eines wohlhabenden Kleinbürgers im Chiemgau und las von seinem Türschild das Wort »Realitätenbesitzer« ab. Ungeheuer erheitert und von einer doppelten Ironie getroffen, seufzte er etwas wie: »Wer das von sich sagen könnte!« oder: »Der Mann hat gut reden!« und gab sich geschlagen.

Es leuchtet ein, daß in einer Situation, wo das Nichts die Wirklichkeit der Werte zerfressen hat, das Wirklichsein an sich als das sichtbare und greifbare Vorhandensein zum Wert werden muß. Winklers Hunger nach Wirklichkeit, der eine sinn- und werterfüllte »Welt« nicht wahrhaben will, richtet sich auf die Buchstäblichkeit der »Dinge«, die scharf umrissen auf die Netzhaut seines Malerauges fallen und durch ihre dichte Stofflichkeit den Schrecken der Leere verdrängen. »Bewußtsein« und »Ding« sind die Pole seiner Konzeption, »Schwermut« und »Entzücken« die rasch wechselnden Pole seines Gefühls. Sein Erkennen ist der Austausch von Spannungen zwischen zwei Extremen, vergleichbar dem Funkenschlag zwischen dem negativen und dem positiven Pol einer elektromagnetischen Anlage. Die ganze Breite der geschaffenen Ordnung, alles, was uns als Gesellschaft, Volk, Kultur, Geschichte usw. gegeben ist, fällt aus. In dieser Konzeption scheint eine allgemeine Tendenz des Zeitgeistes sichtbar zu werden, ein Zug zum extremen und übermäßig gespannten Denken, der die Epoche für nihilistische Philosopheme besonders anfällig macht.

Das Wort »Ding« hat bei Winkler einen unverkennbar rilkeschen Klang. Deutlich, gelegentlich allzu deutlich ist das Vorbild des mittleren, des »phänomenologischen« Rilke aus der Zeit des »Malte« und der »Neuen Gedichte«, der seinen Stil an Meisterwerken der bildenden Kunst (Rodin, Cézanne) erzogen und eine bis dahin unerhörte Intellektualität des Gefühls und eine einzigartige Präzision und Geschmeidigkeit des Sagens und Beschreibens entwickelt hat: »Indem die Säulen«, so beschreibt Winkler den Tempel von Segesta, »das formlose Lagern der Mauern zerteilten in einzelne entschlossene Übernahmen der Last, blieben die Zwischenräume zurück als gestaltete Freiheit, mühelos siegreich, mit der Stärke einer unüberwindlichen Wand.«

Beispiele wie dieses bedeuten eine sinnvolle Weiterbildung rilkescher Errungenschaften. Winklers Prosa, besonders diejenige seiner Erzählungen und Reiseberichte, ist härter, »gläserner«, gewissermaßen sachlicher, ist zugleich spröder und heftiger als die Diktion des »Malte Laurids Brigge«. Seine Dinge und Figuren haben nicht das allseelische Medium, nicht die eigentümliche Atmosphäre des rilkeschen »Weltinnenraums« um sich herum, sie stehen scharf begrenzt unter dem Sturz eines grellen und gottlosen Freilichts, stehen einerseits in der Nähe der mittelmeerischen Visionen Paul Valérys, anderseits aber auch nicht fern von den Bereichen Ernst Jüngers, dem elemen-

taren Leuchten seiner Farben und der Intensität seiner
Gifte sowohl als auch den Glas-, Stahl- und Betonkon-
struktionen seiner politisch-soziologisch-kulturkritischen
Untersuchungen. Winkler verschwendet all sein Gefühl an
die isolierte, von Gegenwart glänzende Einzelheit. Auch
Menschliches, auch Bruchstücke und Abbreviaturen menschlichen Schicksals werden ihm zur Figur, zur Arabeske,
zum »Ding«, so etwa die unvergeßliche Gestalt des Mannes aus Udine und das Mädchen Lydia mit der scharlach-
farbenen Blume im Haar aus dem »Bocciaspiel«, oder der
alte Mann, der den Brief zerreißt, aus der »Insel«. Die
peinlich genaue Beschreibung von Einzelheiten kann auch
zur künstlerischen Klippe werden, so etwa wenn Winkler
im »Bocciaspiel« sich seitenlang über die Bewegungen
eines welken Blattes auf dem Spielplatz verbreitet und
über sein vermutliches Schicksal in der Hosentasche des
Apothekers. Das ist Mangel an künstlerischem Takt, ein
plötzlicher Absturz aus der gespannten Verhaltenheit
phänomenologischer Aufmerksamkeit in die stumpfe Tri-
vialität.

In solchen Fehlern rächt sich die Loslösung der »Dinge«
aus der allumfassenden Ordnung der Schöpfung. Winkler
wählt manchmal Adjektive wie »geschöpflich« oder
»kreatürlich«, um das Erlebnis handgreiflicher Substanz,
das leuchtende, vollgültige, raumverdrängende Vorhandensein irdischer Erscheinungen zu feiern, zuweilen auch
verfällt er auf das Wort »fromm«, um seine inbrünstige
Andacht zum Wirklichen zu bezeichnen. Wäre er älter geworden, so hätte er das Manierierte, ja Abgeschmackte
dieser Terminologie zweifellos erkannt und abgetan. Damals aber wurde er darin von gewissen modischen Welt-
verherrlichungstendenzen der zeitgenössischen Literatur
bestärkt. Er suggerierte sich »Frömmigkeit« ohne Gott und
»Geschöpflichkeit« ohne Schöpfer. Aber diese seine Idee
einer absoluten Wertbeständigkeit der Dinge ohne den
tragenden Grund der Transzendenz ist eine Illusion, und

Winkler war ein zu redlicher Denker, um das nicht schließlich doch zu erkennen.

In der Gestalt des spätesten, des siebzigjährigen Hölderlin, dessen äußere Erscheinung eine bekannte Bleistiftzeichnung uns bewahrt hat: »vorgebückt, den Finger weisend erhoben«, – in dieser abseitigen und nicht mehr allgemeingültigen Gestalt, die Winkler der Nation ins Gedächtnis zurückgerufen hat, findet der Vierundzwanzigjährige sein letztes Vorbild. Er preist die äußerste »Einfalt« dessen, dem es genügt, »die Dinge einfach beim Namen zu nennen«, eine »Zufriedenheit, die im Vorhandenen einen hilfreichen Beistand ahnt«. Die reine Dinglichkeit ist zum Eschaton des Bewußtseins geworden. Der Sinn des menschlichen Daseins, wenn es ihn gibt, ist es, Namen und Bild der irdischen Dinge im Bewußtsein zu bergen und als geprägte Figur mit ins Schattenreich hinabzunehmen, als »Münze, daß Charon mich kennt und nimmt«. So heißt es in dem Gedicht »Das Nachtmahl«, das Winkler als eine Art dichterisches Testament betrachtet hat. Das Bild der Dinge als Münze auf der Zunge des Toten! Damit wird die Heimholung der Dinge in den Tod verheißen und aus allen Voraussetzungen der folgerichtige Schluß gezogen. Der Tod ist oberster Herr und Erlöser der Welt, Richtschnur und Maß aller Dinge.

In diesen letzten mühsamen Versuchen, dem menschlichen Dasein im Angesicht des Todes und auf ihn hin orientiert doch noch einen Sinn zu geben, werden die spärlichen Umrisse eines persönlichen Mythos sichtbar, wie er im Reiche der Dichtung beinah zwangsläufig und regelmäßig dort entsteht, wo die verlorene Religion eine unerträgliche Leere hinterlassen hat. Es ist ein Mythos des Künstlertums, ein Mythos des ästhetischen Vermögens, ein kleines, schattenhaftes Gegenstück zu dem voll erblühten Rühmungs- und Verwandlungsmythos der »Sonette an Orpheus«. Das einzige, was dem Menschen einen existentiellen Gegenhalt gegen die immense Wirklichkeit des Todes verschaffen kann, ist das Wunder der »poésie pure«, die Position des Dichters »an sich«. »Der alternde Platen«, sagt Winkler in einem seiner Aufsätze, »ist der Dichter an sich. Alles verschwand für ihn vor dem einzigen Vorgang, durch welchen der Mensch kraft einer ihm angeborenen Fähigkeit einen Vers macht.« Winkler, solange er sein Leben gegenüber den Anfechtungen des Nichts behauptet, beruft sich auf diese seine Fähigkeit zu produzieren. Rastlos arbeitend verdrängt er den Tod. Seine Stimme ist bitterer, spröder, schmerzlicher als die des Dichters der »Sonette an Orpheus«. Ihn scheint in vollem Umfange der Fluch getroffen zu haben, der in einem mythischen Aperçu von Paul Valéry über den aus dem Paradies vertriebenen Menschen verhängt wird: »Zu deiner Strafe sollst du schöne Dinge machen.«

In einem Augenblick furchtbarer innerer Ohnmacht schrieb er die Worte: »Dort aber lebe ich jetzt allein auf dem Feld der Zerstörung in der gräßlichen Hilflosigkeit: – ich kann nicht mehr.« Was er dem Fährmann, der ihn über den Acheron setzen sollte, anzubieten hatte, waren einige Seiten schöner Prosa. In einer sinnlos gewordenen Welt, deren politische und soziale Attribute Terror, Knechtschaft und Massenwahn hießen, war das Schöne die letzte Zuflucht des frei geborenen Menschen. Als er endlich rasch und entschlossen und fast wortlos die tödliche Grenze überschritt, da hatte der Rhythmus einiger seiner Sätze im Gedächtnis der Nachwelt eine feine Spur von ergreifender Anmut hinterlassen. Was sie auszeichnet, ist nicht Größe oder Weisheit, sondern Grazie auf dem Grunde des Nichts.

Der Weltschmerz Winklers hat nichts mehr mit Romantik, nichts mehr mit den klassischen idealistischen Antinomien wie Ideal und Leben, Freiheit und Notwendigkeit usw. zu tun, er ist erst möglich nach Nietzsche und Baudelaire, erst in einem Zeitalter der Psychologie, der Anarchie und der

Philosophie des Lebens, erst in einem Augenblick, wo das
große und schmerzliche Geschick der abendländischen Seele die Kategorien eines kultursicheren Denkens zu sprengen scheint und das Bewußtsein des Denkers sich gegen
sich selber wendet. Winkler ist vielleicht der letzte in einer
Reihe repräsentativer Selbstmörder, die von Otto Weininger über den Dichter Walter Calé, den Bachforscher Grä-
ser und den jungen Philosophen Alfred Seidel führt, der
sich im Jahre 1924 erhängte, nachdem er ein Buch über
das Thema: »Bewußtsein als Verhängnis« abgeschlossen
hatte. Winkler folgte ihm zwölf Jahre später mit der Formel vom »Unglück des Denkens«. Für alle diese jungen
Männer wurde die allgemeine geistige Aporie des Zeitalters zur subjektiven Existenzfrage mit tödlicher Lösung.
Nach Winkler aber und schon während seiner letzten Lebensjahre wurde die Krankheit der europäischen Kultur
und die Ausweglosigkeit ihrer Geschichte zur öffentlichen
Katastrophe, und das Sterben in den umzirkten Räumen
des Terrors, in Konzentrationslagern, Bombenkellern und
Kesselschlachten wurde zu einem allgemeinen politischen
und militärischen Ereignis und zum Schicksal für viele
Millionen.
   Die Gestalt Winklers ist bedeutend und repräsentativ
nicht so sehr durch das, was er sagt, als durch das, was er
ist und was mit ihm geschieht. Er steht genau im Schnitt-
punkt der wesentlichsten und verhängnisvollsten Tendenzen seiner Zeit. Der Inbegriff seiner Existenz, die Physiognomie sowohl seines Schicksals als auch seines Werkes erscheint als eine verkürzte Formel der geistes- und seelen-
geschichtlichen Lage jenes Jahres, in dem der spanische
Bürgerkrieg ausbrach. Obwohl er ein Einzelgänger und
Außenseiter war, ist seine Problematik eng mit der deutschen Situation dieser Zeit verflochten und ohne die geistige und politische Wetterlage, die damals in unserem
Lande herrschte, nicht zu denken. Sein dogmatischer Nihilismus ist eben gegen den Ideologismus der weltanschau-

lichen Diktatur scharf pointiert. Während gleichzeitig die
sogenannte »verlorene Generation« Amerikas, vertreten
vor allem durch Ernest Hemingway, ihren in der Nachkriegszeit der zwanziger Jahre erwachsenen Nihilismus
überwindet und angesichts des spanischen Bürgerkrieges
unter antifaschistischem Vorzeichen ein neues politisches,
soziales und humanitäres Ethos entwickelt, flüchtet sich in
Deutschland ein Teil der Jugend in einen neuen, womöglich noch schärferen Nihilismus, um gegen die verhaßte
politische Ideologie zu protestieren. Die Situation ist
außerordentlich vieldeutig und beziehungsreich, gerade
was das Auftreten der militanten politischen »Weltanschauungen« betrifft. Wenn sie einerseits als die großen
geistigen Vereinfachungen, als säkulare Glaubensgemein-
schaften oder Ersatzkirchen gewisse Gruppen von Nihilisten, intellektuellen Bankrotteuren oder radikalen Ästheten, besonders aus der älteren Generation, in sich aufnehmen können, um ihnen vorübergehend oder für immer
eine geistige Wahlheimat und ein sicheres Fundament für
ihr Denken und Handeln zu geben, treiben sie andere Geister durch ihre ideologische Gewalttätigkeit in den Nihilismus hinein oder aber in den christlichen Glauben zurück. Der unversehrte Wahrheitsbegriff des Glaubens aber
und aller mit ihm in Zusammenhang stehenden Überlieferung eröffnet uns eine Sicht, in der die nihilistische und die
ideologische Formel einander sehr nahe sind. Wenn Winkler sich statt auf objektive Kriterien der Wahrheit auf die
»Gewalt der Erfahrung« beruft, wenn er die Unterscheidung zwischen Wahrheit und Irrtum ersetzt wissen will
durch diejenige zwischen »Leben und Tod«, wenn er, Ernst
Jünger interpretierend, schließlich behauptet: »Man muß
also glauben, ohne den Inhalt des Glaubens zu kennen«,
so hat er damit einer geistigen Strömung die Schleusen geöffnet, auf der auch die Schiffe der politischen »Weltanschauung« fahren können. Gerade diejenigen Geister, mit
denen er sich bitter verfeindet fühlte, und die ihn in das

äußere Netz der Motive seines Selbstmords hineingejagt
haben, kommen ihm auf dem eigenen Weg entgegen. Es ist
der Weg, der sowohl zur nihilistischen Bankrotterklärung
des Intellekts als auch zum politischen »sacrificium intel-
lectus« und damit zu Propaganda und Terror führen
kann, der Weg, den viele moderne Intellektuelle, darunter
Männer mit großen Namen, betreten haben, wenn sie die
bittere Unabhängigkeit und Heimatlosigkeit und die
skeptische und nervöse Ubiquität ihrer Seele preisgaben,
um sich einer »totalen« politischen Ideologie zur Verfügung zu stellen.

Nur im Vordergrund des Bewußtseins also sind Nihilismus und Ideologismus Gegensätze. Ihr Ursprung ist derselbe, nämlich der Aufruhr des modernen Menschen gegen
jenen transzendenzgebundenen Begriff der Wahrheit, den
Antike und Christentum unter dem Namen »Logos« glei-
chermaßen verehrt haben. Eine ganze Pandorabüchse voll
geistigen Unheils war an der Stelle verborgen, wo Winkler zu stehen, sich zu orientieren und zu sterben hatte.
Dieser junge Schriftsteller hatte alle Gifte unserer Zeit in
der Hand, aber er war mit den Organen seiner Sehnsucht
auch den Gegengiften auf der Spur. In seiner Idee vom
»bloßen Gast« ist er der Überwindung seines Unglücks
vielleicht am nächsten. So scheint es, als ob der Zeitgeist
selbst durch ein tief leidendes und rastlos schaffendes Subjekt sein Thema wie in einer knappen, aber vielsagenden
Formel habe aussprechen wollen.

(1947)

PAUL RILLA

LITERATUR UND LÜTH

Eine Streitschrift

I

LITERATUR ALS GESCHICHTE

Was heute bei uns literarische Diskussion, geistige Auseinandersetzung heißt, scheint sich vielfach auf erschreckende
Weise noch in demselben Vakuum abzuspielen, das der
Ungeist und Widergeist der zwölf Jahre hinterlassen hat.
Nicht neue Grundlagen, nicht einfache und deutliche Begriffe, sondern schon wieder pompöse Luftgebäude, schon
wieder Schlagworte, schon wieder Geschwätz. Ja, das
platteste Geschwätz dringt auf uns ein als literarische Kritik, als literarhistorische Deutung, als geistige Zeitdiagno-
se. Plattes Geschwätz, gleichviel, ob es in schlichter Sprach-
stümperei zu Fuß oder auf den Stelzen jener neudeutschen
Literatenbedeutsamkeit daherkommt, deren koketter
Tiefsinn nur das verschnörkelte, gewundene und sich win-
dende Ornament der Leere ist. Die Ornamentalen sind die
bedenklicheren Stümper, sie wissen sich wunders was mit
ihren weit hergeholten Bezüglichkeiten, die nichts sind als
mechanische Sprachassoziationen in einem barocken Gewirr und Geschlinge unverdauter Vokabeln. Sie berufen
sich auf Gott und die Welt, auf Europa, Philosophie und
Christentum, sie sind Existentialisten oder Surrealisten,
sie sind abstrakt oder konkret, metaphysisch oder hiesig,
auf alle Fälle transparent, sie sind Kunstdeuter und Lite-
raturpropheten, aber sie kennen nichts als die Stichworte
ihrer Eitelkeit und lassen sich's wohl sein im Untergangs-

behagen einer geistigen Sintflut, aus der jedenfalls sie
trockenen Fußes hervorzugehen gedenken, wenn schon die
übrige Menschheit darin umkommen sollte. Leichenfled-
derer sind sie, ihr Kostüm geflickt und gestückelt aus allen
europäischen Literaturmoden, von denen sie auf dem Wege des Gerüchts erfahren haben.

Als ob es nie eine deutsche Tradition des schöpferischen
Sprachgedankens, des dialektischen historischen Denkens,
als ob es nie die großartige Nüchternheit einer Ordnung
schaffenden deutschen Kritik gegeben hätte. Was lebt sich
hier zu Ende? Immer noch die Reste einer bürgerlichen
Bildungswelt, womit man den bürgerlichen Verfall, da er
nicht mehr wegzuleugnen ist, schwelgerisch drapiert? Aber
dann wäre es nur der Beweis, daß nicht einmal Reste übriggeblieben sind, weder der bürgerlichen Welt noch ihrer
gebildeten Vertretung. Die nach allen Richtungen aus-
schlagende Scheinradikalität des heutigen literarischen Ge-
schwätzes vertritt gar nichts mehr als sich selbst: den Verfall, die geistige Fäulnis. Und sie begnügt sich keineswegs
damit, die gegenwärtige Situation zu vernebeln, sie macht
auch Inventur in der Historie. Als im vorigen Jahr ein
Buch erschien, das die Spielregeln dieses Literaturge-
schwätzes durchbrach, das Buch »Georg Büchner und seine
Zeit« von Hans Mayer, eins der seltenen Bücher in
Deutschland, welche ernst machen mit dem Begriff Literaturgeschichte, nämlich mit der Aufgabe, Literatur als Geschichte zu konzipieren, – was geschah? Eine Berliner Tageszeitung, die sich viel auf ihr gepflegtes Bildungsfeuille-
ton zugute tut, brachte eine große Rezension, worin das
Buch als verfehlt charakterisiert wurde, weil der Autor
versäumt habe, »Büchner aus ihm selbst zu interpretieren«. Vielmehr habe er Büchners Zeit »in ihrer politisch-
sozialen Zuständlichkeit beschrieben und mit dem Leben
und Werk Büchners konfrontiert«: da sehe man, rief der
Rezensent, auf welche Abwege der Autor geraten sei. Und
der Rezensent machte sich seinerseits daran, Büchner aus

ihm selbst zu interpretieren. Ein revolutionärer Dichter? Sein Leben und Werk eng verschlungen in die revolutionären Vorgänge der Zeit? Nein, die revolutionären Vorgänge waren für Büchner »Anlässe, den dégoût, die sublime Langeweile zu erleiden«. In der Tat, aus sich selbst hatte der Rezensent die Literatenphrase, die Büchners politische Aktivität durch »existentielle Pole« bestimmt sein läßt und außer sich gerät, wenn sie mit »schlechthin« und »schlechthinnig« sich an die sprach- und sinnverlassene existentialistische Terminologie heranschmarotzen kann. Was tut Büchner? »Er proklamiert den Aufstand der Kreatürlichen, einen schlechthin luziferischen Aufstand, der sein schlechthinniges Recht darin hat, daß Gott, der Schöpfer und Erhalter der Ordnung, eine epikureische Lüge der Langweiligen ist.« Der Rezensent meinte natürlich nicht die Langweiligen, sondern die Gelangweilten. Doch warum richtig schreiben, wenn nur sonst alles in Ordnung ist. Der Satz ist in Ordnung. Er ist genau das, was ich das Ornament der Leere nannte. Er besagt überhaupt nichts. Oder er besagt etwas ganz Einfältiges. Aber er sagt es ornamental.

Dies also geschieht, sobald das Literaturgeschwätz mit einer geschichtlichen Kategorie zusammenstößt, mit der geschichtlichen Kategorie der Literatur. Eben deshalb bleibt die Aufgabe gestellt: Literatur als Geschichte. Wenn etwas für die geistige Verworrenheit im deutschen Wissenschaftsbetrieb des ausgehenden 19. und beginnenden 20. Jahrhunderts zeugt, so das heillose Durch- und Gegeneinander der literarhistorischen »Schulen«. Die Literatur wurde bald in diese, bald in jene Fächer sortiert, und die »Methode« solchen Verfahrens, die nichts war als die allerprivateste Marotte des jeweiligen Professors, schlug sich nieder in eifersüchtigem und eitlem wissenschaftlichen Gezänk. Was war die Literaturgeschichte? Sie war (noch der günstigste Fall) Detailforschung und Philologie. Sie war Psychologie und psychologische Biographik. Sie war

Geistesgeschichte, Seelengeschichte, Werkgeschichte, Stilge-
schichte, Gattungsgeschichte, Stammesgeschichte, Land-
schaftsgeschichte. Sie war alles, nur Geschichte war sie
nicht. Sie war die Isolierung der Literatur als eines unabhängigen Vorgangs, der sich immer nur aus sich selbst erzeugt. Sie war Geistesgeschichte – unabhängig von der
sozialen und politischen Geschichte, also von der Geschichte. Wo sie (in Nadlers berühmter Stammesgeschichte)
einen gewaltigen Apparat scheinhistorischer Kategorien
aufbot, da war es abgezielt auf jenen Blut- und Boden-
Mythos, der dann die weltanschauliche Fratze des Nationalsozialismus wurde. Wir haben den Mythos erlebt. Wir
haben den metaphysischen Schwindel erlebt. Die Literar-
historie, zu vornehm, zu geistig, um sich auf die materiellen Zusammenhänge der politischen und sozialen Geschichte einzulassen, – diese vornehme und geistige Lite-
rarhistorie lieferte sich gerade der sozial trübsten, mate-
riell brutalsten Politik aus. Es ist kein Zufall, daß just die
prominentesten beamteten Literarhistoriker und Kathe-
derästheten die ersten waren, die mit dem ganzen Vorrat
ihrer pompös orakelnden Wissenschaft zum Nationalsozialismus stießen. Es ist kein Zufall: sie hatten nie erfahren, was Geschichte ist, sie hatten nie gewußt, daß die Literatur ein geschichtlicher Vorgang ist; mit um so mehr
Überzeugung konnten sie nun die Mythologie für die Literatur halten und diese für den besten Vorspann der nazistischen Geschichtslüge. Der Vorgang lehrt, was von der
unpolitischen Wissenschaft zu halten ist und gerade dann
zu halten ist, wenn sie »reine« Geisteswissenschaft zu sein
behauptet. Die Unpolitik ist auch Politik, aber schlechte
Politik. Die reine Geisteswissenschaft existiert nicht und
hat nie existiert. Was immer existiert hat und heute üppi-
ger als je existiert, ist das reine Geistesgeschwätz, das pro-
fessorale und das journalisierte. In ihm verrät sich das
schlechte Gewissen der schlechten Politik.

Gegen das Geschwätz hilft allein die Besinnung auf

echte historische Kategorien. Genau was jener Rezensent
dem Büchner-Biographen vorwarf, nämlich daß er Leben
und Werk des Dichters mit der politisch-sozialen Zuständlichkeit seiner Epoche konfrontiere, genau das ist die Aufgabe der Literaturgeschichte. Höchstens, daß der Ausdruck »konfrontieren« eine zu harmlose Bezeichnung ist
für die sehr verwickelten Zusammenhänge, aus denen die
Bewegungen der Literatur als geschichtliche Bewegungen
sich entfalten; für das Vor- und Rückläufige geistiger Vorgänge, die den sozialen Vorgang in dem Maße akzentuie-
ren, wie sie von ihm akzentuiert werden. Und höchstens,
daß hinzugefügt werden muß, zu welcher Kompliziertheit
der stofflichen und methodischen Beherrschung die Aufgabe wächst, wenn es nicht um eine Biographie, wenn es
um eine ganze Literaturentwicklung geht. Ungeheure
Stoffmassen, die bewältigt und geordnet, mit einem nicht
konventionellen und angelesenen, sondern hinter alle »literarischen« Quellen zurückgrabenden historischen Wissen
und Bewußtsein durchdrungen sein wollen. Ein um so
schwierigeres Unternehmen, als Vorarbeiten der Spezial-
und Materialforschung dafür noch kaum geleistet sind.
Aber ein wichtiges Unternehmen, die wichtigste Aufgabe,
die einzige wichtige Aufgabe, die der Literaturwissenschaft gestellt ist.

Es ist von einem Werk zu berichten, welches den Anspruch
erhebt, solche höchste Forderung an eine heutige Literaturgeschichte zu erfüllen und Ordnung zu stiften in der
prinzipiellen Unordnung des neudeutschen Literaturge-
schwätzes. Jenes Stichwort »Literatur als Geschichte«
trägt es keck an der Stirn: das erste Werk in der Geschichte der deutschen Literaturwissenschaft, das schon im Titel
die Formel für eine radikale Umkehr zur historischen Kategorie präsentiert. Es hat zum Verfasser Paul E. H. *Lüth*
und behandelt die deutsche Dichtung von 1885 bis 1947
(»Literatur als Geschichte«, 2 Bände, Limes-Verlag, Wies-

baden 1947). Der Verfasser sagt im Vorwort, es gehe ihm nicht um »einseitige oder gar panegyrische Fixierungen, sondern um ein verstehendes Herausarbeiten des dialektischen Ganges der Dichtung durch die Zeiten . . .« Darum geht es in der Tat. Mißtrauisch stimmt freilich bereits die Fortsetzung dieses Satzes, indem nämlich das verstehende Herausarbeiten »sich der Ambivalenz alles Geschaffenen bewußt ist und in der Lage sein möchte, auch die Höhepunkte der historischen Entfaltung als Vollendung und Verhängnis zu begreifen«. Galoppiert hier nicht schon die Literaturphrase, der zu entgehen man nach einer Literaturgeschichte dieses Titels gegriffen hat? Die Phrase galoppiert alsbald in voller Karriere. »Am Schluß einer anderen Arbeit« habe sich der Verfasser, so erfahren wir, »zu dem Ziel einer politischen Kultur bekannt« und er »möchte nicht versäumen, zu bemerken, was ihm an dieser Veröffentlichung persönliches Anliegen ist: aufzuweisen, ein welch enger Zusammenhang zwischen literarischer und historischer Möglichkeit und Wirklichkeit besteht, und auszudrücken, daß eine geistesgeschichtliche Darstellung *nicht nur Deskription, sondern auch Symptomatologie und damit zugleich Prognostikon* sein kann und muß«.

Nun, es sei. Der Verfasser ist jung, Fremdwörter imponieren ihm, und vielleicht meint er es doch richtig und gut. Weniger auf das Vorwort als auf den Inhalt des Buches kommt es an. Was ist der Inhalt des Buches? Nicht Literatur als Geschichte, keineswegs. Überhaupt nichts, was mit der oben beschriebenen Aufgabe einer historischen Konzeption auch nur das geringste zu tun hätte. Also schrauben wir unseren Anspruch herunter. Was ist der Inhalt? Weder Symptomatologie noch Prognostikon, nicht geistesgeschichtliche Darstellung und nicht einmal Deskription. Am allerwenigsten sachliche Orientierung. Nein, so tief läßt sich auch der bescheidenste Anspruch nicht herabschrauben, nicht auf das Niveau dieses Buches. Lüth, der sich zur bisherigen Literaturgeschichtsforschung zu distan-

zieren vorgibt, unterbietet alles, was je die dürftigste
Fachwissenschaft an stumpfsinniger Kompilation zuwege
gebracht hat. Er unterbietet es nicht nur, er weiß einfach
gar nicht, an was für ein Geschäft er sich gemacht hat. Er
hat zur Literaturgeschichte so wenig eine Beziehung wie
zur Literatur. Er hat zur Sprache keine Beziehung und
schreibt einen Stil, der nichts als diese Beziehungslosigkeit
auszudrücken vermag. Sieht man von dem Titel ab, der
sich nun als purer Übermut herausstellt, so bleibt immer
noch rätselhaft, welchen Motiven das Buch seine Entstehung verdankt, es sei denn, daß man hemmungslosen Dilettantismus als geistiges Motiv gelten lassen will.

Was ist der Inhalt? Soweit er die neueste Literatur betrifft, ein wüst zusammengeschluderter Waschzettelkata-
log aller Autorennamen und Buchtitel, deren der Verfasser habhaft werden konnte, wozu ihm, wie er mitteilt, die
Produzenten selbst, nämlich Verleger und Autoren, das
»Material« zur Verfügung gestellt haben. Was dagegen
die Literatur der schon historisch gewordenen Jahrzehnte
betrifft, so hat der Verfasser laut Vorwort »hin und wieder bereits vorliegende Darstellungen herangezogen, wie
die von Soergel, Nadler, Eloesser, Walzel und anderen
Autoren«. Das ist eine Selbstverständlichkeit, das ist die
allerbescheidenste Voraussetzung. Wer wissenschaftlich
arbeitet, muß die bereits vorliegenden Arbeiten seines Ge-
biets kennen. Wer jung ist und als Literarhistoriker arbeitet, muß ältere Darstellungen zu Rate ziehen, muß aus
ihnen lernen, um welche Literatur, um welche Dokumente,
um welche Quellen er sich zu kümmern hat. Aber Lüth,
der überhaupt nicht weiß, was wissenschaftliches Arbeiten
heißt, hat eine originelle Auffassung von diesem Heran-
ziehen bereits vorliegender Darstellungen. Er schreibt einfach ab, vor allem aus der läppischen, aber stofflich ergie-
bigen Kompilation »Dichtung und Dichter der Zeit« von
Soergel. Er übernimmt wörtlich die Urteile. Er übernimmt
die thematische Disposition ganzer Abschnitte. Gelesen

hat er, wie sich im einzelnen nachweisen läßt, kaum etwas
von dem, was er »bespricht«, d. h. mit den Klischeeformeln kritischer Zensuren bedenkt, deren heitere Hilf- und
Ahnungslosigkeit nur durch die Komik ihrer stilistischen
Zubereitung überboten wird. »Vorliegende Arbeit«, sagt
das Vorwort, »stellt den Schlußteil eines Werkes dar, das
als Ganzes die Entwicklung der deutschen Literatur vom
17. ins 20. Jahrhundert behandelt.« Nur ein Schlußteil!
Auf diese Entwicklung vom 17. ins 20. Jahrhundert, falls
sie uns nicht erspart bleiben sollte, kann man gespannt
sein.

Einstweilen genügt uns »vorliegende Arbeit«. Das Buch,
das mit dem Anspruch auftritt, durch systematische historische Durchdringung der deutschen Gegenwartsdichtung
Kenntnis und Urteil zu vermitteln, ist gerade das schamloseste Dokument jener Kenntnislosigkeit und Urteilslosigkeit, womit heute in Zeitungen und Zeitschriften, in
Cliquen und Konventikeln über Kunst und Literatur das
Blaue vom Himmel geschwatzt wird. Da der Verfasser
überall brav mitgeschwatzt hat, warum, sagt er sich, soll
es nicht für zwei Bände und 590 Seiten reichen? Es gehört
nur der Entschluß dazu, sich hinzusetzen und alles kreuz
und quer zusammenzuschreiben, was man vom Hörensagen und in einem betriebsamen Autoren- und Verleger-
Verkehr aufgeschnappt hat. Der Verfasser, 1919 geboren,
ist gewiß nicht der Repräsentant einer jungen Generation,
in der genug Stimmen der ehrlichen Unruhe, der geistigen
Bedürftigkeit, des Verlangens nach wirklicher Orientierung laut geworden sind. Aber er ist der Prototyp einer
Jugend, die schon im Besitz der Resultate zu sein glaubt,
wenn sie nur das ABC eines Stichwortregisters nachbuchstabieren kann. Daß selbst zu der simpelsten literarhistorischen Kompilation eine handwerkliche Methode gehört,
die gelernt sein will, spielt dort keine Rolle, wo man als
Symptomatologe und Prognostiker der Zeit ohnedies über
jede Methode erhaben ist. Jedoch der dürftigste Leitfaden

des ledernsten Literaturpaukers ist ein sprühendes geistiges Feuerwerk gegen die zerschlissene Papierweisheit dieser großartig sich aufspielenden Literaturgeschichte der jungen Generation. Die junge Generation wird gut tun, mit aller Deutlichkeit von dem Buche abzurücken. Sie kann nicht schlimmer betrogen werden, als durch diesen ungerufenen und unbefugten Cicerone ihrer Ratlosigkeit.

Aber wer sagt es ihr, da sie es selbst ja nicht wissen kann? Sie wird sich Rat holen bei Lüth und meinen, nun wisse sie es. Die einzige seit Kriegsende erschienene Literaturgeschichte. Die einzige existierende, die bis in die Nachkriegsgegenwart geht und schon die Emigrationsliteratur behandelt. Wahrscheinlich für lange Zeit die einzige, die überhaupt erreichbar sein und Auskunft geben wird.

Der Fall Lüth ist unbeträchtlich. Unbeträchtlich ist, daß ein Dilettant der Meinung sein kann, eine Literaturgeschichte geschrieben zu haben. Nicht unbeträchtlich ist, daß der Papierwust, den Lüth für eine Literaturgeschichte hält, in zwei Bänden gedruckt und auf den Markt gebracht wurde. Unvorstellbar ist, daß der Verlag, der es tat, einen Lektor hat (falls der Lektor nicht Lüth heißt).

Unbeträchtlich ist der Fall Lüth. Aber beträchtlich sind seine Perspektiven. Der Symptomatologe ist ein Symptom der Zeit. Er ist Chefredakteur einer Literaturzeitschrift. Er ist prominenter Mitarbeiter literarischer Revuen. Er erfreut sich der Patronanz einer erlauchten Literaturgröße, die heute willens ist, eine führende Rolle zu spielen. Lüth betreibt Literaturpolitik, wenn auch nicht seine eigene. Lüths Literaturgeschichte wird in einem gefälligen Gegenseitigkeitsbetrieb freundlich, ja stürmisch rezensiert.

Auf die Perspektiven kommt es an. Ihnen gelten die folgenden Kapitel, welche sich's nicht verdrießen lassen, mit einer Gründlichkeit zu Werke zu gehen, die gar keiner besseren Sache angemessen wäre, sondern eben dieser Sache Lüth angemessen ist.

II

LÜTHS METHODE

Einige leider umständliche Nachweise sind erforderlich, um das Maß dessen zu ermessen, was im Literaturbetrieb heute möglich ist und was den, der es tut, nicht unmöglich macht. Zunächst sei der Ab- und Ausschreiber der Soergelschen Literaturgeschichte in flagranti erwischt. Von Soergel übernimmt Lüth wahl- und kritiklos nicht nur die Urteile, sondern, wie gesagt, die ganze Disposition und thematische Gliederung der entsprechenden Abschnitte. Soergels Buch »Dichtung und Dichter der Zeit« (1911) beginnt mit einem Abschnitt über Frankreich, enthaltend die Kapitel Balzac, Flaubert, die Goncourts, Zola, und leitet dann zu München über, zu Michael Georg Conrad und dem Kreis um die Zeitschrift »Die Gesellschaft«. Lüth beginnt genauso und leitet genauso über. Soergel faßt Tolstoi, Dostojewski, Ibsen zusammen, Lüth desgleichen. Soergel hat einen Abschnitt »Das junge Wien«, an das er durchaus zufallsmäßig einen Abschnitt über die Lyriker Liliencron, Falke, Busse, Jakobowski, Salus anschließt. Bei Lüth heißt der Abschnitt »Die Wiener Schule«, und es folgen im nächsten Abschnitt dieselben Lyriker, haargenau dieselben in haargenau derselben Reihenfolge. Ein Kapitel bei Soergel heißt »Los vom Naturalismus« und zitiert als Grundlage ausführlich zwei sehr entlegene Äußerungen: erstens aus einem 1892 in der »Gesellschaft« erschienenen Aufsatz Richard Dehmels, zweitens aus dem ersten Kapitel des Romans »Là-bas« von Huysmans. Das entsprechende Kapitel bei Lüth heißt »Die Lösung vom Naturalismus« und rankt sich um dieselben Zitate, originellerweise jedoch umgekehrt: zuerst Huysmans, dann Dehmel.

Lüth erzählt von der Begründung der Münchener Zeitschrift »Die Gesellschaft«. Er zitiert aus der von M. G.

Conrad verfaßten Einführung, was Soergel zitiert. Soergel hat in diesem Text, obwohl der Name nicht genannt wird, eine »Spitze gegen Heyse« entdeckt. Infolgedessen entdeckt der Kenner Lüth eine »scharfe Spitze gegen Heyse«. Er ist originell und denkt sich mit Recht, wenn schon Spitze, dann werde es wohl eine scharfe Spitze gewesen sein. Auch über Heyses Verhalten gegenüber dieser Zeitschriftengründung ist Lüth glänzend im Bild. Er schreibt: »Die Gruppe der Reaktion um Paul Heyse beruhigte sich … mit dem Gedanken, daß es sich dabei nur um eine örtliche Erscheinung handeln würde. Aber bald mußte sie erkennen, daß diese lokale Entgleisung immer allgemeinere Bedeutung gewann, denn überall begannen junge, aufstrebende Kräfte im Zolaismus ihr Credo zu sehen.« Soergel: *»Bald mußte die Gruppe um Heyse erkennen,* daß es denn doch um mehr sich handelte, als um *lokale* Künstlereifersüchteleien. Denn auch draußen im Reiche begann es sich zu rühren. Auch da hörte man von einem Kampfe um *Zola.«* Lüth weiß ferner ganz genau, was gerade jetzt in München eintraf: »Die schon früher erschienenen ›Kritischen Waffengänge‹ der Brüder Hart trafen aus Berlin in München ein, außerdem Romane eines gewissen Max Kretzer, die schon im Titel den Naturalismus verrieten (›Die Betrogenen‹, ›Die Verkommenen‹ u. a.).« Soergel: *»Man hörte aus Berlin von den ›Kritischen Waffengängen‹ zweier Brüder Hart,* von einem Berliner Zola *namens Max Kretzer: welche Titel hatten schon seine Romane! ›Die Betrogenen‹! ›Die Verkommenen‹!«* Man beachte wieder, wie fein Lüth seine Originalität wahrt. Hinter die beiden Kretzerschen Buchtitel setzt er ein vielsagendes »u. a.«, womit er andeutet, daß er noch mehr bezeichnende Titel nennen könnte, wenn nur Soergel noch mehr genannt hätte. Aber Lüth weiß überhaupt alles. Er fährt fort: » ›Zola-Abende bei einer Dame‹ veröffentlichte der gerade von Wien nach Berlin übergesiedelte Oscar Welten, Heiberg ähnlich tendierende

›Plaudereien mit der Herzogin von Seeland‹.« Oscar
Welten! Heiberg! Keiner nennt und kennt sie mehr, für
Lüth sind es geläufige literarhistorische Begriffe. Und wie
wertvoll ist es doch, zu erfahren, daß Oscar Welten gerade von Wien nach Berlin übergesiedelt war. Erführe
man es nicht von Lüth, man müßte geradezu im Soergel
nachschlagen, der aber doch schon veraltet ist und mit dieser Orientierung aufwartet: »Im gleichen Jahre erschienen
die ›Zola-Abende bei einer Dame‹ des *eben von Wien
nach Berlin übergesiedelten Oscar Welten,* und zwei Jahre
vorher war dieser Stimme aus dem äußersten Süden eine
Stimme eines aus dem äußersten deutschen Norden Ge-
bürtigen vorausgegangen: Hermann *Heibergs ›Plaudereien mit der Herzogin von Seeland‹.*« Wie fein, abermals, hat Lüth das abgeschmeckt, mit welchem sicheren
Griff hat er herausbekommen, daß die vorausgegangene
Stimme eine ähnlich tendierende war.

Noch einmal: nicht daß Lüth sich an älteren Literatur-
geschichtswerken orientiert, ist das flagrante, sondern daß
er hilflos nachstottert, daß er Urteile und ganze Zusammenhänge, ohne auch nur einen eigenen Gedanken beizu-
tragen, wörtlich übernimmt und nicht einen Augenblick in
Versuchung gerät, nach einer selbständigen Methode und
mit selbständigem Urteil die Quellen zu befragen, die Dokumente zu prüfen. Was ihm der weiß Gott geistig an-
spruchslose Soergel vorerzählt, schreibt er kläglich und
kümmerlich nach. Er prüft nicht, er unterscheidet nicht. Er
hält es für nötig, die deutsche Leserschaft von 1947 darüber zu informieren, daß Oscar Welten damals gerade
von Wien nach Berlin übersiedelte. Er schleppt in sein
Werk den ganzen Wust längst verschollener, historisch
völlig belangloser Namen und Titel, den Soergel aufge-
stapelt hat. 1911, als Soergels Buch erschien, galten etwa
die Unterhaltungsschriftsteller Tovote und Ompteda noch
als literarische Personen, mit denen man sich »literarhisto-
risch« auseinanderzusetzen hatte. Soergel über Tovote:

»Der große Erfolg seines Romans ›Im Liebesrausch‹ bedeutete oder ward wenigstens gedeutet als eine Wendung von Zola zu dem von Tovote … nie erreichten Maupassant.« Lüth über Tovote: »… der *weniger im Zeichen Zolas* als vielmehr in dem des *von ihm freilich nicht erreichten Maupassant* zu sehen ist.« Der Roman, so vermerkt Soergel, habe Tovote den Beinamen »eleganter Realist« eingetragen. Lüth: »Man bezeichnete ihn als ›eleganten Realisten‹.« Soergel über Ompteda: »So versucht er wenigstens das größere Werk, auf das Tovote immer nur vertröstet hatte.« Lüth über Ompteda: »Ihm gelang es, das *wenigstens zu unternehmen, was Tovote nur wollte.*« Ompteda, schreibt Soergel, sei als Übersetzer Maupassants hervorgetreten und der Versuchung erlegen, »im nur Pikanten unterzutauchen«. Lüth: »… der als Maupassant-Übersetzer hervortrat und ebenfalls das Pikante pflegte.«

Das also ist Lüths »Methode«, für die sich, wenn man die Geduld dazu aufbrächte, die Beispiele häufen ließen. Lüth besitzt nicht einmal die Geschicklichkeit, die Spuren seiner Abschreibekunst zu verwischen, er verläßt sich darauf, daß schon niemand nachsehen werde.

Doch um nicht ungerecht zu sein: Lüth hat auch eigenes literarisches Urteil. Über die Spießerkomödie »Flachsmann als Erzieher« des üblen Literaturphilisters Otto Ernst schreibt er (und man genieße den Stil, den Lüth, um eine seiner Lieblingswendungen zu gebrauchen, trefflich meistert): »Es ist die beißende Satire auf den unfähigen Schultyrannen, dessen Typ wohl, *wie man daraus schließen darf, daß stets Bedarf für diese sehr ernsthafte Komödie da ist,* nicht aussterben will.« Überhaupt Otto Ernst. »Bedeutung gewannen ferner seine Kindergeschichten, ein keineswegs leichtes Genre, das er vortrefflich meisterte … Seine Roman-Trilogie ›Asmus Semper‹, eine dichterische Autobiographie, ist lesenswert und bringt ihn in die Sphäre echter Heimatkunst.« Und neben Otto Ernst die Mei-

ster der Ballade. »Lulu von Strauß und Torney und
Agnes Miegel gehören von den drei Meistern der Ballade
zusammen, *während Münchhausen außen steht, voll und
ganz eine eigene Welt vertretend.*« Das ist von unüber-
trefflicher Plastik: wie Münchhausen, während die beiden
anderen zusammenhalten, draußen steht und voll und
ganz eine eigene Welt vertritt. Nicht Abschrift, sondern
Originalleistung dürfte auch die folgende Erkenntnis sein:
»Kann man schon Georg Hermann *in gewisser Weise* als
Heimatdichter bezeichnen, nämlich als den Heimatdichter
Berlins, *so mehr noch* den Greifswalder Georg Engel.«
Derart überraschende Parallelen ergeben sich, wenn die
Literaturgeschichte der jungen Generation vor der Notwendigkeit steht, auf Georg Hermann keinen anderen als
Georg Engel folgen zu lassen, der allerdings weder in die-
se noch überhaupt in die Literaturgeschichte gehört. Aber
Lüth ist in der Lage, das Letzte über Georg Engel zu sagen und sogar in drei Sätzen zusammenzuraffen: »... so
mehr noch der Greifswalder Georg Engel. ›Hann Klüth,
der Philosoph‹ ist eine reife Erzählung, die es verdiente,
zu bleiben. *Damit* wenden wir uns Autoren zu, *die in
ganz anderem Sinne abgesondert standen.*« Also eine reife
Erzählung, und damit wenden wir uns. Ja, die Kunst der
Überleitung, das ist überhaupt Lüths Stärke. Der Zusammenhang ergibt sich am besten daraus, daß das Folgende
»ganz anders« ist als das Voraufgegangene. Zum Beispiel
Ina Seidel und Hans Fallada, wer wäre nicht schon längst
neugierig gewesen auf diese Verbindung, die Lüth mühelos zuwege bringt. Bei Ina Seidel sei alles in die Seele der
Helden verlegt. »*Anders* Hans Fallada, in dessen Schaffen
gerade jene Elemente eine vordergründige Rolle spielen,
die bei Ina Seidel mehr verblassen.« Jedoch: »*Während*
Ina Seidel *aber* stark in ihrem Bereich ist, *schwankt Fallada in dem seinen.*« Oder Lüth bespricht den Lyriker Paul-
sen, um sogleich geistesgegenwärtig fortzufahren: »*Ganz
anderer Art* ist Karl Röttger.« Er spricht von Eduard von

Keyserling: »Ein Neuromantiker *anderer Art* ist Herbert
Eulenberg.« Er spricht von Georg Heym: »Ein *anderes*
Schicksal *nahm* Georg Trakl.« Er spricht von Egon Erwin
Kisch: »Der 1889 geborene Ludwig Tügel griff die Pro-
bleme der Zeit von einer *anderen* Seite aus an.« Über
Adele Gerhard: *»Anders als Döblin* ... schlingt sie das
Band zwischen zwei Zeitaltern, an deren Grenzscheide sie
steht.« Das sind doch noch geistesgeschichtliche Zusam-
menhänge, die sich sehen lassen können. [1]

Aber Lüth meistert nicht nur die Kontraste des literarischen Lebens, er vermag auch die große Einheit in der
Vielfalt der Erscheinungen herzustellen und im Kurzschluß eines Gedankenblitzes aufscheinen zu lassen. »Nun
schrieb er [Dehmel] seinen Roman in Romanzen ›Zwei
Menschen‹ *zu Ende und sah bereits* 1906 seine Gesammelten Werke erscheinen.« Noch überraschender verknüpft
es sich bei Hartleben. Tod, Erfolg und Gardasee in einem
Satz: »1905 schon *starb er*, durch sein Offiziersstück ›Ro-
senmontag‹ bekannter geworden, *am Gardasee.*« Über
Becher: »1911 trat er zum ersten Male hervor, und zwar
mit der Kleist-Hymne ›Der Ringende‹, die der Bach-
mair-Verlag *auf Bütten drucken ließ und von der Kritik*
richtig als ein ›typisches Sturm- und Drangwerk‹ aufgefaßt wurde.« Hier ist das »die« des Relativsatzes vermöge
der verblüffenden »und«-Verbindung sowohl Akkusativ
wie Nominativ: ein Verdichtungsverfahren von ungewöhnlicher grammatikalischer Pikanterie. Allerdings,
nicht immer geht das Abenteuer so gut aus. Von Anna
Seghers rühmt Lüth »*wie wenig* die Dichterin tendenziös

---

[1] Der Verfasser ist im allgemeinen gegen textliche Hervorhebungen durch kursiven Satz. Bei den Zitaten aus Lüths Text
hält er sie für nützlich. Sie ersparen in vielen Fällen den kritischen Kommentar, indem sie nicht nur dem spannenden Inhalt,
sondern auch der überraschenden stilistischen Note gerecht zu
werden versuchen.

verzerrt *und* niemals vergißt, das Menschliche, Allzu-
Menschliche auch im Monströsen zu berücksichtigen.« Da
ist ein Malheur passiert: wie wenig sie verzerrt und wie
wenig sie niemals vergißt, also wie sehr sie vergißt. Lüth
meint das Gegenteil, und man sieht, welche Gefahren eine
allzu wagemutige stilistische Meisterschaft läuft. Bei Georg Kaiser rückt es sich wieder zurecht: »Als Kaiser begann, *fand der 1878 in Magdeburg geborene Kaufmann,*
der lange im Ausland tätig war *und* 1920 in Deutschland
wegen Unterschlagung mit dem Gesetz in Konflikt geriet,
nur wenig Anklang.« Etwas dunkel bleibt hier freilich der
Zusammenhang. Wieso sollte, als Georg Kaiser 1905 begann, ein in Magdeburg geborener Kaufmann, der 1920
mit dem Gesetz in Konflikt geriet, Anklang finden? Das
dichteste Gedränge von Zusammenhängen herrscht dafür
in Friedrich Wolfs Biographie: »In München begann er
mit dem Studium der Malerei und Bildhauerei, wanderte
dann zu Fuß nach Rom, *verbrachte einige Zeit als Räuber
in den Abruzzen, studierte Medizin und bestand das
Staatsexamen, um gleich darauf* als Kohlentrimmer auf
Holland-Kähnen zu reisen und anschließend als Soldat
der Heilsarmee in Amsterdam zu wirken.« Ein Satz, von
dem man sagen kann, daß er es in sich hat. Aber was ist
das alles gegen die Kühnheit, womit ein ganzes Zeitalter
in diese Camera obscura eines Blitzlicht-Denkers eingefangen wird: »Da *schreibt* Alfred Döblin seinen düsteren
Roman ›Schwarzer Vorhang‹, *während* Kokoschka sein
Drama ›Mörder, Hoffnung der Frauen‹ *konzipiert*. Da
erschießt sich Walter Calé, und Otto Weininger *tut ein
gleiches.* Und doch schwebt über allem ein Traum, den
vielleicht Rilke . . .«

Die Formel für Nietzsche? »Nietzsche ist *in gewissem
Sinne* ein anderer Faust gewesen . . . Aber selbst wenn
Nietzsches Lehre ein für allemal *abgewiesen* worden wäre, bliebe doch noch eins, nämlich der *Umstand,* daß sie in
einem brillanten, meisterhaften Deutsch *niedergelegt* wur-

de.« In seinem eigenen brillanten Deutsch legt Lüth weiter
nieder, daß Nietzsche einerseits »in den Impressionismus
hineinragt«, andererseits *»in vieler Hinsicht auch im ex-
pressiven Schaffen steht*... Hierher wäre etwa der ›Zarathustra‹ zu rechnen, der freilich *außerdem* in Psalmen-
art geschrieben ist.«

Die Tragik Halbes? Daß er »später nur noch mit dem
›Strom‹ und ›Mutter Erde‹ *ein wenig an die Lorbeeren
seines Anfangs heranreichte«.* Um so überraschender die
Feststellung, daß seine Lebenserinnerungen »mit *seinen
Dramen* zum bleibenden Bestand der neueren Literatur
gehören dürften«. Richard Beer-Hofmann? »Der Dichter
hat langsamer gearbeitet als Hofmannsthal und *deshalb*
im Laufe seines Lebens auch weniger *vorgelegt* als dieser.«
Das scheint klar, wer langsamer arbeitet, legt weniger
vor, und zwar im Laufe seines Lebens. Hermann Hesse?
»Hesse aber hat in der west-östlichen Begegnung immer
den *Stachel* seines Schaffens gesehen und gefühlt. *Dies ist
der rote Faden,* der den frühen Hesse mit dem späten verbindet.« Auch das scheint klar, eine Begegnung ist ein Stachel, den man nicht nur fühlt, sondern auch sieht, und der
Stachel ist ein roter Faden, der den frühen Hesse mit dem
späten verbindet. »Damit ist die Prosa des Dichters behandelt, die am bekanntesten *von dem ist, was er geschaffen.«* Wedekinds »Marquis von Keith«: »Es ist darüber
hinaus Wedekinds geschlossenste und *glatteste* Leistung,
die ihm« – nämlich dem Marquis, nämlich der Leistung –
»auch vom rein Dichterischen her eine besondere Stellung
im Schaffen des Autors einräumt.«

Am schönsten aber wird es, wenn Lüth zu einem großen
Resumé ausholt. »Erinnern wir uns jetzt an jene Linie, die
man von Gerhart Hauptmanns ›Biberpelz‹ über Wedekind zu Sternheim ziehen kann. So wie die Menschen, die
auf ihr von den drei Dichtern gezeigt werden, voneinander zu unterscheiden sind, *so sind es auch deren Schöpfer.
Schon aus diesem Grunde* ist es eine dankbare Aufgabe,

einen solchen Vergleich anzustellen.« Das walte Gott.
Und welche Beruhigung für den Leser, daß er nun, nach
der Behandlung Hauptmanns und Wedekinds, sogleich
durch eine vertraute Wendung angeheimelt wird: »*Ganz
anders* Carl Sternheim!« Wenn je ein Ausrufungszeichen
ein Gedankenblitz war, so dieses.

Aber die Prinzipien Lüths? Soll denn davon gar nicht die
Rede sein? O ja, Lüth besitzt Prinzipien, und sie bestehen
darin, daß er von den kümmerlichsten literarhistorischen
Schubfächerbegriffen geradezu fasziniert ist. Jene geistes-
wissenschaftliche Methode der Soergel und Konsorten, die
blind in der Geschichte herumtappt, hat etwa den Begriff
»Wiener Schule« erfunden, womit die angeblich von dem
Kritiker Hermann Bahr inaugurierte Wiener »Moderne«
gemeint ist, die dann zwischen die weiteren Schubfächer-
begriffe »Neuromantik« und »Impressionismus« aufge-
teilt wird. Also verfolgen wir einmal, um zu einer lohnen-
den Aussicht auf Lüths Prinzipien zu kommen, seine Wan-
derungen durch die »Wiener Schule«. Daß uns auch hier
mehr sein Stil fesseln wird als seine Erkenntnis, liegt in
der Natur der Lüthschen Sache. Denn von welcher »Schule« Lüth auch spricht, so wird seine Sprache verraten, daß
er beim Deutsch-Unterricht ein unaufmerksamer Schüler
war.

  Das Kapitel »Die Wiener Schule« leitet Lüth mit folgendem monumentalen Satze ein: »Es *sagt für den österreichischen Charakter* sehr viel, *wenn man* den Eindruck
richtig durchdenkt, den man gewinnen muß, *wenn man*
sich von der Beschäftigung mit dem Münchener und Berliner Naturalismus dem literarischen Wien jener Tage zuwendet.« Lüth durchdenkt seinen Eindruck richtig und
sagt sehr viel, indem er dem Österreicher »eine besondere
Natürlichkeit und Leichtigkeit« zuerkennt, worauf er
fortfährt: »*Damit aber leuchtet ein, weshalb* die Neuromantik gerade in Wien einen Schimmer und Glanz be-

kam, den sie in Deutschland nur selten erreichte. Die Wiener Schule bedeutet vom Ästhetischen her einen Vorstoß in eine bis dahin wenig ausgebildete Sphäre der *Wortkunst,* in die des reinen Wohlklangs *und der leisen Wehmut,* und vollendete sich zugleich in dieser neuen Richtung...« Also eine Schule, die einen Vorstoß bedeutet, und zwar in eine Sphäre der Wortkunst, nämlich teils des reinen Wohlklangs, teils der leisen Wehmut, was bei Lüth gleichgeordnete Wortkunstkategorien sind. Jetzt zu den Schülern der Wiener Schule. Im Gegensatz zu Stefan Zweig war Altenberg ein Dichter, »der gleichfalls eine bedeutsame Höhe erreichte, der aber nicht das Berühmte und *Verdiente* zum Gegenstand seiner zärtlichen Erkundung machte...« Das Verdiente? Wer hat verdient? Was wurde verdient? Und seit wann ist das, was sich durch Verdienst auszeichnet, ein Verdientes? Nun, Lüth, der ein sprachlicher Neuschöpfer ist, muß es ja wissen. »In Arthur Schnitzler begegnen wir dem ersten bedeutenden Dichter der *Wiener Schule.*« Seine Biographie? »1862 in Wien geboren, *starb er auch* 1931 in seiner Vaterstadt, *inzwischen* zweimal mit dem Bauernfeldpreis ausgezeichnet.« Das kritische Resumé? Schnitzler hat »die menschlichen Gründe und Untiefen *impressionistisch fixiert* wie eine Landkarte die *jeweiligen* Meerestiefen«. Eine kühne wissenschaftliche Entdeckung: daß eine *Land*karte die jeweiligen Meerestiefen fixiert, und zwar impressionistisch. »Damit hängt es zusammen, daß seine bleibendsten Leistungen von kleinem Umfang sind« – nämlich dem einer Landkarte –, »Skizzen oder Kompositionen von solchen, die Novellen sowohl die Romane als auch die Dramen überragend.« Die Novellen sowohl die ... als auch die: es ist schwierig, aber es muß gehen. Fahren wir in der Wiener Schule fort.

Während Schnitzler sich in allem, was er geschrieben hat, »als *Impressionist* zeigt«, hat Hofmannsthal die »Einseitigkeit der *Wiener Schule*« überwunden. »Richard

Beer-Hofmann wird gern mit Hugo von Hofmannsthal *zusammengestellt. Es eint sie aber nur, daß die Wiener Atmosphäre beide umfing, denn* Beer-Hofmann versuchte, eigene und *von den Hofmannsthalschen sehr verschiedene* Wege zu gehen.« Ferner: »Sein wesentlichstes Werk wurde sein Zyklus ›Die Historie von König David‹. 1918 erschien das Vorspiel zu diesem, ›Jaakobs Traum‹ *überschrieben, während* die anderen Stücke ›Der junge David‹, ›König David‹ und ›Davids Tod‹ *betitelt sind.«* Auch hier fassen wir die strenge prinzipielle Ordnung der Lüthschen Methode: das Vorspiel ist überschrieben, *während* die anderen Stücke betitelt sind. »Richard Beer-Hofmann hat sich damit aus der neuromantischen und ästhetischen Sphäre der Wiener Schule gelöst *und im Mythos vollendet. Es ist dabei durchaus statthaft,* an die anderen österreichischen *Neuromantiker* zu erinnern, die *gleichfalls weiterstrebten* und schließlich zwar *nicht* die mythologische Gestaltung, *wohl aber* die essayistische Erfassung und psychologische Durchdringung großer Persönlichkeiten erreichten.« Gewiß, das ist durchaus statthaft, denn was könnte näher liegen, als daß einem bei Beer-Hofmann die anderen Neuromantiker einfallen, die gleichfalls weiterstrebten, wiewohl sie sich nicht im Mythos, sondern in essayistischer Erfassung vollendeten. Das sind eben die Lüthschen Zusammenhänge, und die Hauptsache, daß es in jedem Zusammenhang nur so wimmelt von »Neuromantik«, »Impressionismus« und »Wiener Schule«. *»Eine andere Haltung«* als Beer-Hofmann »nahm der 1918 geadelte Richard von Schaukal ein.« Die Wendung klingt uns vertraut. »1926 gab er eine neue Gedichtauswahl ›Gezeiten der Seele‹, 1933 den Band ›Herbsthöhe‹, *während* sich eine 1929 in Wien gegründete Richard-von-Schaukal-Gesellschaft der Pflege seines Werkes widmete. Wie *dieses* in der literarischen Entwicklung einzuordnen ist, in die *neuromantische* Richtung, haben wir gesehen, – daß es *in ihr eine besondere Stellung* einnimmt, wurde dabei ebenfalls deutlich.« Was jedoch uns, die Lüth-Leser, am meisten freut: daß es Lüth gelungen ist, seinem immerwährenden »während« eine ganz neue Pointe abzugewinnen. Wie Schaukal zwei neue Bücher gab, *während* sich die Schaukal-Gesellschaft der Pflege seines Werkes widmete, dahinter wäre man ohne Lüth so leicht nicht gekommen.

»Wiener Schule«! »Neuromantik«! »Impressionismus«! Lüth, vollgesogen mit Soergel-Kategorien, gerät immer mehr in Hitze. Er schreitet weiter zu Stefan Zweig. Zuerst wieder Biographisches, woran Lüth ja seine Meisterschaft der stilistischen Verkürzung am fulminantesten offenbart. »1881 in Wien geboren, schon als Schüler der Literatur verfallen, *begab er sich* nach Abschluß seiner Studien auf Reisen, die ihn weit durch die Welt führten, bis nach Indien, *während welcher er ununterbrochen* seine dichterischen Arbeiten fortsetzte.« Kurz und gut, obwohl »während welcher« schwer zu enträtseln bleibt. Doch Lüth eilt zum Ziel, das ihm am Herzen liegt. »Wenn man solchermaßen *sein Leben kennt, fällt es leicht, einzusehen,* daß *es* literarisch jener *Wiener Schule* zugehört, die durch die *Namen* der Arthur Schnitzler, Hugo von Hofmannsthal und Richard Beer-Hofmann *bestimmt* wird. Vor allem seine Gedichte zeigen ihn als *Neuromantiker* und *Impressionisten*.« Und Zweigs Prosa? »Sein Prosa-Schaffen darf man *in zwei Abteilungen scheiden*.« Das darf man zweifellos. »Jules Romains hat Zweig einmal ›einen der sieben Weisen von Europa‹ genannt und er weist damit auf den *Punkt* hin, von welchem man seine bleibende Bedeutung zu erkennen *in die Lage versetzt wird*.« Die Lage, in die man von dem Punkt versetzt wird, sieht so aus: Zweig brachte zwar »die Wiener Stimmungskunst, den *Impressionismus* und die *neuromantische* Melancholie« mit, aber er »trat wohl als erster aus der Schule dieser Tradition *heraus*«. Womit auch Lüth aus der Wiener Schule heraustritt und sich der deutschen Entwicklung zuwendet.

Was aber seine historischen Prinzipien im Hinblick auf
Österreich betrifft, so ist es ihm gelungen, im Strudel von
»Wiener Schule«, »Neuromantik« und »Impressionismus«
auch nicht ein einziges Mal die geschichtliche Situation, die
sozialen Spannungen der damaligen österreichisch-ungari-
schen Monarchie zu berühren, also das, was sich in der Literatur widerspiegelte – oder wovor eine feuilletonisierte
Literatur in müßige Spiele auswich. Lüths »enger Zusammenhang zwischen literarischer und historischer Möglichkeit und Wirklichkeit«, an dem er zum Symptomatologen
und Prognostiker wird, ist der Zusammenhang zwischen
literarhistorischen Schubfächern, worin sich nichts befindet
als ein paar pedantische Schlagwortbegriffe, die er – da
sie ihm, dem Dilettanten, neu sind – nicht müde wird zu
wiederholen. Und seine geschichtliche Erkenntnis erschöpft sich in der grandiosen Feststellung, daß »dem
Österreicher eine besondere Natürlichkeit und Leichtigkeit
eignet«, woraus sich dann alles übrige von selbst ergibt.

Im Kapitel über »Die deutsche Entwicklung« geht es
sogleich weiter, denn auch dieser gebricht es keineswegs an
Neuromantik und Impressionismus. Zunächst ein Rückblick: »Die Vollendung der *Neuromantik* und des *Impressionismus* in der *Wiener Schule* war *eine irgendwie
pathologische,* aber es war *eine solche in Schönheit und
Glanz . . . Demzufolge* hat die Neuromantik in Wien eine
ganz andere Sicherung und Natürlichkeit als in Deutschland.« Daß Lüth ein so übel gebrauchtes »irgendwie« noch
für feinen literarischen Ton hält, wird keinen Lüth-Ken-
ner überraschen. Dagegen ist es eine Überraschung, die irgendwie pathologische Vollendung als Beweis für Natürlichkeit präsentiert zu bekommen, überraschend selbst
dann, wenn es eine solche in Schönheit und Glanz war.
Unterdessen beginnt Lüth die deutsche Entwicklung mit
Detlev von Liliencron, »den wir in diesem Zusammenhang zu besprechen haben«. Um Liliencron zu »besprechen«, hat Lüth in der Literaturgeschichte von Werner

Mahrholz nachgeschlagen. Doch er vergißt, daß wir als
Leser das ja nicht wissen können, und verblüfft uns durch
diesen unvermittelten Auftakt: »Werner Mahrholz ist
nicht der einzige gewesen, der *den Holsteiner* im Rahmen
des Naturalismus behandelt hat. Das trifft zwar nicht
zu ...« Also was nun? Mahrholz ist nicht der einzige gewesen und das trifft zwar nicht zu? Mithin ist er doch der
einzige gewesen? Nein, sondern der Leser muß endlich lernen, sich in den Lüthschen Stilkünsten auszukennen. »Werner Mahrholz ist nicht der einzige gewesen, der den Holsteiner im Rahmen des Naturalismus behandelt hat. *Das
trifft zwar nicht zu, denn* Liliencron gehört zum Impressionismus und zur Neuromantik, *ist aber nicht ganz unbegründet getan worden.*« Man wird zugeben: einer der
schönsten Sätze, die Lüth je gelungen sind. Was nicht zutrifft, ist keineswegs, daß Mahrholz nicht der einzige war,
ist aber auch keineswegs, daß er ihn im Rahmen des Naturalismus behandelte, sondern was nicht zutrifft, ist Li-
liencrons Zugehörigkeit zum Naturalismus. Und nun der
Gipfel: »... denn Liliencron gehört zum Impressionismus
und zur Neuromantik, ist aber nicht ganz unbegründet
getan worden.« So wird man von Lüths Prinzipien immer
wieder auf Lüths Sätze abgelenkt. Aber gerade darum
geht es, um Lüths Sätze. Daß jemand, der sich kritisch mit
der Literatur, also mit Sprachkunstwerken befaßt, überhaupt nicht weiß, was Sprache ist; darum geht es. Richtiges Denken kann sich nur in einer richtigen Sprache ausdrücken. Die beispiellosen Stilgreuel der Lüthschen Literaturgeschichte verraten eben jene geistige Verlotterung, aus
der die beispiellose inhaltliche Stümperei stammt. Etwa
wenn es über den Lyriker Liliencron weiter heißt: »Was
er aufzeichnet, wird *sorgfältig bearbeitet ... Seiner Vitalität gemäß* entgeht er dabei dem Burschikosen und Grob-
sinnlichen nicht immer, ohne daß man ihm dies *aber ver-
übeln* würde, – steht er doch ganz und gar hinter jedem
seiner Verse. *Damit* ist gesagt, worin seine Stärke liegt.

Hiermit übte er seinen später oft überschätzten Einfluß auf die neue deutsche Dichtung aus.«

Aber die Neuromantik, der Impressionismus und die Wiener Schule. Damit ist Lüth noch lange nicht fertig. Kein neuromantischer Dichter entgeht ihm, er sagt es ihm auf den Kopf zu. »Mehr *in der Nachfolge der Wiener Schule hat man sich gewöhnt,* den 1865 geborenen Eduard Stucken zu sehen ... Mit Stucken berührt sich oft Ernst Hardt, – nicht nur daß beide einmal erfolgreich denselben Stoff behandelten ..., *haben sie auch beide* den neuromantischen Formwillen in ausgeprägtem Maße.« Weiter. »Eduard Graf von Keyserling war ein *Balte* und ist, *Neuromantiker* und *Impressionist,* der einzige große Erzähler des *ostpreußischen* Landadels geblieben.« Also Keyserlings baltischer Adel (der jedenfalls verbürgter ist als seine Neuromantik) ist der ostpreußische Landadel. Weiter. »Ein *Neuromantiker* anderer Art ist Herbert Eulenberg.« Weiter. »Daß man die *impressionistische* Bewegung gegen den Naturalismus als *Neuromantik* fassen konnte, wurde eigentlich erst klar, als Ricarda Huch ...« Weiter, weiter. »Hesse ist der *neuromantischen* Linie der neuen Literatur niemals untreu geworden und hat sie *verfolgt bis dahin,* wo sie notwendig ein *Ende* findet, wo sie ihre *Grenze* erreicht und die *Sphäre des auf ihr Möglichen abgeschlossen* ist. Das ist die *Basis,* von der aus man das Gesamtwerk Hesses sehen muß. Es entspricht *diesem Standpunkt jene Einsicht,* die man ...« Die Linie ist also eine Basis, die ein Standpunkt ist. Weiter. »*Neuromantiker* in eindeutigem Sinne ist Wilhelm Weigand.« Weiter. »Auch Isolde Kurz gehört zur *Neuromantik.*« Weiter. »*Neuromantiker* anderer Prägung ist Rudolf Borchardt.« Weiter. »Ganz anders verlief die Entwicklung von Bernhard Kellermann. Als *Neuromantiker* begann er ...« Weiter. Leo Greiner: »im übrigen darf er der *Neuromantik* zugerechnet werden.« Weiter. »Mit ihr steht Thomas Mann von Beginn her auf der Linie, ... die wir nicht als naturalistische, sondern als *neuromantische* bezeichnen, deren *Ende* . . .« (Siehe Hesse.)

Man sieht, Lüth verzagt nicht, und wenn die Welt voll Neuromantik und Impressionismus wäre. Der Leser aber wird fortan von Neuromantik und Impressionismus in der Literatur nicht mehr reden hören können, ohne an Lüth zu denken. Er wird infolgedessen von Neuromantik und Impressionismus nichts mehr hören wollen. Er wird sich von keinem Historiker mehr etwas über Neuromantik und Impressionismus erzählen lassen. Was ein zwar nicht beabsichtigter, doch keineswegs unerwünschter Effekt der Lüthschen Historiographie wäre.

Und jetzt, innerhalb der Neuromantik, das Kapitel Rilke. Das ist so schön, daß man es eigentlich als ganzes reproduzieren müßte. Gleich zu Anfang wird Rychner belobigt. »»Grenzgebiete entsprachen seiner Seelenlage‹, schloß Max Rychner einmal, und er hat *nicht so unrecht* damit, *läßt sich doch* keiner so wie Rilke als der Dichter des Überganges bezeichnen.« Rilke hat aus dem Französischen, dem Englischen, dem Italienischen, dem Portugiesischen übersetzt. »Nicht daß er sich vorgenommen hätte, heute diesen und morgen jenen Autor von Bedeutung zu *transformieren,* denn *an einem solchen Kunstverstande* fehlte es ihm ganz.« Vielmehr: »Sein Wesen führte ihn dahin, *wo Früchte reif waren, daß er sie nur,* zart und behutsam, anzurühren brauchte, *um sie ihm zufallen zu lassen.* Und er steht für eine Zeit!« Die allgemeine Charakteristik muß freilich lückenhaft bleiben: »Mehr kann man, um ihn allgemein zu charakterisieren, nicht sagen, denn wer ihn als festumrissene Gestalt deuten will, irrt, schon ehe er begonnen, weil Rilke *selbst in sich ein dauernd Überfließender* war, dessen Sein die Metamorphose blieb. Gewiß, welches Buch man auch von ihm in die Hand nimmt, es ist stets unverkennbar seine Persönlichkeit, sein Wesen so ausgeprägt, daß man lange die *Entwicklungsstufen,* die darin *niedergelegt* sind, übersah.« Also wenn ein Dichter seine Persönlichkeit, sein Wesen *unverkennbar* ausprägt, so verhindert er damit, daß seine Entwicklungsstufen erkannt werden. Und Lüth begibt sich auf die Entwicklungsstufen, die Rilke nicht erklommen, sondern in seinem Werk niedergelegt hat, weshalb man sie auch übersah. »1910 gab er dann die ›Aufzeichnungen des Malte Laurids Brigge‹, dieses schwere Buch, wie er es selber nannte.« Es muß wirklich ein schweres Buch sein, denn Lüth äußert darüber: »*In ihm* tritt der Achtundzwanzigjährige dem Leben gegenüber und geht *mit ihm* durch die Stadt und läßt sich *in ihr* sein ganzes Reich offenbaren.« Um so mächtiger und prächtiger holt Lüth bei den »Sonetten an Orpheus« auf. Man spürt förmlich, wie er von Stolz geschwellt ist, wenn er das Folgende, das er für etwas perfekt Druckreifes hält, nur so aus dem Ärmel schüttelt: »*Im Umschlag* von der sinnleeren Folge flüchtiger Impressionen zur sinnträchtigen Dauer des welthaften Augenblicks *gelang es ihm, sich dem All anzuverwandeln,* so daß *von da an* in seinem Lied der Rhythmus der Welt mitschwang.«

Die hier einzuschaltende Stilanalyse ergibt: originaler Lüth sind allein die Sätze, die aus schlichten Verstößen gegen die Grammatik, gegen Syntax und Orthographie bestehen. Sätze wie der eben zitierte sind nachgeschrieben. In diesem Fall: eine Synthese von Gundolf-Pathos und der esoterischen Feierlichkeit der Rilke-Philologie, wobei die Originalleistung Lüths nur in der falschen Anwendung und niederschmetternd komischen Verknüpfung des prunkenden Vokabularismus besteht, das ihm durch den bloßen Schall imponiert und womit er keinerlei geistige Vorstellung verbindet. Es ist klar, daß jemand, dessen Sprachübungen von der Wortgewandtheit und dem stilistischen Anstand jedes fortgeschrittenen Sextaners beschämt werden, seine Blöße erst recht preisgibt, sobald er im Pfauenfederschmuck einer großspurigen Literatensprache dahergestelzt kommt. Ein Lüth, der schlecht und recht aus den

Schlaglöchern seiner Literaturkenntnis in die Fallstricke seines Sprachvermögens stolpert, erregt nicht nur Furcht, sondern auch Mitleid, also das, was der Tragödie geziemt. Ein Lüth, der sich dem Rilkeschen All anverwandelt, ist eine Lustspielfigur.

Hat Lüth mithin kein Urteil über Rilke, so läßt er sich doch nicht lumpen und hat nötigenfalls sogar zwei verschiedene Meinungen, zum Beispiel über die »Duineser Elegien«, was ja passieren kann, wenn ein Historiker so gewissenhaft ist, mehr als eine literarhistorische Vorlage zu benutzen. Im »Stundenbuch«, sagt er, sei noch alles gewachsen, wogegen in den späteren Versbüchern, selbst in den »Duineser Elegien«, *das Gekünstelte immer mehr überhand* nehme. Aber zwei Seiten danach ist er der konträren Meinung, daß dem Dichter in den »Duineser Elegien« das »Höchste seiner dichterischen Aussage« gelungen sei: »Hier ist auf die einfachste und gültigste Formel gebracht, woraus sich Würde und *Bürde* des Menschen herleiten: die sichtbare Welt in den *Innenraum* des reinen Gefühls aufzunehmen. Von dieser *Transformierung* allein ... kann das Heil kommen.« So daß also Rilke, der sich nicht vorgenommen hat, »heute diesen und morgen jenen Autor von Bedeutung zu transformieren« (denn er hat die Autoren nur transponiert, nämlich übersetzt), – daß also Rilke doch noch mit einer Transformierung Ehre einlegt.

Naturalismus und Neuromantik, sagt Lüth, mußten »endlich als *steriles Extrem* erkannt werden«. Und er fährt fort: »*Dagegen* wandte sich ein Kreis junger Schriftsteller ...« Aber Lüth meint wieder nicht, was er schreibt, nämlich daß ein Kreis junger Schriftsteller sich gegen die Notwendigkeit solcher Erkenntnis wandte, sondern daß er sich gegen das sterile Extrem wandte. Also: »Dagegen wandte sich ein Kreis junger Schriftsteller, der in den ersten Jahren des neuen Jahrhunderts *greifbarer* wurde, *obgleich* er sich schon vorher gebildet hatte.« Wieso obgleich?

Setzt man voraus, daß ein Kreis ein Ding ist, das greifbar wird, so kann greifbarer doch nur etwas werden, was schon vorher existiert hat. Der greifbarer gewordene Kreis *»verband sich nun mit den Namen* der Paul Ernst, Wilhelm von Scholz und Samuel Lublinski. Man bezeichnete sie als Neuklassizisten«. Wir erleben hier greifbar etwas sehr Wichtiges: die Geburt des Neuklassizismus, die sich dadurch vollzog, daß sich der Kreis mit den Namen verband. Und der Neuklassizismus ist für Lüth eine ebenso aufregende Entdeckung wie die Neuromantik. Von dem Neuklassizisten Paul Ernst zum Beispiel behauptet er, man könne ihn »mit Stefan George zusammen sehen«, was doch gewiß noch keinem gelungen ist. Auch Lüth tut es nicht ohne Bedenken: »Stellt man sie solchermaßen nebeneinander, *muß allerdings hinzugefügt werden,* daß Ernsts dichterische Kraft nicht entfernt an die Georges heranreichte. *So sehr* sie im Formalen und Technischen, *soweit man da* einen Lyriker *und einen Epiker bzw. Dramatiker* vergleichen kann, dasselbe *verfolgten,* so sehr unterschieden sie sich in der *Art der Ausführung ihrer Grundsätze.* George besaß *außer dem Ethos* auch das Melos, – Paul Ernst ist *dieses fast immer entgangen.«* Das Melos war also Georges andere Art der Ausführung seiner Grundsätze, und dieses ist Paul Ernst fast immer entgangen. Mehr zu Hause ist Lüth jedoch bei Wilhelm von Scholz. *»Anders* als Paul Ernst begann Wilhelm von Scholz.« Die Wendung klingt uns vertraut. Erschüttert ruft Lüth aus: »Dunkle, unsägliche Gefühle und Sehnsüchte werden *endliches Wort* bei Scholz.« So sahen wir den wackeren Neuklassizisten noch nie. Aber er ging ja auch aus dem Neuklassizismus heraus. »Bald ging er aus der neuklassizistischen *Bahn heraus* und *bewegte sich* immer ausschließlicher *in symbolistischer Richtung.«* Man denke: die Richtung, in der sich Scholz bewegte, war eine symbolistische, nämlich »die *eigene Linie* des symbolischen Realismus«. Weiter zu Spitteler. »In gewisser Verwandt-

schaft zum Neuklassizismus kann man den Schweizer Carl
Spitteler sehen, *was jedenfalls weiter führen würde,* als
wenn man ihn, wie fast stets bisher, in *die Neuromantik
stellt.*« Das spricht Lüth, alle Möglichkeiten zwischen literarischer und historischer Wirklichkeit erwägend, als
Bahnbrecher der Spitteler-Forschung endlich einmal aus.
Und er begründet es auch: »*Denn* dieser stille, erst spät
zur Anerkennung gelangte, 1919 mit dem Nobel-Preis
ausgezeichnete Dichter lebt *im Grunde* aus dem tragischen
Konflikt des *dunklen Grundes* der Welt mit dem Glanz
der Oberfläche und er sucht *damit in formvollendeter Gestaltung fertig zu werden.*« Aber da auch die Neuromantiker im Grunde aus demselben dunklen Grunde leben, so
begreift man immer noch nicht, aus welchem dunklen
Grunde Spitteler mit dem Neuklassizismus verwandt sein
soll, es sei denn, weil er in formvollendeter Gestaltung damit fertig zu werden sucht. Klar an dieser so wenig hellen
Angelegenheit scheint nur das eine zu sein, daß Lüth
doch eher ein Spitteler-Kenner als ein Spitteler-Leser ist.
Und als Kenner weiß er: »Spittelers Bedeutung für die
neuere deutsche Literatur *leitet sich aus der Tatsache ab,*
daß er der Schöpfer des einzigen großen Epos der Gegenwart ist, *das der ›Olympische Frühling‹ darstellt.*« Die
Betrachtung mag am besten abgeschlossen werden mit
einer Lüthschen Bemerkung über Johannes Schlaf: »Daß
dieser Grübler *daneben* auch ein Dichter ist, *läßt viele
Stellen von inniger Schönheit entstehen.*« Ja, das ist es:
daß Lüth auch ein Literarhistoriker ist, läßt schöne Sätze
entstehen und zwei epochemachende Bände, die die »Literatur als Geschichte« darstellt.
     Was jedoch Lüths Entwicklungsbegriffe angeht, so
scheinen es eher geometrische als historische zu sein. Unentwegt hat es Lüth mit Punkten, Linien, Bögen und Kreisen. Wir haben von der eigenen Linie bei Wilhelm von
Scholz gehört. Wir haben von der Linie gehört, die Hesse
nicht nur bis zum Ende, sondern auch bis zu ihrer Grenze

verfolgte. Und wir wissen, Thomas Mann steht von Beginn her auf derselben Linie, die Hesse verfolgt. Noch zwei Beispiele seien angefügt. Wir erfahren, daß bei Pannwitz »eine *Linie eingehalten wird,* die von dem Kant der ›Kritik der Urteilskraft‹ über Goethe zu Nietzsche *gezogen werden kann* und die Einstein ebensowenig ausschließt wie Riemann«. Mit Riemann ist offenbar der Verfasser eines Musiklexikons gemeint. (Woher Lüth das nur alles hat!) Aber die Linie, die bei Pannwitz eingehalten wird, obwohl man sie erst zu ziehen hätte, und die nicht nur verbindet, sondern zugleich nicht ausschließt, ist jedenfalls eine mathematisch exakte Linie, selbst wenn sie sich später als ein »unermeßlich weit gespannter Bogen« erweist. Ganz anders, um mit Lüth zu sprechen, Stehrs Kreis. »Auch er *beschreibt den Kreis,* der *in der Gesamtentwicklung* mit dem Naturalismus begann und über die Einbeziehung des Psychischen zur Dekadenz kam.« Ein hochinteressantes Entwicklungsphänomen: da der Kreis, der mit dem Naturalismus begann und zur Dekadenz *kam,* doch gewiß ein Kreis ist, muß er mit der Dekadenz wieder beim Naturalismus angelangt sein. Trotzdem freut man sich, wenn der abstrakte mathematische Denker Lüth sich gelegentlich einer freundlicheren und sinnlicheren Sphäre zuwendet. Zum Beispiel, wenn er entdeckt, daß in Wedekinds Kindertragödie »Frühlings Erwachen« getanzt wird. »Jugendliche, Unreife, Menschen der Pubertät, der Lebenskrise also, *tanzen* in den neunzehn Szenen *eine düstere Vision.*« Bei Hauptmann wiederum, wo nicht getanzt wird, ist wenigstens ein Jahrmarkt da, auf dem den Belangen nachgegangen wird. »Bei Hauptmann eine Welt, wie wir sie kennen, ein *bunter Jahrmarkt* des Lebens, auf dem jeder *seinen Belangen nachgeht* und damit schuldig wird, *ohne daß er es will.*« Hier spricht zugleich tiefe Lebensweisheit: wir erfahren, wie gefährlich es ist, seinen Belangen nachzugehen, man wird, ob man will oder nicht, schuldig. (Die Belange aber sind gewiß die Interessen;

»interesselose Anschauung« würde Lüth mit »belangloser
Anschauung« übersetzen.)

Hier endet der Exkurs über Lüths Prinzipien. Überschrift: »Literatur als Geschichte.«

So lohnend eine noch detailliertere Spezialforschung in
Sachen Lüth wäre, das Verfahren muß summarischer werden. Stichwort-Zitate tun es am Ende auch, denn hier ist
jeder Satz ein Fund und jeder vertritt das Ganze. Was ist
mit der »Gedankenwelt« des W. von Scholz? Sie »wird
ihren Platz in der neueren deutschen Literatur behaupten«. Wer behauptet dort ferner seinen Platz? Samuel Lublinski, der »nicht nur als Literarhistoriker, sondern auch
als Dichter wichtige Beiträge zur neueren deutschen Literatur zu geben vermocht« hat. Als was ist Ludwig Finckh
zu nennen, und zwar wo? Ludwig Finckh, »welch letzterer
in der Literatur als Idylliker zu nennen ist«. Was hat dagegen Rilke getan und in welcher Eigenschaft? Was hat er
so wie wir? *»Als dichterische Persönlichkeit* hat Rilke jedoch die neuromantische Periode abgeschlossen, *so wie wir
Gerhart Hauptmann für den Naturalismus setzen.«* Und
was ist es mit der wichtigen literarhistorischen Ortsbestim-
mung Walter von Molos, des Fridericus-Epikers und Verfassers eines dreibändigen Familienblattromans über
Schillers Leben? »Molos Entwicklung geht der des Expressionismus parallel.« Wieso? »Nicht nur daß er wie dieser
gern eine Kino-Technik in seiner Epik verwendet, *sondern
auch weil er Ekstatiker ist.«* Was zeigen freilich schon die
vielen Romane seiner Anfänge? »Sie zeigen freilich schon
Molos Eigenart, Reihenromane durchzuführen, die sich
zum ersten Male gültig in dem Friedrich-von-Schiller-Zy-
klus verwirklicht.« Was vollzieht Molos Prosa? Was ist
es bei ihr mit dem Begebenen? »Seine Prosa vollzieht hingegen eine Wandlung von überhitzten Anfängen und
einer Überfülle des *Begebenen* zur Zucht und Sparsamkeit
reifer Epik.« Weiter zu Werfel. Warum bedarf Werfel

keiner Klassifizierung und als was bedarf er ihrer nicht?
»Es verhält sich aber so, daß Werfel *als eine bedeutsame
dichterische Gestalt* einer solchen Klassifizierung nicht bedarf, *da sein Genius* sich eigentlich aller *Zweige* der Poesie
mit Meisterschaft *bediente.*« Weiter zu Benn. Auf welcher
eingeschlagenen Linie schreitet er fort? »Auf der von Gustav Sack *eingeschlagenen* Linie schreitet Gottfried Benn
fort.« Wie steht es mit zwei Romanen von Ulitz? Wer
darf wobei genannt werden? »Der Roman ›Ararat‹ von
1921 griff dann die Frage der russischen Revolution auf
und der Roman ›Die Bärin‹ die Jugendbewegung, *wobei* der zweite wohl der stärkere genannt werden darf.«
Wer gehört mit Kornfeld zusammen und wo befinden wir
uns damit direkt? »Mit Kornfeld zusammen gehört Iwan
Goll, ein 1891 geborener Elsässer. *Wir befinden uns damit
direkt* in den Krisen des modernen Theaters, wie sie der
Expressionismus heraufführte.« Was hat Edschmid in seinen Novellen und Reisebüchern vollziehen können, ohne
was zu müssen? »In ihnen hat Edschmid *eine persönliche
Leistung vollziehen* können, *ohne doch* seinen Lieblings-
leidenschaften entsagen zu müssen.« Was tut Georg Kaisers
Werk und in welchem Falle tut es das? »Georg Kaisers
Werk *schlägt einen weiten Bogen, wenn man es heute, da
der Autor nicht mehr lebt, übersieht.*« Als wen kann man
Loerke schlecht hinstellen und was eignet ihm dagegen?
»In der Tat kann man ihn *schlecht als Pointillisten hinstellen,* doch eignet ihm das, *was wir als Parasymbolismus
bezeichnen.*« Wessen oder vielmehr wem hat sich Anna
Seghers bedient und in welcher Weise? ». . . eine gefährliche Technik, *der* sich die Dichterin jedoch *in eleganter
Weise* bedient hat.« Was für eine Bearbeitung welcher Sache bringt Ernst Glaeser nicht vor? »Soviel Autobiographisches auch in seine Romane eingegangen ist, *bringt er*
doch keine Bearbeitung subjektiver Evolution vor.«

Endlich – und hier muß ein Absatz gemacht werden,
weil nun doch wieder der längere Atem erforderlich ist –

endlich Hans Franck, der als Schriftsteller »nicht leicht zu
charakterisieren« ist, »*da bereits* nach einer Feststellung
Josef Wincklers aus dem Jahre 1922 sein Werk *als Ganzes
genommen werden muß*«. Was am besten folgendermaßen
geschieht: »Mit dem Drama ›Der Herzog von Reichstadt‹
begann Franck 1910. Im Jahre darauf gab er ›Herzog
Heinrichs Heimkehr‹ und 1919 ›Freie Knechte‹ und
›Godiva‹. Dann folgten ›Opfernacht‹ (1921) und ›Mar-
tha und Maria‹ (1922), ›Geschlagen‹ (1923) und ›Klaus
Michel‹ (1925), *während* auf die Bearbeitung des Struen-
see-Stoffes ›Kanzler und König‹ (1926) zwei Laienspiele
(›Volk in Not‹ und ›Kleist‹) folgten.« Und so weiter
anderthalb Seiten herunter, bis nicht weniger als sieben-
unddreißig Buchtitel aufgezählt sind. Aber noch nicht genug. »Damit sind *nur einige wesentliche Arbeiten* genannt,
längst nicht alle und *noch nicht einmal die wichtigsten,
wie denn noch* die Novelle ›Wort der Worte‹ zu nennen
wäre und die Kantate ›Die Mutter‹, das Volksspiel ›Die
fremde Braut‹ und die Jugenderzählung ›Karl Unge-
nannt‹, die Novelle ›Die Dschunke‹ und die ›Mecklenburgischen Sagen‹, denen die ›Norddeutschen Mähren‹
›Das wiedergefundene Lachen‹ *beizugesellen wären.*«
Aber immer noch nicht genug der Franckschen Produktivität, denn es muß »berücksichtigt werden, daß gerade in
den letzten Jahren eine Anzahl *gewichtiger* Werke entstand, die wegen der Zeitumstände noch nicht veröffentlicht werden konnten«. Indessen, das Urteil über Franck
steht Gott sei Dank auch so, und zwar von vornherein
fest: »Fest steht freilich von vornherein, daß Franck einer
der Meister der deutschen Kurzgeschichte ist und ein ge-
dankenschwerer Lyriker von hohen Graden. Der Romancier hingegen muß *viele Vorgriffe wagen,* ehe ihm eine
endgültige Aussage gelingt, *während* der Dramatiker
ebenfalls zu schneller Vollendung kommt.« Wichtig zu
wissen ist auch folgendes: Franck war vom Grübeln über-
schattet, »bis er sich, mit den dreißiger Jahren, immer

mehr zur *reinen Epik* und zur dichterischen Darstellung
emporarbeitet. Besonders gut läßt sich das *in der Lyrik*
verfolgen«.

Überschrift: »Literatur als Geschichte.« Notabene und
um Irrtümern vorzubeugen: weder von Leonhard Frank
noch von Bruno Frank ist die Rede, sondern eben von
Hans Franck, der ein solider Mecklenburger Hebbel-Epi-
gone war, bevor er ein emsiger Viel- und Allesschreiber
wurde. Der Fall schien lohnend genug, um durch ausführ-
lichere Zitierung belegt zu werden. Er charakterisiert die
Methode, deren sich Lüth bei Behandlung der jüngsten Literaturentwicklung befleißigt. Da hier ältere Literaturge-
schichtswerke nicht mehr zur Hand sind, muß also das
»Material« her, das entweder von den Autoren selber
oder aus Verlegerwaschzetteln zu beziehen war. Franck
hat offenbar besonders reichlich Auskunft gegeben, weshalb Lüth nicht nur weiß, daß eine Anzahl bereits ent-
standener Werke noch nicht veröffentlicht wurde, sondern
sogar, daß es sich dabei um eine Anzahl gewichtiger Werke handelt. Mit Franck halten wir mitten im zweiten
Band, also mitten in der Gegenwart, und je weiter Lüth
fortschreitet, um so fürchterlicher häuft sich der Papier-
trödel solcher Titelaufzählungen und Waschzettel-Remi-
niszenzen. Wo ein Urteil steht, ist es mit prompter Sicherheit eins, das Lüth irgendwo in einer Zeitung oder Zeitschrift gefunden (oder aus dem Verleger-Archiv bezogen)
hat. Er zitiert aus einem »Essay« Otto Ernst Hesses über
Carossa und fährt fort: »*Damit* haben wir ein Wesentliches von der Art Carossas *vernommen* und zugleich auch
die Grenzen empfunden, die er sich gezogen hat.« Er zitiert, was Otto Zarek über einen Roman von Brod geäußert, und fährt fort: »... schrieb damals Otto Zarek
und hat *damit* die Qualität des Romanes *ohne Übertreibung aufgewiesen.*« Er nennt drei Romane Hermann
Brochs und fährt fort: »Sie führen, wie Hans A. Joachim
damals bemerkte, den doppelten Titel zu Recht«; folgt die

Bemerkung Joachims. Er sagt über Loerke: »Hermann Kasack hat die Kunst Loerkes einmal charakterisiert, indem er ausführte: ...« Er sagt über Pliviers »Stalingrad«: »Victor Klemperer hat in einer klugen Besprechung des Opus gesagt: ...« Er schreibt: »Diebold gliederte 1928 die expressionistischen Dramen in Ich-Dramen, Schrei-Dramen und Pflicht-Dramen. *Daraus läßt sich bereits ersehen,* welcher Art das dramatische Schaffen des Expressionismus ist. Julius Bab hat einmal gesagt: ...« Er spricht von Hasenclevers »Sohn«: »Sechsundzwanzig Jahre war der Verfasser damals. Marie von Keller schreibt darüber: ...« Doch nicht nur auf die kritische Autorität Marie von Kellers, auch auf diejenige Paul E. H. Lüths vermag sich Lüth zu berufen. Er zitiert, was »eine Tageszeitung« 1946 über den Mißerfolg eines Stückes von Barlach schrieb, stellt die Frage »Woran liegt das?« und fährt fort: »*Ich* habe im April 1946 *in der Monatsschrift ›Die Sammlung‹* an einem der ersten Dramen des Künstlers den Grund aufzuzeigen versucht.« Denkwürdiges Datum, nun für immer der Literaturgeschichte einverleibt: April 1946. Indes, wer hat Lüth den Grund aufgezeigt, den er damals in der Monatsschrift aufzuzeigen versucht hat?

Immer unwirtlicher wird Lüths literarische Landschaft. Denn es naht die jüngste literarische Generation, über die nicht einmal ein Rezensent etwas »gesagt« hat. Auch sind für diese Jüngsten noch keine jener pompösen Schlagworte geprägt, deren Gebrauch eine Sache mechanischer Übung ist. Wie konnte Lüth noch bei Unruh aus dem Vollen wirtschaften: »Mit dem 1885 in Koblenz geborenen Fritz von Unruh kommen wir zu einer Gruppe von Dramatikern, die man ... als Vertreter eines *Neu-Barock* und einer *Neu-Gotik* zusammenfassen könnte. Unruh würde der *Neogotik* zuzurechnen sein, Kokoschka und Barlach dem *expressionistischen Neobarock*.« Das ging wie geschmiert, was es ja auch war. Und noch bei Frank Thieß wußte man eben, daß neben dem Dichter der Denker

steht, ohne solches verwunderlich finden zu müssen: »Daß
neben dem Dichter Thieß der Denker steht, verwundert
nicht bei diesem unabhängigen Geist.« Jetzt kann weder
von Neogotik noch von Neobarock, weder von Dichter-
Denkern noch von unabhängigen Geistern die Rede sein,
sondern bloß von allerlei Büchelchen, die auf den Markt
gebracht wurden, damit Lüth sie in die Ewigkeitsfächer
seiner Literaturgeschichte einsammle. Der Andrang ist
groß, aber Lüth steht frierend und verlassen da in kahler
Gegend und muß sein Sprüchel sagen, sein eigenes Sprüchel. Ist es da zu verwundern, daß seine Urteile die reinen
Verzweiflungsakte sind? Gewiß, ihm entgeht nichts, auch
nicht Oda Schäfers Verssammlung »Irdisches Geleit«
(1946). Er muß sich äußern und er äußert: »Was diese
auszeichnet, ist das wirklich Dichterische des Wortes und
der lebendige Bezug desselben auf das Geschehene.« Aus.
Er muß sich über Eva Mohr äußern: »Klassischer Maße,
der Sprache Hölderlins verpflichtet, im geistlichen Liede
Matthias Claudius nachgehend, *ist* die 1911 geborene Eva
Mohr.« (Zur Erläuterung: »Klassischer Maße« ist ein Ge-
nitivus pluralis; Eva Mohr ist klassischer Maße, sie ist
zweitens Hölderlin verpflichtet, sie ist drittens Claudius
nachgehend – drei Fliegen auf einen Schlag, den Schlag
eines einzigen »ist«.) Das Gedränge wird immer größer.
Schon will Grosse beachtet sein. »An Weinheber noch *sehr
angelehnt stellt sich* der 1917 geborene Helmut Grosse mit
dem Bande ›Rausch und Maße‹ (1946) vor. Daß er sich
noch weiter entwickeln wird, beweisen Gedichte, die der
›Bogen‹ 1947 abdruckte. Letzteres« – es geht gleich in
einem Aufwaschen – »*letzteres ist zweifelhaft* bei der
1918 geborenen Annemarie Herleth, deren Gedichte ›Auf
einer Insel‹ (1947) ganz und gar *epigonal* sind, *ebenso
bei* dem 1924 geborenen Paul E. Maxheimer, dessen Gedichte und Skizzen ›Im Strom des Lebens‹ (1946) ungekonnt und unfertig sind.« Nicht daß man »letzteres« unbedingt glauben müßte, sondern bemerkenswert ist nur,

was der Historiker Lüth für seine Aufgabe hält: Autoren
die Literaturgeschichtsreife (mit Geburtsjahr) zu attestieren, wenn sie ein paar Gedichte veröffentlicht haben, die
der Historiker selber als »ungekonnt« und »unfertig« abtut. Natürlich sind Lob und Tadel die blanke Willkür, sie
kommen wie's gerade trifft und aus keinem anderen Grunde, als weil Lüth seine groteske Unfähigkeit des kritischen
Ausdrucks unter die gleich dutzendweise aufmarschieren-
den geschichtsreifen Gegenwartsautoren verteilen und damit Seiten über Seiten füllen muß. »Die ausgewählten Gedichte der 1905 geborenen Anneliese Redlich ›Am Born
der Ruhe‹ (1946) *spiegeln eine Begabung der stillen Betrachtung.* ›Abgelegene Gehöfte‹ nannte Günter Eich
einen 1947 publizierten Band. *Sie enthalten* das, was der
1907 geborene Dichter *an die Stelle seiner früher veröffentlichten Lyrik setzt* . . . Als Lyriker steht er W. Lehmann nahe. Der schon im ›Sturm‹ hervorgetretene, 1903
geborene Rudolf Schmitt-Sulzthal ist *dagegen ruhiger* geworden.« Gelegentlich erwacht der alte Lüth, aber es ist
nur ein Schatten vom früheren Wohlleben der Phrase.
Über Stephan Hermlin: »Paul Eluard und Bert Brecht
sind *die beiden Pole, zwischen denen* eine viel verspre-
chende Kraft nach eigenem Ausdruck ringt.« Besser geht's
schon, wenn Lüth die Gelegenheit beim Schopf ergreift,
sich über die eigene literarhistorische Absicht zu äußern:
»Auch die Prosa der jungen Autoren wollen wir *in der
Reihenfolge* besprechen, *daß* die avantgardistischen Werke zuerst kommen. Es sind die, die unbekümmert um
Überlieferung und Geschmack nach neuem Ausdruck suchen und *in diesem die Zeit zu bannen* trachten, *wodurch*
sie sich zumeist *auf jene Höhe reißen,* von der her der
Anschluß zur Weltliteratur gegeben oder doch *wenigstens
möglich* ist.« Und nun reißt Lüth wiederum dutzendweise
die jungen Autoren auf jene Höhe, von der her der Anschluß an die Weltliteratur, nein *zur* Weltliteratur entweder gegeben oder doch wenigstens möglich ist. Denn bei

Lüth ist kein Ding unmöglich, nicht einmal, daß er der Verfasser einer Literaturgeschichte ist.

Aber was steht da in Lüths Literaturgeschichte? »Es erfordert, wenn wir die Geschichte der Dichtung betrachten, zweifellos ein besonderes Können . . .« Wie? Es erfordert ein besonderes Können, wenn wir uns daran machen, die Geschichte der Dichtung zu betrachten? Sollte der Literaturgeschichtsbetrachter Lüth im Ernst dieser Ansicht sein? Es war nur ein Schreckschuß. Lüths origineller Stil hat uns einen Streich gespielt. Wir korrigieren uns, indem wir ihm sein Wort zurückgeben: »Es erfordert, *wenn wir die Geschichte der Dichtung betrachten,* zweifellos ein besonderes Können und eine gewisse Überfülle dichterischer Substanz, ein Zeitgeschehen dramatisch im Gewande eben dieser Zeit abzuhandeln.« Alles in Ordnung. Es handelt sich um einen Aphorismus Lüths über das Zeitdrama. Zum Zeitdrama gehört zweifellos ein besonderes Können, und zwar auch dann, wenn wir oder Lüth die Geschichte der Dichtung *nicht* betrachten. Alles in Ordnung.

Was noch aussteht, ist der Nachweis, daß dieses Wortgemenge, in welchem selbst die einfältigste Mitteilung über ein paar Buchtitel zu den abenteuerlichsten syntaktischen Zusammenstößen führt, durchaus identisch ist mit jenem ornamentalen Geschmuse, wovon zu Beginn die Rede war. Der Nachweis sei wenigstens an einem Beispiel erbracht. Lüth noch einmal über Rilke: »Der Individualismus ist *eingeklammert,* doch *nur in kosmischem Sinne,* – an das tätige Füreinander der Menschen hat Rilke den Anschluß nicht gefunden. Die Dekadenz ist *ebenfalls eingeklammert,* doch *nur dadurch, daß sie verabsolutiert wurde, – ihr fallender Bogen* zieht nun nicht nur durch eine späte Generation, sondern durch alles Geschaffene. Die Ordnung, die ihn *auffangen und umwenden* soll, verliert sich in den *Allbezügen* und läßt das eigentlich Menschliche entgleiten . . . Er [Rilke] ist den Weg, der *gegeben war,* bis zum Ende gegangen, bis an die Grenze und

hat versucht, *diese transzendierend zu überwinden*...
Hugo von Hofmannsthal ist *denselben Weg* gegangen –
aber im *Kreise*.« Die Ornamentalen, hieß es oben, seien
die bedenklicheren Stümper. Sie sind um so bedenklicher,
als sie den schlichten Analphabeten der literarischen Wissenschaft zum Verwechseln ähnlich sehen. Im vorliegenden Falle ist eine Verwechslung zum Glück nicht möglich.
Es ist beidemale Lüth. Und der ist unverwechselbar.

Was bleibt nach alledem noch zu sagen? Ein Verlagskata-
log oder die Anzeigen des Buchhändler-Börsenblatts sind
Gipfelleistungen der reinen kritischen Vernunft gegen diese Literatur als Geschichte, deren »persönliches Anliegen«
es ist, »nicht Deskription, sondern Symptomatologie und
damit zugleich Prognostikon« zu sein. Ja, wenn es auf
Fremdwörter ankäme, nämlich auf solche, die vor dem
Gebrauch zu schütteln sind! Da steht Lüth seinen Mann,
und es wimmelt bei ihm nur so von Pointillismus, Parasymbolismus, Paraklassizismus, Pantragismus. Doch er
sagt uns auch, wonach »die Literaturgeschichte, die sich
einer dialektischen Geistesgeschichte zugehörig weiß«,
trachten wird. Sie »wird danach trachten, auf der *gebärenden Bahn* der Dichtung zu bleiben *und* sie nicht zu verlassen«. Das muß schwierig sein: auf einer Bahn, noch dazu einer gebärenden Bahn nicht nur zu bleiben, sondern
sie auch nicht zu verlassen. Aber Lüth scheint die gebä-
rende Bahn der Dichtung geradezu für den zentralen Gedanken seines Werkes zu halten: nicht erst hier im Zitat,
sondern schon in seinem Text ist sie gesperrt gesetzt. Und
es ist noch viel schwieriger.
    Eine dialektische Literaturgeschichte ist also nach Lüth
eine solche, die auf der gebärenden Bahn der Dichtung
bleibt und sie auch dort nicht verläßt, wo sie sich um die
sozialen und historischen Vorgänge zu kümmern hätte,
aus denen der literarische Vorgang als Geschichte zu entwickeln wäre. »Literatur als Geschichte«: ein schöner Ti-

tel, aber ein Dilemma, wenn man auf der gebärenden
Bahn sitzt und nicht herunterkommt. Man muß daher der
dialektischen Literaturgeschichte den Brotkorb noch höher
hängen. »Sie will nicht urteilen und belehren«, sagt Lüth.
Und wer seine Literaturgeschichte gelesen hat, muß zugeben, daß es ihr gelungen ist, was sie nicht will auch nicht
zu können. Was will sie demnach? »Sie will nicht urteilen
und belehren, sondern ... *Assistenz leisten, und zwar an
jenem geheimnisvollen Akt,* den man die *jeweilige* Geburt
der Literatur nennen könnte ...« Also auf der gebärenden Bahn leistet sie Assistenz *an* der Geburt. Das ist nun
bereits so verwickelt, daß es kaum noch auseinanderzu-
wickeln ist. Versuchen wir es trotzdem. Gegenstand der
Literaturgeschichte ist die Literatur. Aber die Literatur ist
noch gar nicht vorhanden, da ja die Literaturgeschichte
erst bei ihrer Geburt zu assistieren hat. Erkennt man jetzt
den ganzen Umfang der Schwierigkeiten, mit denen Lüth
fertig werden muß? Er leistet Assistenz bei jenem geheimnisvollen Akt, den man die jeweilige Geburt der Literatur
nennen könnte – er ist Geburtshelfer und soll Historiker
einer Entwicklung sein, die die geheimnisvollen Geburtsakte nicht nur längst hinter sich hat, sondern die dem Historiker geradezu die Aufgabe stellt, den Glauben an die
geheimnisvollen Geburtsakte durch geschichtliche Erkenntnis zu zerstören. (Denn nicht das Geheimnis der individuellen künstlerischen Schöpfung, sondern nur der historische Prozeß der Literatur kann Gegenstand der historischen Forschung sein.) Es ist ein Dilemma. Aber was ist es
eigentlich? Es ist das, was herauskommt, wenn man einmal einen Kernsatz Lüths nicht bloß auf seine stilistische,
sondern auch auf seine logische Qualität untersucht. Er
weiß gar nicht, was er so hinschreibt. Er meint es ganz anders. Er ist in der Lage, alle möglichen Zusammenhänge
seitenlang zu einem wilden Bildungsstrudel zu verrühren.
Was herauskommt, ist immer dieselbe trübe Gärung aus
hanebüchner Phrase und hastig errafftem Lesezitat. Man

muß Lüth nicht im Dickicht seiner »Zusammenhänge«
stellen, wo es so finster ist, daß man das Einzelne nicht
mehr sieht, man muß ihn bei seinen Details packen. Man
muß ihm glauben, daß er jene Assistenz leistet, und nachdem man es geglaubt hat, muß man sich vergewissern, wie
diese Assistenz in der Praxis aussieht: also etwa, wenn es
sich um den geheimnisvollen Geburtsakt von siebenund-
dreißig Buchtiteln Hans Francks handelt. Verfährt man
so, dann hat man die dialektische Methode Lüths wirklich
erfaßt.

In der Tat ist Lüth um eine Erklärung des Begriffs Dialektik keineswegs verlegen. »Über die Dialektik selbst sei
hier so viel gesagt, daß sie aus der Tatsache folgt, daß der
menschliche Geist sowohl die Dinge unbegrenzt in Einheit
zusammenfassen als sie auch unbegrenzt unterscheiden und
auseinandertrennen kann.« Und nun kommt Lüths Clou.
Es ist der Clou des ganzen Buches: »Hier kann man nun
zwei *Abgleitungen* der Dialektik unterscheiden ... Wir
bezeichnen sie zusammenfassend als die *paradialektischen
Defektionsformen*.« Aber hier hat sich endgültig die Abgleitung des Lesers zu den parageistigen Defäkationsfor-
men des Lüthschen Denkens vollzogen und er ist auf weiteres nicht mehr neugierig.

Warum diese ausführliche Behandlung eines komischen
Malheurs, das, so sollte man meinen, im Augenblick seines
Erscheinens unter Wogen von Gelächter begraben worden
ist? Die ausführliche Behandlung deshalb, weil (bis auf
eine sehr erfreuliche Äußerung Hans Mayers, des Büchner-Biographen) nichts dergleichen geschah. Weil Lüth
nach wie vor ein Prominenter der neudeutschen Literaturkritik ist: Chefredakteur der Wiesbadener Literaturzeitschrift »Der Bogen«, Hauptmitarbeiter an Döblins Zeitschrift »Das Goldene Tor«, überhaupt, wie sich noch zeigen wird, Lieblingskind und Mundstück des Literaturpo-
litikers Alfred Döblin. Und sogar die Zeitschrift des Kul-

turbundes, der »Aufbau«, führt in der Prominentenliste
ihrer »ständigen Mitarbeiter« den Namen Paul E. H.
Lüth. Kein Gelächter, sondern allseitiges Beifallsgemur-
mel. Denn wenn es das Buch in einem nicht verfehlt hat,
so in der Spekulation auf die Literateneitelkeit. Jeder der
heute Schreibenden ist drin in dieser Literaturgeschichte,
jeder, der ein Drama in der Schreibtischlade hat, jeder,
von dem eine Novelle oder ein Gedicht irgendwo gedruckt
wurde. Und sie sehen nach, ob sie drin sind: sie sind drin,
womöglich sogar mit Porträt, und sie finden, daß es eine
ausgezeichnete Literaturgeschichte sei. Nur so mag zu erklären sein, daß in dem sonst besser beratenen »Aufbau«
eine Besprechung des Werkes erschien, die ein einziger
Hohn auf die Wahrheit, auf den wirklichen Tatbestand
ist. Nein, man geht nicht fehl, wenn man vermutet, daß
der Verfasser dieser Besprechung nicht erfolglos in Lüths
Literaturgeschichte nachgeschlagen hat: er ist drin.

Sie haben ja auch alle diensteifrig reagiert, als der durch
keine Leistung legitimierte Herr Lüth ihnen schriftlich seine Absicht entdeckte, eine Literaturgeschichte der Gegenwart zu schreiben. Davon war schon die Rede: da Lüth
offenbar die heutige Literatur so wenig kennt wie die ältere, da jedoch im Gegensatz zu der älteren die heutige
noch in keiner bereits erschienenen Literaturgeschichte verzeichnet ist, aus der man abschreiben kann, woher sollte
Lüth das »Material« nehmen, wenn es ihm die Autoren
nicht selber lieferten? Sie haben es ihm geliefert. Und
Lüth ist wiederum nicht geschickt genug, die Spuren zu
verwischen und die Resultate seines ausgedehnten Auto-
renbriefverkehrs als eigene Forschungsergebnisse zu präsentieren. Nein, er verzeichnet jedesmal brav, was ihm
einer geschrieben, höchstens daß er ergänzend hinzufügt,
was einer über einen geschrieben. »Aber Flake ist damit
noch nicht am Ende. Er möchte sich, wie er mir schrieb,
nunmehr stärker als Erzähler *vorführen*.« Und: »Er
schrieb mir einmal, bei Behandlung seines Werkes in einer

Literaturgeschichte sei das Schwergewicht auf die Produktion der 1930er Jahre zu verlegen.« Flake, indem er dieses schrieb, dachte vermutlich, der Literarhistoriker werde nun, dankbar für den Wink, von sich aus das Schwergewicht verlegen. Daß der Literarhistoriker so indiskret sein würde, den Herzenswunsch des Autors einfach zu zitieren, hat der Autor gewiß nicht für möglich gehalten. Er wird enttäuscht sein. Was aber sagt der Leser, der statt einer Literaturgeschichte die dem Autor erteilten Ratschläge, wie eine solche zu schreiben sei, vorgesetzt bekommt? Interessant ist auch Lüths Stellungnahme zu Gerhart Pohl. Über die Erzählung »Die Blockflöte« urteilt er: »1947 gelangte sie endlich den Lesern in die *Hände, deren Grundidee* C. F. W. Behl als ›die Überwindung des fin-de-siècle-Geistes durch das Erlebnis des Wesenhaften‹ bezeichnet hat.« Ob es sich um die Grundidee der Hände oder der Leser handelt, bleibt grammatikalisch unentschieden. Auf alle Fälle ist es eine tolle Grundidee. Wer aber finden sollte, daß Lüths Urteil über die »Blockflöte« durch C. F. W. Behl nur unpräzise ausgedrückt sei, dem wird folgendermaßen Beruhigung: »Pohl selbst hat mir brieflich sein Ziel, zu dem die ›Blockflöte‹ einen entscheidenden Schritt bedeutet, als das eines ›magischen Realismus‹ bezeichnet.« Ist es da zu verwundern, daß Lüth nunmehr aufs Ganze geht und den seit mehr als zwanzig Jahren schreibenden Autor Pohl als einen »Werdenden« erkennt, »dessen Weg noch viele Möglichkeiten hat und manche Vollendung verspricht«? Und Frank Thieß »schrieb mir einmal«, und »mir selbst schrieb er« – Hans von Hülsen – »denn auch einmal«, und Edschmid »schrieb mir 1946«, und F. C. Weiskopf »hat mich brieflich darauf hingewiesen«, und Max Brod »schrieb mir 1946 aus Tel-Aviv«, und sie alle schrieben Herrn Lüth in einem weltumspannenden Briefverkehr, welcher der Post schon einiges zu schaffen gemacht haben muß.

Ein ungeheurer Jahrmarkt der Literateneitelkeit.

III

DAS KAPITEL THOMAS MANN

In der erwähnten Besprechung des »Aufbau« (1947,
Heft 9) heißt es: »Bei aller oft schonungslosen Kritik, die
Lüth an den *Irrwegen vieler Autoren* übt – einer Kritik,
die meines Erachtens bei Hauptmann und Thomas Mann
sogar etwas zu weit geht –, wird er denjenigen Dichtern,
die heute *zu Unrecht* einiger *erzwungener* Fehler oder *Zugeständnisse* wegen umstritten sind, in erfreulicher Art gerecht.« Ja, wie erfreulich ist Lüths Gerechtigkeit gegenüber solchen Autoren, die zu Unrecht umstritten sind, da
ihre nazistischen Zugeständnisse doch nur erzwungen waren, während die schonungslose Kritik an den Irrwegen
Thomas Manns keineswegs zu Unrecht geschieht, sondern
höchstens etwas zu weit geht. Aber man ermesse ein Ur-
teilsvermögen, das seinen Anspruch an die »Zucht und
Sparsamkeit reifer Epik« bei Walter von Molo erfüllt findet, man ermesse die oben durch zahllose Zitate darge-
tane geistige Qualifikation eines Literaturgeschichtsverfas-
sers und versuche sich vorzustellen, daß dieser Stilmansch
just die Materie ist, die sich zu einer schonungslosen Kritik
an Thomas Mann zusammenballt.

Nein, auf eine Auseinandersetzung mit Lüth über Thomas Mann werden wir uns nicht einlassen. Das geht einfach nicht zusammen: dort die verehrungswürdige europäische Gestalt des größten deutschen Schriftstellers –
und hier eine Individualität, die noch nicht die Anfangs-
gründe der Grammatik beherrscht, doch mit der glücklichen Entdeckung reüssiert, daß man eine Literaturgeschichte schreiben kann, ohne auch nur die bescheidensten literarischen Kenntnisse erworben zu haben, daß man
über Bücher urteilen kann, die man nie gelesen hat. Lüth
also, derselbe Lüth, der dem Otto Ernst bescheinigt, daß
er ein keineswegs leichtes Genre vortrefflich gemeistert ha-

be, schlägt auf Thomas Mann los. Das mit den »Irrwegen«, wovon jener Rezensent spricht und womit ja wohl
politische Irrwege angedeutet sein sollen, ist einfach nicht
wahr. Dem Lüth ist es gar nicht um Irrwege zu tun, er
beschmiert von oben bis unten das Werk Thomas Manns,
beschmiert es mit demselben gottverlassenen Kauder-
welsch, in welchem das ganze Buch zusammengeschmiert
ist. Aber hier hört der Spaß auf und die schönsten Stilblüten freuen uns nicht mehr. Wenn man über die ernsthafte
Miene noch lachen konnte, womit den Ompteda und Tovote von einem literarhistorischen Ignoranten das literarhistorische Ewigkeitsmaß genommen wurde: die Tatsache,
daß einer die Bücher Thomas Manns nicht kennt, jedoch
schonungslos kritisiert, ist nicht mehr heiter, sondern erbärmlich, niedrig und unbeschreiblich widerwärtig. Nur
dies eine, nur dies, daß Lüth auch im Falle Thomas Manns
seiner Methode treu geblieben ist, über Dinge zu schwatzen, die er knapp vom Hörensagen kennt, nur dies Hor-
rende muß nachgewiesen werden, so ungern man auch in
den Lüthschen Brei hineinfaßt.

An einer Stelle braucht man nicht hineinzufassen, denn
da hat es Hans Mayer schon getan. Von seiner erfreu-
lichen Äußerung zum Falle Lüth war oben in einer Klam-
merbemerkung die Rede. Hans Mayer schreibt:

Überhaupt Thomas Mann! Was sich Lüth hier an Anmaßung leistet, an Urteilen aus der Perspektive des heutigen Zeitungsgezänks um den Dichter des »Zauberbergs«,
nicht ohne orthographische Fehler (»pretiös« statt »pre-
ziös«), ist frevelhaft. Wenn jemand heute eine deutsche
Literaturgeschichte der Gegenwart schreibt, wird man von
ihm erwarten müssen, daß er den »Zauberberg«, den vielleicht bedeutsamsten deutschen Roman der letzten Jahrzehnte, wirklich gelesen hat. Lüth hat ihn offensichtlich
nicht gelesen. Sonst würde er nicht (man hält es kaum für
möglich!) als eine der Hauptfiguren des Romans »die

Asketin Naphta« bezeichnen. Nun sind zwar Viola oder
Micaëla weiblichen Geschlechts, allein der Jesuitenprofessor Naphta bei Thomas Mann ist unverkennbar mascu-
lini generis. Wenn Lüth den Namen Hans Castorps unentwegt mit »K« schreibt, so weiß man, was man von
allem zu halten hat.

Also die Asketin Naphta. Indes, man muß doch hinein-
fassen, denn Hans Mayer hat sich im gleichen Zusammenhang eine vielleicht noch verräterischere Spur entgehen
lassen. Lüth übt schonungslose Kritik am Schluß des
»Zauberbergs«: »Das *Buch endet* gleichsam *wie eine Seifenblase,* die köstlich geschillert hat und nun platzt. Ein
einziger Mensch desselben entgeht dem Schicksal des Erkrankens, des Ausgehöhltwerdens – ein Offizier, der ins
bürgerliche Leben zurückfindet und im Kriege fällt.« Aber
die endende und dann platzende Seifenblase ist eine
Lüthsche Seifenblase. Thomas Mann hat diesen Schluß nie
geschrieben. Der Offizier Joachim Ziemßen entgeht keineswegs dem »Schicksal des Erkrankens«, sondern im Gegenteil: nachdem der Schwerkranke vorzeitig ausgebrochen
war, um im »Flachland« Manöverdienste zu tun, kehrte
er als Moribundus zurück und stirbt im Sanatorium – *vor*
Ausbruch des Krieges. Auch eine andere Hauptfigur des
Romans kennt Lüth so gut, daß er ihren Namen bereits
falsch schreiben kann (unentwegt Pepperkorn statt Pee-
perkorn). Auf der Höhe solcher Orientiertheit muß es
Lüth natürlich »einigermaßen verblüffend« finden, daß
der Roman 1930 schon die 125. Auflage erlebte, »denn
das Werk hat keine konstruktiven, neuen Ideen. Die Technik ist zur Routine erstarrt, die Art zur Manier«. Nämlich zu jener Routine, die uns einen Jesuitenprofessor als
die Asketin Naphta präsentiert, zu jener Manier, die
einen im Frieden an der Tuberkulose gestorbenen Offizier
als Gefallenen des Weltkriegs agnosziert.

Einigermaßen verblüffend wird man es hingegen finden, daß dem Literaturgeschichtsschreiber Lüth der Name Goethe ganz geläufig ist, obwohl das Buch »Dichtung und Dichter der Zeit« von Soergel – das einzige, das er nachweislich gelesen und mit Erfolg gelesen hat – nur die Literatur seit den achtziger Jahren behandelt. Aber der Name ist ihm so geläufig, daß er gar nicht mehr hinzusehen braucht, um sein Urteil über Thomas Manns Roman »Lotte in Weimar« fix und fertig zu haben, über die ergreifendste Goethe-Deutung in deutscher Sprache, die großartigste Durchdringung von ironischem Kritizismus und erzählerischer Vergeistigung. Der Roman, sagt Lüth, hat »einen unangenehmen Stich ins Literarische«: wirklich unangenehm für jemand, dessen Stiche ins Literarische so elegant treffen. »Goethe endlich wird völlig verzeichnet«, sagt Lüth. Nämlich Goethe »kann den Kreis nicht runden und die heraufgebannte Welt nicht abschließend mit Leben füllen«. Lüth seinerseits rundet den Kreis und meint abschließend, daß die Szene, »da Goethe und Lotte zusammen vom Theater nach Hause fahren«, »gewiß noch zum Besten des Buches« zähle. »Lotte gesteht, daß sie glücklich ist, nun noch einmal mit ihm zusammengekommen zu sein. Goethe gibt daraufhin das Folgende von sich . . .« Aber mag Goethe von sich geben was immer, so bleibt es doch ein ausgesuchtes Pech, daß Lüth selbst dort, wo er etwas »noch« zum Besten zählt, um es mißlungen zu finden, an eine Szene gerät, die gar nicht im Buche steht. Thomas Manns Lotte fährt im Wagen, den ihr Goethe geschickt hat, allein vom Theater ins Gasthaus, wird allein vom Kellner Mager in Empfang genommen, und was sich zwischendurch abgespielt hat, ist eine Traumbegegnung, ein Traumgespräch, ist die Traumkorrektur einer Realität, die sich allerdings nur in dieser Idealität »runden« kann. Doch Lüth phantasiert weiter: »Und mit den Worten ›Wisse, Metamorphose ist deines Freundes Liebstes und Innerstes‹ scheidet er vor dem ›Elephanten‹ von ihr.« Lüth phantasiert. Denn diese Worte sind ein

Satzpartikel, das mitten in einem zwei Seiten langen Monolog der Traumerscheinung Goethes steht, genau in der Mitte, und nichts mit der Situation vor dem »Elephanten« zu tun hat. Lüth fand die Wendung vermutlich als Zitat in einer Besprechung des Romans. Er beschloß, sie sich zunutze zu machen. Ich werde sagen, beschloß er, daß Goethe mit diesen Worten von Lotte scheidet, das ist ein guter Abschluß meiner schonungslosen Kritik an dem Roman.

Er verzichte. Er verzichte endgültig darauf, sich auf das Glatteis literaturkritischer Details zu begeben, wo er garantiert nichts anderes erleben kann, als daß er, und zwar ganz ohne Hochmut, zu Fall kommt. Er begnüge sich damit, den Otto Ernst »trefflich« zu finden, einen Roman von Georg Engel für »bleibend« zu halten und den Balladenbarden Münchhausen »voll und ganz eine eigene Welt vertreten« zu sehen. Was aber Thomas Mann betrifft, so beschränke er sich darauf, Sätze wie diesen zu Papier zu bringen: »Wie ein Stein eine Lawine *einleiten* kann, so *löste* diese erste eine *Kette* weiterer Begriffsverwirrungen aus, die natürlich in Deutschland ... besonders *folgenschwer* sein mußte.« Denn es ist klar, daß eine Kette ausgelöst wird wie eine Lawine, die von einem Stein eingeleitet wird, und daß es sich dabei in Deutschland um eine besonders folgenschwere Kette handeln muß. Wogegen man den Abstieg von der Lüthschen Sprachhöhe in jene Niederungen, wo Thomas Manns Stil sich in »behäbiger Saturiertheit des Rhythmus« spreizt, doch nur ungern mitmacht, selbst wenn man schwindelfrei ist. Ein Literaturkenner wie Lüth ist ja vor Überraschungen sicher, er findet im »Zauberberg« keine neuen Ideen, und auch die Josephs-Romane können ihm »stofflich nichts Neues bieten«. Aber das Neue, das uns Lüth mit seinen originellen Interpretationen bietet, behagt uns auch nicht, da fehlt es wieder an jener Kühnheit der Erfindung, die den Schwindel erst interessant machte. Selbst die Denunzie-

rung der Erzählung »Wälsungenblut« als »antisemitisch«
ist nicht interessant, sondern nur frech. Und was tut man
mit Neuigkeiten wie dieser: »1914 publizierte er die Novelle ›Tonio Kröger‹, 1918 die ›Betrachtungen eines Unpolitischen‹, womit die Entwicklung *bis zum Weltkriege*
umrissen ist.« Gewiß, es ist pikant: der in dem Novellenband »Tristan« von 1903 enthaltene »Tonio Kröger«
wurde erst 1914 publiziert, und mit ihm und den »Betrachtungen« von 1918 ist die Entwicklung bis zum Weltkrieg umrissen. Es ist pikant, aber eigentlich doch mehr
dumm.

IV

DIE ROLLE ALFRED DÖBLINS

Das Traurigste, was die beiden Bände Lüths enthalten, ist
dieser Satz des Vorworts: »Besonders verbunden ist der
Verfasser Alfred Döblin, der ihm seit seiner Rückkehr aus
Los Angeles mit Rat und Tat zur Seite stand.« Der Satz
ist, im Gegensatz zum sonstigen Inhalt der beiden Bände,
leider wahr. Alfred Döblin hat mit Rat und Tat geholfen,
und wer über das literarische Cliquenwesen im Deutschland vor 1933 Bescheid weiß, kann nicht daran zweifeln,
daß Lüth vor allem als Thomas-Mann-Exeget nicht vergeblich auf Döblins Rat gehört hat. Döblin ist ein bedeutender Schriftsteller, aber er hat niemals die Größe besessen, ein anderes Maß als das eigene anzuerkennen oder
auch nur für möglich zu halten. Die repräsentative Rolle,
die Thomas Mann in der deutschen Literatur spielte, war
ihm immer ein Ärgernis, und er hat sich mit hämischen
Glossierungen an Thomas Manns Geistigkeit und Schaf-
fensweise gerieben, Glossierungen, die nichts bewiesen als
dieses: wenn Döblins Auffassung von epischer Produktivität die allein gültige wäre, dann müßte Thomas Manns

Werk sich allerdings in ein Nichts auflösen. Nun hat
Döblin, nachdem er wie Thomas Mann aus Deutschland
emigriert war, erleben müssen, daß sich dieses Werk keineswegs in ein Nichts auflöste, daß Thomas Mann vielmehr zu einem Weltruhm emporstieg, beispiellos in der
Geschichte der geistigen Emigration, beispiellos in der Geschichte unserer Zeit. Thomas Mann anerkannt als die
größte literarische Erscheinung der Epoche – und Alfred
Döblin? Er benutzte, nach Deutschland zurückgekehrt, die
erste Gelegenheit, eine umfassende Revision des verhaßten Tatbestandes vorzubereiten. Und in dem achtund-
zwanzigjährigen Paul E. H. Lüth fand er das zu jedem
Dienste erbötige Werkzeug.

Das ist, wenn Dokumente nicht trügen können, dokumentarisch nachweisbar. Auf Seite 161 seiner Literaturgeschichte schwadroniert Lüth folgendermaßen daher:
»*Rein künstlerisch ist zu sagen,* daß Thomas Manns *Anfänge,* besonders seine Entwicklung bis zum ersten Weltkriege, von großer Bedeutsamkeit waren. Seine besondere
Stilistik« – er meint den besonderen Stil, denn Stilistik
heißt die Kunstlehre vom richtigen Sprachgebrauch, ein
Kursus, den Lüth mit Erfolg geschwänzt hat – »seine besondere Stilistik lehrte einer ganzen Generation kultivier-
tes Schreiben. *Freilich* blendete der Glanz seiner Wendungen und Perioden auch und *war nicht ohne Gefahr. Diese*
wurde jedoch zunehmend erkannt, und man kann sagen,
daß in den Jahren zwischen dem ersten und dem zweiten
Weltkriege Thomas Manns Dichtung in ihrer Art geschätzt
und doch kritisch hingenommen wurde, daß der verführende Nimbus, das Faszinierende aber geschwunden war.«
In den Jahren zwischen dem ersten und dem zweiten
Weltkriege, das weiß Lüth ganz genau. Als wäre es gestern gewesen, erinnert er sich an die Zeit nach dem ersten
Weltkrieg, denn da war er schon ein rüstiger Säugling (geboren am 20. 6. 1919), während er die Wende von 1933
als Dreizehnjähriger bereits an der vordersten Kultur-

front mitgemacht hat. Lüth erinnert sich – an Döblins Erinnerungen, nämlich an das literarische Cliquengezänk der zwanziger Jahre, in welchem Döblin eine maßgebliche Rolle spielte; und daß damals der verführende Nimbus, das Faszinierende Thomas Manns geschwunden seien, ist insofern wahr, als, wenn es wahr wäre, damit ein Herzenswunsch Döblins erfüllt gewesen wäre. Doch Lüth fährt fort: »Thomas Mann hat die verhältnismäßig engen Grenzen seiner Möglichkeiten ausgefüllt ... – sein Werk steht abgeschlossen und in vielem vollendet vor uns: wir müssen ihm begegnen, jeder für sich. *Von meiner Begegnung* habe ich auf den vorstehenden Seiten *und in einem längeren Aufsatz in der von Alfred Döblin herausgegebenen Zeitschrift ›Das Goldene Tor‹* (1947, Heft 4) berichtet. Sie unterscheidet sich *freilich* von der nach dem zweiten Weltkriege *opportunen* Auffassung, wie sie Georg Lukacz (›Die deutsche Literatur und der Imperialismus‹, 1946) und Arnold Bauer (›Thomas Mann und die Krise der bürgerlichen Kultur‹, 1946) vertreten.«

Wodurch sich das, was Lüth die Schamlosigkeit besitzt, seine Begegnung mit Thomas Mann zu nennen, von jenen »opportunen« Urteilen unterscheidet, wurde oben gezeigt: durch eine nicht fahrlässige, sondern völlig verantwortungslose Windbeutelei, wie sie noch nie in geistiger Sache sich ans Licht gewagt hat. Aber es paßt zu dem Bild, welches diese Affäre bietet, daß er seine profunden Thomas-Mann-Kenntnisse nicht nur in der Literaturgeschichte, sondern zuvor in Döblins Zeitschrift abgelagert hat.

Damit jedoch nicht genug, keineswegs genug. Döblin gibt keine Ruhe. Nur ein längerer Aufsatz in Heft 4? Kürzlich erschien Heft 8/9 der Zeitschrift »Das Goldene Tor«, und es enthält schon wieder einen längeren Aufsatz »Über das Werk Thomas Manns«, wieder von keinem geringeren als Paul E. H. Lüth, dem Thomas-Mann-Experten Döblins. Denn unterdessen war etwas passiert, was Döblin schlaflose Nächte verursachte. In einer Vorbemer-

kung, die der Herausgeber Döblin dem Aufsatz Lüths vor-
aufgehen läßt, wird es kopfschüttelnd verzeichnet: »Die
Revision literarischer Urteile befaßt sich hier mit Thomas
Mann. Gelegentlich seines Besuches in England hat, wie
uns ein Gewährsmann schrieb, die englische literarische
Presse, deren sachlich-nüchterne Zurückhaltung sprichwörtlich ist, *diesmal Superlative nicht unterdrücken können.* Man hat sein Werk ›die größte individuelle literarische Leistung unserer Zeit‹ genannt. Man hat, um einen
Vergleichsnenner für das Gesamtwerk Thomas Manns zu
finden, auf literarische Erscheinungen früherer Jahrhunderte zurückgreifen müssen, auf Milton, auf Goethe, auf
Tolstoi.« Ein Gewährsmann hat es Döblin geschrieben;
Döblin beschäftigt offenbar an allen wichtigeren Welt-
plätzen Korrespondenten, die ihn über den jeweiligen Ba-
rometerstand des Thomas Mannschen Ruhmes auf dem
laufenden halten. Ach, daß der Gewährsmann gelogen
hätte, ach, daß es nicht wahr wäre und die englische Presse
auch diesmal sich ihrer sprichwörtlichen Zurückhaltung
befleißigt hätte! Leider ist es wahr, der größte deutsche
Schriftsteller wurde mit hohen Ehren bedacht: in England. Aber die draußen haben gut reden. Gottseidank gibt
es neben Thomas Manns Ort in der Weltliteratur noch
seinen Ort in der deutschen zeitgenössischen Literatur.
Den aber bestimmt Gottseidank, und zwar unter Vermei-
dung jeden Superlativs, Paul E. H. Lüth. Er wird, Paul
E. H. Lüth, von Döblin berufen, in Heft 8/9 eine Aktion
anzuführen, bestehend aus drei Beiträgen über Thomas
Mann, »die seinen Ort in der deutschen zeitgenössischen
Literatur *bestimmen,* unter Prüfung seiner Themen, seiner
Methoden und seines Stils«. Sagt wörtlich die Vorbemerkung, die dann über Lüth, den unerbittlichen Prüfer, zu
berichten weiß, daß er »eben ein kluges, leicht lesbares
und vorzüglich einführendes Buch, zwei Bände ›Literatur
als Geschichte‹, vorlegt«, ferner daß er, »wie er sich ausdrückt«, einer Generation angehöre, »die ohne Thomas

Mann groß geworden sei und daher ohne mythisierende
Erinnerungen«. Es folgt noch die Feststellung, der Lüthsche Aufsatz und die beiden anderen seien »Symptome des
großen Neuwertungs- und Umwertungsprozesses«, dem
heute die ganze Literatur unseres Landes verfalle.

Lüth also muß unter Döblins Patronanz noch einmal –
zum drittenmal! – den großen Neuwertungs- und Umwertungsprozeß an Thomas Mann vollziehen. Diesmal
unter Berufung darauf, daß er ohne Thomas Mann groß
geworden sei (und wie groß!), was nicht etwa eine Entschuldigung seiner aus Lücken bestehenden literarischen
Bildung sein soll, sondern die Legitimation eines immer
wieder als Kapazität berufenen Thomas-Mann-Forschers
ist. Zum dritten Male Lüth – also nichts Neues an der
Thomas-Mann-Front. Denn auch der Reiz unbekannter
Fremdwörter wirkt nicht mehr mit der ursprünglichen
Frische. Aber das muß doch vermerkt werden, daß Lüth
wahrhaftig auch diesmal sein einziges Bildungsgepäck-
stück herbeischleppt: das Buch »Dichtung und Dichter der
Zeit« von Soergel. Wiederum nicht ohne in aller Einfalt
die deutlichsten Spuren am Tatort zu hinterlassen. Wiederum, und das gibt dem Witz erst die Würze, um damit
zu renommieren, daß er, Lüth, ein ebenso bedeutender
Ompteda-Forscher wie bedeutender Thomas-Mann-For-
scher ist. Ompteda – der Leser weiß es aus einem früher
angeführten Beispiel Lüthscher Soergel-Bildung: ein Unterhaltungsschriftsteller der Jahrhundertwende. Soergel
nun kann von einem Roman Omptedas (»Eysen«, 1900)
nicht sprechen, ohne sich an die »verwandte Familiengeschichte der ›Buddenbrooks‹ von Thomas Mann« erinnert
zu fühlen. Das war damals so: eine Familiengeschichte, da
gab es nur den Maßstab der »Buddenbrooks«. Natürlich
hat Lüth den Roman »Eysen« nie gelesen, denn wie käme
ein Achtundzwanzigjähriger, der mit Erfolg Thomas
Mann nicht gelesen hat, dazu, ein nirgends mehr existierendes Buch von Ompteda gelesen zu haben? Er hat es

nachweislich nicht gelesen, denn er weiß nichts davon, als was im Soergel steht. Doch Lüth spricht von Ompteda und »Eysen«, als handle sich's um Standardbegriffe der europäischen Literaturentwicklung. »*Vergleichen wir*« — schreibt er, der nicht »Eysen«, aber Soergel gelesen hat — »vergleichen wir das genannte Werk Georg von Omptedas mit den ›Buddenbrooks‹, so sehen wir, daß beide die Familiengeschichte eines Geschlechts erzählen.« Der Beweis, daß Thomas Manns »Unternehmen nicht ohne Vorläufer in der damaligen Literatur war«, ist mithin erbracht. Indes, Lüth ist gerecht: »Aber was die ›Buddenbrooks‹ von ›Eysen‹ trennt, ist die Sorgsamkeit, in der sie geschrieben sind, die stilistisch reinere, künstlerisch einheitlichere und, wenn man will, untendenziöse Art.« Wenn man will? Wenn Soergel will. Soergel, Seite 274: »... die *Art* der Darstellung, die etwa bei der verwandten Familiengeschichte der ›Buddenbrooks‹ von Thomas Mann viel *einheitlicher, stilistisch reiner, tendenzloser* ist.« Also wörtlich aus Soergel abgeschrieben, nur, was nun doch für Lüths Raffinement spricht (er selber würde »Raffinesse« sagen), in leicht veränderter Reihenfolge. Der Tatort: Döblins Zeitschrift, die stolz darauf ist, den Verfasser eines »vorzüglich einführenden Buches« als prominenten Um- und Umwerter in Sachen Thomas Mann zu beschäftigen.

Manches kommt jedoch in der Tat in Döblins Zeitschrift noch besser heraus als in dem vorzüglich einführenden Buch. Die pikante Datierung der Novelle »Tonio Kröger«, wie sie das Buch vornimmt, wurde oben gestreift. »Tonio Kröger«, das Hauptstück des 1903 erschienenen Novellenbandes »Tristan«, ist unter den *frühen* Arbeiten Thomas Manns nächst den »Buddenbrooks« die wichtigste, und wer überhaupt etwas von Thomas Mann weiß, muß den Ort kennen, den sie in seiner Entwicklung einnimmt. Lüths ganz andere Kenntnis gedeiht in der Zeitschrift zu Folgendem: »Die zweite Novellensammlung

›Tristan‹ (1903) aber schon *und dann die Entwicklung*
über den märchenhaften ironischen Hofroman ›König-
liche Hoheit‹ (1909) zum ›Tod in Venedig‹ (1913) und
›Tonio Kröger‹ (1914) zeigen, was Thomas Mann von den
Mitstrebenden der Jahrhundertwende unterscheidet.« Ein
genauer Kenner. Er umreißt die Entwicklung Thomas
Manns von der Novellensammlung »Tristan« (1903), die
den »Tonio Kröger« enthält, bis zum »Tonio Kröger«
(1914). Er hat vielleicht eine Einzelausgabe des »Tonio
Kröger« gesehen. Er hat den Novellenband »Tristan«,
wenn er ihn schon wie die übrigen Werke Thomas Manns
nicht gelesen hat, nie in der Hand gehabt. Ein genauer
Kenner, er weiß, durch welche Entwicklung (nämlich vom
»Tonio Kröger« zum »Tonio Kröger«) sich Thomas Mann
von den Mitstrebenden der Jahrhundertwende unterscheidet. Aber das hätte man doch nicht für möglich gehalten,
daß dieser Mund, *dieser* Mund sich auftut und sagt: »Thomas Mann enthebt sich in den meisten Fällen der Mühe
des Gestaltens«, sich auftut und sagt: »Der Geist Thomas
Manns ist . . . ein unverbindlicher Spiegel, ironisierend,
opaleszierend«, sich auftut und sagt: »Man merkt – und
ist davon wenig angenehm berührt –, daß der ausgegli-
chenen Ruhe der Perioden eine langwierige, mühsame Berechnung zugrunde liegt, daß die Souveränität dieses Sti-
les ein beabsichtigter Effekt und nicht ohne *Raffinesse* ist«,
sich auftut und sagt: »Dennoch fesselt diese Sprache *und
wir erfassen den Grund dafür* einmal in der *bereits genannten* Kultiviertheit, die der Autor *ihr angedeihen* ließ,
zum anderen aber in ihrem *eigenartigen Charakter,* der
sich am besten als eine phlegmatische Besonnenheit bezeichnen läßt«, sich auftut und sagt: »Das Fehlen einer
poetischen Verdichtung des Stoffes zu einer Gestalt wird
bei dem Goethe der ›Lotte in Weimar‹ besonders deutlich, der *außerdem* eine Vorstellung von unserem bedeutendsten Genius vermittelt, über die man sich nur verwundern kann«, sich auftut und sagt: »Da aber der Stoff« –

der Josephs-Romane – »*vorgegeben* war und der Dichter
ihm nur zu folgen hatte, schließt sich zum erstenmal in
seinem Schaffen der Kreis.« (Und zwar im Gegensatz zu
Thomas Manns Goethe, der bekanntlich, Lüth hat es uns
im Buch gesagt, den Kreis nicht runden kann.) Das alles
ist also möglich. Möglich ist, daß Lüth, der den Roman
nicht kennt, sich Sorgen um Hans Castorp, den Helden
des »Zauberbergs«, macht, den er »Kastorp« nennt. Er hat
bereits in seinem vorzüglich einführenden Buch, nachdem
er eine neuere Literaturgeschichte etwas flüchtig zu Rate
gezogen, das Kriegsschicksal Hans Castorps dem Leutnant
Ziemßen unterschoben. Er ist nun in der Zeitschrift verzweifelt: »Kastorp hat sich zu nichts entschließen können
– was aus ihm wird, bleibt völlig unklar.« Und ohne
»*eine Frucht zu finden,* bricht das Buch ab«. Denn was ist
ein Roman, der keine Frucht findet? Er läßt sich nur mit
einem Autor vergleichen, der »*in die Hinfälligkeit und
Morschheit des von ihm geschilderten Gebäudes einge-
weiht*« ist und daher ein »schlechtes Gewissen« hat. Die
beiden Stellen, die von der Frucht und die vom Gebäude,
stehen bei Lüth nicht nebeneinander, aber das ist ein
Kunstfehler, sie gehören zusammen, sie sind, mit Lüth zu
sprechen, die »polare Ausrichtung« einer kritischen Stil-
kunst, die künftig auf den Namen Lüth hören wird.

Wer hält das für möglich? Alfred Döblin, der es in seiner Zeitschrift veröffentlicht und dem der Ompteda-Forscher ebenso lieb ist wie der Mann-Forscher. Döblin hält
es nicht nur für möglich, er findet es vortrefflich und höchst
willkommen. Er findet, damit sei im Gegensatz zu welt-
literarischen Superlativen Thomas Manns Ort in der deutschen zeitgenössischen Literatur bestimmt. Er versieht den
Lüthschen Aufsatz animiert mit jener Vorbemerkung, die
er entweder selbst verfaßt oder jedenfalls als Herausgeber veranlaßt hat und worin, damit es der Leser nur ja
merke, die Kernstellen Lüths übersichtlich zusammengefaßt sind: »Er [Lüth] schildert Manns Erscheinen in einer

Zeit des Zwielichts ... Dem Autor selbst fehle das ›Elementare‹, alle Kraft sei aus der Reflexion gezogen. Er wird präsentiert als der Romancier des Bürgertums, und zwar ein solcher mit schlechtem Gewissen.« Das ist sogar noch pointierter gesagt, als es Lüth, der solcher knappen Präzision nicht fähig ist, ausdrückt. Lüth seinerseits besitzt die Fähigkeit, in der Sprache Thomas Manns »eine gewisse Spannung« zu bemerken, der jedoch die »*polare Ausrichtung* fehlt, weil das eine der Elemente zurückgetreten ist«. Und hier ist der Punkt, wo Döblin noch viel mehr für möglich hält. Nämlich daß in Döblins Zeitschrift ebenderselbe Lüth in ebendemselben Thomas-Mann-Aufsatz auf eine Sprache aufmerksam macht, der die polare Ausrichtung nicht fehlt, weil keins der Elemente zurücktritt. Wie anders, ruft Lüth, »wenn wir nur die ersten Seiten des Döblinschen ›Wallenstein‹ lesen in ihrer kraftvollen, welthaltigen und doch dem Geist nahen Sprache«. Das hält Döblin in Döblins Zeitschrift für möglich.

Es ist natürlich völlig ausgeschlossen, daß ein Mann vom literarischen Range Alfred Döblins sich über die geistigen und sachlichen Qualitäten seines Adepten im unklaren ist. Um so unmißverständlicher weiß man, was man von der Döblinschen Literaturpolitik zu halten hat, die sich dieses Lüth als ihres tauglichsten Instruments bedient. Es sei taktlos, einen Mann vom literarischen Range Alfred Döblins auf diese Tatbestände festzunageln? Doch welchen Takt verdient eine Affäre, die das taktloseste Schauspiel ist, das ein literarisches Deutschland heute der Welt bieten kann? Deutschland hatte in den verflossenen Jahren nicht viel Ehre in der Welt. Aber zu Deutschlands Ehre gab es die politisch kämpfende Emigration. Und es gab die große Erscheinung Thomas Manns, der nicht müde wurde, mit dem Gewicht seiner ungeheuren Weltgeltung für das andere Deutschland zu zeugen. Thomas Mann ist heute Deutschlands höchster literarischer Ruhm in der Welt. Die

Welt kann, wir lesen es in Döblins Zeitschrift, Superlative
nicht unterdrücken, wenn sie von Thomas Mann spricht.
Infolgedessen erhob sich in Deutschland ein Zeitungsge-
zänk um Thomas Mann, dessen pikante Note darin bestand, daß just die schlauesten Literaturschleicher einer
unter Hitler bewährten Paktiertaktik ihre moralischen
Forderungen präsentierten. Und was tut Alfred Döblin?
Er wirft das Gewicht *seines* Namens in die Waagschale.
Aber in die Waagschale der literarischen Unehre. Er tritt
mit verstärktem Lärm in dem Augenblick auf, als die Gefahr bestand, daß über die Motive dieser Kampagne und
über die Honorigkeit dieser literarischen Honoratioren
kein anständiger Mensch mehr im Zweifel war. Die letzten Zweifel beseitigt Döblin. Er unterbietet das Niveau
jenes Zeitungsgezänks, indem er Thomas Mann einem
Durch-und-durch-Kenner als Beute ausliefert, einem Kenner, der zwar der deutschen Sprache nicht mächtig ist, der
zwar die deutsche Literatur vom Wegsehen und vom Blättern in dem vergilbten Band des Soergel kennt, aber immerhin mit dem Ehrentitel auftreten kann, daß er ohne
Thomas Mann groß geworden ist. Alfred Döblin hat mit
Rat und Tat der unsäglichen Literaturgeschichte dieses
Lüth zur Seite gestanden. Er hat, worauf es ihm besonders
ankam, dadurch dokumentiert, daß er ihr in Heft 4 seiner
Zeitschrift einen Thomas-Mann-Aufsatz Lüths voraufge-
hen, in Heft 8/9 einen Thomas-Mann-Aufsatz Lüths folgen ließ. Wenn nicht in der Welt, in Döblins Zeitschrift
schlägt Döblins Ruhm den Ruhm Thomas Manns.

Es ist eine Taktlosigkeit, diesen schlichten Tatbestand
nachzuzeichnen. Man hätte ja auch taktvoll sein und, statt
mit Fakten aufzutreten, sich einen Gegen-Lüth mieten
können. Der Gegen-Lüth hätte vielleicht gefunden, daß
Döblin mit seiner Revision in Sachen Thomas Mann sich
zu weit vorgewagt habe, und gefragt, ob ihm denn im
großen Neuwertungs- und Umwertungsprozeß unserer
Literatur vor einer Revision des Falles Döblin gar nicht

bange sei. Der Gegen-Lüth, der gleichfalls ein Kenner des
»Morbiden« und »Dekadenten« wäre, hätte vielleicht gesagt, daß Döblins überraschende katholische Wendung ein
»eigentümliches Licht« auf Döblins christliche Literaturpolitik werfe, ja er hätte diese katholische Wendung wohl
gar einen »unverbindlichen Spiegel, ironisierend und opaleszierend« genannt. Der Gegen-Lüth hätte zuletzt kopfschüttelnd festgestellt, daß die Kampfmethode gegen Thomas Mann »eine Vorstellung von unserem bedeutenden
Genius Döblin vermittelt, über die man sich nur verwundern kann«. Aber wir verzichten auf den Gegen-Lüth.
 Wir verzichten nicht auf die Feststellung, daß in Lüths
Literaturgeschichte Bertolt Brecht mit zweieinhalb Seiten
bedacht wird, wovon etwa anderthalb Seiten auf sinnlose
Zitate kommen. »1922 bereits hatte er für sein Revolu-
tionsdrama ›Trommeln in der Nacht‹ den Kleistpreis erhalten. Schwächer war ›Baal‹, *während* das geschickte,
nach Marlowe bearbeitete Stück um ›Eduard II.‹ *durch-
fiel*. Auch ›Im Dickicht‹ und das Lustspiel ›Mann ist
Mann‹ waren keine Aufstiege, erst die 1929 aufgeführte,
der altenglischen Literatur entnommene ›Dreigroschenoper‹ brachte ihm wieder Erfolg. Als ›Hauspostille‹ ließ
er im *Propyläen-Verlag in Berlin* seine Gedichte erscheinen. Eine vorläufige Gesamtausgabe in verschiedenen
Heften, die ›Versuche‹ betitelt sind, *bei Kiepenheuer* kam
wegen der Ereignisse von 1933 nicht mehr zur Geltung.«
Das sind nicht etwa bibliographische Angaben, denen die
Wertung folgt, sondern das ist die Wertung. Und so geht
es weiter, durch die Emigrationsproduktion und bis zu
dem aufatmenden Resumé: »Hiermit ist die Welt Brechts
andeutungsweise verständlich gemacht. Es handelt sich dabei freilich *nur um einen kleinen Ausschnitt*. Nicht behandelt wurde seine Parabel-Dichtung, mit der er, wie er sich
ausdrückte, ›Gesten zitierbar‹ machen will.« Lüth ist zu be-
scheiden: es ist ihm nicht nur gelungen, Brechts »Parabel-
Dichtung« nicht zu behandeln, es ist ihm auch gelungen,

Werke wie die »Heilige Johanna der Schlachthöfe«, wie den »Galileo Galilei« weder zu behandeln noch zu erwähnen. Wie erfreulich, daß er in anderen Fällen, besonders in *einem* anderen Fall denn doch nicht andeutungsweise vorgeht und sich keineswegs mit einem kleinen Ausschnitt zufrieden gibt. Brecht: zweieinhalb Seiten (inclusive). Alfred Döblin: zwanzig Seiten und ein ganzes Kapitel. Hier kann man endlich einmal erleben, was herauskommt, wenn Lüth sich liebevoll versenkt. Kein besserer Stil, aber Wortdelirien, daß man dem Patienten kalte Umschläge verordnen möchte. »Freilich ist es überhaupt schwierig, bei Döblin Stadien seiner Entwicklung zu unterscheiden. Er ist *wie das Leben in ewigem Werden* ... Schreiben ist bei ihm fast etwas Physiologisches, eine Funktion seines Daseins, um die er nicht herumkommt und der er *deshalb* nachgibt ... Die in ihrer Buntheit und Mannigfaltigkeit verwirrende Welt seiner Kunst ist in ihm, *reckt und streckt sich* in ihm ... Genauso muß man sich Döblins Werk gegenüber verhalten, denn es ist Leben und *insofern der gleiche Fluß, in den man keine Einschnitte machen kann,* sondern den man in seinem Strömen *begreifen* muß, wenn man ihn *verstehen* will: *denn* er ist nur in diesem ewigen Werden da. Es ist insofern fast belanglos, was der Autor Döblin *auf seinem Weg trieb.* 1878 in Stettin geboren, wurde er ... Es kann sich hier nicht darum handeln, Döblins Weltanschauung herauszuarbeiten, eine so lohnende Aufgabe das wäre, zumal es, abgesehen von einer ersten Abhandlung *von mir* über dieses Thema, bisher noch nicht unternommen worden ist. Man kann *zu einem solchen Zwecke* von den erzählenden Werken ausgehen, *hat aber auch die Möglichkeit,* sich auf seine ideologischen Schriften zu stützen ... Denn Döblin ist durchaus eigenwillig und völlig traditionslos, nicht nur in seiner Epik, sondern auch in seinem Philosophieren. Von seiner Philosophie darf man *aber dennoch ruhig sprechen* ... Angelpunkt seiner Gedankenwelt ist der Satz: ›Diese Welt ist

sinngetragen, und wir exekutieren ihn.‹ *Diese* hat er nun
konkretisiert und das Allgemeine seiner Naturgläubigkeit,
die freilich von vornherein mehr und anders ist als der
Pantheismus und eine erst später von ihm bemerkte Verwandtschaft zu Thomas von Aquin hat, auf eine *Ebene
der Besonderung* gebracht, indem er im ›Unsterblichen
Menschen‹ nachweist, daß dieser *Ursinn,* von dem der
Mensch sich in der Individuation löste, *von sich aus einen
Schritt tut* zu seinem Geschöpf hin. Dieser *Schritt ist die
Gestalt des Erlösers und seine Lehre,* das Christentum . . .
Was bedeutet nun Sozialismus bei Döblin? . . . Das sieht
zweifelsohne etwas anders aus, als man nach den land-
läufigen Formulierungen der Berufssozialisten, besonders
der Vertreter des *beliebten* Vulgär-Marxismus, erwartet
hätte . . . Die Emigration im Jahre 1933 bedeutet eine
Vertiefung seines Werkes, *wie ich* 1947 in einer Abhandlung über sein Spätwerk *im ›Bogen‹* ausgeführt habe,
nicht eine Wandlung, *denn* er führte während der Verbannung seine Arbeit *in der ihm eigenen Weise* weiter . . .
Eins sei jedoch verraten. Dem ›Alexanderplatz‹ sollte
eigentlich noch eine Fortsetzung folgen, ein zweiter Band,
der die *Kurve, die von der Mittellinie abgeglitten* und
langsam wieder zu ihr *zurückgeführt* worden war, über
diese *hinausgeführt* hätte, – Held wäre ein aktiver, revolutionärer Mensch gewesen. Der Plan blieb jedoch unaus-
geführt . . . So stellt sein episches Werk eine *Erscheinung*
dar, der man nicht oft in der Weltliteratur begegnet, *denn*
mit großer Meisterschaft hat er es verstanden . . . Ich weiß
nur Tolstoi neben ihn zu stellen und Balzac – doch die
Nennung von Namen, um zu vergleichen, verwirrt und
verzerrt *in eben dem Maße, in dem er Döblin ist* . . . In
dem genannten Aufsatz über ›Das Spätwerk Alfred Döblins‹ habe ich ihn als den unbekümmerten Dichter kat'
exochen bezeichnet, und es mag *Verwunderung erregen,
weshalb das geschehen ist* . . . Er ist *deshalb* immer Autodidakt, ob er nun *als Expressionist erscheint oder Buddha*

studiert, ob er Naturphilosophie treibt und zu Ergebnissen kommt, die von denen Edgar Dacqués so weit nicht entfernt sind, *oder den Aquinaten liest* ... Döblin ist immer der Weiterschreitende ... *Dabei* beschreibt er eine Spirale, die sich allmählich immer enger zieht. Die *spürbare, mehr und mehr sich erhärtende Mittellinie* ist die eines neuen Realismus ... Es gehört, um ihn (den neuen Realismus) *ohne Abgleitung pflegen* zu können, eine entscheidend kritische Begabung *zum Schriftsteller,* also ein freier und scharfer *Blick, der die Dinge rücksichtslos aus dem Wege räumt* ... Döblin ist ein solcher Dichter, der der neueren deutschen Literatur bitter not ist. Er verbindet den überlegenen Geist mit der reichen Phantasie, zwei Elemente also, die nur selten in einem Menschen vereint sind. Und seine Haltung ist *die dessen, der* nicht rastet, bis er gesegnet wird. So gibt es keine Untätigkeit für ihn und kein Die-Augen-Verschließen, und als er 1946 in seine Heimat zurückkehrte, bekannte er, es gelte für ihn die Forderung, ›in den augenblicklichen deutschen Spannungskreis einzutreten und diese Spannungen und Reize wirken zu lassen und zu verarbeiten‹. Aber auch Deutschland dürfte Grund haben, *ihn in sich* aufzunehmen und zu verarbeiten, ihn wie ein Ferment *an sich und in sich* arbeiten zu lassen, *wie der Held* des bisher letzten Romans ›Hamlet oder die lange Nacht‹.«

So läßt uns Lüth Wunder über Wunder schauen. Aber man hat doch, wenn man bis zu diesem Schlußpunkt seines Döblin-Kapitels gelangt ist, das Gefühl, einen Notausgang erreicht zu haben, durch den man sich aus einem Tollhause retten möchte. Das Tollhaus war jedoch ein Irrgarten, und durch einen tropischen Urwald von Stilblüten hat uns Lüth geführt, wie sie wohl noch nie die öffentliche Anlage einer deutschen Literaturgeschichte geziert haben. Verständlich dürfte auch dem unvorbereiteten Leser, dem man, so lohnend es wäre, nicht die ganze Anlage zeigen kann, das meiste sein. Verständlich zumal, daß man in einen gleichen Fluß keine Einschnitte machen kann. Daß ein scharfer Blick die Dinge rücksichtslos aus dem Wege räumt. Daß ein Schritt, den der Ursinn tut, die Gestalt des Erlösers, und nicht nur diese, sondern auch seine Lehre ist. Daß der Weiterschreitende eine Spirale beschreibt, die sich allmählich immer enger zieht, wobei die spürbare Mittellinie sich erhärtet, und seine Haltung ist die dessen der. Einer Erläuterung bedarf höchstens die Wendung, Döblin sei Autodidakt, ob er nun zu Ergebnissen kommt, die von denen Edgar Dacqués so weit nicht entfernt sind, oder den Aquinaten liest. Aber man habe getrost Mut und sage es Lüth auf den Kopf zu: mit dem Aquinaten, den Döblin als Autodidakt liest, ist niemand anderer als Thomas von Aquino gemeint. Völlig unentwirrbar bleibt nur der Schlußsatz. Deutschland soll also Döblin wie ein Ferment an sich und in sich arbeiten lassen. Schön, oder vielmehr nicht schön, denn ein Ferment kann eigentlich nur in und nicht an einer Sache arbeiten. Immerhin, Deutschland würde sich damit abfinden und schlimmstenfalls bereit sein, Döblin als Ferment sowohl in wie an sich arbeiten zu lassen. Was aber soll nach dem Komma der rätselhafte Zusatz: »wie der Held des bisher letzten Romans ›Hamlet oder die lange Nacht‹ «? Ist es so gemeint, daß Deutschland auch diesen Helden als Ferment an sich und in sich ...? Aber dann müßte der Held nicht ein solcher, sondern ein Akkusativ sein. Oder ist gemeint, daß der Held (Nominativ) wie Deutschland sei, also seinerseits das Ferment Döblin an sich und in sich ...? Nein, es bleibt unentwirrbar. Ob die Unentwirrbarkeit am Ende eine Lüthsche Absicht ist? Wollte er die atemlose Spannung, in der man zum Schlußpunkt des Kapitels geeilt ist, nicht absinken lassen, sondern in einer Kurve oder Spirale noch höher führen, nämlich immer enger ziehen zu jenem Rätsel, womit er den Leser entläßt? Das ist eine jener Entscheidungen, die mit einem kühnen Sprung herbeizuzwingen eben nur Lüth selber der Mann wäre.

Er wird sie uns, anders als im Falle Thomas Mann, schuldig bleiben. Er wird sagen, unsere Skrupel kämen aus der Reflexion und ihnen fehle das Elementare. Und überhaupt, wird er sagen, was geht die Leser meiner Literaturgeschichte, und zumal des Kapitels über Alfred Döblin, mein Stil an? Hat Alfred Döblin sich an meinem Stil gestoßen? Im Gegenteil, er hat sich gefreut, und zumal über ein Kapitel. Ich weiß nur Tolstoi und Balzac neben Döblin zu stellen. In London hat man – es steht in der Vorbemerkung zu meinem Thomas-Mann-Aufsatz in Döblins Zeitschrift –, um einen Vergleichsnenner für Thomas Mann zu finden, auf literarische Erscheinungen früherer Jahrhunderte zurückgreifen müssen, auf Milton, auf Goethe, auf Tolstoi. Infolgedessen habe ich in Döblins Zeitschrift Thomas Manns Ort in der deutschen zeitgenössischen Literatur bestimmt. Ich weiß nur Tolstoi und Balzac neben Döblin zu stellen.

Aus dem Vorwort der Lüthschen Literaturgeschichte: »Besonders verbunden ist der Verfasser Alfred Döblin, der ihm seit seiner Rückkehr aus Los Angeles mit Rat und Tat zur Seite stand.«

Aus der Einführung in Lüths Aufsatz »Über das Werk Thomas Manns«, Nr. 8/9 des »Goldenen Tors«, Herausgeber Alfred Döblin: »Paul E. H. Lüth, der eben ein kluges, leicht lesbares und vorzüglich einführendes Buch, zwei Bände ›Literatur als Geschichte‹ Limes-Verlag, Wiesbaden, vorlegt . . .«

Man erinnere sich. Man erinnere sich an die spannenden Abenteuer im Dickicht der Lüthschen Literaturgeschichte. Was im zweiten Kapitel dieser Darstellung und in den folgenden zwischen Anführungsstrichen zitiert wurde, erweckt gewiß vielfach den Eindruck, als handle sich's um satirische Erfindung. Aber nichts ist erfunden. Alles ist – würde Lüth sagen – dokumentarisch eingeklammert. Es wäre ja ein harmloses Vergnügen, hier satirisch nachhel-

fen zu wollen. Kein Hohn vermöchte zu erfinden, was
Lüth geschrieben hat. Kein Hohn vermöchte sich vorzustellen, daß in Deutschland gedruckt wurde, was Lüth geschrieben hat. Man prüfe nach. Die Darstellung ist auf
Schritt und Tritt kontrollierbar. Sie *behauptet* nicht, daß
unter allen Büchern, die Lüth nicht gelesen hat, Soergels
»Dichtung und Dichter der Zeit« eine löbliche Ausnahme
macht: sie weist es nach. Sie *behauptet* nicht, daß unter
allen Dichtern, die Lüth nicht kennt, just diejenigen ihm
am meisten imponieren, die im Moder verschollener Leih-
bibliotheken längst zu Staub zerfallen sind: sie weist es
nach. Sie *behauptet* nicht, daß Lüth einen Gallert als Geschichte der deutschen Gegenwartsliteratur anbietet, einen
Gallert, zusammengeronnen aus schlecht verdautem
Waschzettelwissen und schlecht verdrängter Ignoranz, aus
einem Gerücht über Buchtitel und einer Korrespondenz
mit Buchautoren: sie weist es nach. Sie *behauptet* nicht,
daß die Sprache, in der Lüth sich keineswegs fließend ausdrückt, ein in Deutschland bisher unbekanntes Idiom ist:
sie weist es nach. Sie *behauptet* nicht, daß Fremdwörter
Glückssache sind: sie weist es am Lüthschen Idiom nach.
Was aber Thomas Mann betrifft, so wird nicht behauptet,
sondern nachgewiesen, daß hier das Niedrigste und
Schändlichste getan wurde: der größte deutsche Schriftsteller angefallen auf offener Straße nicht von einem geistigen Gegner, sondern von Lüth.

V

Döblins »Literarische Situation«

Eine Schrift »Die literarische Situation« liegt vor (Verlag
Keppler, Baden-Baden, 1947). Sie gilt der heutigen deutschen Lage, und anders als Lüth unternimmt es ihr Verfasser Döblin in der Tat, die Rolle des Symptomatologen

und Prognostikers zu spielen. Die Geschichte des Nationalsozialismus behandelt er als die Geschichte einer *Idee,*
nämlich der biologisch-utopischen Konstruktion des 19.
Jahrhunderts, und schreibt zum Beispiel: »Auch ohne
wirklich von der Idee erfüllt zu sein und sie in ihrer ganzen Tragweite zu begreifen, ließen die Massen, *besonders
die frischen und jungen,* es sich gefallen ... Die Massen
wurden ergriffen von dem stolz lächelnden Gefühl, in eine
neue Realität einzutreten.« Döblin bleibt um den Nachweis bemüht, »wie wenig die utopische *Leitidee* der Staatsmacher von 1933 bloße Attrappe« gewesen sei, mag auch
»die Verstümmelung, ja die Prostituierung der Leitidee,
ihre Verengung und Verarmung durch den Nazismus auf
der Hand liegen«. Das ist Döblins Meinung. Andere werden der Meinung sein, daß durch den Nazismus, welcher
die brutalste ökonomische Interessenkonstruktion der Geschichte, aber keine Ideenkonstruktion war, etwas ganz
anderes verstümmelt und prostituiert wurde als eine Leitidee, noch dazu die eigene. Döblin lehnt ökonomistische
Erklärungen ab. (Er kennt außer der biologischen noch
eine zweite utopische Konstruktion des 19. Jahrhunderts,
nämlich »die ökonomistische, kommunistisch-marxisti-
sche«, er spricht von Nietzsche und »seinem Utopiekolle-
gen von der sozialen Linie, Karl Marx«.) Er betrachtet
den Nazismus, obwohl er von Arbeitslosigkeit und An-
kurbelung der Kriegswirtschaft erzählt, als Luftgewächs.
Er schreibt: »Das *Religionsartige,* das man an der Bewegung sah, *solange sie Frische besaß,* stammt von ihrem
utopischen Kern.« Er kommt zu dem überraschenden
Schluß, daß Deutschland, immer auf Stoß und Gegenstoß
angewiesen, durch den Gegenstoß des Nazismus »abermals zurückgeworfen«, nun »der Innerlichkeit näher als
zuvor« stehe. »Eine neue Epoche der Metaphysik und Religion bricht an.« Auf besondere Weise hänge der Mensch,
schreibt Döblin, der von Beruf Arzt ist, mit der »Vertika-
len, mit Höhe und Tiefe, mit dem Schöpfungsgrund« zu-

sammen. Diese durch den Menschen laufende Vertikale, von der Horizontalen seiner irdischen Existenz geschnitten: das Kreuz. Vom Urgrund wurde »im Fleisch eines einzelnen Geschöpfes, welches während eines Erdenlebens den Namen Jesus trug, die Neuaufrichtung der Welt vollzogen und die weitere Richtung, die Geschichte dieser Weltschöpfung bestimmt«. Es soll hier keine Auseinandersetzung mit Döblin über das Christentum stattfinden. Nur soviel. Auch vor dem Gläubigen steht das dunkel drohende Erlebnis, daß die christliche Entwicklung, welche also die weitere Richtung, die Geschichte der Weltschöpfung bestimmt, absurde Rückfälle wie den Nazismus nicht ausschließt. (Man lese nach, mit welchen schweren Fragen das Erlebnis den echten Christen Theodor Haecker bedrängte.) Auch der Gläubige muß besseren Trost suchen als die Döblinsche Tröstung, daß gerade der nazistische Gegenstoß uns der Innerlichkeit näher gebracht habe. »Die Deutschen«, schreibt Döblin, »werden dazu drängen, *den so einseitig entarteten Prozeß wieder zurückzureißen und zu einem Verinnerlichungsprozeß zu machen.«* Das darf man einen groben Unfug nennen. Den nazistisch entarteten Prozeß zurückreißen und zu einem Verinnerlichungsprozeß machen! Und ein grober Unfug ist es, die heutige Literaturentwicklung mit diesem Posaunenschall einzuleiten: »In einer solchen Periode wird Literatur etwas anderes ... Wo das Göttliche sich nähert, mit seinem Ernst, seinen Schauern, seiner Wahrheit und Herrlichkeit, klingen die Lieder der Kunst anders. Die Harfen werden neu gestimmt.«

Aus so himmlischen Gefilden (welche unsere Gegenwart bedeuten) kehren wir ins Irdische zurück, sobald wir lesen, was Döblin über die deutsche Literatur vor 1933 schreibt. Er teilt sie in drei Gruppen ein: eine feudalistische, eine humanistische und eine progressive. Sich selbst rechnet er zur progressiven Gruppe. Hier habe sich ein Schriftstellertyp geformt, »dem die Sprache an einem an-

deren Fleck sitzt als bei den übrigen, nämlich am richtigen«. In der feudalistischen Gruppe sei »mit dem Hauptfonds seines Urteils auch der Romanautor und Essayist
Thomas Mann beheimatet«. Hierzu zwei Seiten später
eine Korrektur: »Bürgerlich-humanistisch . . . ist um 1933
Gerhart Hauptmann. Bürgerlich die Brüder Mann, beide
von Beginn, wie bemerkt, mit starken feudalistischen Anklängen.« Also Thomas Mann (nebst Heinrich Mann)
jetzt in der bürgerlich-humanistischen Gruppe und feuda-
listisch nicht mit dem Hauptfonds des Urteils, sondern nur
mit starken Anklängen. Die humanistische Gruppe hat
»etwas Dekadentes«, man bemerkt den »inneren Bruch«.
Interessant ist, wie sie auf die Ereignisse von 1933 reagiert. Sie »fühlt sich beleidigt und in ihrer klassisch edlen Ruhe gestört und chokiert«. Döblin fügt hinzu: »Feudalisten *und Humanisten,* die beiden Gruppen der Traditionalisten, lebten stark auf dem Altenteil und fühlten
sich sicher und pensioniert. *Man war mehr oder weniger
vertrottelt.«* Das ist zwar nicht sehr christlich ausgedrückt,
dürfte aber, insofern es auf Thomas Mann gezielt ist, ins
Schwarze treffen. Mehr noch fesselt Döblins Ansicht über
die eigene, die progressive Gruppe in ihrem Verhalten zu
1933. »Die progressive Gruppe konnte eigentlich *am ehesten mit der biologisch-utopischen Konzeption sympathisieren.* Es liegt ihr, zu experimentieren. Sie will *irgendwohin* vorwärts. Sie macht Fragezeichen hinter alles und
Ausrufungszeichen nur hinter das Unbekannte. *Abenteuer
sind nach ihrem Geschmack.* Die Progressiven haben Pro-
teststimmung im Leibe. *Warum sollten sie* im Protest gegen alles Vergangene *nicht auch* für die Utopie stimmen?
Aber es finden sich nur wenige unter ihnen, die sich den
Machthabern anschließen. Warum? *Nicht der Idee wegen,
nicht des Abenteuers wegen,* sondern weil sie, die an dem
morgigen Utopischen, ja *sogar am Biologischen* Gefallen
finden könnten, die preußische Pickelhaube auf dem Kopf
des neuen Herrenmenschen entdecken und weil sie den

Schritt seines Kommißstiefels marschieren hören – und damit verbinden sie die Vorstellung des preußischen Polizeistaates, der sie alle mit Abscheu erfüllt.« Also das Gangster-Abenteurertum der Nazis und sogar das Biologische, nämlich die Rassenbestialität, wäre schon nach dem Geschmack der Progressiven gewesen, sagt Döblin, nur der Kommißstiefel hat sie gestört. Man denke sich das aus: Döblin hätte mitgemacht, wenn der Kommißstiefel nicht gewesen wäre (wozu allerdings noch der Hinderungsgrund seiner jüdischen Abstammung kam). Am Kommißstiefel erkannte man zum Glück »die Utopie« als »eine heuchlerische Erfindung, einen Propagandatrick des alten engstirnigen Pangermanismus«. Schreibt Döblin, nachdem er ein paar Seiten vorher geschrieben hat: *So wenig* also war die utopische Leitidee der Staatsmacher von 1933 *bloße Attrappe.*« Nachdem er ferner geäußert hat: »Das Religionsartige, das man an der Bewegung sah, solange sie Frische besaß, stammt von ihrem *utopischen Kern.*« Und Frische besaß doch die Bewegung gerade damals, 1933, als die Progressiven sich nach Döblins Zeugnis überlegten, ob sie mitmachen sollten oder nicht, um dann vor dem Kommißstiefel zu resignieren. Aber vielleicht haben sie auch schon geahnt, daß Döblin zwar auf Seite 21 seiner Schrift den Geschmack an Abenteuern als Kennzeichen der Progressiven freudig bejahen, dagegen auf Seite 48 der trüben Erfahrung Ausdruck geben würde, daß dieses wie jedes Abenteuer »erst allmählich seine grauen Schrecken enthüllt« habe. Zu vermerken bleibt, daß Döblin zu den Progressiven, die am ehesten geneigt waren, mit der biologisch-utopischen Konzeption zu sympathisieren, weil sie irgendwohin, gleichviel wohin, vorwärts wollten, weil sie experimentierlustig waren und Fragezeichen hinter alles machten, daß er zu dieser Gruppe außer sich selber unter anderem Bert Brecht und Anna Seghers rechnet.

»Die Schriftsteller sowohl der feudalistischen wie der humanistischen Gruppe«, schreibt Döblin, waren 1933

froh, »das Ärgernis einer Konkurrenz und die Kritik der
Progressiven los zu sein«. Ein Teil der bürgerlich-humanistischen Gruppe sei zwar, meist aus Rassegründen, der
Verfemung verfallen. Ein anderer Teil wußte, er brauche
sich nicht zu ändern. »*Gesinnungslosigkeit kann unter allen Himmeln gedeihen.*« Wessen Gesinnungslosigkeit, die
damals den deutschen mit anderen Himmeln vertauschte,
mag gemeint sein? Aber mitten im literarischen Cliquengezänk der zwanziger Jahre befinden wir uns, wenn Döblin die Dichtung unter das merkantile Zeichen der Konkurrenz stellt, wobei die Kritik der Progressiven offenbar
die Funktion einer scharfen Propagandawaffe hat.

Über die kindische Klassifikation, die Thomas Mann
(und Heinrich Mann) zwischen die Feudalisten und Bürgerlichen aufteilt, unterhalten wir uns nicht mit Döblin.
Einsicht in komplexe geschichtlich-soziale Vorgänge, wie
sie in der Literatur sich abzeichnen, dürfte kaum seine
Stärke sein. Es ist wahr, Thomas Mann hat mit seiner geistig ausgreifenden Essayistik ebenso wie mit seinem mora-
listisch-künstlerischen Werk den um die Jahrhundertwende ins Leere verlaufenden bürgerlichen Vorgang angehal-
ten und noch einmal in den Prozeß einer großartigen
Selbstvergegenwärtigung der sterbenden bürgerlichen
Welt hineingerissen. Er empfand sich literarisch als Sohn
jenes 19. Jahrhunderts, dem er eine »düstere, leidende, zugleich skeptische und wahrheitsbittere, wahrheitsfanati-
sche Größe« zuerkannte: das Zeitalter der epischen Rie-
senleistungen, das Zeitalter Tolstois und Zolas, aber auch
Richard Wagners, der wie Tolstoi das »naturalistisch Um-
fangsmächtige«, die »demokratische Massenhaftigkeit«
hat, dessen Werk wie alle große Kunst dieses Jahrhunderts
das »sozial-ethische Element« nicht verleugnet. Thomas
Mann hat tragischen Abschied genommen vom 19. Jahrhundert, von der »Epoche, die hinter uns versinkt (wir
nennen sie die bürgerliche)«. Er wußte, daß es ein tragi-
scher Abschied war, und er wußte, warum er dieses Jahr-

hundert das »leidende« nannte. Er erkannte die soziale Unordnung, die soziale Auflösung, über die sich nur eine leidende Größe zu erheben vermochte. Thomas Mann besaß sie. Er war zugleich der große Künstler, der die sozialethische Problematik des sterbenden Zeitalters in die gelassene Gegenständlichkeit seiner Epik bannte, zugleich der große Kritiker, der sie mit einer Kühnheit, intellektuellen Schärfe und leidenden Genauigkeit geistig in Frage stellte, wie es kein »bürgerliches« literarisches Werk dieser Jahrzehnte auch nur annähernd vermochte. Der Weg von den »Buddenbrooks« bis zum »Tod in Venedig«: das ist die Zeit vor dem ersten Weltkrieg, die Zeit einer nur noch mühsam gewahrten bürgerlich-repräsentativen Haltung, in der »Geist« und »Leben« immer hoffnungsloser auseinanderfielen. Nicht annähernd in der bürgerlichen Literatur so zu Ende gestaltet wie in Thomas Manns ironisch-melancholischem Erzählungswerk, aus dem vielfältig und gebrochen zurückstrahlt, was an dunkler und gefährlicher Drohung hinter dieser schillernden Scheinhaftigkeit lauerte. Der Weg vom »Zauberberg« zur »Lotte in Weimar«: die Zeit nach dem Weltkrieg bis zu den ersten Jahren des Nazismus. Zuerst (wenn auch auf die Vorkriegszeit reflektiert) die wilde und wüste Nachkriegsproblematik, um so wilder und wüster, je enger und bedrängender sie eingesperrt ist in die Isolierzelle des mondänen Bergsanatoriums, je raffinierter sie sich zum moralisch-intellektuellen europäischen Gespräch zivilisiert; dann die deutsche Situation in der Barbarei, aufscheinend in ihrem großen humanistischen Gegenspiel, aufscheinend in einem historischen Revisionsverfahren, das nicht nur die seit langem und von langher verfälschte Gestalt Goethes wiederherstellt, sondern (am Beispiel des sogenannten Befreiungskrieges) die deutsche Geschichte in ihrer verlogensten Ideologie entlarvt. Schon 1930 hatte Thomas Mann von diesem deutschen »Wunschbild einer primitiven, blutreinen, herzens- und verstandesschlichten, Hacken zusam-

menschlagenden, blauäugig gehorsamen und strammen
Biederkeit«, von dieser »vollkommenen nationalen Simplizität« gesprochen. Schon damals hatte er beim Namen
genannt, was vom Geistigen her nicht eilig genug zur nationalsozialistischen Bewegung stoßen konnte: »eine gewisse Philologen-Ideologie, Germanisten-Romantik und
Nordgläubigkeit aus akademisch-professoraler Sphäre,
die in einem Idiom von mystischem Biedersinn und ver-
stiegener Abgeschmacktheit mit Vokabeln wie rassisch,
völkisch, bündisch, heldisch auf die Deutschen von 1930
einredet und der Bewegung ein Ingrediens von ver-
schwärmter Bildungsbarbarei hinzufügt.« Nein, Thomas
Mann gehörte so wenig wie Brecht oder Anna Seghers zu
jenen »Progressiven«, die eigentlich am ehesten mit der
utopisch-biologischen Konzeption sympathisieren konnten. Er nannte die Konzeption »gefährlich und weltent-
fremdend, die Gehirne verschwemmend und verklebend«.
Er war auf das Abenteuer nicht erpicht. Er machte keine
Fragezeichen hinter alles. Hinter die Vernunft nicht. Er
richtete einen »Appell an die Vernunft«. Er bekannte sich
zu jenem Humanismus, den Döblin »vertrottelt« findet.
Als Emigrant schrieb er dann den Roman »Lotte in Weimar«, dieses tief deutsche, tief humoristische und tief humanistische Buch, das ein Protest ist gegen die vollkommene nationale Simplizität und alle verschwärmte Bildungsbarbarei. Es kamen seine Appelle an die Vernunft,
jetzt nicht mehr in Deutschland gesprochen, aber in
Deutschland gehört. Dahinter wuchs ein mächtiges Alterswerk . . .

Anfang der dreißiger Jahre war es, daß Thomas Mann
in Tagebuch-Aufzeichnungen von einem »neuen Humanismus« sprach, »der hinter aller Verelendung sich in den
Besten vorbereitet«. Und 1947 leitete er (nach einem Bericht der Zeitschrift »Merkur«) eine Vorlesung vor Züricher Studenten aus seinem neuen Doktor Faustus-Roman
»mit einem bedeutsamen und bei ihm außergewöhnlichen,

weil absolutistisch klingenden Worte ein: ein geistiges
Werk sei nur dann etwas wert, wenn es in irgendeiner
Weise an der Schaffung der Atmosphäre des neuen Humanismus arbeite«. Die Geschichte, die der Roman erzähle, das Leben des deutschen Tonsetzers Adrian Leverkühn,
sei eine grausig unhumanistische Geschichte, denn jener
Adrian teile das Schicksal Nietzsches und Hugo Wolfs,
doch sie werde mit Beben aufgezeichnet von einem Freunde, einem Humanisten, ja, ein Humanist schreibe sie, warmen Herzens ... Leidende Genauigkeit, das Wort fiel
vorhin. Es ist die Formel für das große, vielverschlungene,
ironisch verhaltene, aber zeit-, welt- und geistoffene Lebenswerk Thomas Manns, dieses Werk, welches das Leiden an der Zeit durch Genauigkeit überwindet, durch die
schriftstellerische Passion des untrüglich aufzeichnenden
Wortes, des Wortes einer humanistischen Lebenssympa-
thie, der Sympathie mit dem Menschen.

Soviel – nicht über Thomas Mann, von dem anders als
andeutend und formelhaft zu sprechen wäre, aber soviel
zu einer geschichtlichen Klarstellung, und schon fast zuviel. Denn wir sind nicht in der Sphäre geschichtlicher
Auseinandersetzung, wir sind bei Alfred Döblin und seinen konkurrierenden Cliquen, die er mit den Etiketts
scheinhistorischer Kategorien versieht. Wir sind bei Alfred
Döblin und stellen zuletzt eine Frage. Nämlich ob in Thomas Manns humanistischer Haltung, heute durch ein
mächtiges Alterswerk bestätigt, nicht doch mehr moralische, geistige, künstlerische Konsequenz zu entdecken sei
als im Bombentempo einer literarischen Radikalität, die
ehedem (»Berlin Alexanderplatz«) soziologisch experi-
mentierte und heute katholisch experimentiert.

Der deutsche Schriftsteller Alfred Döblin ist aus der Emigration zurückgekehrt. Er hat eine Zeitschrift gegründet.
Er schreibt. Er fühlt sich rüstig genug, eine Führerrolle in
der kommenden literarischen Entwicklung zu spielen. Wer

hätte das anders als erfreulich finden können? Nach Lüths
Zeugnis hat Döblin bekannt, es gelte für ihn die Forderung, in den augenblicklichen deutschen Spannungskreis
einzutreten und diese Spannungen und Reize zu verarbeiten. Aber Döblin hüte sich vor Lüths Zeugnis.

In seiner Schrift zur literarischen Situation meint Döblin, es liege auf der Hand, »daß nach dem Scheitern der
biologischen Utopie das Land neben seinen zertrümmerten
Städten und dem verlorenen Wohlstand nur noch Litera-
turreste im Kümmerzustand besitzt«. Das dürfte (abgesehen von der unvermeidlichen biologischen Utopie) stimmen. Döblin fährt fort: »Was der deutschen Kümmerlite-
ratur not tut – sie schleppt sich müde hin, sie fristet ihr
Leben, sie zehrt vom Vergangenen –, ist nicht Papier. Es
ist eine neue Bewegung im Land und bei den Autoren,
gleichgültig, ob sie von außen an sie herangetragen wird
oder spontan aus ihnen entsteht. Was den Autoren not
tut, ist die Besinnung darauf, was sie eigentlich mit ihrem
Denken, Dichten und Schreiben meinen.«

Vortrefflich, und schade nur, daß Döblin gerade die Literaturgeschichte Lüths von diesem geistigen Kümmer-
zustande ausnahm, dessen erbarmungswürdigste Doku-
mentierung sie ist, daß er Lüth nicht fragte, was er eigentlich mit seinem Schreiben meine, sondern fand, hier tue
Papier für zwei Bände not. Indem Döblin in den deutschen Spannungskreis auch Lüth einbezog und Lüths Reize
auf sich wirken ließ, hat er seiner Diagnose und Prognose
viel von ihrer Überzeugungskraft genommen. Döblin
sieht »heute in die Druckpresse einfließen einen trüben
Strom von Landschaftsliteratur, Volkstumsliteratur, vielfach von Autoren, die in der Nazi-Epoche von den Diri-
genten dieser Bewegung dafür gelobt wurden«. Aber das
sind doch gerade die Autoren, denen Lüth (nach jener Besprechung) im Hinblick auf ihre erzwungenen Zugeständnisse so erfreulich gerecht wird. Döblin ist weit davon entfernt, Lüth zu fragen, was er damit meine. Denn was

Lüths Meinung betrifft, so ist sie einerseits eine tadellose
Meinung über Döblin, und andererseits genügt es Döblin,
daß sie auch im zweitwichtigsten Falle sich überraschen-
derweise als Döblins Meinung herausgestellt hat: im Falle
der so notwendigen Neuwertung und Umwertung Thomas Manns. An diesen Prozeß also haben sie sich, Döblin
und Lüth, mit vereinten Kräften gemacht. An diesen
»Verinnerlichungsprozeß«, von dem zum Beschluß der
Döblinschen Schrift die Rede ist, nicht ohne daß die himmlischen Harfen einfallen: »Wo das Göttliche sich nähert,
mit seinem Ernst, seinen Schauern, seiner Wahrheit und
Herrlichkeit, klingen die Lieder der Kunst anders. Die
Harfen werden neu gestimmt.«

Es hat im Umkreis der Literaturinteressen nie eine falscher gestimmte Harfe gegeben als die Döblinsche, nie ein
mißtönigeres Lied als jenes, das Lüth zur Döblinschen
Harfe singt.

NACHWORT

Diese Schrift war abgeschlossen, als Lüth mit einer Ent-
gegnung auf die oben (Seite 346) zitierte Rezension Hans
Mayers hervortrat. Was wirft ihm die Rezension vor?
Daß er Thomas Manns »Zauberberg«, dem er eine Beurteilung widmet, offensichtlich nicht gelesen habe. Was erwidert Lüth? Er tut so, als sei seine Thomas-Mann-Geg-
nerschaft, nicht seine Thomas-Mann-Ignoranz angegriffen worden. Hans Mayer sei »elektrisiert« gewesen, als
von »einem Bestimmten«, nämlich dem von ihm verehrten
Thomas Mann die Rede war. Was aber die Ignoranz betrifft, so erklärt Lüth: »im Hinblick auf Naphta« habe
im seine »Erinnerung« einen »unbegreiflichen Streich« gespielt; das ändere aber nichts an der von ihm »im ganzen
und *aus dem Geiste des Ganzen begründeten* Darstellung,

die eben Thomas Mann anders sieht, als es *gewünscht* ist«.
Doch damit nicht genug. Der eigentliche Schuldige an dem
unbegreiflichen Streich der Lüthschen Erinnerung ist Thomas Mann. Der Streich zeige, »wie wenig« Thomas Mann
seine Gestalten »konturiere«, so wenig, daß selbst ein auf-
merksamer Leser wie Lüth den Jesuitenprofessor Naphta
für eine Dame halten konnte. Ja, Thomas Mann ist ein so
ohnmächtiger Schriftsteller, daß Lüth ihn beim besten
Willen nicht kapieren, sondern nur kritisieren kann. Und
man muß sagen: Lüth vermag doch noch mehr, als man
selbst nach der Lektüre seiner Literaturgeschichte für möglich gehalten hätte. Ihm ist der schwerste Vorwurf gemacht worden, der einen Kritiker treffen kann, nämlich
beurteilt zu haben, was er nicht kennt. Mehr noch: einem
der bedeutendsten Werke der deutschen Literatur mit inhaltlichen Argumenten entgegengetreten zu sein, die eine
glatte Fälschung sind. Und Lüth begegnet dem Vorwurf
mit der sensationellen Enthüllung, daß gerade durch seine
Methode der Beweis für die künstlerische Schwäche des
beurteilten Werkes erbracht sei, welches eben nicht vermocht habe, in seiner Erinnerung zu haften. Das ist wohl
das stärkste Stück, das sich ein öffentlich Schreibender bisher geleistet hat. Die Äußerung liegt gedruckt vor.

Das zweitstärkste Stück ist Lüths Erwartung, daß er
mit diesem dreisten Manöver Glück haben werde. Nun
gibt es überhaupt keinen Autor, der mit solcher zeichneri-
schen Genauigkeit konturiert wie Thomas Mann, mit
einer Genauigkeit, die dem Leser jede Geste der Figur unvergeßlich einprägt. Ein Thomas-Mann-Kenner, der ein
Thomas-Mann-Gegner wäre und die Art des Autors kritisieren wollte, könnte vielleicht die penible Überschärfe
der figürlichen Konturen bemängeln. Das wäre möglich.
Alles mögliche wäre möglich. Unmöglich ist die Behauptung des Gegenteils. Lüths Bemerkung, der unbegreifliche
Streich seiner Erinnerung zeige, »*wie wenig* Mann Gestalten konturiert, *sondern Gedanken bringt*«, ist nicht nur

ein neuer Beweis dafür, wie wenig Lüth einen syntaktisch
richtigen Satz bauen kann, sie ist auch eine so verzweifelte Ausflucht, daß nur die vollkommene literarische Naivität, und nur im Bunde mit einer vollkommenen moralischen Skrupellosigkeit, darauf verfallen konnte. Wie
schon so häufig, muß auch hier die kriminalistische Konfrontierung mit dem Tatbestand helfen. Im »Zauberberg«
wird Naphta, der dann als Hauptfigur durch den ganzen
zweiten Band geht, folgendermaßen eingeführt: »Er war
ein kleiner, magerer Mann, rasiert und von so scharfer,
man möchte sagen: ätzender Häßlichkeit, daß die Vettern
sich geradezu wunderten. Alles war scharf an ihm: die
gebogene Nase, die sein Gesicht beherrschte, der schmal
zusammengenommene Mund, die dickgeschliffenen Gläser
der im übrigen leicht gebauten Brille, die er vor seinen
hellgrauen Augen trug, und selbst das Schweigen, das er
bewahrte, und dem zu entnehmen war, daß seine Rede
scharf und folgerecht sein werde. Er war barhaupt, wie
es sich gehörte, und im bloßen Anzug –, sehr wohlgeklei-
det dabei: sein dunkelblauer Flanellanzug mit weißen
Streifen zeigte guten, gehalten modischen Schnitt . . . Obgleich blonden Haares – es war übrigens aschblond, me-
tallisch-farblos, und er trug es glatt aus der fliehenden
Stirn über den ganzen Kopf zurückgestrichen –, zeigte
Naphta die mattweiße Gesichtshaut brünetter Rassen . . .«
Dies also ist Thomas Manns Art, nicht zu konturieren,
sondern Gedanken zu bringen. Und sie erklärt zur Genüge, daß Lüth den Namen Naphta für einen weiblichen
Vornamen hielt und infolgedessen von der Dame Naphta
sprach, die eine Asketin sei.

Das Weitere steht in dieser Schrift, die vielleicht manche Überraschung für Lüth enthält. Er wird noch andere
unbegreifliche Streiche, die ihm seine Erinnerung spielte,
auf das Schuldkonto Thomas Manns zu buchen haben –
und er wird wieder sagen können, das ändere nichts an
seiner »aus dem Geiste des Ganzen begründeten Darstel-

lung«. In der Tat sind die Unbegreiflichkeiten so zahlreich, daß sie den Geist des Ganzen begründen und daß
jemand, der »eben Thomas Mann anders sieht, als es gewünscht ist«, strahlend gerechtfertigt dasteht. Denn erwünscht war bisher, daß literarische Kritik – und erst
recht, wo sie ablehnt – auf genauer Vertrautheit mit dem
Werk, aber nicht auf den Lücken eines anfälligen Erinne-
rungsvermögens beruhe. Erwünscht war bisher, daß literarische Kritik sich an literarische Tatbestände halte, aber
nicht aus den Phantasievorstellungen eines zwar anschlä-
gigen, doch unzuverlässig funktionierenden Kopfes her-
vorgehe. Indes Lüth hat recht, er sieht das eben anders.
Sollte es hingegen Kenner der Lüthschen Literaturgeschichte geben, die geneigt sind, eher an Bildungs- und
Wissenslücken als an Erinnerungslücken, eher an unver-
antwortliche Leichtfertigkeit als an ein schlechtes Gedächtnis zu glauben, so werden auch sie eine Genugtuung erleben. Denn in der vorliegenden Schrift wird dem Literarhistoriker Lüth gerade das gute Funktionieren seiner
Erinnerung bestätigt: dort, wo im Gegensatz zu den Büchern Thomas Manns gewisse literarhistorische Quellen-
werke sich ihm mit soviel Kontur eingeprägt haben, daß
er in seiner Darstellung um eigene Konturen gar nicht
mehr bemüht sein mußte. Was das betrifft, so kann ihm
noch mit einer Fülle von Nachweisen gedient werden. Er
glaubt gar nicht, wie gut seine Erinnerung da funktioniert
hat.

   Die sonst besser beratene Zeitschrift, die der in jedem
Sinne merkwürdigen Erwiderung Lüths Unterschlupf gewährt hat, soll hier nicht noch einmal genannt werden.
Aber wenn sie es in einem »Nachwort der Redaktion« bedauerlich findet, daß Lüths Kritiker, ein »fortschrittlicher
Schriftsteller«, sich »in einen Ton hineintreiben« ließ, »der
der Sache einer demokratischen Kultur alles andere als
dienlich ist«, so muß doch gesagt werden, daß die Sache
einer demokratischen Kultur nicht schlimmer kompromit-

tiert werden kann als durch solche Stellungnahme. Die
Zeitschrift beruft sich auf Lüths Phrase von einer »politischen Kultur«. Will sie im Ernst und nach Kenntnis des
Lüthschen Werkes behaupten, daß dessen Inhalt irgend
etwas mit dieser und den sonstigen Vorwort-Phrasen über
»literarische und historische Möglichkeit und Wirklichkeit« zu tun habe? Will sie im Ernst behaupten, daß die
Sache Lüth, die Sache der verantwortungslosesten und un-
geistigsten Spekulation, in irgendeiner politischen Perspektive sich mit der Sache einer demokratischen Kultur
berühre, daß es einen »politischen Hintergrund« geben
könne, vor dem Lüth nach solcher Leistung und mit solcher Erwiderung in Ehren dastehe? Wessen Sache ist es
denn, wenn der vom Döblinschen »Ursinn« erhitzte Lüth
seine Literaturgeschichte in lauter Döblin-Zitate ausklin-
gen und mit den Döblin-Worten vom Göttlichen und seiner Herrlichkeit und von den neu gestimmten Harfen
feierlich enden läßt? Aber vielleicht ist es demokratische
Kultur, daß Lüth noch kurz vorher von den *»Einkrei-
sungsversuchen«* der »fortschrittlichen Kräfte des deutschen Schrifttums« spricht, »also kürzeren Formen, Erzählungen und Novellen, die aber ... geschaffen zu sein
scheinen, das Gemälde der Epoche zu beginnen, *das einst
Grimmelshausen leistete«* – und daß er vorurteilslos genug ist, hierher unter anderem »die in den ersten beiden
Heften der Zeitschrift ›Das Goldene Tor‹ von Alfred
Döblin veröffentlichte Erzählung ›Die ersten Tage nach
dem Tode‹ von Paul E. H. Lüth« zu rechnen. So geht
Lüth nicht nur als Verfasser einer Literaturgeschichte, sondern auch als ein wesentlicher Bestandteil ihres Inhalts in
die Ewigkeit ein, durch das goldene Tor und Arm in Arm
mit Döblin. Was danach den Ton betrifft, in welchem von
ihm zu sprechen ist, so kann man nur sagen, daß Hans
Mayers Ton, den die Zeitschrift »ungewöhnlich scharf«
findet, durch ungewöhnliche Mäßigung auffiel. Den Ton,
in den die Lektüre der Lüthschen Literaturgeschichte jeden

»hineintreiben« muß, dem es ernst ist um die Sache einer
literarischen wie einer politischen Kultur: ihn hofft die
vorliegende Schrift getroffen zu haben.

Sie geht vom Einzelnen aus. In den Einzelheiten kann
man nicht schwindeln. Sie stimmen oder sie stimmen nicht.
Bei Lüth stimmen sie nicht. Mit den »Zusammenhängen«
kann man Wind machen, ob sie nun die »Möglichkeit«
oder die »Wirklichkeit« betreffen. Der Volldampf der
Phrase, womit Lüth dahergefahren kommt, macht nicht
einmal Wind. In seiner Erwiderung an Mayer schreibt
Lüth, es gehe weniger um ihn als um die Generation, der
er angehöre, und »insofern« sei das von Mayer »sicherlich
übersehene 241. Kapitel tatsächlich der Schlüssel des ganzen Werkes«. Aber eine Literaturgeschichte, die bereits im
241. Kapitel den Schlüssel des Ganzen liefert, ist keine –
und dieser Schlüssel schließt nicht die Hintertüre auf, durch
die Lüth entwischen möchte. Das 241. Kapitel heißt »Die
Möglichkeiten der Jungen«, beginnt mit Sätzen Ernst
Glaesers aus dem »hier schon des öfteren angeführten
Vortrag ›Kreuzweg der Deutschen‹« und vergißt in
einer Aufzählung von wohlgezählten sechs Jungen, die im
Gegensatz zu den Älteren von einer »zutiefst erlebten
Wandlung« Zeugnis ablegen, nicht den Dichter Paul E. H.
Lüth. In der Erwiderung beruft sich Lüth ferner darauf,
daß man einer fälschlich gern als apathisch hingestellten
Jugend »immer wieder nahelegte, endlich einmal Stellung
zu nehmen, das Schweigen zu brechen«. Deshalb habe er,
»auch auf die Gefahr hin zu irren«, das »Abenteuer der
Entscheidung« gewagt, welches seine Literaturgeschichte
sei. Aber er hat den Appell an die Jugend mißverstanden.
Was im Hinblick auf die Literatur von der Jugend erwartet wird, ist erstens die Erwerbung von Kenntnis und Urteil, die Erwerbung von historischen und geistigen Maß-
stäben – und zweitens die eigene Leistung. Nun ist ja,
wie den Möglichkeiten der Lüthschen Zusammenhänge zu
entnehmen bleibt, diese Leistung bei dem Dichter Paul E.

H. Lüth so stark, daß er in die Literaturgeschichte und sogar in die eigene gehört. Doch obwohl auch der Kritiker Lüth häufig darin vorkommt, nämlich als Verfasser bedeutsamer Abhandlungen über Döblin, ist ihr mit Vorsicht zu begegnen. Selbst in einem ganz anderen Falle als dem Fall Lüth wäre zu sagen, daß es überhaupt nicht Sache der Jugend sein kann, eine Literaturgeschichte zu schreiben; erst recht nicht einer Jugend, hinter der das Vakuum der zwölf Jahre liegt. Eine Literaturgeschichte ist kein Abenteuer der Entscheidung, das zwei Jahre nach Kriegsende hastig und stolpernd, aber fix und fertig auf den Plan tritt. Sie kann nur das Ergebnis langer und geduldiger Forschungsarbeit sein. Er habe, sagt Lüth, »das Buch als junger Mensch in wenig günstigen Verhältnissen geschrieben«, besonders hätten ihm Bibliotheken gefehlt. Daß er es überhaupt für möglich hielt, sich unter solchen Umständen an eine solche Aufgabe zu machen, beweist seinen blutigen Dilettantismus. Denn wenn man sich an alle möglichen Geschäfte und sogar an alle möglichen literarischen Geschäfte ohne Bibliotheken und Bücher machen kann, so an eins gewiß nicht: an eine Literaturgeschichte. Nichts war daher berechtigter als die Frage, die Hans Mayer in seiner Rezension stellte: wer Lüth eigentlich dazu gezwungen habe, das Buch zu schreiben. Indessen Lüth, der als Literarhistoriker weder Bücher noch eine wissenschaftliche Methode und nicht einmal eine Grammatik nötig hat, — Lüth meint, das sei »für den Autor eines ›Büchner‹-Buches eine etwas spießige Frage«. Aber gerade der Autor der Büchner-Biographie durfte sie stellen. Und jeder, der die Literatur nicht für einen Tummelplatz dilettantischer Anmaßung hält, muß sie stellen. Sie ist nicht spießig, doch sie betrifft die umfassende Banalität eines aufgeschwemmten Literatur-Spießertums, das schlechtester Literatur-Ersatz ist, aber der Literatur den Platz wegnimmt.

Oder soll in Deutschland das Unmögliche möglich sein?

Soll es möglich sein, daß jemand allein deshalb zum Amte des Literarhistorikers und Literaturkritikers taugt, weil er tief unter dem niedrigsten literarischen Niveau steht, das sich der kritischen Beachtung empfehlen könnte? Soll es möglich sein, daß Schriftsteller sich auf ihre Qualität von einem Stilkünstler prüfen lassen müssen, der in seinen kritischen Attesten das Schauspiel einer sprachlichen und geistigen Verwahrlosung bietet, die das Äußerste darstellt, was je der literarischen Öffentlichkeit angesonnen wurde? Und soll es möglich sein, daß die Praktiken des Unvermögens sich im literaturpolitischen Bezirk zu den Praktiken einer beispiellosen Unsauberkeit entschließen dürfen? Gewiß, der Fall Lüth ist leider kein Einzelfall. Aber er drängt sich durch seine Umfänglichkeit auf. Lüth ist prominent, denn er genügt, um darzutun, was in Deutschland nicht mehr möglich sein darf, wenn für die Literaturkritik, für die literaturpolitische Diskussion wieder geistige Grundsätze, wieder Grundsätze der historischen Erkenntnis gelten sollen. Lüth ist prominent, denn er hat zwei Bände geschrieben. Was sein Buch an Versehen enthalte, schreibt Lüth, werde die *nächste Auflage* berichtigen. Eine nette Aussicht. Wollte die nächste Auflage das komplette »Versehen« berichtigen, als das sich diese Literaturgeschichte darstellt, so müßte sie aus leeren Blättern bestehen.

(1948)

FRIEDRICH LUFT

WOLFGANG BORCHERT
»DRAUSSEN VOR DER TÜR«

Von einer vorrückenden, gedanklich fördernden Handlung ist hier keine Rede. Ein dialogisiertes Klagelied hebt an, ein szenisches Lamento. Einer kehrt heim aus dem Kriege. Er findet verschlossene Türen allenthalben. Das ist der Inhalt des Stücks. Dieser Zustand wird dunkel und inbrünstig bebildert in Szenen, die jedesmal einen Schritt weiter an die totale Hoffnungslosigkeit führen. Anklage also, Anklage gegen die Daheimgebliebenen, Anklage gegen die Mitheimkehrenden, gegen frühere Vorgesetzte, gegen Frauen, Mädchen, Kabarettdirektoren, gegen das Leben überhaupt, gegen Gott und gegen den feisten Tod. Gleich in zwiefacher Gestalt tritt er diesmal auf die Bühne.

Wer für den früh verstorbenen Wolfgang Borchert und seine offenbare Begabung ein ehrendes Gedächtnis festigen will, darf dieses klagende Szenarium kaum anrühren. Wenn es schon der Dramatik völlig entbehrt, der junge Verfasser zeigt sich darin noch unfähig, auch nur einen wirklichen Dialog zu gestalten. Nicht ohne Bezeichnung ist es, daß in kaum einem der vielen Bilder mehr als zwei Personen auf der Bühne sind. Und auch sie geraten nicht in das dramatisch förderliche und treibende Gespräch. Die jeweilige Gegenfigur zu dem neidbehängten Heimkehrer Beckmann wird nur gestellt, um ihm die Möglichkeit zu geben, sozusagen an einer neuen menschlichen Klagemauer in sein exaltiertes Lamento über den abstrusen Grad der eigenen Verlassenheit auszubrechen. Nur das Echo der eigenen Stimme wird gesucht und wieder aufgesogen. Gegenstimmen kommen nicht auf.

Einmal, denkt man, müsse aus dem Monolog endlich eine zweite Stimme gebrochen werden. Das ist, als Beckmann, der Heimkehrer, in das Haus seines früheren Obersten kommt und ihm die Verantwortung, mit der der Vorgesetzte ihn an der Front beladen hatte, zurückreichen will. Jetzt, hofft man, wird aus dem Anprall zweier Stimmen ein neuer und klärender Klang kommen. Er kommt nicht. Borchert bricht an dieser produktiven Stelle sofort in einen unglaubwürdigen Einfall weg: er läßt den in Zivil gepuppten Oberst in ein bedrücktes Gelächter ausweichen, das den verstoßenen Beckmann bis ins letzte entwürdigt und in neue Demütigungen treibt. Einen zweiten Anlauf gegen den verholzten Oberst und dessen Obrigkeitsfimmel wagt er nicht.

Borchert spült seinen negativen Helden durch viele Gossen des Elends. Er läßt ihn nach einem Selbstmordversuch von der symbolisierten Elbe wieder ans Ufer werfen. Der Heimkehrer gerät dem gedankenlosen ehemaligen Kameraden in die Hände, dem »Anderen«, der nicht gestraft ist, denken zu müssen, der sich hinwegsetzt über die Kalamitäten des Rückkehrerdaseins. Er trifft eine Frau. Schon scheint er einen Halt zu haben, als deren ebenfalls aus dem Kriege heimkommender Mann auftaucht. Beckmann sammelt, flüchtend, nur neue Traurigkeit auf sich. Immer wieder versucht er sein Glück vor den Türen, von der Lust zum Tode durch den »Anderen« immer wieder auf den Weg des Lebens gestoßen. Er bietet sich als komische Figur in verzweifelter Bajazzolaune einem Unternehmer in Kleinkunst an. Dessen smarter Geschäftsgeist jagt ihn wieder vor die Tür. Er findet die Tür der elterlichen Etage. Die Eltern findet er nicht. Sie gingen in den Freitod, Bräunlinge und Denunzianten, die sie waren. Beckmann zieht neue Klage daraus. Borchert verdeutlicht die Lehre daraus nicht. Das »rein Menschliche«, die unverbindliche, heimliche Lust an der Ungeheuerlichkeit des eigenen Leidens wird wieder laut. Sonst nichts.

Gott selber tritt auf die fast stetig makaber halbbeleuchtete Szene. Eine schüttere, abgenutzte, mitleiderregende Greisengestalt. Auch sie muß die klagenden Anwürfe des verlassenen Beckmann hören: Gott habe ihn und seinesgleichen verraten und verlassen. Und so bezeichnend wieder: daß der Abfall vom Göttlichen und den Prinzipien der Liebe zuerst von der Seite des dreisten Anklägers und seinesgleichen geschah – in den wenigen Worten des gezausten Gottvaters keine Silbe davon. Der Selbstvorwurf bei dem lustvoll negativen Helden ist bei seiner verbissenen Selbstgerechtigkeit im Leiden kaum zu erwarten. Ein Hiob mit einer Hoffärtigkeit im Ducken vor den Schlägen des Schicksals, daß unser betrachtendes Mitleid schon nach den ersten mit Symbolismen vollgestellten Bildern sehr erschöpft ist. Der Rest ist die Qual, ein neurotisches Lamento bis zum vagen Ende mitanhören zu müssen.

Das alles mag hart scheinen und steht hier sehr im Gegensatz zu dem fast hektischen Beifall, der sich am Schlusse des Stückes erhob. Die sprachlich oft schönen und zuweilen forttreibenden Visionen seien nicht überhört. Nicht überhört aber auch die banal klingenden Reminiszenzen an jugendbewegte Spielschareffekte, jene unverbindlich pseudopoetischen »Lilofee«-Töne, wie sie Manfred Hausmann in seiner schwächsten Epoche zu einer verfänglichen Schule machte.

Daß Borcherts ichbesessener Versuch tiefehrlich war, daran sei keinen Augenblick Zweifel. Daß diese Form selbstbezogener Besessenheit niemandem forthilft, ist gleichfalls außer Frage. Bleiben kann dergleichen nicht. In einer klugen Besprechung von Wolfgang Staudtes Nachkriegsfilm »Die Mörder sind unter uns« wurde kürzlich von einem Londoner Kritiker bemerkt, daß ein Übermaß von Schicksal dem deutschen Künstler vorerst die klare, gedachte, geformte Aussage unmöglich zu machen scheine. Nur das moderierte Erlebnis könne darauf rechnen, gültig umgesetzt zu werden. Ein künstlerisches Dilemma, unter dem wir noch lange werden zu leiden haben. Dieses Stück beweist es. Es kommt vor lauter Selbstgefühl nicht an die Handlung, vor lustbetontem Leiden nicht an die Aktion.

Das Hebbel-Theater nahm den Abend unter das verschämte Motto einer Studioaufführung. Das wäre nicht nötig gewesen, was die Regie Rudolf Noeltes und die Hauptdarsteller betrifft. Wie Paul Edwin Roth die zwischen Symbolismen und halben Realitäten pendelnde, grausam wehleidige Rolle des negativen Helden möglich machte, war großartig zu verfolgen. Wenn am Ende der Beifall hochging, so betraf er diese Leistung. Roth legte eine wohltuende Nüchternheit auf den Part, die der im Buche nicht hat. Er machte ihn im Grunde erst möglich und rettete den Abend immer wieder vor dem Abkippen in die Unleidlichkeit. Wenn einer sich an einem unergiebigen Text schauspielerisch schon so bewährt, bleibt Erfreuliches zu erwarten. Konrad Wagner hatte Schwierigkeiten, die nur punktierten Umrisse des Obersten voll auszuzeichnen. Eduard Wandrey, als der zweigestaltige Tod, einmal als fett rülpsender Beerdigungsunternehmer und dann als Straßenfeger mit Generalslitzen, hatte eine ölige Bedrohlichkeit, soweit er aus dem permanenten Dunkel der Bühne hervordrang. Die übrigen Darsteller, nur wechselnde Echogestalten für den großen Monolog der Hauptfigur, konnten besten Willens wenig Abwechslung in das laute und leidige Elendsthema bringen.

Das Stück war zu spielen. Die Abwehr, die es gedanklich auslösen muß, wird sein bestes Teil sein.

24. 4. 1948

HANNAH ARENDT

HERMANN BROCH
UND DER MODERNE ROMAN

Jede Krise, jede Wende der Zeiten ist Anfang und Ende
zugleich. Als solche birgt sie, in den Worten Brochs, ein
Dreifaches in sich: das »Nicht-mehr« der Vergangenheit,
das »Noch-nicht« der Zukunft und das »Doch-schon« der
Gegenwart.

Die maßgebenden Werke der Romanliteratur des 20.
Jahrhunderts, das Werk Marcel Prousts in französischer,
das Werk James Joyces in englischer und das Werk Hermann Brochs in deutscher Sprache, weisen jedes in seiner
Art diese der Krise eigentümliche Dreischichtigkeit auf
und wenden sich damit von der traditionellen Form des
Romans ab, der mehr als andere Kunstformen dem 19.
Jahrhundert verhaftet war. Der moderne Roman dient
nicht mehr der »Unterhaltung und Belehrung« (Broch)
und er »weiß nicht mehr dem Leser Rat« (Benjamin), sondern er konfrontiert ihn unmittelbar mit Problemen und
Formen, die sich nur dem erschließen, der gesonnen ist,
sich von selbst auf sie einzulassen. Damit ist, gleichsam mit
einem Schlage, die bisher verständlichste, dem großen Publikum zugänglichste Kunstform zu der schwierigsten und
esoterischsten geworden. Das Kunstmittel der Spannung
im alten Sinne ist vollkommen verschwunden und mit ihr
die Möglichkeit des passiven Gebanntseins; die handwerkliche Meisterschaft, die in der Wiedergabe eines Wirklichen im schönen Scheine die Realität nicht nur verklärte,
sondern auch in ihrer vielfachen Bedeutsamkeit offenbarte, ist einem Kunstwollen gewichen, das darauf abzielt,

den Leser in wesentliche gedankliche Prozesse zu verwik-
keln, und dessen Gelingen oder Mißlingen mit der Diffe-
renz zwischen einem guten und schlechten Gedicht auf der
einen Seite, zwischen echter Philosophie und banalem Ge-
rede über philosophische Probleme auf der anderen Seite,
erheblich mehr zu tun hat als mit den traditionellen Maß-
stäben für gute und schlechte Romane.

   Damit ist die Kunstform des Romans natürlich selbst in
eine Krise geraten. Vielleicht prägt sich die Krise der Zeit
im Roman schärfer aus, weil er mehr als andere Kunstformen der Realität selbst verhaftet gewesen ist. Jedenfalls drückt sie sich schon rein äußerlich in den erstaunlich
kleinen Auflagen der größten Werke der Zeit aus, der
nicht minder erstaunlich hohe Auflagen guter zweitran-
giger Bücher zur Seite stehen. Eine Erzählerkunst, die vor
einem halben Jahrhundert noch als Zeichen ungewöhnlicher Begabung gegolten hätte, kommt heute leicht als
selbstverständliche Fazilität des guten Reporters zutage.
Es ist, als ob die zweitrangigen Produktionen, die doch
von Kitsch und schierem Unvermögen ebenso weit entfernt sind wie von wirklich großer Kunst, den natürlichen
Anforderungen des gebildeten und kunstliebenden Publikums so sehr Genüge tun, daß sie damit die großen Künstler wirksamer ihrem Publikum entfremdet haben als die
vielgefürchtete Vergnügungsindustrie. Wesentlicher für
das künstlerische Problem jedoch ist die Tatsache, daß rein
Handwerkliches heute von so vielen beherrscht wird und
das allgemeine Niveau sich so sehr gehoben hat, daß dem
eigentlichen Künstler sein Handwerkszeug selbst notwendigerweise suspekt werden muß.

   »Die Schlafwandler«, 1931 zum ersten Male erschienen,
haben unter anderem die große Bedeutung, die Krise, in
die der Roman als Kunstform gekommen war, in eigen-
tümlicher Weise darzustellen. Das Werk ist eine Trilogie,
die drei bezeichnende Jahresdaten herausgreift – das Jahr
1888 und den romantischen Zerfall der alten Welt, das

Jahr 1903 und die anarchische Verwirrung der Vorkriegszeit, das Jahr 1918 und den sachlich aktiv gewordenen
Nihilismus – um an ihnen nicht etwa einen wie immer
gearteten Ablauf zu beschreiben, sondern um logisch folgerichtig die Bewegungsgesetze dessen darzustellen, was
Broch den »Zerfall der Werte« nennt.

Der erste Teil, scheinbar noch im Sinne der traditionellen Romantechnik geschrieben, macht in seiner ganz
außerordentlichen Erzählerkunst fast erschütternd klar, ein
wie großes Talent im Sinne der Tradition hier der Versuchung widerstanden hat, das Erzählen einfach weiterzu-
betreiben, unbekümmert sozusagen darum, daß die erzählte Welt inzwischen zum Teufel geht. Der Autor bricht
abrupt mit der Darstellung einer verunglückten Hochzeitsnacht ab und gibt dem Leser den Rat, sich die Fortsetzung der Geschichte selbst auszumalen. Diese Empfeh-
lung zerstört in aller Radikalität die Illusion einer Schein-
realität, in welcher der Autor als Schöpfer frei schaltet
und waltet und in die der Leser nur als passiver Zuschauer
eingelassen wird. Das Fabulierte wird als Eigenständiges
entwertet; seine Gültigkeit ist eine rein historische, die Erzählung ist an ihrem Ende, wenn die historisch wesentlichen
Elemente der Zeit aufgezeigt sind, nicht wenn die Schicksale der Personen in ihrer privaten Zufälligkeit sich erfüllt haben. Damit wird bewußt auf einen der Haupt-
anreize des Romanlesens, auf die mögliche Identifizierung
des Lesers mit einer Romanfigur verzichtet und das Element des Tagtraums eliminiert, das den Roman immer in
eine so bedenkliche Nähe zum Kitsch gebracht hatte. Lite-
rarhistorisch gesehen besteht darum die Bedeutung der
»Schlafwandler« darin, die Wende des Romans inmitten
einer Krise, die ihn als Mittel großer Kunst überhaupt in
Frage stellte, gleichsam auf des Messers Schneide darzustellen.

Der erste Teil der »Schlafwandler« berichtet von Herrn
von Pasenow, einem Landjunker, seiner Militärzeit in

Berlin und seinem Freunde Bertrand, der, dem Militär und seinem Standesbewußtsein entlaufen, ein großbürgerlicher Industrieller zu werden sich anschickt, von seinem Vater, der in greisenhaftem Wahnsinn endet, von seinem Verhältnis in der Stadt, das eben doch, wie die spätere Hochzeitsnacht beweist, ein Liebesverhältnis ist, obwohl der Betroffene, in Standesvorurteilen befangen, dies keineswegs versteht, von den Gutsnachbarn auf dem Lande und dem »reinen« Nachbarskind, das zum Schluß geheiratet wird, wie es sich gehört und wie alle Welt vorausgewußt hat.

Hätte Broch diese Welt von außen geschildert, den Indikationen folgend, die ihre Fassade dem Anblick der Gesellschaft bot, wir hätten den Eindruck einer unerschütterlichen Stabilität. Was Broch statt dessen unternimmt, ist, obwohl es dem psychologischen Roman in vielem folgt, auf diese Weise kaum je versucht worden. Er schildert nicht unmittelbar die äußere oder innere Realität, sondern den Bewußtseinsstrom jeder seiner Personen, so daß alles, Welt und Geschehen, als die intentionalen Objekte der jeweiligen Figur erscheinen, abgeschattet – um in der Terminologie Husserls zu bleiben, die hier die einzig zutreffende ist – gemäß ihrer subjektiven Ergriffenheit, aber auch erweitert um ihre volle Bedeutsamkeit innerhalb eines Erlebniskontinuums und eines Weltanschauungszusammenhanges. Erst in dieser Subjektivierung erweist sich die grundsätzliche Brüchigkeit dieser Welt, nämlich die Unsicherheit und Erschüttertheit ihrer handelnden Personen, welche in den Augen der Gesellschaft ihre zuverlässigsten Stützen sein sollten. Es erweist sich, daß hinter der Fassade noch intakter Vorurteile keine Urteile mehr stehen, daß die Klischees, welche die Außenwelt sieht und die ihr imponieren, weil sie hinter ihnen eine ihrer selbst sichere und ihres Anspruchs gewisse Haltung vermutet, das einzige sind, was von der einstigen Herr-

lichkeit noch übriggeblieben ist. Hinter ihnen versteckt
sich der seelische Zusammenbruch, eine völlige Verlorenheit in der Welt, eine absolute Unfähigkeit, mit dem eigenen Schicksal in irgendeiner das reine Geschehen tran-
szendierenden Weise fertig zu werden. Technisch gesehen
prägt sich die Brüchigkeit der Welt in der Diskrepanz
zwischen dem aus, was die Figuren im Rahmen der Konvention sagen, und den halb artikulierten und immer pa-
nikerfüllten Gedanken, die das Gesagte mit der Beharr-
lichkeit von Leitmotiven oder Zwangsideen begleiten.
Diese Diskrepanz löst sich nur in dem Absinken des Vaters in den Irrsinn, und in der Figur Bertrands, der einzig
überlegenen des Gesamtwerkes.

Von dieser Technik weist der zweite Teil nur noch wenige, gleichsam rudimentäre Bestandteile auf. Seine
Hauptfigur, der Buchhalter Esch, kommt aus dem Klein-
bürgertum und ist dem Verfall der Welt ohne die Hilfe
von irgendwelchen Standesvorurteilen sehr viel hilfloser,
verzweifelter und doch wiederum aktiver preisgegeben.
»Ein Mensch impetuoser Handlungen« hat er sich in die
Idee der Gerechtigkeit wie in eine buchhalterische Zwangs-
vorstellung hineinverrannt, die es ihm auferlegt, sein Leben mit dem Ausgleichen imaginärer Konten zu verbringen. Den Höhepunkt des Buches bildet eine halb imagi-
näre Konfrontierung von Esch mit Bertrand, der, jetzt
ganz in die Ferne der Handlung gerückt, von Esch, der
sich aus dem allgemeinen Wirrwarr des Urteilens in einen
verzweifelten Fanatismus zu retten sucht, mit einer An-
zeige wegen Homosexualität bedroht wird.

Wenn der erste Teil scheinbar ein psychologischer Roman war, so ist der zweite scheinbar realistisch. Während
sich im ersten alles Wesentliche im Bewußtsein der Hauptfiguren abspielt, so ereignet sich hier alles, mit Ausnahme
des nicht eigentlich wirklichen Gesprächs zwischen Esch
und Bertrand, an der unmittelbar greifbaren Oberfläche
der Wirklichkeit. Diese Wirklichkeit aber ist so wenig ab-

gemalt wie die Figuren des ersten Bandes psychologisch
erklärt sind; sie ist nur skizzenhaft entworfen, und in der
Skizze bewegen sich Menschen, deren Handlungen, je
»impetuoser« sie erscheinen, desto mehr Zwangshandlun-
gen ähneln. So gewinnt das Ganze den Anschein eines
wirren Spiels, in dem notwendigerweise die Zwangshand-
lungen des einen mit denen des andern in keine Gemeinsamkeit mehr zu bringen sind und für die das skizzenhaft
Entworfene zwar noch einen gemeinsamen Hintergrund
bildet, aber beileibe nicht mehr eine gemeinsam bewohnte
und bewohnbare Welt. Auch der zweite Band bricht, ähnlich dem ersten, mit einem kurzen Hinweis auf die weiteren Schicksale des Helden in dem Moment ab, wo eine
Ehe ihn in scheinbar normale, gesicherte Bahnen führt.
Existierten von dem Werk nur diese beiden Bände, so
könnte man meinen, Broch habe ironisch zeigen wollen,
wie das alltägliche Banale schließlich aller Wirrsal in
großbürgerlicher und kleinbürgerlicher Normalität Herr
zu werden weiß.

Der dritte Teil schildert im Ende des Weltkriegs den Zusammenbruch dieser Welt, welche durch keine »Werte«,
sondern höchstens noch durch bürgerliche Gewohnheit in
der Normalität und sozusagen bei Verstande erhalten
wurde – der Irrsinn des Vaters im ersten Teil ist so symbolisch wie die immer am Rande der Zwangshandlung
sich bewegende Getriebenheit des Buchhalters im zweiten.
Die Hauptfiguren aus den beiden vorhergehenden Teilen,
der Major Pasenow und der inzwischen Zeitungsbesitzer
gewordene Esch, kehren wieder und verbünden sich in
Freundschaft, trotz aller Klassen- und Bildungsunter-
schiede, gegen den Helden des dritten Bandes, den Geschäftsmann Hugünau, der in unbeirrbarer »Sachlichkeit«,
nur den im Geschäftsleben selbst geltenden »Werten« folgend, die Lebensuntüchtigkeit des Majors wie des ehemaligen Buchhalters demonstriert, indem er dem einen die

Ehre abschneidet und den andern, nachdem er ihm sein
Zeitungsgeschäft abgeschwindelt hat, ermordet, seine Witwe um die Erbschaft betrügt und als angesehenes Mitglied
der bürgerlichen Gesellschaft endet.

Wieder ändert sich die Technik der Darstellung entscheidend. Die Fabel, welche die Helden aller drei Bände
zusammenhält, wird zwar lose weitergesponnen, aber von
ihr angezogen erheben sich aus ihr und sie dauernd unterbrechend zahlreiche Episoden, die, gelegentlich sich ver-
schränkend und durchaus immer aufeinander abgestimmt,
neben ihr einherlaufen. Die großartigste von ihnen ist die
Geschichte des Landwehrmannes Goedecke, der verschüttet und halbtot von zwei Kameraden aufgefunden und
um einer Wette willen ins Leben zurückgerufen wurde.
Wie sich langsam, Stück um Stück, in dem Bewußtlosen
die einzelnen Teile und Funktionen seines Körpers und
seiner Seele wieder zu dem Gleichgewicht zusammenfin-
den, das der Landwehrmann einst gewesen war, wie sich
aus den schon zur Verwesung verurteilten Stücken wieder
ein Mensch ergibt, der sprechen und gehen und lachen
kann, wie diese »Auferstehung von den Toten« einer
zweiten Schöpfung gleicht, deren Wunder und Schrecken
in der Individualisierung und Beseelung der Materie besteht – dies gemahnt in seiner Eindringlichkeit der Bild-
und Sprachkraft bereits an die großartigsten Passagen aus
Brochs rund fünfzehn Jahre später vollendetem Werk
»*Tod des Vergil*«.

Die von allen Seiten in die Hauptfabel hereinbrechen-
den Episoden geben der tragenden Geschichte des Gesamtwerkes, der Geschichte des Romantikers, welcher an
die Ehre glaubt, der Geschichte des Anarchisten, der einen
neuen Glauben sucht, und der Geschichte des Sachlichen,
der ihnen beiden den Garaus macht, selbst etwas Episo-
denhaftes. Zwischen ihnen aber, die Haupt- wie die Ne-
benepisoden unterbrechend, verlaufen zwei von erzähl-
barer Handlung prinzipiell geschiedene Ebenen: die poe-

tische Geschichte von dem Heilsarmeemädchen und die theoretisch-geschichtsphilosophischen Reflexionen über die innere Gesetzmäßigkeit des »Zerfalls der Werte«. Beide Ebenen sind, am Roman selbst gemessen, vollkommen im Irrealen gelassen, obwohl angedeutet ist, daß Bertrand der Erzähler der Liebesgeschichte zwischen dem Heilsarmeemädchen und einem nach Berlin verschlagenen polnischen Juden ist. Wesentlich ist, daß die Geschichte vom Heilsarmeemädchen ein rein lyrisches Intermezzo bleibt und die Reflexionen wirklich »logische Exkurse« sind. Es hat den Anschein, als falle der Roman in Lyrik auf der einen und Spekulation auf der andern Seite auseinander. Dies ist wie ein Symbol für die eigentliche Krise des Romans selbst: im rein Erzählerischen, in der Wiedergabe und Neuformung der Welt, in Unterhaltung und Belehrung sind weder die Gefühle und Leidenschaften, welche der alten Romanwelt ihre eigentümliche Spannung verliehen, noch als das Allgemeine und Vergeistigte zu bewahren, das in ihr durch eine in der Transparenz gehaltene Erzählung hindurchleuchten mußte.

Aus der geschilderten Welt des »Zerfalls der Werte«, der sich nach Broch durch den Fortfall eines einheitlichen Weltbildes und die radikal konsequente Emanzipation aller Teilgebiete ergibt, die von sich aus, in einem Konflikt aller mit allen, jeweils absolute Geltung beanspruchen, ist die Transparenz des Allgemeinen und die Spannung des leidenschaftlich Individuellen verschwunden. Sie haben sich selber als Teilgebiete etabliert.

Den *Tod des Vergil* könnte man als spekulative Lyrik oder lyrische Spekulation beschreiben. Er ist, selbst im Dialogischen, ein einziger in der dritten Person geschriebener Monolog (eine Form, die in der Prosaliteratur bisher nur als Novelle oder Kurzgeschichte existierte) und eine der großen Dichtungen der deutschen Sprache.

Er handelt von dem Sterben des Dichters Vergil, das anhebt, als das Schiff, das ihn auf Wunsch des kaiserlichen

Freundes von Athen nach Rom zurückträgt, in dem Hafen Brundisium anlegt, und das vierundzwanzig Stunden später in einer Todesfahrt endet, die aus der fieberhaft erhellten, überwachen Artikulation des bewußten Abschieds vom Leben über alle Stadien seines Ablaufs in Kindheit und Geburt zurück in das ruhige Dunkel des ungeschiedenen Chaos führt. Die Fahrt führt ins Nichts; aber da sie, eine umgekehrte Schöpfungsgeschichte, alle Stadien der aus dem Nichts erschaffenen Welt, des aus dem Nichts erschaffenen Menschen, durchmißt, führt sie auch ins All: »Das Nichts erfüllte die Leere und ward zum All.« Die Fahrt führt ins endgültige Ende, aber sie ist in Wahrheit nur ein Sich-Schließen des Ringes, in dem sich die Zeit schließt, so daß »das Ende der Anfang war«.

Die Handlung ist das Sterben selbst; es handelt sich um nichts als um Vergil, »der das Bedeutsamste seines irdischen Lebens nahen fühlt und voller Angst ist, daß er es versäumen könnte«. Abgesehen von einem einleitenden Absatz, der die Einfahrt in den Hafen beschreibt und, zusammen mit der Schilderung Böhmens in den ersten Seiten von Stifters »Witiko«, zu den großartigsten Landschaftsschilderungen deutscher Sprache gehört, ist nichts berichtet oder wahrgenommen als das, was zu dem sterbenden Dichter in dem immer reicher werdenden, allbedeutsamen Geflecht von sinnlicher Wahrnehmung, Fieberphantasie und Spekulation dringt und von ihm hervorgebracht wird. Dabei wird das Fieber zu einem Mittel, nicht nur alles in alles zu verwandeln, ein Mittel nicht nur der unendlichen Assoziation, sondern fähig, jegliche sonst schwebend-entschwebende Erinnerung in ihrer allseitigen Bedeutsamkeit sichtbar zu machen, so daß die Konturen des Besonderen sich zugleich schärfer abheben und unmittelbarer ins allgemein symbolisch Traumhafte verschwimmen.

Wollte man aus diesem Geflecht den eigentlichen philosophischen Gehalt herauslösen, so käme man leicht zu einer spinozistisch anmutenden Kosmos- und Logos-Spekula-

tion, in der alles Besondere sich nur als Teilaspekt eines
ewig Einen, alles Vielfältige als die getrennte vorläufige
Individualisierung eines Allumfassenden herausstellte.
Die Allbedeutsamkeit, die Tatsache, daß mit Hilfe des
Fieberwahnes jegliches die Bedeutung eines anderen annehmen oder sich zu dem schlechthin Bedeutsamen erwei-
tern kann, ist möglich nur auf dem Grunde eines in
Wahrheit pantheistischen oder panlogistischen Weltbildes,
einer pantheistischen Erlösungshoffnung, daß sich am Ende doch erweisen werde, daß Nichts und All, Anfang und
Ende identisch sind. Von dieser Hoffnung her erleuchtet
sich das Werk ebensosehr, wie es durch die Intensität des
bewußten Sterbens artikuliert wird. So daß die eigentümliche Form des Anrufs, der immer wieder und immer nachdrücklicher die Grundthemen des Buches, d. h. die Grundthemen aller philosophischen Spekulation, wiederholt und
der Prosa selbst ihren großartig faszinierenden Rhythmus
gibt, zugleich dem Abschied geschuldet ist, der alles festhalten und im spekulierenden Benennen retten will, und
einer Allseligkeit, einer Trunkenheit am Sein selbst, die
sich nur noch im Ausruf ausdrücken kann.

In diesem Sinne ist das Thema des Buches die Wahrheit,
aber eine Wahrheit, die wie eine mathematische Formel
sich in einem Wort manifestieren können müßte, um überhaupt artikulierbar zu sein. Das wiederholende Insistie-
ren auf dem Wort selbst, auf Leben und Tod, Zeit und
Raum, Liebe und Hilfe, Einsamkeit und Freundschaft, all
dies sind nur die spekulierenden Versuche, zu dem einen
Wort vorzudringen, in dem alles, das All und der Mensch
und sein Leben, von jeher »aufgelöst und aufgehoben«,
»enthalten und aufbewahrt«, »vernichtet und neuerschaf-
fen für ewig« ist, das Wort Gottes »jenseits der Sprache«.

Der Rhythmus der Prosa ist unmittelbar der Bewegung
der philosophierenden Spekulation entsprungen. Sofern es
möglich ist, in einem Kunstwerk die eigentliche Bewegung
des Philosophierens selbst darzustellen, etwa so wie die

Musik die Bewegungen der Seele darzustellen vermag, ist es hier gelungen. Denn die Spannung des Romans ist hier nicht, wie in den »*Schlafwandlern*«, durchkreuzt und unterbrochen, sondern vollzieht sich als die Spannung des spekulativen Denkens selbst, die unabhängig von aller Technik des Philosophierens doch allen Techniken als die leidenschaftliche Ergriffenheit von dem philosophischen Gegenstand zugrunde liegt. Und so wie der von der Passion des Spekulierens Ergriffene nicht nur von einem Inhalt ergriffen ist und so wie sein leidenschaftliches Gespanntsein nicht durch ein Resultat entspannt wird, so wird der Leser dieses Buches in eine spannende Bewegung gerissen, die nichts mehr mit der Fabel zu tun hat, ganz unabhängig ist von einzelnen Episoden – die noch dazu im »*Tod des Vergil*« eigentlich ereignislos eher festgehaltenen Bildern gleichen (das Elendsviertel der Hafenstadt, die drei Pöbelgestalten auf der Straße) als einer erzählten Geschichte – und die ihn viel mehr wie den Vergil selbst durch alle Episoden und Gespräche hindurch in die schließliche Ruhe trägt.

Von dem Leser wird verlangt, daß er sich in diese Bewegung, die durch Zuhilfenahme rein lyrischer Mittel erzeugt wird, hineinbegibt, ein Verlangen, das dem des Gedichts nicht unähnlich ist. Im Strom dieser gespannten Bewegtheit wird er an alles herangetragen, was überhaupt von Bedeutung ist: einmal weil sich angesichts des Todes, in der Schwebe zwischen Leben und Tod, in dem »Nochnicht« und »Nicht-mehr« alles Lebendige ineinander verschränkt und zusammenschließt in jene abstrakte Fülle, die wir armselig genug andeuten, wenn wir vom Leben überhaupt, vom Sein überhaupt, vom Menschen überhaupt sprechen. Zweitens aber auch, weil das »Nochnicht« und »Nicht-mehr«, das wie ein Leitmotiv dies Werk durchdringt, zugleich die Wende der Zeiten aus dem Altertum ins Christentum andeutet, so daß sich in die spekulative Bewegung auch die Not der Zeit vordrängt, die, weil sie an allem zweifelt und verzweifelt, auf alle Fragen Antwort und für alle Nöte Erlösung sucht.

Nicht-mehr und Noch-nicht, Noch-nicht und Doch-schon sind die Grundkategorien dieser Dichtung. In ihnen, und nicht mehr im Wertezerfall, sieht Broch hier das Problem der gegenwärtigen Welt. In der Erkenntnis dieser Situation an der Wende der Zeiten verzweifelt Vergil an der Dichtung und will das Manuskript der »Äneis« zerstören. Die Schönheit, ausgeschlossen von der Wirklichkeit, spielt Ewigkeit, gaukelt Ewigkeit vor, spielt Schöpfung, gaukelt Schaffenkönnen vor. Welcher Art dieses Spiel auch sei, Zirkusspiele der Dichtung, es bleibt ihm eigen, daß es die pöbelhafte Undankbarkeit des Menschen, der nicht anerkennen will, daß er sich nicht selbst erschaffen hat, befriedigt, seine pöbelhafte Sucht, sich aus der Wirklichkeit und der Verpflichtung an andere zu retten in die »von der Schönheit gestiftete Einheit der Welt«. Diese Einheit aber existiert nur im Schein und kennt nicht das Kriterion der Wahrheit; sie ist verräterisch selbstsüchtig, unzuverlässig und vergeßlich. Sie ist immer zugleich »Un-Kunst« und Literatentum und dient dem gebildeten Pöbel, wie die Zirkusspiele oder die heutige Vergnügungsindustrie dem ungebildeten dienen.

Der »Tod des Vergil« hat bewiesen, daß der Roman als Form großer Kunst so lebensfähig ist wie eh und je. Er kann sich getrost von seiner traditionell vorgegebenen Form emanzipieren, gerade weil ihm durch die zweitrangigen Talente Unterhaltung und Belehrung, das reine Fabulieren und das lediglich Informative abgenommen worden ist. Der »Tod des Vergil« löst gewissermaßen das Problem, das »Die Schlafwandler« zuerst aufgeworfen hatten.

Aus der Aporie, wie man verhindern könne, daß der Roman, nachdem er nichts mehr zu berichten hat, in Lyrik auf der einen und philosophische Reflexion auf der andern Seite auseinanderfalle, hat Broch eine Dichtung ge-

schaffen, die in der Verbindung des rein Lyrischen mit
dem echt Spekulativen die Elemente einer Spannung entdeckte, welche erst heute zu ihrem vollen künstlerischen
Recht kommen, obwohl sie auch dem traditionellen Roman als das eigentlich Künstlerische an ihm, in der Verklärung und dem Transparentwerden der Wirklichkeit,
seine wesentliche Gültigkeit verliehen hatten.

(1949)

Wilhelm Lehmann

UNGEHOBENER SCHATZ

Zu Oskar Loerkes Gedichten

Verglichen mit den beiden anderen Versmeistern, George und Rilke, ist Loerke die große *Natur*. Auch im höchsten Geistesflug verliert seine Dichtung nicht die Empfindung der irdischen Nähe. Ihre sicht-, hör-, schmeck- und tastbaren Qualitäten gingen in sein Werk notwendig ein. Ohne sie vermöchte er sich nicht zu äußern. Sich sagen heißt ihm die Dinge sagen, sein und ihr Eigentümlichstes. Sieben Salze braucht es, Meereswasser zu bereiten. Sieben Salze einigen sich, das zu erschaffen, was wir unter Natur verstehen. Sie treten in verschiedener Stärke, in verschiedenem Kräfteverhältnis auf. Ohne wenigstens einige von ihnen kommt kein Dichter aus. Rilke spritzte sie in verdünnter Gabe seinen Unsichtbarkeiten ein. Loerke dienen sie alle mit dem Gleichmut der Schöpfung. Daher gespenstert kein unsäglicher Hintersinn durch sein Werk. Es strahlt einen klaren Sinn aus, indem es dichterisch Goethes Rat an den Forscher folgt: »Man suche nur nichts hinter den Phänomenen, sie selbst sind die Lehre.«
Weil er eine Natur ist, blieb er unbekannt. Denn wohin entschwand dieses Element Natur, das seinen Widerpart im Empfänger seiner Dichtung sucht? Wohin verflüchtigen sich jene Salze? Sprach Goethe schon von »der modernen kombinatorischen Mystik, die jede Art von Anschauung zugrunde richtet«, wie soll heute eine schwache Natur im Kreuzfeuer der Zumutungen, die alle möglichen Instanzen an sie stellen, im Wirrwarr der Meinungen, dem An-

gebot von Weltanschauungen, dem Lärm des Kulturge-
schwätzes gegenüber, bei unklugem Gebrauch des Rundfunks, der ihr vorspricht, was für modern zu halten sei,
des Films, der, weit entfernt, sie sehen zu lehren, das Sehen zerstört — wie sollte hier Natur Natur bleiben oder
gar, seit wir die allererste im Paradiese lassen mußten,
zweite werden können? Entwindet »man« ihr nicht das
Erbteil, eifert sie selbst, es umzutauschen gegen eine erlo-
gene Geistigkeit, und versäumt keinen Diskussionsabend,
wird doch hier nichts Geringeres als die Weltlage beredet,
nur um nicht Zeit zu finden, sich einmal eines einzigen
Gedichts richtig zu bemächtigen, richtig, das heißt nicht als
eines Ersatzes für irgend etwas anderes.

Da der heutige Mensch nicht mehr mit den Phänomenen selbst, sondern mit »Illustrierten Blättern« umgeht,
vermag er auch nicht mehr, Sprache über den Zweck des
Tägigen hinaus als authentische Urkunde zu vernehmen,
erfährt er nicht mehr, daß das dichterische Wort in ge-
spanntem Augenblick, als Frucht aber einer geduldigen
Bildung, nicht Schatten des Dinges ist, sondern an dessen
Armut und Üppigkeit, Ruhe und Unruhe, Ein- und Vielfalt teilnimmt, daher mit der Teilnahme an den Phänomenen welkt. Mit den Sinnen stumpft der Sinn. Aus
einem sonderbaren Mißverständnis, an dem die Pseudo-
poesie mit Schuld trägt, glauben viele, die Poesie halte
sich in vornehmem Abstand die »gewöhnlichen« Dinge
vom Leibe, wende sich nur an Ausnahmegeschöpfe und
sei dem gemeinen Manne nur in schwacher Lösung, für
den Sonntag zurechtgekocht dienlich. Ein Gerücht verbreitete sich, poetisch bedeute ungenau. Auf die Dinge wie auf
die Worte hat sich ein allgemeiner poetischer Dunst niedergeschlagen. Ihn vermag man nicht zu durchdringen.
Also liest man »Baum«, sobald dies Wort im Gedicht erscheint, nicht als Baum, sondern als Allegorie des Wachs-
tums. Man will nicht begreifen, daß Dichtung im Grunde
nichts anderes tut als resolut die Dinge beim Namen ru-

fen. »Die Dinge sind, wie sie sind; wer gut zu sehen wüßte und zugleich einen reichen, genau unterscheidenden Wortschatz besäße, müßte mit dem Namen eines Dinges immer alles gesagt haben.« Daß der Dichter diese Namen findet, macht ihn zum Poeten, denn die Dinge kommen nur auf ihren richtigen Namen herbei: dieser muß so gut sitzen wie das Homerische »gliederlösend« dem Schlaf. Das wahre Wort entdeckt nicht nur, es ändert, es zeugt. Virgil weiß: »*Carmina vel coelo possunt deducere lunam*«, und Wäinamöinens Spruch singt die Fichte und den Mond und das Schiff aus der Imagination in die Wirklichkeit hinein.

Das sei ehemals gewesen, das sei vorbei? Der Dichter veraltet? Mit dem Wesen der Elemente vertraut, ist er in der Tat ein *homo archaicus,* insofern mit der Dichtung die eigentliche Welt in der Tat allemal wieder *anfängt.* Frühe, vormenschliche, vorgrammatische Zustände verbergen sich ihm nicht, und er mischt sie späterer Vergeßlichkeit bei, um den Riß zwischen Einst und Jetzt zu heilen und eine Ahnung geheimnisreicher Zusammengehörigkeit zu erwecken. Daher ist die Dichtung immer jung und reif zugleich, als Kraft stets Gegenwart, denn es ist im ganz lebendigen, gespannten Menschen stets alles zugleich vorhanden und schließt solche Gegenwart Vergangenheit und Zukunft in sich ein. Der Dichter schreibt also gerade nicht um die Dinge herum, sondern empfindet sie als ihm selbst geschehend und befestigt seine Ergriffenheit mit Worten, die den Respekt vor ihnen ausdrücken. Gibt der Hörer, der Leser sich die Mühe, in ein gelungenes Gedicht einzufahren, bereit sich hinzugeben, so bemerkt er zu seinem Erstaunen – und ist damit schon in der Verwandlung, im Dichterischen angelangt –, welcher Genauigkeit er begegnet. Im Buche »Atem der Erde« heißt es:

Auch unter dir die nahen Dinge kamen,
Die stummen, wie vor deinen Mund

Und bitten dich um neue Namen.
In ihnen machten sie dir selbst dich kund,

denn »Ein Falke hebt sich aus den Eichen: / Es ist kein
deutbar banges Zeichen, / Es ist mein letzter offner Sinn«;
»Der Herbst äst als der Vielzahn«; »Gelbe und rote Ru-
nen fallen«; »Den Sturm im Kiefernforst schnaubt ein
Nüsternloch«; »Die Blätter sind wie tanzende Sandalen /
An einem Tausendfüßigen aus Wind«.

Wem nicht gleich das Schönste glückt, ein Versgebilde
von Anfang an als Melodie zu vernehmen, als rhythmi-
schen Bann, dem mag es sich von der unverwandelten Materie, dem »Stoff«, her öffnen.

Zwar verbot man bei uns den Lehrern, die Schüler ein
Gedicht als Erzählung in Prosa auflösen zu lassen; ob
aber ein dauerhaftes Gebilde nicht solche Behandlung gesund übersteht? Die Behörde könnte sich auf den neun-
zehnjährigen Goethe berufen, der den »Zergliederer seiner Freuden« tadelt, daß er die gefangene Libelle zu genau betrachte, nachdrücklicher auf jenes Xenion, demzufolge die Kommentatoren das ins Weite klauben, was die
Dichter ins Enge gebracht, und das Wahre an den Dingen
klären, bis niemand mehr daran glaubt – aber derselbe
Goethe dankt einem Gymnasialdirektor als dem Ausleger
der »Harzreise im Winter«, daß dieser »durch wenige
Andeutungen geleitet, die Eigenheiten des Verhältnisses,
die Wesenheit des Zustandes und den Sinn des waltenden
Gefühls durchdringlich erkannt und ausgesprochen« habe,
dem Dichter selbst zur Verwunderung.

Nicht jeder Kommentator kann sich solcher Fähigkeit
geistreichen Nachspürens rühmen. Sie ist aber wohl, heute
zumal, nicht so notwendig wie diejenige der klaren Ausbreitung und Entwicklung des objektiven Tatbestandes;
denn, so schrieb 1903 Moritz Heimann: »Während es früher den Feinsten vorbehalten blieb, hinter dem am objektiven Maßstab der Überlieferung und der Theorie kon-

trollierbaren Werk die Persönlichkeit des Verfassers durch Intuition zu gewahren, ist es jetzt so weit, daß die Pyramide auf der Spitze steht: heute weiß der Erste, der Beste alle Schlupfwinkel besonderer Seelen auswendig; und es vermag wohl so ein Allerspürsamster über das Wesen eines Autors nach einem Gedichte zu weissagen, dessen äußere dargestellte Situation er nicht versteht. Ein Erkennen des Letzten, bevor man das Vorletzte und was dem etwa noch vorangeht, erkennt.«

Taugt ein Gedicht, so übersteht es auch einen groben Kommentar, eher geht es an zuviel »Poesie« zugrunde. Wir zeichnen die Situation *eines* Gedichtes nach. Es heißt »Eine Stunde nur« und findet sich im siebenten von Oskar Loerkes Versbänden, »Der Wald der Welt«, als drittes der Gruppe, die ihrerseits »Die Grundmächte« betitelt ist:

> Fährt ein Gott hier mit seinem Gespann,
> Vor deinem Glück hält er es an.
>
> Pfirsichblüte, Blüte wilder Pflaume
> Schlüpft dir zwischen Zeigefinger und Daume.
> Die Krümmen, denen er folgen muß,
> Erfüllt bedacht und zart der Fluß
> Und zaudert von Buhne zu Buhne.
>
> Das es nicht weiß und tasten kann –
> Deinem Glück hängt Fernstes an.
>
> Verjüngte sich, was runzlig war und bärtig?
> Die Vorzeit rauscht mit ihren Fahnen,
> Ihre Stifter sind gegenwärtig –
> Heute hast du keine Ahnen:
> Ihr lest dieselbe Mondesrune.
>
> Unterdes: der Grund zerrann.
> Woher fährt es drohend an?

> Ein Fratzenbild der Galion
> Frißt in deinen Frieden schon,
> Und ein Bug schlägt unten schwer
> In ein gallengrünes Meer.
> Schon schmerzt im Fleisch die Harpune.

Die Höhe der Empfindung erfand den Gott, in seiner Gelassenheit zur Ruhe zu gelangen. Wir bemächtigen uns der Erscheinungen nur, soweit wir an ihnen ein uns Gleiches entdecken.

> Weil der [der Geist] uns anders nicht erreicht,
> Ergreift er, was an uns ihm gleicht.
> Wir dienen, sollen wir nicht dienen.
> Kein Gott ist anders je erschienen.

heißt es im zweiten Gedicht der Gruppe »Die ehrwürdigen Bäume« im gleichen Bande. Also ist dem Gott mindestens die Gabe der Verwunderung eigen und hält sein Gespann vor einem von uns, den er glücklich sieht. Glücklich worüber? Versunken über Blüten, elastisch weichen, die er durch seine Finger zieht, wie der Fluß sein Wasser die Ufer entlang, die Böschungen der Dämmung, »bedacht und zart«. Mit ihm zieht das Fernste, das Weiteste herbei, so wächst, so schwillt die Glücksempfindung, und ohne es zu wissen, nur es zu fühlen, werde ich teilhaftig allen Anfanges, aller Geschehnisse, alles Aufbruchs, der Artusritter wie der Kreuzfahrer. Der Mond des ersten Menschen, Stifters der Vorzeit, leuchtet als mein Mond, der den Himmel ihnen und mir entziffert: »Heute hast du keine Ahnen« –

> Ägyptens Alter wird dir jung im Herzen,

und

> Die Welt um dich ist wie dein Herz so alt,
> Sie glaubt es dir, glaubst du ihr die Gestalt.

So in den Gedichten »Kleine Erzfigur des Osiris« im »Silberdistelwald« und »Ararat« in »Der längste Tag«. – Aber schon naht der seligen Meditation das Ende. Ein feindlicher Bug rammt mein Schiff; nicht genug, eine feindliche Harpune durchbohrt mich.

Es führt kein direkter Weg ins Zentrum.

> Der lange Umweg, den ich angetreten,
> War doch der nächste Weg zu mir,

bescheidet uns »Der Krebsreiter« im Bande »Der längste Tag«. Nur so wurden die vagen Zustände Glück und Unglück in innigem Zusammenhange konkret. Weil es schwindet, ist das Glück groß, und der Gott beneidet uns um unsere Vergänglichkeit, die seine Dauer nicht kennt.

In Loerkes Dichtung gibt es keine Hirngespinste, wie den Unaufmerksamen bedünken mag, und wiewohl sie Gestaltung der eigensten Eigentümlichkeit wie seines Stoffes ist, neigt sie nie zur Manier, die zur Beute der Nachahmer werden läßt.

Vergessen wir alles eben Gesagte. Doch dem vollendeten Gebilde droht keine Gefahr; denn jetzt naht es als rhythmischer Zauber, als sanfter Zwang. Langes Verweilen kündigt sich an, kurzes; die Stimme steigt, sinkt. Damit alles concinn sei, durchtönt es dreimal langgezogener Tubaklang. Beruhigend: *Buhne;* verweilend: *Rune;* schmerzhaft: *Harpune.* »Eine Stunde nur«, so teuer erkauft wie ihr Ausdruck.

Der Mensch wurde aus dem Paradies verstoßen, ausgeschlossen aus der Einheit mit allem. Aber daß er es wurde, öffnet ihm den Mund: er erinnert sich und wird darüber zum Dichter (womit wir bei einem anderen Gedichte desselben Buches, bei den Versen »Der gute Lohn«, angelangt wären).

(1951)

FRIEDRICH DÜRRENMATT

BEKENNTNISSE EINES PLAGIATORS

Wie ich deutschen Zeitungen entnehmen muß, hat Frau
Tilly Wedekind, die Witwe des großen Dichters, gegen
mich vor dem Schutzverband Deutscher Schriftsteller die
Anklage erhoben, mit meiner Komödie »Die Ehe des
Herrn Mississippi« ungefähr fast alle Werke ihres Gatten
abgeschrieben zu haben, vor allem »Schloß Wetterstein«.
So überaus merkwürdig diese Anklage auch ist und wie
wenig ernst sie genommen wird, so muß gerade aus diesem Grunde vermieden werden, daß man sie nun einfach
als absurd und unsinnig abtut: Frau Tilly ist zu verteidigen, nicht ich. Für ihr Verhalten gibt es eine allgemeine
Erklärung und eine besondere. Ganz allgemein gesprochen, ist es deutlich, daß ihr Kampf gegen mich nur ein
Teil ihres Kampfes für ihren Gatten ist, ein Teil eines notwendigen Kampfes, um es gleich zu sagen, denn es ist zu
bedauern und zu bekämpfen, daß Wedekind so selten gespielt wird. Wenn wir Frau Tilly daher in ihrem Kampf
für Wedekind unterstützen wollen, müssen wir auch das
Verständnis dafür aufbringen, daß sie nun meint, mich des
Plagiats anklagen zu müssen. Ferner ist es nur natürlich,
daß sie als Gattin eines Schriftstellers fühlt, daß wir einander irgendwie abschreiben, doch ist sie leider weder ihrem Mann dahintergekommen noch mir, *wie* man dies
tut. Im besonderen jedoch fiel sie einem Irrtum zum Opfer, der darum interessant ist, weil er – so möchte ich es
formulieren – mitten in die Atomistik des Dramas führt,
in den Kern, von dem aus sich ein Drama entwickelt.
   Hier muß eine Bemerkung über die »Ehe des Herrn

Mississippi« eingeschoben werden. Diese Komödie ist ein künstlerisches Experiment, mehr in ihr zu sehen, etwa gar eine Technik, die ich nun auch des weiteren anzuwenden im Sinne hätte, wäre Unsinn, doch ist es an der Zeit, einmal über die Art dieses Experimentes zu sprechen: nicht nur den Behauptungen Frau Wedekinds zuliebe, sondern auch, weil die vielen Kritiken, die mir vor Augen gekommen sind, über diesen Punkt im Dunkeln tappen und schon aus diesem Grunde oft irren, auch wenn sie loben. Der Kritiker und der Schriftsteller stehen natürlicherweise nicht auf derselben Ebene. Der Kritiker hat ein Kunstwerk als Ganzes zu betrachten, denke ich, für den Schriftsteller ist es die Arbeit, die ihm wichtig ist, die Arbeit, in meinem Fall, ein Drama zu schreiben: das Resultat dieser Arbeit, diesen endlich zur Welt gekommenen Sohn, betrachtet er mit mehr Mißtrauen als Freude. Nun gibt es zwei Arten eines künstlerischen Arbeitens, grob gesagt, wie ja diese Unterscheidungen immer grob sind und nur auf dem Papier ganz stimmen, die deduktive und die induktive Möglichkeit des Schreibens. Es ist ein Unterschied, ob einer die Arbeit, die er ausführt, schon der Hauptsache nach im Kopf trägt, oder ob er nun ins Blaue hinein schreibt, ein Unterschied, ob der Stoff der Grund oder ob er das Resultat des Schreibens ist. Ich will gleich gestehen, daß ich nicht wußte, *wohin* ich zielte, als ich den »Mississippi« zu schreiben unternahm. Wohl stellten sich mit der Zeit verschiedene Ahnungen und Pläne ein, wie etwa das Stück einmal aussehen könnte, doch erfüllten sich diese Ahnungen meistens nicht. Die Neugier war zu groß. Ich schrieb mich immer wieder in Gegenden hinein, die immer neue Pläne notwendig machten. Die Arbeit war aufregend, wer Einblick hatte, schüttelte den Kopf. Ich wagte es, mich meinen Einfällen hinzugeben, denn es ist eine meiner künstlerischen Überzeugungen, daß sich ein Schriftsteller vor allem dann der Welt aussetzt, wenn er es wagt, sich seinen Einfällen auszusetzen: So möchte ich die Art meines Experimentierens im »Mississippi« verstanden haben. Das Abenteuer dieser Arbeit lag durchaus darin, den Stoff zu finden, nicht die Form. Daß dann die gespenstische Aufgabe an mich herantrat, den so abenteuerlich gefundenen Stoff auch zu begreifen, ist wohl ein anderes Kapitel.

Nach dieser Bemerkung müssen wir uns wieder Frau Wedekind zuwenden. Ihre Behauptung stützt sich nach dem Bericht, der mir vorliegt, vor allem auf die »auf Anhieb verblüffende Ähnlichkeit der dramatischen Ausgangsstellung zwischen dem ersten Akt von ›Schloß Wetterstein‹ und dem ersten Akt der ›Ehe des Herrn Mississippi‹. Dort heiratet die Witwe den Mann, der ihren Gatten im Duell getötet hat, hier heiratet die Mörderin ihres Gatten den Mann, der seine Frau ermordete, die mit dem Ermordeten ein Verhältnis hatte. So sind natürlich auch alle wesentlichen Übergangsrepliken von auffallender Ähnlichkeit. Um hier nur einige zu zitieren: Bei Dürrenmatt: ›Sie bieten mir eine Ehe an, um mich endlos foltern zu können.‹ Bei Wedekind: ›Das gäbe eine Folterkammer von Ehe‹ (nicht ›der Ehe‹, wie die Zeitung schreibt). Bei Dürrenmatt: ›Wir sind durch unsere Tat unauflösbar miteinander verknüpft.‹ Bei Wedekind: ›Wir sind einander gewachsen, wir haben nichts voreinander voraus‹.« (Abendzeitung München 2. 6. 52). Das war Tillys Geschoß. Dazu wäre etwa zu bemerken:

1. Gesetzt, daß die beiden Akte einem Richter vorgelegt würden, der weder je etwas von Wedekind noch je etwas von mir gehört hätte, vorgelegt mit der Bemerkung, einer dieser Akte sei vom andern abgeschrieben, so würde er zwangsläufig von der Überlegung ausgehen müssen, daß im Plagiat alles zufällig und unbegründet erscheinen müsse, was im Original notwendig und begründet sei, und ebenso zwangsläufig käme er nun zum Schluß, Wedekind habe *mir* abgeschrieben. In der »Ehe des Herrn Missis-

sippi« zum Beispiel, würde der Richter sein Urteil begründen, führe der Vorwurf Anastasias: »Sie bieten mir eine Ehe an, um mich endlos foltern zu können« dialektisch, indem nur ein Wort geändert werde, zur Antwort Mississippis: »Um *uns* endlos foltern zu können. Unsere Ehe würde für beide Teile die Hölle bedeuten.« Mississippi sei Staatsanwalt. Er wolle das Gesetz Mosis wieder einführen und habe schon zweihundertfünfzig Todesurteile durchgesetzt. Die Ehe mit Anastasia sehe er als eine Strafe an. Der Ausspruch Anastasias sei denn auch in diesem bösartigen Milieu am Platz und leider nicht übertrieben. Wenn nun dagegen Wedekinds Leonore sage: »Das gäbe eine Folterkammer von Ehe«, und Rüdiger darauf antworte: »Das gibt keine Folterkammer von Ehe. Man liebt sich, oder man trennt sich«, so sei hier das Bild des Folterns nicht weitergeführt wie bei Dürrenmatt und gehe in keiner Weise aus dem Milieu hervor. Ebenso sei es mit den andern Ähnlichkeiten. So werde etwa bei Wedekind Tee serviert und bei Dürrenmatt Kaffee getrunken. Bei Dürrenmatt sei der Kaffee etwas Wichtiges, damit werde immer wieder vergiftet, er sei gleichsam eine bürgerliche Geheimwaffe, während bei Wedekind der Tee keine Rolle spiele, nur zufällig serviert werde und offenbar nur darum ins Stück geraten sei, weil sich Wedekind an Dürrenmatts Kaffee erinnert habe.

2. Sobald man sich jedoch auch mit Wedekinds und Dürrenmatts anderen Werken beschäftige, würde der Richter weiter ausführen, sei es leicht zu beweisen, daß Dürrenmatts »Ehe des Herrn Mississippi« nicht von Wedekinds »Schloß Wetterstein« abgeleitet sein könne, sondern von der Szene zwischen dem Kaiser und seiner Frau Julia im dritten Akt der Komödie »Romulus der Große«, die Dürrenmatt im Jahre 1949 herausgegeben habe. Der Staatsanwalt Mississippi sei eine Weiterführung der Gestalt des Romulus, der sich ja auch damit rechtfertige, daß

er ein Richter sei. Die Gestalt des Mississippi sei nichts anderes als eine Kritik, die der Autor an einer seiner Gestalten ausübe. Aus dem Verhältnis Romulus–Julia, das ebenfalls eine Ehe mit einer bestimmten Absicht sei, habe sich folgerichtig die Ehe Mississippi–Anastasia entwickelt. Die Dialektik sei dieselbe, wenn auch das Verbrechen nicht dasselbe sei. Julia: »Du kannst mir nichts vorwerfen, wir haben das gleiche getan.« Romulus: »Nein, wir haben nicht das gleiche getan. Zwischen deiner und meiner Handlung ist ein unendlicher Unterschied.« Anastasia: »Sie haben getötet, und ich habe getötet. Wir sind beide Mörder.« Mississippi: »Nein, gnädige Frau. Ich bin kein Mörder. Zwischen Ihrer Tat und der meinen ist ein unendlicher Unterschied.« Wedekind habe mit dem Motiv (welches von Shakespeares Richard dem Dritten stamme), daß eine Frau den Mörder ihres Gatten heirate, die Schwachheit des weiblichen Geschlechts aufzeigen wollen; Dürrenmatt dagegen sei es von Anfang an um etwas anderes gegangen: einer Mörderin aus Trieb habe er einen Mörder aus Gerechtigkeit gegenübergestellt, mit der Absicht, wie es scheine, eine allzu starre Gerechtigkeit ad absurdum zu führen. Dürrenmatts Motiv und jenes Wedekinds und Shakespeares seien völlig verschieden, den Unterschied als gleichgültig hinzustellen sei unmöglich, ebenso unmöglich wie etwa die Behauptung, zwischen einem Wasserstoffatom und einem Heliumatom sei kein wesentlicher Unterschied, denn es sei gleichgültig, ob sich nun ein Elektron oder zwei um den Kern bewegen ... (dies zur Atomistik).

Wenn ich auch schweren Herzens zugeben muß, daß dieser angenommene Richter nicht leicht zu widerlegen ist und sich ebenso spitzfindig erweist wie Frau Tilly; wenn ich auch einsehe, daß ich mir und nicht Wedekind im ersten Akt abgeschrieben habe, so möchte ich dagegen beteuern – und ich bitte, mir zu glauben –, daß ich *doch* ein »Plagiator« bin. Daß Frau Tillys Behauptungen so paradoxe

Resultate ergeben, liegt nur daran, daß sie anders recht hat, als sie glaubt. Frau Wedekind hat von der Praxis der Schriftsteller immer noch die abenteuerlichsten Vorstellungen. Wenn die Literatur so wäre, wie dies Frau Wedekind glaubt, gäbe es keine mehr, und wenn es eine gäbe, ließe sich kaum etwas Abstruseres denken denn eine solche Literatur. Daß ein Dramatiker von der Potenz Wedekinds auf andere Dramatiker wirkt, ist natürlich: Daß für mich Wedekind aus einem besonderen Grunde wichtig ist, muß nun dargestellt werden.

Wenn es nämlich weiter heißt, daß Frau Wedekind noch Anleihen aus »Erdgeist«, »Büchse der Pandora«, aus »Hidalla« und »Franziska« festgestellt haben will, so ist es ihr besonderes Pech, ausgerechnet nicht auf das Werk Wedekinds gekommen zu sein, das nun wirklich auf die »Ehe des Herrn Mississippi« einwirkte: auf den »Marquis von Keith«, ein Theaterstück, das ich für Wedekinds bestes halte und welches mich auf die Idee brachte, die Menschen als Motive einzusetzen. In diesem Stück ging mir die Möglichkeit einer Dialektik *mit* Personen auf, da ja der Marquis von Keith, der eigentlich ein Proletarier ist, in Ernst Scholz, der in Wahrheit ein Graf ist, sein genaues Spiegelbild besitzt. Auch dies ist natürlich nicht neu, das haben die Dramatiker immer angewandt, und nicht nur die Dramatiker: man denke an Don Quichotte–Sancho Pansa, oder etwa an John Kabys – den Letzten seines Geschlechts – und Herrn Litumlei – den Ersten seines Geschlechts – bei Gottfried Keller. Doch bei Wedekinds Marquis von Keith zeigte sich dieser Kunstgriff eben *mir* besonders deutlich, und damit hatte ich ein Prinzip gefunden, induktiv zu schreiben und meine fünf Hauptpersonen zu finden, indem ich eine aus der andern entwickelte und so fort.

Neben der besonderen Bedeutung Wedekinds jedoch für die »Ehe des Herrn Mississippi« gibt es noch eine allgemeine. Wir haben es mit diesem Dramatiker gewiß nicht

leicht. Sein Problem, das Geschlechtliche, steht heute nicht
mehr im Mittelpunkt – leider. Es wäre sicher angenehmer
als der kalte Krieg. Noch hat man es nicht gelernt, in Wedekind Komödien zu sehen, daher läßt er die meisten
kalt: sie nehmen ihn ernst, falsch ernst. Man sieht ihn immer noch als einen wilden Sexualreformer und wertet seine Aussagen mit Wahr oder Falsch; man sollte endlich dahin kommen, in ihm nicht ein Verhältnis zu der Wirklichkeit zu sehen, sondern eine Wirklichkeit, nicht so sehr,
was er widerspiegelt, sondern *wie* er die Dinge widerspiegelt. Die Bedeutung Wedekinds liegt vor allem in seiner
Sprache. Sie ist nicht papierdeutsch, wie man glaubt, sondern bühnendeutsch, eine Bühnenprosa: Hier knüpft er als
einziger an Kleist an, an die Prosa des »Käthchen«, so
merkwürdig diese Ansicht auch scheinen mag. Wedekind
ist einer der wenigen, denen es gelang, Konversations-
stücke zu schreiben, ohne Konversation zu machen, ein
Problem, das sich gerade heute immer wieder stellt, man
denke an die »Cocktail-Party« Eliots. Da der Bruch mit
dem Naturalismus nun einmal geschehen ist, müssen wir
eine neue Bühnensprache finden. Doch muß immer wieder
betont werden, daß es heute keinen allgemeinen Stil mehr
geben kann, sondern nur Stile. So wichtig auch Wedekind
sein mag, die Möglichkeit in Wedekind ist wichtiger: es
ist eine Möglichkeit der Komödie. *Hier* habe ich eingesetzt. Ich glaube nicht, daß ein heutiger Komödienschrei-
ber an Wedekind vorbeigehen kann, wie mir dies Frau
Tilly offenbar zumutet. Sie hängt an einzelnen Pointen,
die ähnlich sein mögen, weil sich Pointen immer ähnlich
sind, mir geht es um wichtigere Dinge. Wedekind wirkte
auf mich ein, aber nicht jener Wedekind, den seine Witwe
meint, sondern einer, den es noch nicht gibt, den wir erst
entdecken müssen.

(1952)

FRIEDRICH SIEBURG

DER FREIHEIT ÜBERDRÜSSIG (KLAUS MANN)

Es ist vielleicht gewagt, die Erfahrungen, die der Sohn eines großen Schriftstellers deutscher Zunge mit dem Lande seiner Herkunft gemacht hat, zur Erhellung der deutschen Problematik heranzuziehen. Mag es schon ein besonderer Umstand sein, Thomas Mann zum Vater zu haben, so geraten die Lebensgrundlagen erst recht ins Wanken, wenn der Sohn ebenfalls Bücher verfaßt, ja sein Dasein mit Leidenschaft der Literatur verschreibt. *Klaus Mann* ist im Jahre 1949 freiwillig aus dem Leben geschieden. Da die Summe seiner Existenz als Buch vorliegt, dem er den Titel »Der Wendepunkt« gegeben hat, ist es erlaubt, nach den Gründen für diesen Untergang zu fragen.

Der Bericht, den er uns hinterläßt, will ein Bekenntnis, eine Beichte sein. Man drängt sich also nicht in private Bereiche, wenn man sich von dieser Beichte ergreifen läßt und da zu antworten versucht, wo der Bekennende in schmerzlichen Fragen befangen bleibt.

Jedes Buch führt sein eigenes Leben, der Verfasser hat keine Macht mehr über die Dinge, die er schreibend auf den Weg gebracht hat. Was zwischen beiden Buchdeckeln eingeschlossen ist, gehört dem, der es liest. Das gilt doppelt, wenn der Beichtende qualvoll an der Kette zerrt, die ihn an Deutschland bindet. Wo ein Deutscher mit seinem Lande nicht fertig wird, da sind wir alle aufgerufen, uns zu prüfen, in unser Inneres zu tauchen und nach dem Maß unserer Mitschuld zu fragen. Denn wir können nicht an dem Guten, das unsere Zugehörigkeit zu Deutschland uns spendet, teilnehmen, ohne uns zu dem Dunklen zu bekennen. Das deutsche Wesen ist unteilbar.

Einen kurzen Augenblick freilich – er dauerte gar zu lange – schien es teilbar zu sein. Das war in den Jahren, als Klaus Mann zu einem Sprecher der deutschen Emigration wurde. Schlagender, als er es gekonnt hätte, faßte sein Vater die Situation zusammen: »Hitler hatte den großen Vorzug, eine Vereinfachung der Gefühle zu bewirken, das keinen Augenblick zweifelnde Nein, den klaren und tödlichen Haß. Die Jahre des Kampfes gegen ihn waren moralisch gute Jahre.« Das ist deutlich; es zeigt, in welchem Maße der Kampf gegen die Tyrannei die persönlichen Lebenskonflikte des einzelnen hinauszuschieben vermochte. Was aber, als dieser Kampf gewonnen war? Eine böse Gewalt hatte sich der Welt bemächtigt. Sie durfte nicht Herr über das souveräne Leben des einzelnen werden. Daraus ergab sich die Forderung an jeden, selber diese Herrschaft auszuüben und sie zum guten Ende zu führen.

Klaus Mann hat dies gewußt, und seine Verzweiflung mag da zum tödlichen Ausgang gestrebt haben, wo er sah, daß der Wendepunkt, nämlich der Sturz der Gewaltherrschaft, ihm die Verfügung über das Leben zurückgab, mit dem er nichts mehr zu beginnen wußte. Die »moralisch guten Jahre« waren vorüber. Wer gekämpft hatte, war nun seinem eigenen Gesetz ausgeliefert. Die Politik, die den Lebensmaßstab geliefert hatte, war zu Ende. Die Sittlichkeit, die nur im eigenen Inneren gefunden werden kann, erhob ihre heischende Stimme. Die Form der Bewährung war eine andere geworden. Über den Dreiundvierzigjährigen kamen wieder die alten Gespenster und Dämonen, die der politische Kampf zurückgedrängt hatte. Der Todeswunsch hatte wieder volle Gewalt.

Die Beichte des unglücklichen Mannes ist aus dem Entschluß entstanden: »Ich will nicht mehr lügen. Ich will nicht mehr spielen. Ich will bekennen.« Es hat indessen mit Bekenntnissen eine seltsame Bewandtnis. Warum ist die Konfession des heiligen Augustinus eine sittliche Tat ohnegleichen, und warum fehlt dem gleichen Unternehmen Rousseaus die läuternde Kraft? Nicht, weil dieser mehr vor der Öffentlichkeit ausbreitet als jener. Auch Augustinus würde, wenn er in der Neuzeit gelebt hätte, aus der Verfeinerung der psychologischen Instrumente Nutzen gezogen und mehr gesagt haben. Aber er hätte der Sühne ihre volle Realität belassen und sie nicht zum Färbemittel »sublimiert«. Rousseau fühlte sein Leben stärker im Gedanken an seine Irrungen als in der Tat des Bekennens, während bei Augustinus die Flamme in dem Maße stärker brennt, wie sie reiner wird. Die Beichte, die mit absterbender Daseinskraft Hand in Hand geht, bringt den Sünder um die letzte Entlastung. Klaus Mann wird vom wachsenden Todesverlangen an den Rand der Wahrheit gedrängt. Aber die Wahrheit ist kein Abgrund. Er beschreibt sich selbst als einen Menschen, »dessen primäre Interessen in der ästhetisch-religiös-erotischen Sphäre liegen, der aber unter dem Druck der Verhältnisse zu einer politisch verantwortungsbewußten, sogar kämpferischen Position gelangt«. Was ist das das für eine Sphäre, von der er spricht? Ästhetisch, religiös-erotisch? »Ça, c'est bien allemand, par exemple!« würde sein Vater eine seiner Figuren ausrufen lassen.

Daß hier jemand einen echten Kampf gekämpft hat, wer wollte es leugnen! Alle diese Anläufe, die deutsche Problematik abzuschütteln, »mit Deutschland endgültig Schluß zu machen«, ein amerikanischer Schriftsteller zu werden, nur noch der Welt als einem Ganzen zu gehören, alles das ist von vielen Verzweifelten vorher versucht worden. Aber die Kette hielt. Meist war sie als Kette fühlbar, oft auch als sanftes Band. Seine Geschichte sollte die eines Deutschen sein, »der zum Europäer, eines Europäers, der zum Weltbürger werden wollte«. Dieses »wollte« ist herzzerreißend, denn es deutet auf die Not jedes

Deutschen, der – eben als Deutscher – zum Weltbürgertum berufen ist und doch immer wieder in seine nationale Problematik wie in einen Brunnenschacht zurückfällt.

Klaus Mann hat um Humanität gerungen und uns vorgeworfen, wir seien ihrer nicht fähig. Aber dieses Ringen war eng verschlungen mit eifriger Pflege dessen, was mit Humanität nicht vereinbar ist, nämlich der Anarchie, der Selbstzerstörung und vor allem des Todes. Clemenceau hat einmal in seinem Zorn den Deutschen dahin definiert, daß er das Leben nicht liebe. Wenn an seinem Wort auch nur ein Fünkchen Wahrheit ist, dann ist Klaus Mann unendlich deutsch gewesen. Während er auf seine Einberufung zur amerikanischen Armee wartete, schrieb er in sein Tagebuch: »Ich wünsche mir den Tod. Der Tod wäre mir sehr erwünscht. Ich möchte gerne sterben. Das Leben ist mir unangenehm. Ich mag nicht mehr leben. Es wäre mir äußerst lieb, nicht mehr leben zu müssen. Der Tod wäre mir entschieden angenehm ...« Genug, es ist gar zu qualvoll!

Und doch schien es ein so leichtes Leben zu sein. Dem hochbegabten Jüngling, von dem man freilich nicht mit Entschiedenheit sagen konnte, zu was er nun eigentlich begabt war, standen von Anfang an alle Türen offen. Er kannte jeden Menschen, den er kennen wollte, er reiste, wohin es ihm beliebte, er verschaffte sich mühelos jeden guten und schlechten Genuß, er pflückte jede Frucht, und wenn sie zu hoch hing, stand immer einer bereit, ihm den Zweig herunterzubiegen. Seine Sphäre war die Prominenz, »guter, alter Stefan Zweig«, Max Reinhardt, »wie begabt, was für ein netter Mensch«, Sinclair Lewis, Einstein, Greta Garbo, Cocteau, André Gide, dieser ganze Zug von großen Zeitgenossen war sein selbstverständlicher Umgang. Der Name des Vaters war das Zauberwort, das ihm allenthalben den leichtesten Eingang verschaffte. Und er schrieb, er schrieb »mit großer Leichtigkeit«, die Arbeit »ging ihm flink von der Hand«. Theaterstücke,

Romane, Aufsätze, Essays entstanden ohne Mühe, ohne freilich je ein originales Gesicht zu gewinnen, und fanden sofort die besten Verleger.

Aber die wahren Freunde gingen ihm voran. »Ich habe mehr Freunde«, so schreibt er, »durch Selbstmord verloren (womit hier auch die indirekten Formen der Selbstzerstörung gemeint sein mögen) als durch Krankheit, Verbrechen oder Unglücksfälle.« Daran und an den Anstößigkeiten seiner Lebensführung, von denen er aufrichtig und sehr ausführlich erzählt, war »die überalterte Pseudomoral« schuld. »Trieben wir es besonders liederlich und zügellos?« fragt er sich und antwortet: »Wir konnten nicht von einer sittlichen Norm abweichen: es gab keine solche Norm.« Mein Gott, wie infernalisch und wie bequem! Und doch strebte er zu dieser Norm zurück; denn welchen Sinn hätte sonst der verzweifelte Entschluß gehabt, eine Beichte seines Lebens abzulegen! Es gibt keine Beichte ins Leere, sie erfolgt immer vor einer Instanz.

Oh, es war diesem Manne »entre deux guerres« schon ernst mit seinem Wunsch, zu bekennen und dem Spiel mit der Lüge ein Ende zu machen. Aber die Stimme ging ins Nichts. Kein lossprechendes Wort kam ihm als Echo zurück, nur der Todeswunsch gab den Widerhall. »Überdrüssig der Freiheit; überdrüssig der Einsamkeit. Sehnsucht nach Gemeinschaft. Der Wunsch, mich einzuordnen, zu dienen!« heißt es in einer Tagebucheintragung. Ist das die Summe eines Lebens, dem von außen her nichts versagt wurde und das von keiner »Norm« zu wissen glaubte? Oder ist es nur der übermäßige Gebrauch einer Freiheit, die mit der so tapfer verteidigten politischen Freiheit durchaus nicht identisch sein will? Täuschen wir uns nicht, der Wunsch nach Einordnung ist mit dem Kampf gegen die Unterdrückung sehr wohl vereinbar.

Aber hier leidet ein Mensch, der zum Kämpfen nicht geboren ist. Er fühlt das Verhängnis sich über die Welt zusammenziehen. »Man nutzte die Gnadenfrist, so gut es

gehen wollte.« Wie wurde sie genutzt? In der »Beichte«
ist alles ausgesprochen, aber man würde sich indiskret
schelten müssen, wenn man es wiedergäbe. Nur soviel sei
gesagt, daß niemand, der politisch wirken will, bei der
Schilderung eines Besuches in Budapest den Faschismus
der Horthy und Gömbösch geißeln und gleichzeitig in der
Beschreibung des dortigen Bordellbetriebes schwelgen
darf. »Wer wollte da den Spielverderber machen?« ruft
er aus – in den Bordellen, nicht bei den Faschisten. Und
doch hat er selbst so brennend gefühlt, daß die Herrschaft
des Ungeistes nicht bekämpft werden kann ohne eine gewisse Führung des eigenen Lebens. Daher der Wunsch
nach »Einordnung«. Denn wenn auch die Tyrannei gewöhnlich »tugendhaft« ist, so ist ihr Gegenteil darum
noch nicht zur Zügellosigkeit berechtigt. Sonst gerät ern-
stestes Streben in die Gefahr, als »Entartung« verketzert
zu werden, nur weil es nicht der Gewalt dienen will.

So geht der Weg einer reichen und großherzigen Natur
unerbittlich ins Dunkel. Er hat sich selbst den Tod gegeben, sein Leiden an Deutschland ist zu Ende. Nicht aber
das unsere, denn in das Glück, zu diesem Volk zu gehören,
wird sich immer wieder die Pein seiner Problematik mischen, die uns leiden macht und andere leiden läßt. Die
Irrtümer und Nöte des Beichtenden berühren uns wie der
Ruf zur Gewissenserforschung, er überlebt in seiner Verzweiflung, als wäre er ein Stück von uns.

(1952)

GOTTFRIED BENN

DIE EHE DES HERRN MISSISSIPPI

Ist dies noch ein Stück? Ist dies noch Theater? Dies
Durch- und Nebeneinander von Kino, Hörspiel, Kasper-
le-Szenarium, zeitlichen Verkürzungen, Vor- und Rück-
blenden, Sprechen ins Publikum, Selbstprojektionen der
Figuren in einem imaginären Raum, Auferstehen von den
Toten und weiterdiskutieren –: Ist das vielleicht das zukünftige Theater?

Einige Szenen sind meisterlich gebaut, thematisch span-
nend, dialogisch präzis – gleich die erste, die zwischen
Mississippi und Anastasia, die Grundszene, aus der sich
das Weitere ergibt –, hier ist Substanz des alten Theaterstils, aber mit Andeutungen des neuen montagehaften.
Aber dann geraten die Szenen vielfach ins Schwimmen im
Weltanschaulichen und Politischen, nicht sehr originellen,
im Erotischen nicht gerade sehr sublimen – am besten gelingen dem Autor die Einblendungen auf das Ethische, er
nimmt nämlich weder das Moralische noch das Amoralische ernst, obschon er seinen Helden dafür auftreten läßt,
das Gesetz Moses zu erneuern.

Die Helden unseres Stückes deuten sich meistens selbst,
sprechen vor ihrem Tode wie nach ihrem Tode theoretisch
über sich und ihre Verläufe. Außerdem signalisieren sie
mit Bildnissen, diese schweben herauf, diese sinken her-
nieder, auch mit Porträts, schwarzumflorten. Diese unsere
Helden steigen ein, steigen aus vom Garten in den ersten
Stock, auch durch Standuhren – wie bei Pionierübungen.
Das soll vermutlich surrealistisch sein, aber es wirkt be-

fremdend, denn so wie der Mensch heute ist, erscheinen
ihm der dreidimensionale Raum und die Keplerschen Gesetze für das Bühnenstück und den Bühnenraum unerläß-
lich. Diese Technik bedroht das Zwanghafte, anthropolo-
gisch Verkettete, das Dumpfe der alten tragischen Helden. Man steht vor dem Eindruck, den neuen Helden fehlt
die charakterliche Ursubstanz, das Belastete, mit einem
Wort: Die antithetische menschliche Wirklichkeit, die nur
innerhalb von Raum und Zeit ihre exemplarischen Tragödien entbindet.

Nun sind allerdings Wirklichkeit und Raum und Zeit
für uns kritische Begriffe. Für uns bleibt alles offen, Lösungen sind Bindestriche, Religionen Thesen, Schicksale
Kuriositäten – das wissen wir ja nun schon lange aus uns
selbst und aus so vielen modernen Büchern, das ist unser
bitteres Lebenselixier. Aber es gibt zwei Welten: Das Leben und die Kunst. Und wie steht es nun mit der Kunst,
in unserem Fall mit der Bühnenkunst? Kunst ist das einzige Geschäft, das seine Dinge abschließen muß, abdich-
ten muß, nach sieben Tagen oder sieben Akten muß die
Erde stehen, rund und fertig. Kunst ist etwas Hartes, wenn
sie wirklich Kunst ist, bringt und fordert sie Entscheidung. Wie steht es mit der Entscheidung unseres Autors?
Ist es möglich, die innere Lage des heutigen Menschen,
seine beiden Grundzüge, den des Individuellen und den
des von der Schöpfung gegebenen Zwangs, auf der Bühne
zum Ausdruck zu bringen, wenn man Zeit und Raum ato-
misiert und sich sogar geographisch nicht entscheiden
kann, nämlich ob für den Süden mit der Zypresse oder
für den Norden mit dem Apfelbaum? Man muß so dringend fragen, denn es handelt sich beim vorliegenden Stück
nicht um eine Komödie, um einen Jux, sondern, wie der
Schluß deutlich macht, um eine existentielle Tragödie.
Und da muß man antworten, daß vielfach die Trennung
zwischen dem relativierenden und diskutierenden Autor
und seinen Figuren nicht ganz vollzogen ist.

Trotzdem bleibt es ein interessantes Stück. Bestimmt kein Stück ins völlig Unbetretene, historisch gesehen wurde dieser Weg betreten von Grabbe mit »Scherz, Satire, Ironie und tiefere Bedeutung«, auch von Gorsleben in seinem »Restaquär«, von Anouilh, O'Neill, Auden. Sie zeigen die Krise des alten Theaters, die Auflösung des durch Jahrhunderte gestützten Theaterstils, gegen den sich auch die in so vielen Städten entstehenden Zimmertheater erheben, in denen gar nicht mehr agiert, sondern nur noch gesprochen wird. Und so führt uns auch dieses interessante Stück vor die Frage, gibt es eine absolute Bühnenkunst, wie es absolute Malerei und absolute Prosa gibt? Wird das Theater weiter agieren mit schwebenden Porträts, Giftzucker, Salven, auferstandenen Toten, die dann weiterdiskutieren, mit Perücken und Toilettenwechsel, kurz das betreiben, was man Handlung nennt, oder wird man auf ihm nur noch sprechen, wobei das Wort dann eine besondere Form des Monologes wird oder mehrerer nebeneinanderlaufender Monologe, um gewissermaßen stehend und schweigend dem menschlichen Schicksal und seiner Verwandlung zu begegnen?

(1952)

Heinrich Böll

BEKENNTNIS ZUR TRÜMMERLITERATUR

Die ersten schriftstellerischen Versuche unserer Generation nach 1945 hat man als Trümmerliteratur bezeichnet, man hat sie damit abzutun versucht. Wir haben uns gegen diese Bezeichnung nicht gewehrt, weil sie zu Recht bestand: tatsächlich, die Menschen, von denen wir schrieben, lebten in Trümmern, sie kamen aus dem Kriege, Männer und Frauen in gleichem Maße verletzt, auch Kinder. Und sie waren scharfäugig: sie sahen. Sie lebten keineswegs in völligem Frieden, ihre Umgebung, ihr Befinden, nichts an ihnen und um sie herum war idyllisch, und wir als Schreibende fühlten uns ihnen so nahe, daß wir uns mit ihnen identifizierten. Mit Schwarzhändlern und den Opfern der Schwarzhändler, mit Flüchtlingen und allen denen, die auf andere Weise heimatlos geworden waren, vor allem natürlich mit der Generation, der wir angehörten und die sich zu einem großen Teil in einer merk- und denkwürdigen Situation befand: sie kehrte heim. Es war die Heimkehr aus einem Krieg, an dessen Ende kaum noch jemand hatte glauben können.

Wir schrieben also vom Krieg, von der Heimkehr und dem, was wir im Krieg gesehen hatten und bei der Heimkehr vorfanden: von Trümmern; das ergab drei Schlagwörter, die der jungen Literatur angehängt wurden: Kriegs-, Heimkehrer- und Trümmerliteratur.

Die Bezeichnungen als solche sind berechtigt: es war Krieg gewesen, sechs Jahre lang, wir kehrten heim aus diesem Krieg, wir fanden Trümmer und schrieben dar-

über. Merkwürdig, fast verdächtig war nur der vorwurfs-
volle, fast gekränkte Ton, mit dem man sich dieser Bezeichnung bediente: man schien uns zwar nicht verant-
wortlich zu machen dafür, daß Krieg gewesen, daß alles
in Trümmern lag, nur nahm man uns offenbar übel, daß
wir es gesehen hatten und sahen, aber wir hatten keine
Binde vor den Augen und sahen es: ein gutes Auge gehört
zum Handwerkszeug des Schriftstellers.

Die Zeitgenossen in die Idylle zu entführen würde uns
allzu grausam erscheinen, das Erwachen daraus wäre
schrecklich, oder sollen wir wirklich Blindekuh miteinander spielen?

Als die Französische Revolution ausbrach, brach sie für
den größten Teil des französischen Adels mit der Plötz-
lichkeit eines Gewitters aus; die Überraschung war ebenso
groß wie das Entsetzen: man hatte nichts geahnt. Ein ganzes Jahrhundert fast hatte man in idyllischer Abgeschie-
denheit verbracht; die Damen als Schäferinnen, die Herren als Schäfer verkleidet, war man in einer künstlichen
Ländlichkeit einhergegangen, hatte gesungen, gespielt, sich
Schäferstündchen gegeben — innerlich verfault von Verderbnis wie von einer fressenden Krankheit — mimte man
nach außen die ländliche Frische und Unschuld und — man
spielte Blindekuh miteinander. Diese Mode, deren süß-
liche Verderbtheit uns heute Erbrechen verursacht, war
durch eine Literatur ins Leben gerufen und am Leben erhalten worden: durch Schäferromane, Schäferspiele. Die
Schriftsteller, die sich schuldig daran machten, hatten tapfer Blindekuh gespielt.

Aber das französische Volk beantwortete dieses idylli-
sche Spiel mit einer Revolution, deren Wirkungen, obwohl
sie mehr als einhundertfünfzig Jahre zurückliegt, wir heute noch spüren, deren Freiheiten wir heute noch genießen,
ohne uns ständig der Ursache bewußt zu sein.

Aber zu Anfang des 19. Jahrhunderts lebte in London
ein junger Mann, der kein erfreuliches Leben hinter sich

hatte: sein Vater hatte Bankrott gemacht, war ins Schuld-
gefängnis geraten, und der junge Mann selbst hatte in
einer Fabrik für Schuhwichse gearbeitet, ehe er seine ver-
nachlässigte Schulbildung aufholen und Reporter werden
konnte. Bald schrieb er Romane, und in diesen Romanen
schrieb er über das, was seine Augen gesehen hatten: seine
Augen hatten in die Gefängnisse, in die Armenhäuser, in
die englischen Schulen hineingesehen, und was der junge
Mann gesehen hatte, war wenig erfreulich, aber er schrieb
darüber und das Merkwürdige war: seine Bücher wurden
gelesen, sie wurden von sehr vielen Menschen gelesen und
der junge Mann hatte einen Erfolg, wie er selten einem
Schriftsteller beschieden ist: die Gefängnisse wurden re-
formiert, die Armenhäuser und Schulen einer gründlichen
Betrachtung gewürdigt und: sie änderten sich.

Allerdings: dieser junge Mann hieß Charles Dickens,
und er hatte sehr gute Augen, die Augen eines Menschen,
die normalerweise nicht ganz trocken, aber auch nicht naß
sind, sondern ein wenig feucht – und das lateinische Wort
für Feuchtigkeit ist: Humor. Charles Dickens hatte sehr
gute Augen und Humor. Und seine Augen hatten so gut
gesehen, daß er es sich leisten konnte, Dinge zu beschreiben, die sein Auge nicht gesehen hatte – er nahm keine
Lupe, wandte auch nicht den Trick an, ein umgekehrtes
Fernglas zu nehmen, wodurch er die Dinge sehr präzise,
aber sehr entfernt sah, er hatte auch keine Binde vor den
Augen, und wenn er auch Humor genug hatte, hin und
wieder mit seinen Kindern Blindekuh zu spielen – er lebte nicht im Blindekuhzustand. Das letztere scheint das zu
sein, was man vom modernen Autor verlangt, Blindekuh
nicht als Spiel, sondern als Zustand. Aber ich wiederhole:
ein gutes Auge gehört zum Handwerkszeug des Schriftstellers, ein Auge, gut genug, ihn auch Dinge sehen zu lassen, die in seinem optischen Bereich noch nicht aufgetaucht
sind.

Nehmen wir an, das Auge des Schriftstellers sieht in

einen Keller hinein: dort steht ein Mann an einem Tisch,
der Teig knetet, ein Mann mit mehlbestaubtem Gesicht:
der Bäcker. Er sieht ihn dort stehen, wie Homer ihn gesehen hat, wie er Balzacs und Dickens' Augen nicht entgangen ist – den Mann, der unser Brot backt, so alt wie
die Welt, und seine Zukunft reicht bis ans Ende der Welt.
Aber dieser Mann dort unten im Keller raucht Zigaretten,
er geht ins Kino, sein Sohn ist in Rußland gefallen, drei-
tausend Kilometer weit liegt er begraben am Rande eines
Dorfes; aber das Grab ist eingeebnet, kein Kreuz steht
darauf, Traktoren ersetzen den Pflug, der diese Erde sonst
gepflügt hat. Das alles gehört zu dem bleichen und sehr
stillen Mann dort unten im Keller, der unser Brot backt
– dieser Schmerz gehört zu ihm, wie auch manche Freude
dazu gehört.

Und hinter den verstaubten Scheiben einer kleinen
Fabrik sieht das Auge des Schriftstellers eine kleine Arbeiterin, die an einer Maschine steht und Knöpfe aus-
stanzt, Knöpfe, ohne die unsere Kleider keine Kleider
mehr wären, sondern lose an uns herunterhängende Stoff-
fetzen, die uns weder schmücken noch wärmen würden:
diese kleine Arbeiterin schminkt sich die Lippen, wenn sie
Feierabend hat, auch sie geht ins Kino, raucht Zigaretten;
sie geht mit einem jungen Mann spazieren, der Autos re-
pariert oder die Straßenbahn fährt. Und es gehört zu diesem jungen Mädchen, daß ihre Mutter irgendwo unter
einem Trümmerhaufen begraben liegt: unter einem Berg
schmutziger Steinbrocken, die mit Mörtel gemengt sind,
unten tief irgendwo liegt die Mutter des Mädchens, und
ihr Grab ist ebensowenig mit einem Kreuz geschmückt
wie das Grab des Bäckersohnes. Nur hin und wieder –
einmal im Jahr – geht das junge Mädchen hin und legt
Blumen auf diesen schmutzigen Trümmerhaufen, unter
dem seine Mutter begraben liegt.

Diese beiden, der Bäcker und das Mädchen, gehören
unserer Zeit an, sie hängen in der Zeit, Jahreszahlen sind

um sie geschlungen wie ein Netz; sie aus dem Netz zu
lösen hieße, ihnen ihr Leben zu nehmen, aber der Schriftsteller braucht Leben, und wer anders könnte diesen beiden
ihr Leben erhalten als die Trümmerliteratur? Der Blinde-
kuh-Schriftsteller sieht nach innen, er baut sich eine Welt
zurecht. Zu Anfang des 20. Jahrhunderts lebte in einem
süddeutschen Gefängnis ein junger Mann, der ein sehr
dickes Buch schrieb; der junge Mann war kein Schriftsteller, er wurde auch nie einer, aber er schrieb ein sehr dik-
kes Buch, das den Schutz der Unlesbarkeit genoß, aber in
vielen Millionen Exemplaren verkauft wurde: es konkur-
rierte mit der Bibel! Es war das Buch eines Mannes, dessen
Augen nichts gesehen hatten, der in seinem Inneren nichts
anderes hatte als Haß und Qual, Ekel und manch Widerwärtiges noch – er schrieb ein Buch, und wir brauchen
nur die Augen aufzuschlagen: wohin wir blicken, sehen
wir die Zerstörungen, die auf das Konto dieses Menschen
gehen, der sich Adolf Hitler nannte und keine Augen gehabt hatte, um zu sehen: seine Bilder waren schief, sein
Stil war unerträglich – er hatte die Welt nicht mit dem
Auge eines Menschen gesehen, sondern in der Verzerrung,
die sein Inneres sich davon gebildet hatte.

Wer Augen hat zu sehen, der sehe! Und in unserer schönen Muttersprache hat Sehen eine Bedeutung, die nicht
mit optischen Kategorien allein zu erschöpfen ist: wer
Augen hat, zu sehen, für den werden die Dinge durchsichtig – und es müßte ihm möglich werden, sie zu durchschauen, und man kann versuchen, sie mittels der Sprache zu durchschauen, in sie hineinzusehen. Das Auge des
Schriftstellers sollte menschlich und unbestechlich sein:
man braucht nicht gerade Blindekuh zu spielen, es gibt
rosarote, blaue, schwarze Brillen – sie färben die Wirklichkeit jeweils so, wie man sie gerade braucht. Rosarot
wird gut bezahlt, es ist meistens sehr beliebt – und der
Möglichkeiten zur Bestechung gibt es viele –, aber auch
Schwarz ist hin und wieder beliebt, und wenn es gerade

beliebt ist, wird auch schwarz gut bezahlt. Aber wir wollen es so sehen, wie es ist, mit einem menschlichen Auge, das normalerweise nicht ganz trocken und nicht ganz naß ist, sondern feucht – und wir wollen daran erinnern, daß das lateinische Wort für Feuchtigkeit Humor ist –, ohne zu vergessen, daß unsere Augen auch trocken werden können oder naß; daß es Dinge gibt, bei denen kein Anlaß für Humor besteht. Unsere Augen sehen täglich viel: sie sehen den Bäcker, der unser Brot backt, sehen das Mädchen in der Fabrik – uns unsere Augen erinnern sich der Friedhöfe; und unsere Augen sehen Trümmer: die Städte sind zerstört, die Städte sind Friedhöfe, und um sie herum sehen unsere Augen Gebäude entstehen, die uns an Kulissen erinnern, Gebäude, in denen keine Menschen wohnen, sondern Menschen verwaltet werden, verwaltet als Versicherte, als Staatsbürger, Bürger einer Stadt, als solche, die Geld einzahlen oder Geld entleihen – es gibt unzählige Gründe, um derentwillen ein Mensch verwaltet werden kann.

Es ist unsere Aufgabe, daran zu erinnern, daß der Mensch nicht nur existiert, um verwaltet zu werden – und daß die Zerstörungen in unserer Welt nicht nur äußerer Art sind und nicht so geringfügiger Natur, daß man sich anmaßen kann, sie in wenigen Jahren zu heilen.

Der Name Homer ist der gesamten abendländischen Bildungswelt unverdächtig: Homer ist der Stammvater europäischer Epik, aber Homer erzählt vom Trojanischen Krieg, von der Zerstörung Trojas und von der Heimkehr des Odysseus – Kriegs-, Trümmer- und Heimkehrrliteratur –, wir haben keinen Grund, uns dieser Bezeichnung zu schämen.

(1952)

Friedrich Dürrenmatt

»STILLER«, ROMAN VON MAX FRISCH

Fragment einer Kritik

Es darf gesagt werden, glaube ich, daß sich im Gebiet des Romans noch eine Tradition vorhanden findet, die es erlaubt, sichere, nicht stümperhafte Werke abzuliefern. Was Thomas Mann etwa oder Hermann Hesse produzieren, ist, wenn auch vom Abenteuerlichen, Gewagten entfernt, legitim, lobenswert, Vorbild für Nachahmer, die, weil auch sie sich in der Tradition bewegen, nicht eigentlich Nachahmer, sondern Wanderer auf einer gangbaren Straße sind. Dieser Weg, den der Roman nimmt, auf dem es nicht viel Neues, sondern nur viele Novitäten gibt, weist seine Meisterwerke, seine Gesellenstücke und seine Konfektion auf. Er kennt die abseitigen Landschaften Stifters, die Genialität Tolstois und Balzacs; doch wird er hin und wieder von etwas Einmaligem überflutet: Don Quichotte, Tristram Shandy, Gullivers Reisen etwa oder Proust kommen von Gebieten außerhalb des Romans, aber brechen in ihn ein, erobern ihn.

Vor allem ist, will Kritik geübt werden, zu untersuchen, was denn passiert sei. Das Einmalige ist weder zu vergleichen, da es als das Einmalige unvergleichbar ist, noch historisch einzuordnen oder ins Gewohnte herüberzuretten. Doch setzt die Forderung solcher Kritik voraus, daß das Einmalige auch als solches zu erkennen sei, Merkmale besitze, die es als das Einmalige charakterisieren. Das Einmalige nun beim Roman (in der Kunst überhaupt) kann nicht im Stoff liegen. Der Roman hat die Welt zum Gegenstand, bald eine größere, bald eine kleinere, und jeder Stoff ist ein Teil der Welt – auch der Mars, wird er erobert, oder erobert er uns. Das Einmalige liegt in der Form. Das Einmalige setzt einmalige Form voraus, bestimmt von einer besonderen Ausgangslage. Die einmalige Form ist nicht wählbar, sondern muß ergriffen werden als das Rettende, das Notwendige. Der »Zauberberg« etwa verlangt keine besondere Form, der Stoff selbst ist ein Roman, um es abgekürzt zu sagen, der mit bestimmten Regeln zu meistern ist, und das Erstaunliche ist die Souveränität, mit der hier erzählt wird. Beim Einmaligen jedoch wird erst durch die Form das Erzählen, der Stoff möglich: In anderer Form käme nicht ein schlechter Roman heraus, sondern ein Unding, in unserem Fall ein peinliches Unding. Dem Einmaligen haftet etwas vom Ei des Kolumbus an: ohne den rettenden Einfall steht das Ei eben nicht, und kommt der Einfall, ist alles gerettet, das Schwierige, Unmögliche wird nun leicht, der Autor betritt einen Raum, in welchem es nur noch Volltreffer gibt, Fehler treten nur im Sinne des Zuviels auf, wie bei allen jenen Romanen, die auf einem rettenden Einfall fußen. Wie beim Don Quichotte eben, wie bei Gullivers Reisen.

Ist jedoch das Einmalige aus einer besonderen Ausgangslage heraus notwendig erstanden, so ist es für die Kritik unmöglich, den Grund zu übergehen und das Werk an sich, abgelöst von diesem Grunde zu betrachten, als philosophische Konzeption etwa oder als sprachliches Dokument zu nehmen, wie es die Literaturwissenschaft heute so oft tut, ist doch gerade das, weshalb es zu diesem Dokument kam, das Entscheidende. Der Grund jedoch ist beim Autor zu suchen. Er steht als Täter fest. Was nun Frisch betrifft, so fällt bei ihm die Neigung auf (die er mit anderen teilt), nehmen wir ihn im Ganzen, daß er sein Persönliches, sein Privates nicht in der Kunst fallen läßt, daß er sich nicht überspringt, daß es ihm um sein Problem geht, nicht um ein Problem an sich. Er ist in seine Kunst

verwickelt. Frisch ist einer jener Schriftsteller, die sich
hartnäckig weigern, rein zu dichten, was viele um so mehr
ärgert, als dieser Autor offensichtlich reiner und besser
dichten könnte als jene, die es heute tun. Auch »Stiller«
hebt sich da nicht von Frischs andern Werken ab, nicht
von seinen Tagebüchern, nicht von seinen Dramen. Er ist
nur ein Schritt weiter, doch nicht von der Gefahr, von
der Neigung weg, sich selbst zu meinen, sondern auf sie
hin, mitten in sie hinein. Das künstlerische Problem, das
sich Frisch im »Stiller« aufgab, wäre, wie man aus sich
selber eine Gestalt, einen Roman mache; doch gibt es dieses Problem nur als etwas Nachträgliches, als eine Arbeitshypothese der Kritik. Kunst machen ist nicht mit der Lösung eines Schachproblems verwandt. Für Frisch stellte
sich dieses Problem als eine existentielle Zwangslage:
einerseits nicht von sich loszukommen, anderseits ohne zu
gestalten, ohne sich darzustellen, nicht leben zu können.
Persönliche Ehrlichkeit und künstlerische Notwendigkeit
standen sich gegenüber.

Schachtheoretisch gesehen – anders kann die Kritik nie
sehen – läßt sich das Problem, in das ich so die Zwangslage, das Existentielle verwandle, wohl darstellen. Das
rücksichtslose Unternehmen, sich selbst darzustellen, sich
selbst zu meinen, ließe sich ehrlicherweise nur in der Form
einer Konfession, einer Beichte wagen, bezogen auf den
überpersönlichen Hintergrund der Religion, die das Private aufhebt, wie dies bei Augustin, bei Kierkegaard der
Fall ist; fällt jedoch dieser Hintergrund fort wie bei
Frisch, ist die Beichte nicht mehr als Buch denkbar, von
dem noch Tantiemen zu beziehen wären; was man etwa
einem Freunde gesteht, ist nicht einer Leserschaft mitzu-
teilen, will man nicht der Peinlichkeit verfallen. Am ab-
surdesten scheint es jedoch, aus einer Selbstdarstellung
einen Roman machen zu wollen, das zu tun, was Frisch
unternimmt.

Gesetzt nämlich, er unternähme es, innerhalb der Tradition des Romanschreibens zu bleiben und sich mit ihren Mitteln auszudrücken, wie ginge er nun vor? Er würde sich vielleicht, könnte ich mir denken, einen wohlmeinenden Freund ersinnen, einen Staatsanwalt etwa, der das Leben des Schriftstellers Max Frisch erzählen würde nach Art der wohlmeinenden Freunde, Historiker oder Mönche, die anderswo die Geschicke der Romanhelden berichten; er würde diesen Max Frisch etwas verändern, ihm einen andern Namen, sagen wir eben Anatol Ludwig Stiller, geben, ihn auch Bildhauer sein lassen, überhaupt so frei als nur irgend möglich mit sich umgehen, um nicht in die Nähe eines Schlüsselromans zu geraten. Dies alles wäre schön und gut, und sicher, da Frisch ja erzählen kann und Sprache besitzt wie wenige heute, eine schöne und, wie die Kritik wohl schreiben würde, reife Leistung, die hoffen ließe, endlich, endlich komme das reine Dichten. Und doch eben darum, weil Frisch mit Stiller nicht irgendwen, sondern sich selbst meint, peinlich. Der Roman braucht eine Gestalt. Frisch müßte sich zusätzlich Schicksal andichten, zusätzliche Lösungen anstreben, seine Frau etwa sterben und sich erstarren lassen, über sein Leben hinausgehen, wollte er sich als Roman, sich selbst eine Gestalt geben, die man als das Ich, als sich selber nie ist: Gestalt ist man nur von außen, vom andern her, in welches sich Frisch verwandeln müßte; doch damit, daß dieses Zusätzliche hinzukäme, würde auch die Wahrhaftigkeit in Frage gestellt, die doch hinter jeder Selbstdarstellung stehen sollte. Er würde sich meinen und wieder nicht sich, eine Identität ständig leugnen, die nicht aufzuheben wäre. Dazu käme, wenn auch wider Willen, das Selbstmitleid hinein, das etwa auch den letzten Chaplin-Film so ungenießbar macht. In Form des Romans ist eben keine Selbstdarstellung, kein Aufklären seiner eigenen Situation möglich, nicht einmal ein Selbstgericht, wie so viele auf Grund des Märchens meinen, das uns die Literaturwissenschaft erzählt. Auch daß nur wenige wüßten, daß sich

Frisch mit Stiller selber meinen würde, könnte daran
nichts ändern – ein Roman wird nicht auf die Hoffnung
hin möglich, es komme niemand dahinter –, kurz, Frisch
würde das tun, was er in seinem Nachwort des Staatsan-
walts ein wenig getan hat, nicht ganz siebzig Seiten lang,
die nur darum nicht ganz verunglücken, weil sie im Schatten des Gelungenen, Einmaligen stehen, ein nachträgliches
und nebensächliches Entgleisen, eine Stilübung innerhalb
der Tradition, die aber wieder bei vielen und gerade bei
der schweizerischen Kritik den Roman offenbar rettet, indem man ihn dort für wichtig ansieht, wo er nicht wichtig
ist, um das zu übersehen, was gesehen werden sollte.

Sind so die Schwierigkeiten angedeutet, denen sich
Frisch gegenübersah – nur äußere Schwierigkeiten, über
die noch berichtet werden kann, nur Schachprobleme eben,
die auf die wahren Schwierigkeiten des Schreibens hinweisen, die nicht immer *im,* sondern oft, öfter vielleicht,
vor dem Schreiben liegen, im Weg, der zurückgelegt werden muß, um das Geschütz in eine Stellung zu bringen,
von der aus Treffer möglich, zwangsläufig werden –, ist
so der Autor umstellt von lauter Unmöglichkeiten des
Schreibens, scheint ihm jede Freiheit genommen, durch den
Roman (das ist ja das Problem) sich selbst darzustellen,
sich selbst nicht zu fliehen, sich zu meinen und nur sich, so
ist nun zu zeigen, was Frisch tat; der Schritt ist darzustellen, durch den er die Freiheit gewann, durch den der Roman möglich wurde; die Form ist aufzuweisen, durch welche die Möglichkeit auftauchte, wohl blitzartig, aus sich
selbst einen Roman zu machen. Denn in der Kunst spielen
sich die Dinge umgekehrt ab als in der Kritik, um noch
einmal diesen Unterschied zu machen. In der Kunst kommt
die Lösung vor dem Problem; die Kritik kann nur stutzen, sich wundern, daß auf einmal ein Roman möglich ist,
wo doch keiner möglich sein könnte, wie wir eben aus-
führten, und nun die Gründe suchen – erfinden, wie ich
vielleicht genauer sage –, die diese kritisch widersinnige

Tatsache, daß nun eben doch einer möglich war, erklären. Eine solche Erklärung ist dann eben, daß Frisch eine einmalige Form gefunden habe, die den Roman ermögliche, womit sich die Kritik, und zwar legitim, wieder einmal am eigenen Schopf auf sicheren Boden gezogen hat.

Von der Form her nun betrachtet, ist der Roman »Stiller« ein Tagebuch, ein scheinbar hastig, oft scheinbar überstürzt geschriebenes, doch nicht jenes eines Bildhauers namens Stiller, mit dem sich Frisch selber meint, sondern eines Herrn James Larkin White aus New Mexico, der auf der Durchreise in der Schweiz verhaftet und nach Zürich gebracht wird unter dem Verdacht, er sei der verschollene Bildhauer Anatol Ludwig Stiller-Tschudy (gegen den wiederum ein Verdacht besteht, in eine Spionageaffäre zugunsten Rußlands verwickelt zu sein), und der Grund, weshalb dieses Tagebuch geschrieben wird, ist einfach der, daß James White damit beweisen möchte, *nicht* Stiller zu sein. Dies alles muß ich mit einschließen, will ich von der Form dieses Buches reden, Form ist immer ein sehr komplexes Gebilde. Die Form ist hier die eines fingierten Tagebuches einer fingierten Persönlichkeit, die damit die Behauptung aufrechterhalten will, sie sei nicht eine andere (und es ist, kritisch, theoretisch gesehen, etwas schade, daß Frisch gegen Schluß des Buches diese Behauptung, von der wir ahnen, sie sei nur eine Fiktion, die immer schwerer zu glauben ist, widerlegt, durch das Nachwort eben, und so die Form zu verwischen droht, indem er sie aufhebt. Auch halte ich es für falsch, diese Form zu begründen, wie es Frisch mit seinem »Engel« versucht). Diese Form ist nun freilich ein glänzender Einfall, doch, und dies ist die nächste Frage, die ich zu stellen habe, ist sie auch zwangsläufig, notwendig, und so erst etwas Einmaliges, so erst eine wirkliche Form, zu der eben die Notwendigkeit gehört? Dies zu entscheiden, habe ich die festgestellte Form mit der Problematik zu konfrontieren, die wir entwickelt haben. Denn nur wenn die vorhandene

Form der Problematik nicht aus dem Wege geht, sondern
sie enthält, sie zu Kunst umformt, ist sie eine wirkliche,
nicht zufällige Form.

Die vorhandene Form spiegelt genau die Problematik
wider, stellt sich nun heraus. Das Problem war, und es
zeigte sich in immer neuen Aspekten: Wie macht man aus
sich selber einen Roman? Und einer der Aspekte: Wie
kann ich zwar die Identität leugnen, ohne sie aber aufzuheben? Genau dies ist die Form: White ist die geleugnete
Identität mit dem nicht aufgehobenen Stiller. Weiter:
Problematik, Form und Handlung sind hier eins. Die
Handlung des Buches, der Prozeß gegen White, ist das
ständige Behaupten Whites, er sei nicht Stiller, und das
ständige Behaupten der Welt (der Behörden, des Staats-
anwalts, des Verteidigers, der Frau Julika usw.), er sei
Stiller. Damit wird die Freiheit gewonnen, sich selbst darzustellen, auch wenn sie eine komödiantische, eine Nar-
renfreiheit ist. Das Ich wird eine Behauptung der Welt,
der man eine Gegenbehauptung, ein Nicht-Ich entgegen-
stellt. Anders gesagt: an Stelle des Ichs tritt ein fingiertes
Ich, und das Ich wird ein Objekt. Romantechnisch gesehen: das Ich wird ein Kriminalfall. Einfacher ausgedrückt:
Frisch hat sich durch diese Form, die gleichzeitig Handlung, gleichzeitig die Problematik selbst ist, in einen andern verwandelt, der nun erzählt, nicht von Stiller zuerst, sondern von sich, von White eben, für den Stiller
der andere ist, für den er sich nun zu interessieren beginnt
und dem er nachforscht, weil man doch ständig behauptet, er sei mit ihm identisch. Gerade durch diese Romanform wird so Selbstdarstellung möglich, gesetzt – und das
ist nun wichtig, entscheidend –, der Leser mache auch mit,
spiele mit. Ohne Mitmachen ist der »Stiller« weder zu
lesen noch zu begreifen. Dies gilt aber auch von der Kritik: Gerade sie hat da mitzumachen, innerhalb der Spielregeln zu bleiben, anzunehmen. Eine Kritik außerhalb
dieses Spiels ist für die Kunst verloren und spielt sich in

den hermetisch abgeschlossenen Räumen ab, deren Türen niemand einzurennen vermag, aus dem einfachen Grunde, weil keine vorhanden sind.

Nach dieser vielleicht nicht immer ganz leichten Untersuchung ist die Möglichkeit gegeben, den Roman im richtigen Sinne zu lesen, in der Richtung seiner Form. Es ergeben sich verschiedene Ebenen, spielen wir mit, nicht gedankenlos, gewiß, im Bewußtsein eben, daß wir mitspielen, daß alles notwendige Spielregeln sind, die wir freiwillig annehmen.

Da wäre der Schreibende, James Larkin White, dem der Prozeß gemacht wird, Stiller zu sein, und der am Schluß verurteilt wird, es zu sein. Er schreibt, das Gegenteil zu beweisen, in die Hefte, die ihm der Verteidiger bringt, und der Leser liest über die Schultern des Verteidigers mit, schüttelt wohl auch manchmal wie dieser biedere Schweizer den Kopf. Zwar kann der Verteidiger mit diesen Heften nicht gerade viel anfangen, er ist ein Durchschnittsdenker, doch White, einmal ins Schreiben gekommen, wird im Gefängnis unfreiwillig zuerst und dann freiwillig zum Schriftsteller, wie ja andere auch. Seine Schriftstellerei, soweit wir das aus diesem einzigen Dokument beurteilen können, ist teils glaubwürdig, teils das Gegenteil und vom Durchschnittskritiker her gesehen hoffnungslos ichbezogen, immun gegen jeden gesunden Menschenverstand, sogar die Werte will er erst glauben, wenn er sie sicht. Auch der Whisky spielt eine etwas große Rolle, als ob es nicht auch gute Schweizer Weine gäbe. Er hat etwas von einem kulturlosen Einwohner der USA. Einerseits berichtet er von seinem Leben, anderseits schreibt er getreulich nieder, was ihm im Gefängnis zustößt, und drittens bemüht er sich, begreiflicherweise, sich über den verschollenen Stiller klar zu werden. Gehen wir gleich zu den unglaubwürdigen Seiten seiner Schriftstellerei über, wir müssen hier zugeben: zu der Darstellung seiner selbst.

Das einzige, was daran (in Hinsicht auf den Beweis,

den er liefern will) überzeugt, ist eigentlich nur die Schilderung der Orte, an denen er gewesen ist. Mexiko, die Wüste, New York, eine Tropfsteinhöhle, Kalifornien, und hier erweist sich dieser Amerikaner (deutscher Abstammung) als Schriftsteller allerbesten Formats. Er erzählt ganz und gar uneuropäisch, oder doch so, wie es die Europäer vielleicht einmal gekonnt haben. Die heutigen Europäer meinen immer etwas anderes, wenn sie von einer Landschaft berichten, bald Seele, bald Mythologie, bald Philosophie, bald Patriotismus und Heimatkunde, während White die Landschaft darstellt, als käme er gerade vom Mars und sähe diese Landschaften zum ersten Mal, als die Landschaften eines Planeten. Es sind Gemälde von großer Schönheit, von großer Sprache. Sogar eine Zürcher Landschaft so zu sehen gelingt ihm, eine Landschaft, die doch literarisch belastet ist, von unzähligen Autoren beschrieben, bedichtet, eine Kühnheit, zu der nun wirklich offenbar nur ein Amerikaner fähig sein kann, die aber auch den einzigen Beweis abgibt, John Larkin White sei wirklich John Larkin White.

Denn da steht nun auch die Schilderung seiner Schicksale. Die Schilderung der verschiedenen Orte allein genügt ja nicht, seine Existenz als White zu beweisen, er hätte ja auch dorthin gereist sein können. Sind diese Schicksale vom Spiele, von der Form aus gesehen, wo wir wissen, wo wir White fingieren, von bezaubernder Ironie, so sind sie von White her gesehen, von seinem Beweise her verunglückte Schriftstellerei, billiges Kino (daß ausgerechnet in einer Tabakplantage ein Vulkan ausbricht, glaube wer will!), Flunkereien, Märchen offenbar, ganz wie diese Isidor- und diese Rip-van-Winkle-Geschichte, Schauerhandlungen, die niemanden außer seinen Wärter Knobel überzeugen, den aber in die höchste Seligkeit stürzen, sitzt er doch endlich einem richtigen Verbrecher gegenüber, einem ganz unschweizerischen Verbrecher, der nicht nur einen jämmerlichen Mord auf dem Gewissen hat, wie es sich hierzulande bisweilen ereignet, oder deren zwei, wenn es hoch kommt, sondern amerikanisch, großzügig, gleich deren fünf (die zu beschreiben freilich Whites Phantasie nicht ganz ausreicht). Tonnerwetter! Wärter Knobels Beruf beginnt interessant zu werden, und wie sich leider mehr und mehr herausstellt, daß White doch nicht ein fünffacher Mörder ist, sondern eben Stiller, ein Landsmann, ein Zürcher gar, schrumpft Knobel zusammen, um jede Romantik betrogen, ein enttäuschter Mann. Begreiflich: Ist es doch der Traum jedes anständigen Wärters, einmal ein richtiges Raubtier zu bewachen und nicht nur Kaninchen und Schafe. Sehen wir jedoch die übermütigen Geschichten mit der Problematik zusammen, so erweist sich dieses Umschlagen in komödiantische Handlung, dieses Schwanken teils ins Billige, teils in das Unheimliche der Florence-Affäre etwa als das zusätzliche Schicksal, das der Selbstroman braucht, welches nun als Witz, als Floskel an wirklich Erlebtem erscheint.

Kommen wir nun zu einer der vergnüglichsten, aber auch wichtigsten Seiten dieses erstaunlichen Romans, zu seiner politischen Seite: Whites Urteil über die Schweiz, seine Schilderung des Landes, das ihn gefangen hält; ein Urteil von der Fremdenverkehrssituation entfernt, von der aus sonst Urteile über die Schweiz abgegeben werden. Um es gleich zu sagen: Das Gefängnis kommt gut davon, und das ist schließlich auch ein Lob seines Gastlandes, und ein nicht unwichtiges. Das Gefängnis ist in Ordnung. Was jedoch die Welt außerhalb betrifft, die Nicht-Gefängnis-Welt, berühmt durch ihre Freiheit, die White hin und wieder zu Konfrontationszwecken oder ähnlichem besuchen darf . . .

(1954)

Heinrich Böll

DIE STIMME WOLFGANG BORCHERTS

Diese Auswahl, die nun um den Preis eines einzigen Kinobesuchs zu haben ist, ist für diejenigen bestimmt, die jetzt so alt sein mögen, wie Wolfgang Borchert war, als er zum erstenmal im Militärgefängnis saß: die Briefe des zwanzigjährigen Soldaten Wolfgang Borchert waren als staatsgefährdend erkannt, Borchert war zum Tode verurteilt worden, und man ließ den Verurteilten sechs Wochen in der Zelle warten, ehe man ihn begnadigte. Zwanzig Jahre alt sein, sechs Wochen lang in einer Zelle hocken und wissen, daß man sterben soll, sterben einiger Briefe wegen, in denen man seine Meinung über Hitler und den Krieg geschrieben hatte! Die Zwanzigjährigen, die dieses kleine Buch in die Hand nehmen, mögen daran erkennen, wie kostspielig die eigene Meinung sein kann, wie hoch der Preis, den man dafür ansetzen muß.

Wolfgang Borchert wurde begnadigt, aber Begnadigung war in solchen Fällen nur einer jener Zufälle, die zu den Grausamkeiten der Diktatur gehören. Die Geschwister Scholl wurden nicht begnadigt, obwohl auch sie Zwanzigjährige waren. Später wurde der vierundzwanzigjährige Borchert noch einmal für neun Monate eingesperrt, einiger Witze wegen, die er erzählt hatte: die Briefe eines Zwanzigjährigen, die Witze eines Vierundzwanzigjährigen zu rächen, mußte der ganze verlogene Rechtsapparat in Bewegung gesetzt werden. So empfindlich sind die totalen Staaten: eine einzige Nadel, in eine Generalstabskarte gesteckt, bedeutete zehntausend Menschenleleben, deren »Einsatz« man für notwendig hielt – sie aber, die Staaten, vertragen die Nadelstiche der Freiheit nicht: ihre Antwort ist Mord. Wolfgang Borchert war achtzehn Jahre alt, als der Krieg ausbrach, vierundzwanzig, als er zu Ende war. Krieg und Kerker hatten seine Gesundheit zerstört, das übrige tat die Hungersnot der Nachkriegsjahre, er starb am 26. November 1947, sechsundzwanzig Jahre alt. Zwei Jahre blieben ihm zum Schreiben, und er schrieb in diesen beiden Jahren, wie jemand im Wettlauf mit dem Tode schreibt; Wolfgang Borchert hatte keine Zeit, und er wußte es. Er zählt zu den Opfern des Krieges, es war ihm über die Schwelle des Krieges hinaus nur eine kurze Frist gegeben, um den Überlebenden, die sich mit der Patina geschichtlicher Wohlgefälligkeit umkleideten, zu sagen, was die Toten des Krieges, zu denen er gehört, nicht mehr sagen konnten: daß ihre Trägheit, ihre Gelassenheit, ihre Weisheit, daß alle ihre glatten Worte die schlimmsten ihrer Lügen sind. Das törichte Pathos der Fahnen, das Geknalle der Salutschüsse und der fade Heroismus der Trauermärsche – das alles ist so gleichgültig für die Toten. Fahnen, Schüsse übers Grab, Musik – dies Pathos mag berechtigt sein für jene, die sich als einzelne freiwillig einer Freiheit opferten, für Aufrührer, denen die Geschichte so gerne ihre Torheit bescheinigt. Uns sollten Fahne, Schüsse und Musik nicht darüber hinwegtäuschen, daß unsere Brüder gestorben sind. Die Geschichte mag feststellen, daß bei X eine gewonnene, bei Y eine verlorene Schlacht geschlagen wurde, gewonnen für A oder verloren für B. Die Wahrheit des Dichters, Borcherts Wahrheit ist, daß beide Schlachten, die gewonnene und die verlorene, Gemetzel waren, daß für die Toten die Blumen nicht mehr blühen, kein Brot mehr für sie gebacken wird, der Wind nicht mehr für sie weht; daß ihre Kinder Waisen, ihre Frauen Witwen sind und Eltern um ihre Söhne trauern.

In der Memoirenliteratur begegnet uns so oft die humane Gelassenheit, das müde Achselzucken des Pilatus, der seine Hände in Unschuld wäscht.

Der Dialog Beckmanns mit dem anonymen Obersten in »Draußen vor der Tür«, wenige Seiten dieses kleinen Buches allein, dürfte mehr wiegen als jene humane Gelassenheit, als das müde Achselzucken des Pilatus, den man zum Schutzpatron der Memoirenschreiber ernennen sollte. In diesem Dialog wird Rechenschaft gefordert, Rechenschaft nur für elf, elf Väter, Söhne, Brüder, elf von vielen Millionen – aber Beckmann bekommt keine Antwort, die Last bleibt auf ihm, und er wird in die Geschichte verwiesen, in den kühlen Raum der Gelassenheit, wo die Blumen, die die Toten nicht mehr sehen, das Brot, das sie nicht mehr essen, keine Bedeutung hat. Stalingrad, Thermopylä, Dien-Bien-Phu – ein Ortsname bleibt und ein wenig Pathos, an dem sich die Überlebenden betrinken wie an schlechtem Wein.

Den Zwanzigjährigen, für die diese Auswahl bestimmt ist, mag ins Gedächtnis gerufen sein die Aufschrift, die auf den blutroten Waggons der Reichsbahn zu lesen war: 6 Pferde oder 40 Mann: das ist die Transportkategorie der Kriege. Diese Aufschrift wäre ein Titel für eine Geschichte von Wolfgang Borchert gewesen. Die Eisenbahnwaggons sind noch dieselben, sie haben einen neuen Anstrich in anderer Farbe erhalten – aber es bedarf nur einiger Tonnen weißer Farbe, einiger Schablonen, um wieder einmal darüber zu malen: 6 Pferde oder 40 Mann – Soldaten, die sinnlos geopfert, Juden, die ermordet werden sollen, und als Rückfracht, damit kein Transportleerlauf entsteht, Sklaven für die Fabriken: Männer, Frauen, Kinder irgendeines Volkes, das man geschwinde zu einem Untermenschen-Volk erklärt.

Es ist viel vom »Aufschrei Wolfgang Borcherts« geschrieben und gesagt worden, und die Bezeichnung »Aufschrei« wurde mit Gelassenheit geprägt. Gelassene Menschen ihrerseits schreien nicht – die Propheten der Müdig-

keit werden nicht einmal von der Bitterkeit des Todes
gerührt. Aber Kinder schreien, und es tönt in die Gelassenheit der Weltgeschichte hinein der Todesschrei Jesu
Christi –

Die Dichter, auch wenn sie sich scheinbar in der Unverbindlichkeit ästhetischer Räume bewegen – kennen den
Punkt, wo die größte Reibung zwischen dem einzelnen
und der Geschichte stattfindet, sie können – wie es in
einem Vers von Günter Eich heißt – »nicht gelassen sein«.
Sie sind immer betroffen, und niemand nimmt ihnen die
Last ab, die auch die Last des jungen Borchert war, diese
Betroffenheit in einer Form auszudrücken, die wie Gelassenheit erscheinen mag. Zwischen dieser Betroffenheit und
der Gelassenheit der Darstellung liegt der Punkt, wo der
Dichter seine größte Reibung zwischen Stoff und Form erlebt. Borcherts Erzählung »Brot« mag als Beispiel dienen:
sie ist Dokument, Protokoll des Augenzeugen einer Hungersnot, zugleich aber ist sie eine meisterhafte Erzählung,
kühl und knapp, kein Wort zuwenig, kein Wort zuviel
– sie läßt uns ahnen, wozu Borchert fähig gewesen wäre:
diese kleine Erzählung wiegt viele gescheite Kommentare
über die Hungersnot der Nachkriegsjahre auf, und sie ist
mehr noch als das: ein Musterbeispiel für die Gattung
Kurzgeschichte, die nicht mit novellistischen Höhepunk-
ten und der Erläuterung moralischer Wahrheiten erzählt,
sondern erzählt, indem sie darstellt. An ihr, an der Erzählung »Brot« läßt sich auch der Unterschied zwischen
Dichtung und der so mißverstandenen Gattung Reportage
erklären: der Anlaß der Reportage ist immer ein aktueller, eine Hungersnot, eine Überschwemmung, ein Streik
– so wie der Anlaß einer Röntgenaufnahme immer ein
aktueller ist: ein gebrochenes Bein, eine ausgerenkte Schulter. Das Röntgenfoto aber zeigt nicht nur die Stelle, wo
das Bein gebrochen, wo die Schulter ausgerenkt war, es
zeigt immer *zugleich* die Lichtpause des Todes, es zeigt
den fotografierten Menschen in seinem Gebein, großartig

und erschreckend. Wo das Röntgenauge eines Dichters durch das Aktuelle dringt, sieht es den ganzen Menschen, großartig und erschreckend – wie er in Borcherts Erzählung »Brot« zu sehen ist. Die »Helden« dieser Geschichte sind recht alltäglich: ein altes Ehepaar, neununddreißig Jahre miteinander verheiratet. Und der »Streitwert« in dieser Geschichte ist gering (und doch so gewaltig, wie ihn die Augenzeugen der Hungersnot noch in Erinnerung haben mögen): eine Scheibe Brot. Die Erzählung ist kurz und kühl. Und doch ist das ganze Elend und die ganze Größe des Menschen mit aufgenommen – wie hinter dem gebrochenen Nasenbein auf der Röntgenaufnahme der Totenschädel des Verletzten zu sehen ist. Die Erzählung »Brot« ist Dokument und Literatur, in ähnlicher Weise wie die Prosa, die Jonathan Swift über den Hunger des irischen Volkes schrieb.

Diese kleine Erzählung und der Dialog Beckmanns mit dem Obersten allein weisen Borchert als einen Dichter aus, der unvergeßlich macht, was die Geschichte so gern vergißt: Die Reibung, die der einzelne zu ertragen hat, indem er Geschichte macht und sie erlebt. Ein Strich über eine Generalstabskarte, das ist ein marschierendes Regiment; eine Stecknadel mit rotem, grünem, blauem oder gelbem Kopf ist eine kämpfende Division: man beugt sich über Karten, steckt Fähnchen, Nadeln, errechnet Koordinaten. Und das Maß aller dieser Operationen stand auf den blutroten Waggons der Reichsbahn zu lesen: 6 Pferde oder 40 Mann.

Für den einzelnen jedoch hat es nie taktische Zeichen gegeben: ein alter Mann, der sich heimlich in der Nacht eine Scheibe Brot abschneidet – seine Frau, die ihm ihre Scheibe Brot schenkt. Elf Gefallene: Männer und Brüder, Söhne, Väter und Gatten – die Geschichte geht achselzuckend darüber hinweg, Pilatus wäscht seine Hände in Unschuld. Ein Name in den Büchern, »Stalingrad« oder »Versorgungskrise« – Wörter, hinter denen die einzelnen verschwinden. Sie ruhen nur im Gedächtnis des Dichters, im Gedächtnis Wolfgang Borcherts, der nicht gelassen sein konnte.

(1955)

JOSEPH ROTH

Die gesammelten Werke können einen Autor erschaffen, bekräftigen oder erledigen.

Es bedarf nicht erst der gesammelten Werke von Joseph Roth, um zu erkennen, daß er ein Prosaist von hohem Rang und einer der besten deutschen Erzähler im zwanzigsten Jahrhundert ist.

Aber erst seine gesammelten Werke beweisen, daß er einer jener Epiker ist, die durch die Fülle ihrer Werke gewinnen, daß er zu den Dichtern gehört, die in jedem Satz unverwechselbar sie selber sind, und daß seine gesammelten Werke so trefflich unterhalten wie die besten seiner einzelnen Werke.

Die Kunst, vieldeutig ihrer Natur nach, ist vielfach zu definieren, schwer zu qualifizieren. Ein Künstler kann seine Welt nachahmen, zuweilen auf unnachahmliche Weise, er kann das Niegewesene schaffen, alles Gewesene, ja jeden flüchtigen Augenblick fixieren, das vergängliche Allgemeine im besonderen Individuellen bewahren, abwechselnd und alles zugleich, in gewissem Verstand, mit vielen Modulationen und in gewissen Grenzen. Er kann einen Stil schaffen, ein neues Lebensgefühl zum Ausdruck bringen, ästhetisch und moralisch wirken, imitieren oder erfinden, sich selber ausdrücken und Menschen darstellen. Um etwas Großes zu machen, muß er viel können und jemand sein, mindestens die Anlage zum Großen haben. Manchen Künstlern glückt nur einmal im Leben ein Kunstwerk. Manche Schriftsteller schreiben nur ein gutes Buch, wie Chamisso mit seinem Peter Schlemihl oder der Abbé Prévost mit Manon Lescaut. Eichendorff und Tieck und Rückert haben schöne einzelne Gedichte, Novellen oder Dramen geschrieben. Ihre gesammelten Werke hintereinander zu lesen, ist eine herkulische Leistung.

Das einzelne Gedicht eines Rückert oder eines Eichendorff ist mehr als ihre gesammelten Werke, ihr Talent ist stärker als ihre Individualität, soweit sie literarisch manifest wird. Goethes Person dagegen ist interessanter als irgendeines seiner Werke, seine gesammelten Werke sind hundertmal reicher als irgendein einzelnes Werk.

Wie weit ähnelt eine im Künstlerischen manifestierte Person der realen Person? Wie weit ähneln der Dichter und sein Werk einander? Wie weit ähnelt ein Mensch sich selber und bleibt identisch in seinen Äußerungen und Handlungen, in seinen Werken und in seinem Charakter? Es mag für einen geübten Biographen oder Romancier nicht allzu schwer sein, das Porträt eines Menschen zu geben, eines erfundenen oder eines der gelebt hat. Erfinden kann man alles, und wenn der Erfinder Stil hat, ergibt sich geschwind eine prägnante Figur.

Auch das Porträt eines sozusagen wirklichen Menschen folgt mehr den Anlagen und der Willkür des Porträtisten als der Eigenart des Porträtierten. Die Ähnlichkeit macht man mit den einfachsten Mitteln, mit einigen treffenden Zügen und zwei, drei Anekdoten. Es ist eine geschwinde Täuschung.

Aber ist denn dieses Porträt das wahre Bild eines Menschen? Es ist kaum ein Schattenbild, so ähnlich wie jene Momentaufnahmen der Schnellphotographen, mehr Steckbriefe als Porträts.

Je mehr man von einem Menschen weiß, um so leichter wird man ihn fassen, um so schwieriger ihm gerecht werden können.

Wie verzerrt wird gar das eigene Bild in Autobiographien, vorausgesetzt, daß man sich wirklich besser kennen kann als andere.

Ich kannte meinen Freund Joseph Roth ein Dutzend

Jahre von 1927 bis zu seinem Tod. Wir hatten denselben Beruf, oft dieselben Verleger, und häufiger noch als ähnliche Ansichten eine ähnliche Farbe des Geistes. Wir sprachen ein verwandtes Idiom des Intellekts. Wir verstanden uns mit Blick und Wort. Es gab jene geistige Sympathie, die ein Rudiment der Liebe ist. Auch unsere Schicksale hatten hier und da eine gewisse Ähnlichkeit. Manche Freunde behaupteten in unseren jungen Jahren, sogar unsere Gesichtszüge glichen einander, und zuweilen wurden wir verwechselt.

Viele Jahre lebten wir in denselben kleinen Hotels, schrieben und plauderten und sahen unsere Freunde in denselben Kaffeehäusern, saßen mit denselben Freunden zusammen und lebten so intim miteinander wie nur gute Freunde.

Ich kannte sein Werk und rühmte es öffentlich. Ihm gefiel, was ich schrieb. Ich genoß seine Leidenschaft, zu erzählen. Er berichtete gerne aus seinem Leben und sprach, wenn wir allein waren, von seinen Wonnen und Leiden, von seinen Schulden und seiner Schuld. Er erzählte mit dem scharfen Verstand des Psychologen und der einlullenden, verzaubernden Spannung des Märchenerzählers. Er intrigierte viele Menschen und machte sie im Handumdrehen zu Freunden, die anfingen, überall von ihm zu erzählen. Es fehlte nie an Stoff über Roth.

Wenn ich nun aber sagen soll, so war Roth, darin bestand der außerordentliche Reiz seines Gesprächs und seiner Person, das charakterisierte seinen Witz, so hat er gedacht und gelacht, aus diesen Gründen war er unverwechselbar, der Roth, so stocke ich. Ich kann manches, aber nicht alles, nicht das Ganze sagen, kaum den Schatten einer Stunde mit diesem Menschen wiederschaffen.

Freilich kommen die ästhetischen Neigungen und Schwächen der meisten Menschen diesem fundamentalen Fehler der Porträtisten, daß sie auslesen und stilisieren müssen, sehr weit entgegen. Man liebt die Schwarzweiß-

malerei der konventionellen Literatur, die Schattenbilder
des Films, die krassen und starken Farben der Porträts,
die ihre Wirkung dem Weglassen ebensosehr verdanken
wie der Übertreibung charakteristischer Züge.

Es war leicht, viele Eigenheiten Roths beim ersten Blick
zu sehen. Er hatte ein durchdringendes Auge, den scharfen
Blick des Beobachters, des Jägers, des Reporters, des Men-
schensammlers, ja des habituellen Porträtisten. Er hatte
die Züge eines Fuchses, das Verschmitzte, Lautlose, Geschwinde, Witternde, stets Bereite, den Flair und den
Hautgout.

Er hatte die Lust des geborenen Erzählers an Menschen
und Geschichten und das korrespondierende Talent des
genialen Zuhörers. Aus dem Stegreif erzählte er die rei-
zendsten Geschichten, voll Wohllaut und Natur, ein Im-
provisator aus Tausendundeiner Nacht, er trank und
sprach, erzählte und kommentierte, machte Witze und
schwieg sogar auf eine unterhaltende Weise. Er besaß das
präzise Wort und die unvermutet stechenden Beiworte des
geschulten Stilisten und die hurtige Vertrautheit mit allem Fremden, die den Journalisten kennzeichnet.

Auch sah und hörte man gleich, daß er ein Österreicher war, mit seiner weichen und runden, von slawischen
und romanischen Sprachen gewetzten und gewitzten Aus-
sprache, mit den einschmeichelnd unverbindlichen Manie-
ren, voller herzloser Herzlichkeit, mit den Handküssen
für die Damen und der lackierten Bruderschaft für die
Herren, mit den verengten Hosen des österreichischen
Leutnants, mit der leisen Verachtung fürs allzu Preußische und der leisen Neigung fürs allzu Russische, mit dem
Verstand für die erhabenste und leichtfertigste Musik
zugleich und mit dem gelebten Feuilleton, dessen Meister
aus Prag und Budapest und Wien und Lemberg kamen,
und auch Roth war ein Meister des Feuilletons unter ihnen, und er machte aus Stücken seines Lebens Feuilletons,
und seine Feuilletons beeinflußten sein eigenes Leben. Er

übertrieb vielleicht sogar gewisse Austriazismen oder ko-
kettierte mit ihnen, da er vom Rande der habsburgischen
Doppelmonarchie, von der russischen Grenze herkam, aus
dem Lande der Huzulen, das er und sein Freund Joseph
Wittlin, der polnische Dichter, beschrieben haben. Wie die
meisten Grenzbewohner schwankte er zwischen übertrie-
bener Begeisterung und ironischer oder zärtlicher Kritik
seines Landes, das er sozusagen von der Seite überblickte
und im Profil sah.

Er war ein Österreicher im weitesten Sinn, ein Angehö-
riger der alten österreich-ungarischen Doppelmonarchie,
mit ihrem Völkergemisch, ihrer Kulturmischung, ihrer
vermischten Geschichte und ihrem Dutzend Sprachen des
halb glücklichen, halb widerstrebenden grotesken Völker-
vereins unter den lothringischen Nachkommen der hoch-
gekommenen Schweizer Familie Habsburg. Da gab es
Tschechen und Deutsche, Magyaren und Italiener, Slowa-
ken und Kroaten, Dalmatiner und Huzulen, Montenegri-
ner und Wenden, Ukrainer und Ruthenen. Da gab es Juden und Mohammedaner, Katholiken und Lutheraner,
Griechisch-Katholische und Freimaurer. Da gab es die
Tradition des Römischen Reichs Deutscher Nation und
des Weltreichs von Kaiser Karl dem Fünften, Einflüsse
aus Spanien und Mailand und Venedig und Rom, aus
Warschau und Moskau, Berlin und Paris, die Nachbar-
schaft des Balkans und der Türken und die Nähe des
Orients.

Es gab die eigenartige österreichische Literatur, die stärker als die deutsche zum Volksmäßigen neigte, aus dem
Leben eine melancholische Komödie machte und der Tragödie einen verliebten Schmelz und die Süßigkeit von
Volksliedern gab, die den Ernst des Lebens bagatellisierte
und die Kunst nicht gar zu ernst nahm, und den Leicht-
sinn der Virtuosen mit der Feinarbeit guter Handwerker
vereinte, und die alles, Kunst und Leben, Traum und
Wirklichkeit, für ein einziges Maskenspiel nahm.

Ein Maskenspieler war auch Joseph Roth, ein Virtuose, mit Neigungen fürs Volksmäßige und Volksfiguren, mit dem Stolz aufs Handwerk und der melancholischen Ironie, mit allen Traditionen des alten Österreichers und der schwebenden Freiheit, und der Grazie, die lächelnd sich von allen Bindungen loslöst.

Das Maskenspiel stammt aus der Freude an der Vielfalt des Lebens und seiner Figuren, aus dem Spaß am umwohnenden Fremden, aus dem Witz der volksmäßigen und sprachlichen und kulturellen Mischung, aber auch aus der Übersättigung am Eigenen und aus Flucht vor sich selbst.

Immer lebte Roth auf der Flucht, stets lebte er auf Reisen, stets war er unterwegs und auf der Suche, nach sich, nach andern, nach Gott, nach einem guten Gewissen, nach dem Rausch und der heiligen Nüchternheit. Immer unmittelbar vor der äußersten Verzweiflung stehend, einen Schritt vor dem Abgrund, suchte er stets die Gnade. Stets gefährdet, hat er sich stets zu wahren gewußt. Er war ein beschämter Ungläubiger, der es mit vielen Religionen probieren wollte. Er war ein schwelgerischer Ironiker, der sich seiner Tränen und seines guten Herzens schämte. Er hatte die Bitterkeit des stets neu enttäuschten Moralisten.

Ein alter Ausweg der Zweifelnden und Verzweifelnden, der Leidenden und jener, die des Leidens satt wurden, ist das heitere Spiel der Komödie. Im Leben und in der Kunst hat Roth die »große Komödie« gespielt; und er hat viele Masken getragen. Man weiß, wie gefährlich das Spiel mit Masken ist. Die Grenze zwischen Scherz und Ernst verwischt sich schnell. Gleich manchen, denen das Leben ganz fremd, ganz fürchterlich erscheint, nahm er in der Jugend die Maske der vollendeten Sicherheit, fast Blasiertheit vor. Später, in der Zeit seines gespielten Alters – er ist jung gestorben, mit fünfundvierzig Jahren – trug er die Maske der Demut. Er trug die Maske des österreichischen Leutnants, des Legitimisten, des Freundes der Habsburger, des Katholiken (er war ein Jude und nie getauft), des Spötters und des Leidenden, des Propheten und des Romantikers, des Neuerers und des Erben, des Weisen und des Leidenschaftlichen, ja manchmal sogar nur die Maske des Trinkers. Das sonderbare Leben eines Dichters!

Zweierlei war nie Maske bei ihm, war nie Komödie: Seine Liebe zur Kunst und zu Menschen und sein Haß aufs Böse und Niederträchtige. Denn er war ein großer Künstler und ein echter Menschenfreund. Schriftsteller war er von Geburt und Neigung, ein Humanist durch Erziehung und Bildung. Sein europäischer Humanismus hatte Züge des altösterreichisch-habsburgischen Weltreichs. Groß war sein Ehrgeiz. Sein Durst nach Wahrheit und Schönheit war größer. Seine geheime Neigung galt den Verzweifelten und den schlichten Gemütern. Durch seine Romane schreiten viele Verzweifelte, besonders Jünglinge, in den Untergang. Er liebte die Leidenschaften. Er war ein Rigorist im Moralischen und Ästhetischen. Das machte ihn zum Puristen. Wahrheit und Gerechtigkeit, Maß und Melodie, Vernunft und Reinheit sind die Merkmale jedes großen Stils, und es sind auch die Merkmale seiner Schriften. Er war ein Romantiker, aber mit den Augen eines Realisten. Er kam aus dem Osten und ging in den Westen.

Mit Absicht stellte er sich in den späteren Jahren in die Tradition der österreichischen Literatur. Er trieb einen Kult mit Grillparzer und Nestroy und hat noch einmal die ganzen Vorzüge der Wiener Schule in seinen Romanen versammelt.

Das große Komödienspiel, die Maskenkunst, das ist echt österreichische Kunsttradition, da wirken die Einflüsse der spanischen und italienischen Komödie, die Erinnerungen aus allen Habsburger Kronländern mit. Er schildert meisterlich Wien und die Provinz und das Völkergewimmel des alten Österreich. Mit Hofmannsthal und Kafka und Musil gehört er zu den Klassikern der österreichischen Literatur der ersten Hälfte des zwanzigsten Jahrhunderts.

Er war ein großer Prosaist. Seine Romane und Novellen, ungleich im Rang, in den Tendenzen, in den Anschauungen und in der Schreibweise, bilden zusammen das Werk eines originellen und bedeutenden Romanciers. Er veröffentlichte dreizehn Romane, acht Bände Erzählungen, drei essayistische oder journalistische Bände und etwa tausend Artikel. Seine Romane lassen zwei künstlerische Perioden erkennen, zuerst die des Skeptikers, des Revolteurs, danach die des Gläubigen und Klassizisten. Den Unterschied macht mehr ein Wandel der Haltung als der Anschauung, mehr eine artistische Laune als eine neue Gesinnung. In den ersten Romanen schilderte er mit den modernen Stilmitteln der Auflösung aufgelöste Zeiten und Existenzen. Sie wurden bestimmt durch einen witzigen Lakonismus und moralischen Rigorismus. In den späteren Romanen trat an die Stelle des Epigramms das Bild, an die Stelle des Witzes die Melodie. Die ersten Romane waren Pamphlete, die späteren Fabeln.

Aber er focht stets für die Identität und Legitimität des humanen Gewissens und der lebendigen Moral. Er verwarf das »blinde Wissen« des Materialismus wie den »absurden Glauben« der Frommen und den blinden Eifer aller Fanatiker. Sich wandelnd, blieb er sich immer treu, ein Hüter und Mehrer der deutschen Sprache und der Humanität, ein zornig guter Moralist, ein reizender Märchenerzähler und ein wahrhaft guter Mensch, mindestens ein Mensch wahrhaft guten Willens.

Joseph Roth sah wie eine Figur seiner Romane aus, ein blitzgescheiter Mann mit Märchenzügen. Wer ihn vor einem Kaffeehaus in Wien, Berlin oder Paris sitzen sah, wie er mit emsiger Bedächtigkeit schrieb und trank, sagte sich mit Recht: Ecce poeta! Er gehörte zu jenen echten Romanciers, die gleichsam unter ihrer eigenen Feder zur Romanfigur sich verwandeln.

Geboren am 2. September 1894 in einem wolhynischen
Nest bei Brody im alten Österreich-Ungarn, gestorben am
27. Mai 1939 im Exil zu Paris, hat er als ein Weltbürger
gelebt, aus Neigung und Überzeugung.

Frei von den falschen Vorurteilen der Rassen und Klassen, der Nationen und Religionen, ein fanatischer Feind
aller Fanatismen, nahm er das Wort Gottes und die Men-
schenrechte wörtlich. Ein Europäer und Sohn des humanen neunzehnten Jahrhunderts, predigte er die Freiheit
und Gleichheit der farbigen Völker und aller Weißen.

Er hat einige Tagebuchseiten, nie Autobiographisches
veröffentlicht. Er hat sich immer einsam gefühlt und war
der geselligste Mensch. In vielen Städten Europas war sein
Kaffeehaustisch eine Tafelrunde. Seine Freunde in aller
Herren Ländern waren Legion, Freunde von jeder Sorte,
Poeten und reiche Leute, Journalisten und Stammgäste,
Verleger und Leser, Hilfesuchende und Schmarotzer, Nar-
ren und Unglückliche.

Eine ganze Gesellschaft saß an seinem Tisch, und Roth
studierte und unterhielt sie, trinkend und rauchend und
plaudernd, noch in den müßigen Stunden beschwingt, ein
ausgezeichneter Erzähler, geistreich und nobel, ein flinker
Beobachter, scharfäugig, hellhörig, immer der Mittelpunkt, anziehend und anzüglich, und in guten und lange
auch in schlechten Zeiten die Tafelrunde bewirtend. Auch
die Götter und Grazien saßen behaglich an seinem Tisch,
Apoll und Bacchus und Merkur, der Patron der Verleger,
und zuweilen auch, in der »Tracht eines Kleinbürgers«,
der »Teufel«. Und schöne Frauen saßen da. Und die Grazien liebten ihn.

Solchen Kaffeehausfreunden und auch Intimeren erzählte Roth aus seinem Leben, Dichtung und Wahrheit,
und machte daraus eine hundertfache Legende. Spottend
der Polizeiseelenpedanterie und Menschenzählungs-
grundlagen und amtlichen Fragebogen mischte er seine
Fabeln so willkürlich und vergnügt, daß jeder seiner

Freunde andere Details und Anekdoten aus Roths Leben zu berichten wußte.

Der einzige Sohn jüdischer Eltern in einer kleinen östlichen Stadt der Habsburger Doppelmonarchie, besuchte er zu Brody und später zu Wien das humanistische Gymnasium, war ein Primus, studierte an der Wiener Universität Germanistik, machte den ersten Weltkrieg zum Teil an der Front mit, ward nach dem Krieg ein Journalist, zuerst in Wien, dann in Berlin, bis ihn 1923 die »Frankfurter Zeitung« in ihre Redaktion rief und auf Reisen schickte.

Schauend und schreibend fuhr er durch ganz Europa, von Moskau bis Marseille, ja bis in die finstersten Winkel von Albanien und Germanien. Er sah mit neuen Augen. Er stritt für die siegreiche Vernunft eines frommen Humanismus, schilderte, klagte, klagte an und beschrieb.

Von seinen Zeitgenossen sagte er: »Die Blinden sind auch noch verworren.« Er schrieb in seinen besten Feuilletons für die Wahrheit und für die Rechte des Individuums, und für die Vernunft, gegen Krieg und Militarismus, Diktatur und servile Dichter, gegen den Mißbrauch der Macht und der Sprache, und für gute Bücher und gute Menschen, er rühmte das Schöne und das Ewige. Er war auch häufig ein Lobsänger vergangener Zeiten.

Er war der fleißigste der Poeten. Während zwanzig Jahren schrieb er täglich fünf bis sechs, ja acht Stunden lang, bis Sonnenuntergang, mit exakter Regelmäßigkeit. Und doch glaubte er, daß in der Kunst alles von der »Gnade« abhänge.

Neben seinen Zeitungsartikeln veröffentlichte er seit 1920 Novellen, Romane und essayistische Bücher. Andere hatten im Leben größeren Ruhm. Sein Ruhm wird länger dauern.

Roth hatte 1931 die »Frankfurter Zeitung« verlassen. Am 30. Januar 1933, da ein Hitler Reichskanzler wurde, verließ Roth das Deutsche Reich und lebte seine letzten

Jahre in Hotels zu Wien und Salzburg, in Marseille und
Nizza, in Amsterdam und Ostende, in Brüssel und Lemberg, in Warschau und bei Zürich, und hauptsächlich in
Paris, wo er am linken Seineufer wohnte, zuerst im Hotel
Foyot, neben dem Jardin du Luxembourg und dem Senat,
und als dieses alte Hotel abgerissen wurde, gegenüber im
kleinen Hotel und Café »De la Poste«, in der Rue de
Tournon.

Roth hatte Glück bei den Frauen und wenig Glück mit
ihnen. In den frühen zwanziger Jahren heiratete er ein
schönes und charmantes Mädchen aus Wien. Als seine Frau
anfangs der dreißiger Jahre an Schizophrenie erkrankte,
begann er stärker zu trinken, an Schuldgefühlen zu leiden, und über Schuld und Sühne zu schreiben. Seine Frau
starb zu Wien in einer Anstalt. In der Emigration lebte
Roth viele Jahre mit einer sehr schönen und witzig geistreichen Frau eines afrikanischen Königs, sie war die Tochter eines Kubaners und einer blonden Hamburgerin. Als
ich Joseph Roth zuerst sah, im Jahre 1927 zu Frankfurt
am Main, schien es mir, als ginge schon der Genius halb
verhüllt neben ihm. Es blitzten noch von feuriger Jugend
seine blauen, listigen Augen. Die blonden, feinsinnigen
Haare schienen ganz sanft. Seine blühenden, roten Lippen
lächelten so kalt ironisch. Den wehenden Mantel mit dem
emporgeschlagenen Kragen trug er graziös über die Schulter gehängt, und wie er mit leichtem, hurtigem Schritt daherging, schien des Mantels Schwung vom Wind der Poesie und der fernen Länder getragen. Dabei war er so zierlich und adrett, von nachlässiger Eleganz, schon ein Mann,
aber noch ganz schlank und mit vielen Zügen des Jünglings noch, mit schönen, zärtlichen Händen, dünnen Beinen und ungewöhnlich engen Hosen. Sein Gespräch war
geistreich und leidenschaftlich. Seine hallende Klugheit
und seinen scharfen, poetischen Witz hatte er stets parat.
Wir sprachen bei unserer ersten Begegnung von den Deutschen und der Poesie, von den Juden und Gott, von der

Technik des Schreibens und von der Kunst des Lebens. Selten waren wir einig. Immer war er amüsant, oft tief und prophetisch. Ich kannte ihn schon aus einigen seiner ersten Schriften. Nun fand ich ihn ebenso glänzend und reich (an Geist) und verzweifelt wieder, nur zärtlicher, und ich liebte ihn seit jenen mittäglichen Stunden.

Er besaß das Geheimnis, die Freundschaft und das Vertrauen vieler Menschen zu gewinnen. Er wußte jeden als seinesgleichen zu behandeln, ohne seinen Rang und seine Würde je aufzugeben, und er machte jeden ohne Ausnahme, den Minister ebenso wie den Nachtportier (im Hotel Foyot »le cher Auguste«), den Bankier wie den Kellner mit seinen privaten Sorgen und Geständnissen vertraut. Das betraf seine ewige Geldnot, diesen Fluch der Dichter, wie seine literarischen Feinde, die Dummheit und Schlechtigkeit der Welt; es betraf seine Pläne und künftigen Artikel. Er paßte sich jedem an und blieb doch für jeden eine romantische und unverwechselbare Figur. Er arbeitete an seiner eigenen Person und »schrieb sich um«, wie ein Romancier in verschiedenen Fassungen seine Figuren umschreibt, aber in allen Phasen blieb er sich treu.

Immer bewahrte er in der Brusttasche das Verzeichnis seiner meist kleinen Schulden und sein Manuskript, in seiner wie gestochenen, zierlich melodischen Handschrift, das er ängstlich und zärtlich hütete, als einen Schatz – ein geborener Schriftsteller.

Er war ein Wortführer seiner Zeit, ein rächerischer Pamphletist großen Formats, und ein zärtlicher Freund, sanft mit den Guten und Schwachen, ein Kamerad der Armen und Verfolgten, und sogar den Reichen hold, allgesellig und hilfsbereit. Noch in seiner Krankheit, selber in Not und Trauer, begleitete er während der letzten Monate unglückliche paßlose Emigranten zur Polizeipräfektur von Paris und saß dort halbe Tage lang mit ihnen, ein Freund aller Unglücklichen, die zu ihm kamen. Er liebte bis zur Eifersucht, haßte bis zum Pamphlet, schrieb bis in

die letzten Tage seines Lebens, und trank bis zum frühen
Morgen und zu seinem frühen Tod. Immer in Geldnöten,
starb er arm wie Hiob, ein deutscher Dichter. Er hat das
Leben mit Leidenschaft geliebt. Und leidenschaftlich war
auch sein Hang zur Selbstzerstörung. Er war einer der ge-
waltigsten Trinker seiner Zeit.

Er hatte echte Leidenschaften. Ebenso wie die Welt sah
er auch sein eigenes Leben mit Größe an. So wurden ihm
Ereignisse, die anderen alltäglich erschienen wären, zu tragischen Erschütterungen. So dramatisierte er sein Leben
oder empfand es vielmehr so groß und tragisch, wie vielleicht jeder empfinden sollte.

Seine Fähigkeit zu leiden war so stark, daß es Empfin-
dungsärmeren scheinen konnte, als suchte er das Leiden,
als genösse er Gewissensqualen, als wäre er neugierig auf
Versuchungen der Hölle. Aber er verstand, den Teufel zu
beschwören und zu bannen. Er beschwor die Toten und
bannte die Lebenden. Er hat sich selbst gebildet und sein
Leben trinkend und leidend verkürzt. Er hatte Vernunft;
nur sein eigenes Leben zu sparen hat er nicht verstanden;
auch darin ein allzu leidenschaftlicher Dichter.

Zehn Tage vor seinem Tode sah ich ihn das letztemal.
Am frühen Abend war ich in Paris angekommen. Mein
erster Gang galt ihm. Es war so angenehm, so heimatlich,
zu ihm zu gehen. Obwohl ich an einem Tisch mit ihm in
Berlin und in Nizza, in Brüssel und Amsterdam, in Ostende und Marseille gesessen war, schien mir Roth zu Paris
zu gehören. Hier, wenn überhaupt, war er zu Hause.

Ich wußte, da saß er, in dem kleinen Café in der Rue
de Tournon, wo die junge Wirtin den kranken Poeten
wie einen Freund betreute. Dort in dem kleinen Hotel
hatte Roth seine winzige Stube. Dort verwahrte die Wirtin im Schanktisch sorgsam und des Ranges des großen
Dichters durchaus bewußt seine neuesten Manuskripte,
Korrekturen, Bücher. Obgleich diese Pariserin kein Deutsch
verstand, wußte sie genau wie ein Germanist Bescheid

über jedes deutsche Manuskript. Sie kannte jede ins Französische übersetzte Zeile Roths, und seine Freunde, und wußte diese und jene nach ihrem Wert zu schätzen und zu behandeln; auch sie war, wie fast alle, die ihm nahekamen, seine Vertraute und Bewunderin, sein Schüler und Hüter.

Denn Roth, wie es bei genialischen Menschen zuweilen geschieht, weckte gleichzeitig Respekt und Mitleid. Er erschien schutzbietend zugleich und sehr schutzbedürftig. Auch war nichts so komisch-rührend, wie zuweilen die Ärmsten und Verlorenen unter seinen Freunden ernsthaft schmerzlich miteinander beraten zu sehen und zu hören, was man »für den Roth tun« könne; denn er war stets von hundert Rettern umgeben, indes er, der mit hundert oder tausend Mark in der Tasche sich schon für einen Millionär hielt und der von einer Minute zur anderen mit dem stets neu zerrissenen Säckel Fortunati zu Geld und Glück kam, vielleicht schon mit hundert oder tausend Mark in der Tasche bei einer guten Flasche Wein und fröhlicheren Freunden bei Tische saß, vergnügt trinkend und essend und melancholisch scherzend über alle traumwandelnden Retter der Welt.

Ich liebte Roth. Ich hatte durch zwölf Jahre einen großen Teil meines Lebens mit ihm verbracht. Nüchtern saß ich und schrieb neben dem Nüchternen des Mittags, wenn er schrieb. Und nüchtern saß ich neben dem Berauschten, des Abends und tief in die Nacht hinein, wenn er trank, und lauschte mit zärtlichem Vergnügen seiner Weisheit des Tages und seiner Tollheit nach Mitternacht, denn auch seine Tollheit schmeckte nach Poesie.

Ich liebte Roth und ging gleich nach meiner Ankunft in Paris im Frühjahr 1939 zu ihm und traf ihn um elf Uhr abends. Es waren schon die meisten seiner Tischgenossen fortgegangen. Es saßen da nur noch ein emigrierter Schriftsteller aus Leipzig, ein jiddischer Korrespondent aus Warschau, ein entlaufener Rechtsanwalt aus Prag, der zu Verwandten nach New York fuhr, ein jüdisch-katholischer Konvertit, eine ehemalige Frankfurter Schauspielerin, die eine ehemalige Geliebte Roths war, und ein Jugendfreund Roths aus Wien.

Vor Roth standen ein oder zwei Gläser mit einer grünen oder gelben Mixtur und ein halbes Dutzend der Zahluntertassen, nach denen die Pariser Kellner die Zeche ihrer Klienten errechnen. Ich setzte mich neben ihn und sprach mit anderen.

Später gingen die Schauspielerin und der Leipziger Literat, der Jugendfreund und die anderen Entlaufenen fort. Roth und ich blieben allein, und »was schreiben Sie?«, fragte ich. Und er erzählte mir seine letzte Novelle, die er eben zu Ende geschrieben hatte, die »Legende vom heiligen Trinker«, wie man unter Literaten erzählt, mehr das Technische als den Inhalt, mehr die Bezüge und Kunstgriffe als die »schönen Stellen«.

»Ist das nicht hübsch?« fragte er und strich sich das blonde, struppige Schnurrbärtchen, das er in den letzten Jahren trug, und sah mich mit den trübblauen Augen melancholisch freundlich an und trank langsam einen Schluck und wiederholte: »Ist das nicht hübsch?«

Ich lächelte und sagte: »Hm! Ein wenig Kleist, die Trinkeranekdote, und auch Tolstoi?«

»Eher Tolstoi!« sagte er und lächelte so sanft und trunken. Er sagte: »Die Geschichte wird Ihnen gefallen.«

Und er gab mir sein kleines Notizbuch, ein alphabetisches Adressenbüchlein und bat mich, mein Hotel hineinzuschreiben, er wolle mich bald anrufen. Um halb zwei Uhr morgens schloß das Café, und ich stand auf, um zu gehen.

Mit seiner reizenden und soignierten Höflichkeit stand Roth auf und geleitete mich vor die Tür des leeren Cafés und gab mir die Hand. Seine Gestalt war ein wenig gebeugt, ein wenig schwankend, sein Lächeln so melancho-

lisch gescheit, und die müden, schwimmend blauen Augen,
das blonde Schnurrbärtchen und die schönen Hände, seine
schon rauhe und so herzliche Stimme . . . Mein lieber, alter Freund Roth, den ich immer geliebt habe wie einen
älteren Bruder, so nahe mir immer und so sonderbar
fremd, der Dichter, den ich noch im beiläufigen Werk liebte und dessen poetische Stimme ich bis in jeden Tonfall
kannte . . . Er sah so beständig aus, bei allen Spuren des
Leidens so dauerhaft freundlich gewohnt wie das gute,
süße, geliebte Leben, so sanft und freundlich lächelte er
mir zu.

Er sagte noch: »Bald rufe ich Sie an . . .«

Es gibt verschiedene Gründe, Bücher zu schätzen. Mich
bewegten immer die Bücher leidenschaftlich, die uns die
intime Kenntnis eines Menschen, nämlich des Autors, vermittelt haben. Von gewissen Autoren ist es genug, siebzehn Sätze zu lesen, um ihnen so nahe zu sein wie einer
Geliebten, einem alten Onkel, einem guten Freund oder
dem lieben Gott.

Der junge Joseph Roth gehörte zu den Schriftstellern,
die vor lauter Einsicht in die Gebrechen der Welt böse
sind, wenn sie schreiben, so ingrimmig böse, wie es nur
wahrhaft gute Menschen werden können, von jener rich-
tenden, eifernden, »liebenswerten Bosheit«, die so gerne
möchte, daß es besser zugehe in unserer Welt. Roth gehörte zum Geschlecht der Moralisten und Prediger. Er
spricht in kleinen und kurzen Sätzen wie ein Gebet eines
Kindes oder eines Negers. Seine Bücher sind voll von Meinungen, aber seine wahre Meinung steht zwischen den
Zeilen. Über den Menschen redet er in den ersten Büchern
sehr lange, bei Zuständen und Gegenständen wird er ganz
ausführlich und mit einer Häufung von Knappheiten
breit, aber gilt es von Taten zu reden, macht er drei Worte.

Roth zeigt diese brennende Bitterkeit der jungen Männer nach dem ersten Weltkrieg. Der ganze rosige Zauber
eines zivilisatorischen Sonnenaufganges war vom Pest-

wind eines Massensterbens weggeblasen. In Joseph Roths
ersten Romanen kommen die jungen Leute aus dem Krieg
heim und gehen durch das leere Gehäuse der Zivilisation
und sind unfähig, »ein Leben zu führen«. Die schöne Un-
bewußtheit kam ihnen leider zwischen Gewehrgriffen und
rheumatischen Feldleiden abhanden. Sie stehen in den
Winkeln des »Vaterhauses« wie jüngere Söhne herum,
ungeachtet und verdrossen, künftige Revolutionäre, ver-
bissene Revolteure konservativer Art, ihre Resignation
ist konservativ, ihr müdes und billiges Lächeln ist es, ihre
Tatenlosigkeit zwischen vielem Tun ist es, aber schon ihre
Satire, ihre beißende Kritik sind umstürzlerisch.

Joseph Roth ist als Schriftsteller ein ausgesprochen vi-
sueller Typ. Er sieht, vor allem anderen. Sein Auge wird
schöpferisch. Ob er einen Menschen, eine Zivilisation oder
ein Bergwerk schildern will, zuerst gewahrt er das äußere
Bild, die Form, das offen Sichtliche. Er sieht so lange und
von so vielen Seiten auf sein Objekt, bis er hineinsieht
und es durchschaut. Diese Art prägt auch seinen Stil.
Roths Sprache ist ohne die Periodik der intellektuellen
Typen, ohne den lyrischen Schwang und Überschwang der
akustischen Typen, aber dafür haben seine Worte, seine
Sätze den schärfsten Kontur, er ziseliert, er sticht.

Roth ist ein eminenter Beobachter, ein treffender Schil-
derer. Er entwickelt Romane aus Charakteren, und die
Charaktere entwickelt er aus dem Äußeren, Sichtbaren
eines Menschen. Eine Geste wird ihm zur Anekdote, ein
Kleidungsstück oder ein Gesichtsmerkmal zum Charakter-
zug. Roth sieht seine Menschen, er liest sie aus ihrem Bild
ab, später hört er sie reden. Er ist ein Analytiker. Er zer-
legt Charaktere, Gedanken, Zivilisationen, Sätze, Worte.
Seine heitere Luzidität stellt sogar Stimmungen und Me-
lancholien ins klare Licht des Tages. Alles ist immer offenbar, nichts ist verborgen, alles ausgesprochen, nichts
verschwiegen, die Worte haben keinen Nachhall, sie tö-
nen rund und voll. Roths Sprache ist spiegelklar und voll

Phantastik und beziehungsreich. In seinen ersten fünf Romanen (»Hotel Savoy«, »Die Rebellin«, »Die Flucht ohne Ende«, »Zipper und sein Vater«, »Rechts und Links«) machte Joseph Roth die Desillusion zu einer Pointe, die Pointen zu moralischen Resultaten einer erbarmungslosen Gesellschaftskritik. Er entlarvte in der Parabel eines Schicksals die tragische Ironie des hilflosen Lebens einiger Typen aus der Zeit nach dem ersten Weltkrieg. Er beschrieb die Verpfuschtheit und Sinnlosigkeit ihrer Existenz und die ausweglose Enge ihrer Ideologien als erster einer ganzen Literaturgeneration.

In seinem sechsten Roman »Hiob« wurde der bisher analysierende Stil malerisch, die einzelnen Szenen, früher wie Radierungen, waren hier farbige Gemälde. Die geschmeidige Präzision seiner stählernen Prosa verwandelte sich in einen poetischen legendenhaften Ton.

Statt einiger für die Zeit typischen Individuen erschien eine legendarische Figur, die einer Figur der Bibel analog war, statt unserer Gesellschaft eine fremde, statt der Aktualität der neuesten Psychologie und Soziologie ein Schicksal und ein Leben, das seine Bezüge und Fatalitäten nicht von Krieg, Kapitalismus und Kollektivkultur, sondern von Gott, der Natur und unbegreiflich tragikomödischen Mächten erhielt.

Aber trotz dieser Verwandlung blieb das Werk Roths konsequent. Nur daß die ersten fünf Romane eine Typologie unserer Zeit gaben und dieser sechste Roman den ewigen Bezug dieser selben Typik darstellte. Die Elemente der Hauptfiguren seiner ersten fünf Romane, etwa eines Tunda aus »Flucht ohne Ende« oder der beiden Zipper, sind dieselben, aus denen der alte Mendel Singer im »Hiob« gebildet wurde, nur daß statt der aktuellen die immanente Seite gezeigt wird, statt der Analyse eine Synthese versucht wird.

Der zornige Pessimismus, die heitere Erbitterung, die revolutionäre Ironie gegen ein Schicksal, das hier Gesell-

schaft, da Gott hieß und die beide vielleicht stärker als das
Individuum sind, die es zerbrechen, aber nicht ändern
können, diese ganz wunderbare Klarheit eines Mannes,
der alles gesehen, alles geprüft, alles in seiner Welt verworfen hat, und nicht gesonnen ist, mit dieser Welt zu
paktieren, dieselbe tapfere Verzweiflung und derselbe
vernünftige Mut, in einer unvernünftigen Welt vernünftig bleiben zu wollen, prägen die Art aller Romane Roths.
Es ist eine Haltung, die im großen europäischen Roman
seit der Geburt des Individuums existiert.

Joseph Roth ist verzweifelt und vernünftig, ein scharfer Porträtist und trunkener Naturhymniker, ein komplizierter Sprachkünstler mit simplem Tonfall. Er ist ein
wortkarger Rhetoriker und stets verliebter Misogyn. Er
ist ein unaufhörlich enttäuschter Menschenfreund; ein
österreichischer Erzähler mit östlichen Stoffen und westlichen Formen; ein Intellektueller, der die schlichten Herzen liebt; ein gütiger Humorist mit bösem Witz; ein Mit-
leidender, der sich seiner Tränen schämt: ein »neunzig-
grädiger« Lebensspieler auf vielen Ebenen; zuweilen sein
eigener Feind und immer ein Poet.

Ich liebe seine Bücher und Aufsätze mit jener lächelnden und schamhaften Neigung, die man für einen Bruder
hat. Ich gestehe, ich kenne das Gefühl eines jüngeren Bru-
ders vor manchen toten und lebenden Poeten; ich lese ihre
Bücher mit diesem hastigen und wiederholten Genuß, und
lese viele Sätze laut, und ihre Sprache erscheint mir ihrer
Stimme ähnlich. Durch die Worte sehe ich das Gesicht des
Poeten, die lieben, längst geahnten Züge, besonders erkenne ich jenen schönen Familienzug, aus Genie und Humanität, das Mal Apolls. Ja, es gibt viele hundert Dichter,
die ich bewundere, wie viele Maler, Musiker, Bildhauer
und Architekten, aber unter der glänzenden Menge sind
einige, hier oder dort, im Altertum, in China, in Athen,
in Rom, in Weimar oder in New York, zu Paris, London,
Florenz, auch in Amsterdam, Basel, Berlin und Wien und

Wolfenbüttel, denen fühle ich mich besonders nahe, diese liebe ich mit besonderem Feuer, mit der ein wenig spöttischen und ganz unverbrennbaren Liebe, mit der man seine Ahnen, seine Väter und Brüder liebt.

Das ist die eigentümliche Lust der zivilisierten Menschen, daß in ihrem Hause auch die Entfernten und die großen Toten leben. Ich habe viele Vettern unter den Entfernten und Toten, und ich erkenne sie beim ersten Wort, am schmerzlich süßen Lächeln, am »holden Wahnsinn«, an dem vernünftigen moralischen Blick, am unbändigen Lebenstrotz. Ich erkenne sie sogar an ihren Fehlern, besonders an dem maliziösen Tonfall ihrer heiterernsten, ewig jungen Stimmen.

Ist es nicht allgemein ein Kennzeichen großer Künstler, daß sie im einzelnen mit vielen verwandt erscheinen, daß sie ihren Honig aus hundert Blüten saugen, daß sie wie aus einer eminenten Schule kommen und im ganzen – sie und ihr Werk – einmalige, unverwechselbare Individuen sind? Die mittelmäßigen Künstler erkennt man aber gerade an der Originalität ihrer einzelnen Mittel und Auffassungen, indes das ganze Werk, die gesamte Figur schal wie ein abgegessener Tisch und fad wie der gestrige Tag sind.

Roth und sein Werk sind original, obgleich es leicht wäre, seinen künstlerischen Stammbaum und seine Lehrer auszubreiten.

Offen zutage liegen in den Büchern Roths seine epischen Methoden, seine Vorzüge, seine Hilfsmittel, sogar seine Fehler, mit denen er nach Art vieler denkender Künstler kokettiert. Das ist ein Zauber gewisser Kunstwerke, daß sie ganz offen erscheinen und ganz geheimnisvoll sind.

Roth ist ein Spezialist für verlorene Menschen. Ihn interessiert sehr der Untergang von ganz gewöhnlichen Individuen, die kleine Tragik. Er ist ein Menschenjäger, aber er spürt hauptsächlich Unglücklichen und Fallenden nach.

Er macht seine Romane aus Weltempfindungen, Präzisionsbildern und Porträts. Er malt Charaktere und stellt sie gegeneinander. Er malt die großen Gefühle. Die Gefühle beginnen selbsttätig zu handeln. Sie marschieren wie große schwankende Automaten durch eine weite Ebene. Langgetragene Gefühle, weitschauende Gedanken, ausgerechnete Gespräche tauchen auf. Seine Frauen sind oft schnippische Triebwesen, seine Männer einsam und haltlos, »Verzweifelte und Trostlose«; die Ereignisse sind zuwider, vorgeahnt und erbarmungslos.

Roth ist ein epischer Fatalist, ein moralischer Rigorist voller Religionsdurst und hübscher Verzweiflung, ein enttäuschter Charakterbildner.

Ein Mensch wird schuldig in einem seiner Romane. Ein Redlicher verdirbt. Ein Verpflanzter verwelkt. Ein Verzweifelter wird umgebracht. Ein Trostloser liebt und stirbt daran. »Was geht mich der Regen an?« fragt er. »Was kümmern mich die Vögel?« Und er folgert: »Ich muß mich stark verändert haben in dieser Gegend.« Und er sitzt aus Liebe da, im strömenden Regen.

Mit Menschenkenntnis, Sprachgewalt und echter, liebesgieriger Verzweiflung schafft Roth die stummen Tragödien der schlichten Herzen, die intelligente Poesie im Dasein der Einfältigen, das Wunders volle Leben der Leute von der Straße, in den abgelegenen kleinen Städten. Er malt einen altösterreichischen Exotismus, eine Art von verschollenem und märchenhaftem Wildost.

Leicht erzählt Roth seine »schlichten Geschichten«. So geht es nur im wahren Leben zu, im wahren Leben der echten Poesie. Seine geschwinde Epik scheint dennoch auszuruhen und schreitet im Großen langsam. Sie geht sozusagen im Doppelschritt. Mit großem, langsamem Schritt geht oben das Schicksal seinen Götterpfad, mit geschwinden trippelnden Schritten eilen unten die menschlichen Triebe auf ihren Irrwegen.

In den fünfzehn Jahren, da Roth Bücher veröffentlich-

te, ward er aus einem skeptischen, zuweilen pessimisti-
schen Moralisten ein legitimistischer Katholik; aus einem
Linksradikalen ein Konservativer, aus einem Mitarbeiter
sozialdemokratischer Zeitungen ein Inspirator sozialreak-
tionärer Zeitschriften, aus einem rebellischen »Frontsolda-
ten« ein »österreichischer Leutnant«, aus einem Neuerer
ein Erbe, aus einem witzigen Spötter ein eifernder Pamphletist.

Keine ungewöhnliche Entwicklung, wird man sagen. Es
wimmelt in der Literatur von Konvertiten. Der Schritt
vom Revolutionär zum Reaktionär ist geschwind getan.
Und Kunst macht konservativ.

Ganz recht! Wenn es nur mit Roths Entwicklung so
stimmte, wie es obenhin ausschaut! Im selben Jahr erschienen zwei Romane von Roth, die dem Schema einer Entwicklung widersprachen, nämlich »Rechts und Links«
und »Hiob«.

»Rechts und Links« ist ein analytischer, proustisierender,
ungläubiger und aktueller Berliner Roman, sprühend von
Witz und Epigrammen, in der Tradition von Stendhal,
Maupassant, Heinrich Mann.

Ein paar Monate später erschien »Hiob«, ein frommes
Buch, in der Tradition von Gautier und Hofmannsthal,
mit Melodie und Farben an Stelle der Analyse, Wundern
statt der Witze, einer Legende statt der Zeitsatire, die
Paraphrase jener anklagenden Fabel vom Manne, der mit
Gott gestritten hat, des größten Skeptikers unter den
Frommen.

Und *nach* dem »Hiob« erschien der »Radetzkymarsch«,
ein pessimistischer, stellenweise nihilistischer Roman, dessen Doppelheld, das sterbende Österreich-Ungarn und der
nihilistische Leutnant Trotha ganz in der atheistischen
Tradition Flauberts liegen, als dessen Schüler Roth sich
oft bekannt hat.

Das Ende der letzten Arbeit von Joseph Roth, der »Legende vom heiligen Trinker«, oder des »Radetzkymarsch«,

oder der »Kapuzinergruft« (welch offenherziger Titel: Die
Gruft!) offenbaren dasselbe glaubenslose Lebensresumee
wie die »Education Sentimentale« von Gustave Flaubert.
(Und ist es nicht bezeichnend, daß die poetisch fragwür-
digste Stelle im »Hiob« eben die Stelle vom Wunder ist,
das übrigens ein Erzeugnis moderner Technik ist und den
materiellen Erfolg zum Gegenstand hat, freilich in An-
lehnung an den biblischen Hiob, der von der Ersetzbar-
keit irdischer Glücksgüter, ja der Söhne und Töchter handelt?)

Aber hieß sich Roth nicht in zahlreichen Artikeln im
Exil einen Legitimisten und gläubigen Katholiken, und
hat er nicht in drei von den sechs im Exil publizierten Romanen, im »Tarabas«, in den »Hundert Tagen« und in
der »Beichte eines Mörders« theologische Probleme und
katholische Themen: Schuld, Sühne und Erlösung, gewählt und den Teufel selber gemalt? Und gab er nicht im
»Antichrist« die Summe seiner Theologie, sozusagen das
Bekenntnis vom »Wunder« seiner Bekehrung?

Was für ein aufschlußreiches Bekehrungsbuch! Unschwer erkannten Leser des früheren Skeptikers Roth, daß
der Großteil dieses Buches, ja seine tiefsten und besten
Stellen, die alten, glänzenden, unveränderten, nur lok-
ker zusammengebundenen Aufsätze von Joseph Roth
aus seiner linksradikalen Zeit stammen, Feuilletons der
»Frankfurter Zeitung«, des »Tagebuch« und aus dem
»Panoptikum«, der ersten unverwelklichen Sammlung
von Roths kurzer Prosa, aus Aufsätzen des skeptischen
Individualisten, des ganz unkatholischen Moralisten Roth.
Neu war in der Hauptsache die Einkleidung, das Motiv
vom Antichrist, jene Vision vom Antichrist auf dem Stuh-
le Petri und vom Sitz der modernen Hölle in Hollywood.

Die Ideen und Grundsätze sind also dieselben beim jungen Skeptiker wie beim alternden frommen Katholiken.
Er hat sie sich als Katholik oder Legitimist unverändert,
im wahrsten Sinne des Wortes »wörtlich« bewahrt. Nur

für das Gewand, nur für den Einband benutzte er die
Sprache und Bilder der Frommen.

Katholisch und fromm gebärdete sich Roth einige Jahre
lang, weil er angesichts halbanalphabetischer materialisti-
scher Horden nach einer humanen Tradition sich sehnte.

Eines der großen Motive in seinem Werk und in seinem
Leben war die Angst, die metaphysische Angst vor dem
Nichts, vor dem Nihilismus, der ihn mit einer seltsamen
Gewalt anzog. Roths Werk ist voll von Fluchtmotiven.
Die letzten paar armen Worte, die er mit 40 Grad Fieber,
am Tag vor seinem Tod schrieb, galten dem Versuch zu
entfliehen, aus dem Spital, vor dem Tod, zurück in den
Rausch seines Lebens. Der Titel eines seiner Romane
»Flucht ohne Ende« paßt auf sein ganzes Werk, auf sein
Leben. Im Kampfe gegen die folternde Angst vor dem
Nichts, das viele und zuweilen reizende Masken annahm,
hatte er zwei große Stützen: den Glauben an die Kunst
und den Glauben an die Humanität – und eine gefährliche Ausflucht: den Rausch.

Immer suchte er die Gnade. Aber man lasse sich durch
die Versuche, fromm zu sein, nicht blenden.

Ein beschämter Ungläubiger, ein schwelgerischer Ironiker spricht: Als er seiner nackten Schärfe und seiner epi-
grammatischen Verzweiflung müde war, verbarg er sie
hinter Farben und Gesang, aber die Bitterkeit des stets
neu enttäuschten Moralisten blieb, und sie erschien in seinem letzten Roman »Die Kapuzinergruft« und ebenso in
der erbarmungslosen »Legende vom heiligen Trinker«, wo
er beweist, daß dem Verlorenen durch nichts zu helfen
ist, nicht einmal durch eine wunderbare Kette von Wundern; oder wie selbst der Sicherste, der nichts mehr zu verlieren hat, durch Wunder verdorben wird.

Roth war ein Romantiker mit allen Kunstmitteln und
den scharfen Blicken eines Realisten. Zuweilen war er ein
Kunsthandwerker, aber mit genialischen Zügen. Er lernte
von Tolstoj und Gogol (wie auch Franz Kafka ein Schü-

ler von Gogol ist). Aber Roth ging auch bei Stendhal und Flaubert, zuweilen bei Gautier und Proust zur Schule. Mit Absicht und im Protest gegen das »Dritte Reich« nahm er in späteren Jahren die Tradition der »österreichischen Schule« auf und schrieb die beiden klassischen Romane vom Ende Österreichs, den »Radetzkymarsch« und »Die Kapuzinergruft«. Er stammte von der russischen Grenze und schrieb Romane von der russischen Grenze, darunter »Hiob« und »Das falsche Gewicht«. Er war auf der Flucht und verzweifelt und schrieb von Verzweifelten und Flüchtigen, am besten in seinem Roman »Flucht ohne Ende«. Roth hat aus Anlagen Provinzen gemacht, aus den Eigenschaften seiner Person seine Hauptwerke abgeleitet.

Er liebte die Literatur. Ein paarmal versuchte er, Literaturmoden zu machen, aber er, ein feiner Kenner des literarischen Handwerks, war kein origineller Ästhetiker. Seine klare Reinheit sah wie höchste Vernunft aus. Er liebte die Reinheit der Sprache, diesen Traum und schwindelnden Weg auf einem Grat – besonders in der Sprache der Deutschen. Einem schmalen Feld wußte er durch Intensität und Kunst den Glanz der Tiefe und die Fülle des Reichtums zu leihen. Seine Träume und noch sein Rausch waren scharfsinnig. Im Unglück suchte er die Schuld. Er hat den sparsamsten Dialog in der modernen Romanliteratur, knapper als Hemingway. Jeder Satz sollte ein Schlüsselsatz einer ganzen Existenz sein, das Resümee eines Charakters, eines Lebens ziehen und im Gewand des Alltags auftreten.

Eben daß er in seiner »gottlosen« wie in seiner »katholischen« Periode dieselben Aufsätze, dieselben Grundsätze, dieselben literarischen Methoden festhielt, beweist ja, daß er nie mit Grundsätzen spielte, sondern nur die Masken tauschte. Er spottete der Trachten und Hüllen. Sein Glaube war schwach, seine Sehnsucht war stark. Er glaubte nicht, aber er hatte Angst und Ehrfurcht. Er glaubte nicht an die Monarchie, aber er liebte die Ordnung. Er

glaubte nicht an Geburtsadel, aber er liebte den Geistes-
adel. Er glaubte nicht an die Unfehlbarkeit des Heiligen
Vaters, aber er liebte den Universalismus. Er liebte Christus um der Liebe willen, Jehova um der Gerechtigkeit
willen, die amerikanische und Französische Revolution
um der Befreiung der Armen willen. Er wechselte den
Standort, aber nicht den Standpunkt. Er opferte politische Richtungen, aber nie ein Adjektiv und nie ein Prinzip. Er war ein ironischer Geist, voller Güte und voller
Widersprüche. Aber seine Märchen sind nur verkleidete
Wahrheiten. Und seine Legenden sind nur Verzweiflungs-
rufe eines Ungläubigen.

Er haßte den Schein, die Fälschung und das lügnerische
Wort. In der Verzweiflung war er tapfer und in der Leidenschaft sah er klar. Er war ein pessimistischer, zuweilen
zorniger und oft witziger Moralist. »Wo Gutes getan
wird«, schrieb er im »Antichrist«, »dort ist meine Heimat.«

(1956)

MARIANNE BONWIT

MICHAEL, EIN ROMAN VON JOSEPH GOEBBELS, IM LICHT DER DEUTSCHEN LITERARISCHEN TRADITION

In seinem Buch *European Witness*[1], einem Bericht über Nachkriegserlebnisse in Deutschland, widmet Stephen Spender dem Schriftsteller Joseph Goebbels, nicht dem Reichspropagandaminister, ein ganzes Kapitel. Goebbels hatte 1929 einen Roman veröffentlicht, dessen Titel symbolischerweise *Michael*[2] lautet. Spender war zeitweilig mit der Aufgabe betraut, öffentliche Bibliotheken von Nazibüchern zu säubern, jedenfalls solchen, die durch häufiges Ausleihen Unheil stiften konnten. Dabei fiel ihm *Michael* auf: »The copy in my possession is the ninth edition of 41,000 copies. Unlike most books by the Nazis, it continued to be read, as the ticket at the end of the volume shows. It was taken out of Aachen library on an average of once every 2 months between 1940 and 1943« (195). Spender bemerkt, daß dieses Buch im Ausland unbeachtet blieb, und wundert sich darüber: »If a book such as *Michael* had been published as a document written by an ordinary murderer ... it would excite considerable excitement among criminologists and the general public. Yet

---

[1] Stephen Spender, *European Witness* (N.Y. 1946).
[2] Joseph Goebbels, *Michael, ein deutsches Schicksal in Tagebuchblättern*, geschrieben 1921, zuerst 1929 veröffentlicht, wird hier nach der Ausgabe aus dem Jahre 1935 zitiert, NSDAP Verlag Franz Eher, München. Seitenzahlen dieser Ausgabe stehen jeweils in Klammern.

this book, written by one of the greatest murderers of all history – Goebbels – four years before the Nazis came to power, has never been discussed outside Germany« (194–95).

Wahrscheinlich wäre im Jahre 1946 eine Beurteilung des Romans noch allzusehr von der damaligen Stimmung beeinflußt worden. Ein Jahrzehnt später erscheint *Michael* schon in weiterer Perspektive und im klareren Licht der nach 1946 vorgefallenen geschichtlichen Ereignisse. Wenn das Buch auch alles andere als ein literarisches Meisterwerk ist, so steht es doch innerhalb der deutschen literarischen Tradition und verdankt vor allem Goethe und Nietzsche viel. Als relativ häufig gelesenes Buch mag es, besonders bei den damals jüngeren Menschen, eine geistige Strömung bewirkt haben, die erst später an die Oberfläche kommt. Und schließlich ist es bedeutungsvoll, weil es zeigt, was sich der damals vierundzwanzigjährige Goebbels aus der großen und reichen kulturellen Erbschaft Deutschlands und Europas zum eigenen Gebrauch aussuchte, was der zweiunddreißigjährige veröffentlichte, in anderen Worten, was aus dieser Erbschaft der jüngeren Generation in Deutschland zwischen 1933 und 1945 mit Goebbels' Wissen und Willen überliefert worden ist. Denn er war nicht nur Reichspropagandaminister, sondern der Meinung des gut unterrichteten Louis P. Lochner nach »der wichtigste und einflußreichste Mann nach Hitler« in den vierziger Jahren; »während Hitler Krieg führte, spielte Goebbels in Deutschland die führende Rolle.«[1] Wie sehr das gedruckte Wort unter allen Umständen und in jeder Form Goebbels interessierte, zeigt sich in seinen Tagebüchern, z. B. wenn er die Propaganda der Geg-

---

[1] *The Goebbels Diaries*, herausgegeben von Louis P. Lochner (N.Y. 1948). Lochners Vorwort (3–30) ist wichtig. Siehe 4–5: »The year of his graduation at Heidelberg (1921) he wrote an unsuccessful novel *Michael*.« Hier wird Seite 25 zitiert.

ner kritisch beurteilt. Wie teuflisch gescheit und geschickt
er in allem war, was als »Schrifttum« bezeichnet wurde,
offenbart sich schon im *Michael*, wo er die deutsche geistige Tradition für eigene Zwecke braucht und mißbraucht.
Schon allein aus diesem Grund verdient der Roman eine
Besprechung.

Die Handlung im *Michael* ist äußerst einfach. In Tage-
buchaufzeichnungen erzählt ein Kriegsteilnehmer nach
dem ersten Weltkrieg von seinen Nachkriegserlebnissen
und Gedanken darüber. Er studiert in Heidelberg und
München. In einem Hörsaal lernt er die feine, hübsche
und liebe Hertha Holk kennen. Die Zuneigung ist gegen-
seitig, führt aber zu keiner Bindung, weil er sich als noch
ungefestigter Mensch auf der Suche nach dem eigenen Weg
weder binden kann noch sich mit einem bürgerlich denkenden Mädchen verbinden möchte. In dieser Zeit begegnet er auch dem russischen Studenten Iwan Wienurowsky
und versucht, wenn auch vergeblich, seine Freundschaft
mit dem konventionell denkenden Jugendfreund Richard
aufrechtzuerhalten. Nach dem Bruch mit Hertha und Richard hört er eine hinreißende Rede in München und verschreibt sich mit Leib und Seele dem hier nicht namentlich
erwähnten Hitler und dessen Partei, die in seinem Sinn
national und sozialistisch ist. Er selbst wird Bergmann.
Anfangs mißtrauen ihm die Kumpels, bekämpfen und
mißhandeln ihn. Als er ihr Vertrauen gewonnen hat, ist
es zu spät. Er kommt bei einem Bergwerksunglück ums
Leben.

Der Aufbau des Goebbelschen Romans wirkt so vertraut und wenig neu, weil er in Deutschland seit dem Erscheinen von Goethes *Die Leiden des jungen Werthers* bekannt ist. Der Held erzählt von sich in der Ich-Form.
Diese Form erlaubt, begünstigt und rechtfertigt Bekenntnisse aus dem persönlichsten und intimsten Seelenbereich,
sogar in abgerissener, manchmal nur noch gestammelter
Ausdrucksweise. Bei Goebbels zeigt sich hier auch der Ein-

fluß expressionistischer Technik. Das innere Geschehen spiegelt sich äußerlich in Kräften und Menschen, auf die sich der Ich-Erzähler seinerseits projiziert. Bei Goethe erkennt man deutlich die Wendung von Homer zu Ossian, von der stilisierten Ordnung der griechischen Antike zur naturverbundenen Wildheit einer als wirklich gedachten Vorwelt des Nordens. Im *Michael* tritt die Wendung in doppelter Gestalt auf: von Goethe zu Nietzsche, und von Hertha Holk zu Hitler. Bei dieser Wendung von Ordnung zur Maßlosigkeit mochte Ossian Werther verführen, aber nicht Goethe. Nietzsche, mißverstanden und schlagworthaft zitiert, berauschte Michael und Goebbels. Während die Gegenspieler sich nicht wandeln, ändert sich das Verhältnis des immer frenetischer werdenden Titelhelden zu ihnen. Albert bleibt sich in seiner Gelassenheit und sicheren Freundlichkeit gleich, was Werther zunächst wohltut, ihm aber später auf die Nerven fällt. Im *Michael* bleibt Iwan sich gleich in seinem kameradschaftlichen Gleichmut. Aber Michaels anfängliche Sympathie schlägt ohne äußeren Grund ins Gegenteil um. Dies entspricht wohl Goebbels' Entwicklung[1], die sich in seiner Beurteilung des Russen spiegelt. Dieser erscheint zunächst als entgegenkommend und gebildet; in späteren Träumen wird er aber zum Widersacher, mit dem Michael nicht fertig

---

[1] *The Goebbels Diaries.* Lochner führt in seinem Vorwort (10–11) Goebbels' Tagebucheintragungen aus den Jahren 1925 bis 1926 an. 23. X. 25: »In the final analysis it would be better for us to end our existence under Bolshevism than to endure slavery under capitalism.« 31. I. 26: »Where can we get together somewhere with the leading Communists?« 13. IV. 26: »Russia wants to devour us.« Vgl. dazu *Michael* (33): »tragische Größe« des russischen Menschen, mit (113): »Rußland ist eine Gefahr für uns, die wir überwinden müssen.« Die deutsche Ambivalenz dem russischen »Iwan« gegenüber zeigt sich besonders deutlich und übergangslos bei Goebbels zwischen Januar und April 1926. Im *Michael* erscheint dieser innere Widerspruch auch völlig ungelöst.

wird. Werther wie Michael versuchen, sich in die Gesellschaft ihres Milieus einzuleben. Werther scheitert am Erlebnis der Niederlage in der standesbewußten Umgebung des Fräulein von B. Michael findet Ablehnung bei den Arbeitskameraden. Dabei ist zu bemerken, daß Werther über den ihm gegebenen gesellschaftlichen Kreis hinaus will, Michael unter den seinen hinunter. Goethes Held findet einen Grafen als Gönner, Michael sucht und findet Verständnis bei seinem Vorgesetzten, dem Steiger. Die gesellschaftliche Hochstapelei, bzw. Tiefstapelei, unbewußt oder bewußt gewollte Hinwegsetzung über Standesgrenzen, werden gerade innerhalb einer nicht mehr ganz selbstverständlichen ständisch geordneten Gesellschaft als verfehlt und verdächtig empfunden.

Überraschend ähnlich sind die Epiloge. Von unbeteiligten Dritten verfaßt, klingen sie nüchtern und im Vergleich zur Ich-Erzählung äußerst kühl. Daher können die Bücher, die man im Zimmer des Toten vorfand, kurz erwähnt werden, *Emilia Galotti* bei Werther, *Faust*, *Zarathustra* und die Bibel bei Michael. Medizinische Tatsachen und Vermutungen kommen bei der Beschreibung der Leiche zur Sprache. Die Form der Bestattung ist wichtig. Bei Goethe heißt es: »Handwerker trugen ihn. Kein Geistlicher hat ihn begleitet.« Und das Echo bei Goebbels: »Bergleute trugen ihn. Als Arbeiter, Student und Soldat wurde er begraben.« Vom Geistlichen ist hier keine Rede mehr.

Goethischen Nachklang hat auch die Beziehung des jungen Helden zu Kindern, nur daß diese Beziehung bei Werther in der vorrevolutionären Perückenzeit eine enge Verwandtschaft mit der reinen Natur, mit dem noch unverbildeten menschlichen Wesen, bedeutet, während sie bei Michael dessen Abneigung gegen alles überbildete Intellektuelle entspricht. Er scheint stolz darauf zu sein, daß er »zu dumm für die Fachwissenschaft« (12) ist. Er findet, »die Spezialwissenschaft züchtet Hochmut und Fachsim-

pelei« (14), und von da ist nur ein Schritt zu Michaels
Ausspruch: »Der Intellekt ist eine Gefahr für die Bildung
des Charakters« (14), und ebenda: »Wir sind nicht auf
Erden, um uns den Schädel mit Wissen vollzupfropfen ...
Wir müssen unser Schicksal erfüllen. Kerle erziehen, das
sollte Aufgabe der hohen Schulen sein ... Darum ist Goethe der Größte, weil er aus dem deutschen Bewußtsein
heraus über die Grenzen stieg. Aber es wäre falsch, ihm
darin gleichkommen zu wollen. Die ganze vielgepredigte
Nachfolge Goethes ist Unsinn, Phantasterei leerer, über-
bildeter Köpfe.«

Goebbels verallgemeinert weiter: »Der Intellekt hat
unser Volk vergiftet« (50), »die geistige Tat unserer Zeit
ist der Leitartikel, die Parteirede, die Parlamentsphrase.
Das Buch ist eine Sache des Luxus geworden« (77). Wieder wird Goethes Beispiel heraufbeschworen, diesmal, um
ihn als »wesenhaften Impressionisten« den Expressionisten der zwanziger Jahre gegenüberzustellen. Dem Gun-
dolfschüler Goebbels macht es wenig Ehre, wenn er den
Gegensatz auf folgende Formel bringt: »Die Seele des
Impressionisten: mikrokosmisches Bild des Makrokosmos.
Die Seele des Expressionisten: neuer Makrokosmos. Eine
Welt für sich. Expressionistisches Weltgefühl ist explosiv.
Es ist ein autokrates [sic!] Gefühl des Selbstseins« (77).

Es ist müßig, ergründen zu wollen, was hier »autokrates Gefühl des Selbstseins« bedeutet, was »Überbildung«
außer einer pedantisch engen fachlichen Ausbildung vielleicht noch ist, ob es wirklich die Aufgabe der Hochschulen unserer Zeit ist, »Kerle« zu erziehen, und falls das ihr
wahres Ziel darstellt, wie sie es erreichen können. Jenseits
aller propagandistischen Absichten handelt es sich hier,
wie so oft bei Demagogen, um ein ernstes und wichtiges
Problem, worauf nicht näher eingegangen wird: was ist
die Aufgabe der Hochschulen heutzutage? Ist bloße
Nachfolge jemals mehr als Phantasterei? Was bedeutet
die überlieferte Kultur seines Volkes dem Einzelnen, z. B.

dem Arbeiter, im 20. Jahrhundert, was kann sie ihm noch
bedeuten, der unter ganz anderen Umständen aufgewachsen ist als unter einer Regierungsform vergangener Zeiten, etwa dem aufgeklärten Despotismus Weimarscher
Prägung?

Ohne es vielleicht bewußt zu erstreben, gibt Goebbels
selber eine Antwort auf diese Frage, besonders im ersten
Teil seines Romans. Die großen Menschen aus der Vergangenheit sind zu Namen geworden, zu willkürlich aus
dem Zusammenhang gerissenen Zitaten, sozusagen zu eingefrorenen Guthaben, womit man hier und jetzt wenig
Anspruch auf Eigentum und allerhöchstens den Anschein
des Besitzes erwerben kann. Auf die Gefahr hin, pedantisch zu wirken, führe ich das Bildungsgut an, womit der
Verfasser Michaels Innenleben ausstattet: Beethoven (47,
80, 91), Brahms (25, 37), Dostojewskij (33, 34, 47 und
passim), Droste-Hülshoff (31, 33, 37), Dürer (73), Feuerbach (84), Goethe (10, 14, 17, 18, 47, 76, 77, 78, 158 und
passim), Hebbel (84), Keller (43, 44), Liliencron (115),
Michelangelo (47), Nietzsche (12, 13, 45, 51, 154, 158 und
passim), Scheffel, *Ekkehard* (38), Schiller (18, 77), Schubert (25, 80), Schwind (62, 84), Spitzweg (84), Richard
Wagner (57), Hugo Wolf (25, 80). Daß Goebbels Heine
kennt, aber nicht anführen will, zeigen seine Zitate, die
Griechenland und das Meer betreffen (9, 51, 54); auch
Tollers Ausdruck »Masse Mensch«, der Titel eines Tollerschen Dramas, wird unverbindlich erwähnt (119), ohne
namentlichen Hinweis oder Quellenangabe. Das ist verständlich, und es ist ebenso verständlich, wenn auch tragisch und ironisch, daß zwar Scheffels *Ekkehard* auftaucht, aber nicht Deutschlands großer Aufklärer Lessing,
der über bloße Aufklärung hinausging, und daß auch die
Dichter, die im 19. Jahrhundert die deutsche Tradition
weiterführten, versunken scheinen: Kleist, Büchner, Hölderlin, Hoffmann, Mörike, Platen, Meyer, George, Hauptmann.

Goethe ist anwesend, aber immer wieder als der junge Goethe aus Frankfurt, während der reife Goethe ausdrücklich als zu »rund« oder ausgeglichen abgelehnt wird (47). Frankfurt, Sturm und Drang, ja; Weimar, die Klassik und Selbsterziehung, nein. Wie sich auch hier zwischen Goethe und Nietzsche Dostojewskij schiebt. Aber nicht der Dostojewskij, der den Aljoscha Karamasoff schuf, sondern der Schöpfer des Fürsten Myschkin, dieses aufs höchste umdüsterten Menschen. Deutsche Dichter, die am eigenen Leibe die Umdüsterung erlebten, kommen nicht in Betracht. Statt dessen wird der große russische Dichter ins Blickfeld gestellt, gerade insofern er, kein Deutscher, an verborgene Tiefen rührt.

Hiermit kommen wir zu dem Problem, welches Goebbels seit 1921 beschäftigt: Rußland und Deutschland. In Deutschland nannte man »den Russen« auch den »Iwan«. Traditionellerweise sprach man von der Verkörperung Deutschlands als dem »deutschen Michel«. In Goebbels' Roman stehen sich Iwan und Michael gegenüber. Iwan glaubt an Rußlands Zukunft; Michael jedoch findet es schwierig, sich Deutschlands Zukunft vorzustellen. Iwan will sich, wie schon erwähnt, mit Michael anfreunden, was Michael zwar vermerkt, aber nicht unbefangen und einfach annehmen kann. Im Traum kämpft Michael mit Iwan und besiegt ihn im Traum, den verhaßten Versucher:

> Ich ringe mit Iwan Wienurowsky. Er ist gewandt wie eine Katze.
> Aber ich bin stärker als er.
> Jetzt packe ich ihn bei der Gurgel.
> Ich schleudere ihn zu Boden.
> Da liegt er!
> Röchelnd mit blutunterlaufenen Augen.
> Verrecke, Du Aas!
> Jetzt schlage ich ihm den Schädel ein.
> Und nun bin ich frei!

Der letzte Versucher zu Boden geschlagen.
Das Gift ist heraus.
Ich bin frei!

Aber das ist nur ein Traum, ein Wunschtraum. So leicht
wird Michael den Iwan nicht los. Erst als Michael mit
dem Tode kämpft, streitet er wirklich gegen den »unsichtbaren Feind« (157), »Iwan, Du Schuft.« Er stirbt, bevor
dieser Kampf entschieden ist. Und all das phantasierte
und beschrieb Goebbels lange vor dem zweiten Weltkrieg.
Daß sein letztes Wort »Krieg« ist, wenn es zum Sterben
kommt, ist folgerichtig. Für Goebbels, der übrigens den
ersten Weltkrieg wegen körperlicher Behinderung nicht im
Feld erlebte, ist der Krieg die »einfachste Form der Le-
bensbejahung« und ähnelt den Geburtswehen, unter denen eine Frau ihrem Kind das Leben gibt. »Kampf, wenn
der Mensch diese Erde betritt; Kampf, wenn er sie wieder
verläßt, und dazwischen liegt ein ewiger Krieg um den
Platz an der Futterkrippe« (24). Durch die aufschlußreiche Gedankenverbindung Geburt–Kampf–Krieg und die
enge Beziehung Michaels zu seiner Mutter bleibt dem Leser der Krieg als »Vater aller Dinge« erspart und damit
eine damals in Deutschland beliebte Mißdeutung Hera-
klits.

Zahlreiche antiparlamentarische Äußerungen sind selbstverständlich und können hier übergangen werden, wenn
sie auch besonders im zweiten und abebbenden Teil des
Romans so viel Raum einnehmen, daß das Gerüst, Michaels Lebensbeschreibung, sie nur mühsam trägt, und sich
sozusagen alle Balken biegen. Hier schwebt dem Verfasser vielleicht der zweite gesellschaftskritische Teil von
Goethes *Werther* vor, nur daß das Fräulein von B. diesmal kennzeichnenderweise »Agnes Stahl« heißt.

Antisemitische bzw. antijüdische Ausführungen sind
ebenfalls selbstverständlich und zahlreich. Problematisch
werden sie dadurch, daß der aus einer streng katholischen
Familie stammende Verfasser sich zu einer Auseinander-

setzung mit der Gestalt des Heilands getrieben fühlt. Denn Michael (Goebbels?) versucht sich an einem Jesus-Drama, möchte Geistlicher sein und einfachen Menschen die Bergpredigt erklären (57). All dies klingt echt, wenn auch anmaßend. »Ich halte Zwiesprache mit Gott … Ich ringe mit mir selbst um einen anderen Gott« (31). »Das Christentum ist eine Sache für Aristokraten, keine Religion für viele, geschweige für alle« (33). Später hält Michael »Zwiesprache mit Christus«. Er glaubt, ihn überwunden zu haben, läßt sich aber immer wieder durch denjenigen fesseln, der die Händler aus dem Tempel peitschte, durch den Vorkämpfer gegen die Heuchelei einer untergehenden geldgierigen Kaufmannskaste und gegen die Überheblichkeit des Intellekts. Eine Woche später heißt es dann: »Christus ist die Liebe« (51). Und vier Tage darauf: »Der Gedanke ist in Marsch gesetzt« (52), als Michael an sein Drama geht. Gerade danach erscheinen ihm die Juden als ganz besonders abscheulich, so daß es plötzlich klar wird: »Jesus kann gar kein Jude gewesen sein. Das brauche ich gar nicht wissenschaftlich zu beweisen. Das ist so!« (58). Von diesem Punkt aus genügt ein einziger Schritt, um Christus im Olymp darstellen zu wollen, Christus als Gegenspieler von Zeus, im Schatten Ibsens »eine grandiose Idee« (60). Bemerkenswerterweise finden sich grade hier typisch Heinesche Meeresszenen, auch Betrachtungen über Kinder und das mütterliche Element. Erst später kommt Michael darauf, daß in Wirklichkeit Christus der Gegenspieler von Marx ist, und daß die Bibel keine gültige Lösung bieten kann, weil die Lösung für unsere Zeit in Deutschland und nur dort zu finden ist, in einer deutschen, von Deutschen erlebten Form der Bergpredigt. Welche Pervertierung in dem Ausspruch: »Wieder komme ich zu Christus. Die deutsche Gottfrage ist nicht von Christus zu trennen. … Wir werden auch im Religiösen einmal herrlich erwachen. Bis dahin suche jeder seinen Gott auf seine Art. Aber man soll den breiten Mas-

sen selbst ihre Götzen lassen, bis man ihnen ihren Gott
geben kann« (145). Das Perverse liegt hier in einer teuf-
lischen Mischung von Toleranzideen aus dem 18. Jahrhundert mit dem Bestreben und Anspruch, den Massen einen
Gott zu »geben«, wobei noch Anklänge an das Nazi-
Schlagwort »Deutschland, erwache!« auftauchen.

Der Ton im *Michael* erinnert immer wieder an Nietzsche. Nicht nur, weil immer wieder etwas oder jemand
»überwindet« oder überwunden wird, sondern weil auch
ganz spezifische Nachklänge in Erscheinung treten. »Wenn
es in Dir nicht brennt, wie kannst Du anzünden?« (12)
wird zum wörtlich angeführten Zitat: »Flamme bin ich
sicherlich!« (54). Die Antithetik aus Nietzsches *Mittags-
andacht,* die ausdrücklich erwähnt wird (13), kehrt in
einem der vielen eingestreuten Gedichte wieder: »Tiefste
Lust wird tiefster Schmerz« (45) und danach: »Lust ist
Qual« (79). Nietzsches Parallelkonstruktionen biblischer
Art sind nachgeahmt, etwa in Eintragungen wie: »Ich
suchte im Geist und fand den Weg nicht. Wir müssen den
Geist überwinden. Ich suchte in der Arbeit und fand den
Weg nicht. Wir müssen die Arbeit läutern« (147). Gleich
darauf: »Ich habe Iwan Wienurowsky zu Boden getreten: in ihm überwand ich den russischen Menschen. Ich
habe mich selbst erlöst: in mir machte ich den deutschen
Menschen frei ... Panslawismus! Pangermanismus!«

Das ist lapidarer Stil, aber warum wirkt dieser lapidare
Stil hier wie Gips? Nicht nur, weil es der Leser allzu offensichtlich mit einer Imitation zu tun hat, die noch dazu
brüchig ist, sondern weil die Schätze aus dem Gedanken-
gut von Goebbels' Vorgängern so wild gemischt herum-
liegen, daß wirklich bestehende und ursprüngliche Werte
nicht zur Geltung kommen, daß sich solche Werte gegen-
seitig aufheben, und daß sie dadurch parodistisch bis zum
Punkt der Perversion wirken, parodistisch in der Form,
pervertiert in der Idee. Dies ist die Funktion und Lektion von *Michael.* Drei Beispiele mögen genügen.

1. »Ferne wächst in mir. (Nietzschisch)
   Gib mir, o Gott, zu sagen, was ich leide! (Goethe)
   Ich lese Nietzschepredigten, die *Fröhliche Wissenschaft*.
   (Vico?)
   Christus ist das Genie der Liebe.« (Chateaubriand?)
   (Diese Zeilen finden sich in diesem Nacheinander in
   Michael, 51)
2. »Wir russischen Revolutionäre haben uns ein Ziel ge-
   setzt: den freien Menschen auf der freien Erde« (76).
3. »Credo, ergo sum« (25).

Die innere Brüchigkeit des ersten Beispiels bedarf keines
Kommentars. Das zweite Beispiel pervertiert auf geradezu schauerliche Weise den Anlaß zum »schönen Augenblick« aus *Faust II:* »auf freiem Grund mit freiem Volke
stehn«. Das dritte Beispiel bietet den Schlüssel zum Problem, wie eine Tradition, der äußerlich die Treue gewahrt
und bestätigt wird, gerade durch solch rein äußerliche Anerkennung verraten werden kann. Beim »Credo« klingt
in diesem Satzrhythmus das »quia absurdum« nach; »ergo
sum« fordert das ergänzende »cogito«. Die beiden ver-
stümmelten Zitate stehen für ehrwürdigste europäische
Traditionen. Dadurch daß Goebbels sie verstümmelt, entsteht Sinnlosigkeit, Un-Sinn in der wahren Bedeutung des
Wortes. Stellt man aber die nicht angeführten Teile der
Zitate zusammen, so ergibt sich ein Zugang zu der Trüm-
mersammlung, der allgemeinen und der literarischen, aus
der Zeit des Dritten Reiches: Cogito, quia absurdum.

(1957)

NACHRUF AUF HANS HENNY JAHNN

Am 29. November 1959 starb Hans Henny Jahnn im Blankeneser Krankenhaus an den Folgen eines Herzinfarkts. In der Nacht vor dem Tode hatte er, wie er seiner Frau noch berichten konnte, das gesamte Szenarium eines Theaterstücks mit dem Titel *Die andere Seite greift ein* entworfen. Er lag dann mehrere Tage in seinem kahlen Arbeitszimmer aufgebahrt, neben dem Konzertflügel, ganz ohne die obligaten Blumen. Wie jung er aussah! Wie ein Knabe, der beim Spielen müde geworden und eingeschlafen ist. Der Kopf ruhte auf einem alten Kissen aus graugelbem Veloursamt, das eine Bekannte vor Jahren für den Hund des Hauses gestiftet hatte. Die Beisetzung fand auf dem alten Nienstedtener Friedhof statt. Freunde und Verehrer, Schriftsteller und Künstler sowie Vertreter von Akademien und Behörden gaben dem Dichter in großer Zahl das letzte Geleit. In der Kapelle wurde nur Orgelmusik von Sweelinck gespielt. Der selbstentworfene, kistenartige Sarg – ähnlich dem, der in der *Niederschrift des Gustav Anias Horn* genau beschrieben ist – war so schwer, daß er von den jungen Menschen, die ihn trugen, auf dem kurzen Wege zur Gruft dreimal abgesetzt werden mußte. Jemand äußerte: »Ein Zinksarg, das bedeutet Protest gegen den Tod.« Die Abschiedsworte am Grabe sprach ein Freund, mit dem eine gegenseitige Vereinbarung bestand. – Alles war anders und wie improvisiert; mehr so, als ob Kinder Sterben und Beerdigung spielen, gerade deshalb von einer rührenden Feierlichkeit und ganz vertraut. Ganz dem Leben Jahnns angemessen.

Es ist von ihm gesagt worden, er wäre zu spät geboren. Gewiß, es gab viele barocke Züge an ihm. Schon der naiv-pathetischen Würde seines Auftretens nach, mit der er den nicht weniger naiven Anspruch auf würdevolle Behandlung erhob, ist man geneigt, ihn neben die repräsentativen Gestalten des siebzehnten Jahrhunderts zu stellen. Übrigens war er von einer archaischen Häßlichkeit, aber das vergaß man sofort über dem liebenswert Kindlichen und überwältigend Hilflosen seines Wesens. Auch der Vielseitigkeit seiner Begabungen und beruflichen Betätigungen nach scheint er eher in die späte Renaissance als in unser spezialisiertes Zeitalter zu gehören. Er hat sich ja nicht nur als Dichter, sondern auch als Orgelkonstrukteur einen Namen von überragender Bedeutung gemacht. Von seinen Verdiensten auf diesem Gebiet braucht hier nur auf die Erhaltung der Hamburger Jacobi-Orgel Arp Schnitgers und auf Jahnns letzte Schöpfung, die große Orgel für das Rundfunkgebäude in Ostberlin, hingewiesen zu werden. Außerdem brachte er im eigenen Ugrino-Verlag die Werke früher Barockmusiker heraus, und zwar in endgültigen Ausgaben, die heute von allen Organisten der Welt gespielt werden. Das verdienstvolle Unternehmen verschlang alle seine Einnahmen und brachte ihn in dauernde wirtschaftliche Bedrängnis. Ferner muß noch der hormonalen Experimente gedacht werden, mit denen Jahnn sich befaßte; er spricht von einem Zufall und bezeichnenderweise von seinem Geruchssinn, der ihn während der Bewirtschaftung seines Hofes auf Bornholm darauf gebracht habe. Damit ist das Gebiet seiner Interessen und Tätigkeiten keineswegs abgesteckt. Er war ein polyphoner Mensch, aber alles andere als ein in sich versponnener, norddeutscher Sonderling. Mit empfindlichster Wachsamkeit reagierte er auf alle Tagesereignisse, machte sie zur eigenen Sache und nahm mit größter Unerschrockenheit dazu Stellung. Er hatte ein ausgesprochenes Bedürfnis nach Geselligkeit und nach direktem Einfluß auf

seine Umgebung. Es fehlte ihm nicht an Humor, und wer
bei ihm zu Haus hat verkehren dürfen, wird bei Tisch von
der breiten, hausväterlichen Wärme überrascht gewesen
sein, die Jahnn ausstrahlte, eine Eigenschaft, die wohl
heute als völlig verloren gelten kann.

Dennoch stimmt die Behauptung vom Zu-spät-Gebo-
rensein nicht, und der oberflächliche Hinweis auf das Barocke muß als irreführende Ausrede abgelehnt werden.
Richtig dagegen ist, daß Hans Henny Jahnn völlig naiv
von außerhalb der Zeit an die Zeit herantrat und darum
weder in seine noch in irgendeine Zeit paßte. In früheren
Jahrhunderten hätte er zweifellos auf dem Scheiterhau-
fen geendet, und wenn unser Zeitalter ihn nicht verbrannt
hat, so nur deshalb nicht, weil es noch wirksamere Methoden erfand, mit einer lästigen Erscheinung fertigzuwer-
den, zum Beispiel die des Totschweigens. Er wäre verbrannt worden — und würde morgen wieder verbrannt
— nicht wegen einer speziellen Ketzerei und weil er ein
Heide war, sondern wegen der monomanischen Unbedingtheit, mit der er Menschlichkeit predigte. Dadurch
fühlt sich die Gesellschaft, die doch, wenn sie überhaupt
bestehen will, sich und ihre Institutionen für die einzig
mögliche Wirklichkeit zu halten hat, als inhumane Abstraktion entlarvt, und das läßt sich keine Gesellschaft,
welcher Zeit und Schattierung auch immer, bieten. Hierin
allein und nicht etwa in geringfügigen Abwegigkeiten, die
polemisch übertrieben wurden, um Hans Henny Jahnn
zu vernichten, ist der Grund für die allgemeine Ablehnung zu sehen. Es mangelte ihm gänzlich an Instinkt für
das politisch oder wirtschaftlich Realisierbare, darin lag
zugleich die hinreißende Überzeugungskraft seiner Persönlichkeit und seine Tragik, ja, mit aller Ehrfurcht gesagt, seine Tragikomik. Parteien versuchten zuweilen,
sich für den Moment seiner Stimme zu bedienen, doch seine maßlose Empörung pflegte sehr bald auch die zu er-
schrecken, die in der Tendenz mit ihm einig waren, und so

kam es, daß sie sich, oft um der Sache willen, von ihm abwandten. Er war zu groß, um ins Sektiererische zu verfallen, doch wie unsäglich er unter dem Scheitern seiner Absichten und dem Gefühl gelitten hat, daß seine Person eher hemmend als fördernd für seine Pläne war, verraten die Briefe aus den letzten Jahren. Diese Tragik warf ihn immer wieder in die Vereinzelung zurück, und vielleicht darf man sagen, daß wir ihr seine großen Dichtungen zu verdanken haben, die eine nicht enden wollende Klage über die Vergeblichkeit allen Tuns und eine beschwörende Frage nach dem Bleibenden sind.

Hans Henny Jahnn ist 1894 in Stellingen geboren, damals noch eine dörfliche Gemeinde an der Peripherie Hamburgs. Sein Vater war Schiffbauer, die Vorfahren sollen aus Danzig und dem Mecklenburgischen stammen. In dieser Herkunft sind zwei Grundelemente seines Wesens zu suchen: das Meer und die verläßlich angeborene Vertrautheit des Handwerkers mit Material. Oder anders ausgedrückt: die große anonyme Atembewegung, die noch den alltäglichen Satz Jahnns hebt und senkt, und die tast-, riech- und schmeckbare Substanz seiner Bilder.

1915 emigrierte er als Kriegsgegner nach Norwegen. Um zu erklären, was der dreijährige Aufenthalt in einer heroischen, vom Meere umspülten und angefressenen Landschaft für Jahnn bedeutet hat, kann man nur auf den alten Mythos hinweisen, nach welchem Rhea ihr Kind Nymphen und Kentauren zur heimlichen Aufzucht anvertraute, da es sonst von Kronos gefressen worden wäre. Als Jahnn 1918 zurückkehrte, war er bereits der, als den ihn uns die Totenmaske zeigt: nicht ein von Dämonen gehetzter und in asketischer Abwehr zu ihnen stehender Mensch, nicht ein komplexer Charakter, der an der Krankheit aller Modernen, dem Zweifel an sich selbst, zu leiden hatte, sondern ein von Dämonen Aufgezogener und ihnen Verpflichteter, der ihre Sache mitleidend vor den Menschen vertrat. Damit war das Thema für ihn gegeben;

mit zwanzig Jahren kann die Entwicklung Jahnns als abgeschlossen gelten. Von Jugend- und Alterswerken läßt
sich bei ihm nicht reden; alles, was in den nachfolgenden
vierzig Jahren entstand, ist nichts als eine großartige Variation, auch darin der geschichtslosen Natur gleich. Jede
nur literarische, fachwissenschaftliche, psychologisierende
oder gar moralisierende Sicht vermag deshalb dem Phänomen Jahnn niemals gerecht zu werden. Ihn zu kritisieren,
ist nicht schwer, aber ein intellektuelles Ja oder Nein ändert nichts an einer Natur, die in einer Welt existiert,
»aus der ich nicht entfernt werden kann«, wie er selber
bekennt. Damit ist zugleich das Unzeitgemäße und die
eindeutig dramatische Position Jahnns erwiesen.

1920 wurde er für sein Drama *Pastor Ephraim Magnus*
von Oskar Loerke mit dem Kleistpreis ausgezeichnet. Die
literarische Öffentlichkeit reagierte entrüstet. Anerken-
nende Bewunderung einiger weniger und giftige Feind-
seligkeit des großen Durchschnitts waren von da an ein
für Jahnn typisches Los, das sich bis zu seinem Tode und
noch darüber hinaus nur zu oft wiederholen sollte. Auch
wenn seine Stücke in gekürzten und gemilderten Fassungen zur Aufführung kamen, mußten sie meistens schon
nach ein paar Abenden vom Programm abgesetzt werden.
Das Publikum fühlte sich befremdet und schockiert, es
kam zu Theaterskandalen, und die Tageskritik trug sowohl durch ihren üblichen Mangel an Ranggefühl als auch
durch billige Gehässigkeiten dazu bei, Jahnn als einen ab-
wegigen, im Schmutz wühlenden und das bürgerliche An-
standsgefühl beleidigenden Autor abzustempeln, den die
Allgemeinheit nicht zu dulden brauche. Es beweist die
Echtheit seiner Anlage, daß die dauernden Anfeindungen
ihn nicht irremachen konnten und daß er frei von kleinlichen Ressentiments blieb.

Das gleiche gilt für sein erzählerisches Werk. Weder der
frühe Roman *Perrudja* noch die umfangreiche Trilogie
Fluß ohne Ufer, zu der noch ein Epilog in einem schwer

entzifferbaren Manuskript vorliegt, sind in ihrer Bedeutung für die deutsche Literatur bisher auch nur annähernd gewürdigt. Selten, daß ein Buchtitel so treffend für ein Werk und seinen Autor ist. Alles, was Hans Henny Jahnn geschrieben hat, ist Fluß ohne Ufer und ohne Aufhören; Form und Abschluß sind kaum mehr als Konvention. Die große anonyme Stimme läßt sich nicht einengen und klingt weiter, ganz gleich, ob sie sich im Rauschen einer Birke oder in dem des Blutes kundtut, ob sie als Aufschrei eines Tieres oder als Oberton einer Orgelpfeife lebendig bleibt. Immer ist die Stimme selber das eigentliche Thema; das vordergründig Romanhafte des Daseins wird vor ihr, vor dieser »dröhnenden Stille«, zu einer krampfhaften Fehlleistung. Die Stimme ist ganz unmystisch und ohne jede Romantik; nicht realistisch, sondern real. Und niemals kosmisch, sondern immer ganz irdisch. Es ist die mütterliche Stimme der Erde selbst, mit der sie jubelnd oder klagend am Gesang der Planeten teilnimmt. Der Monolog eines einsamen Sternes in einem Sternbild.

Daß die in lärmender Emsigkeit befangene Zeit kein Ohr dafür hatte, mag zu verstehen sein. Ganz unbegreiflich bleibt es jedoch, daß man Jahnn als einen krassen Materialisten abtat, wie es noch anläßlich seines Todes in einer Tageszeitung geschah. Es zeugt geradezu für das Fehlen jeden religiösen Instinkts und für die selbstgerechte Taubheit der Zeitgenossen, daß kaum jemand von dem alttestamentarischen Pathos angerührt wurde, das wie ein Orgelton jede Äußerung Jahnns trägt. Denn es ist die sinnenhafte Melodik der Psalmen und das Sprachgewitter der Propheten, was uns aus seinem Munde wiederklingt und überwältigt; ja, der Ursprung dieses Pathos läßt sich noch weiter zurückverfolgen, zu der Wehklage Gilgameschs um seinen Freund Enkidu, ein Hinweis, der um so berechtigter ist, als Jahnn selber sich zu dem alten Epos bekennt. Und wer wagte wohl Gilgamesch einen Materialisten zu nennen, nur weil er ein Heide war? Und noch

unverständlicher ist, daß niemand vor den Figuren der
Engel stutzig geworden ist, die in fast allen Werken
Jahnns durch ihr Auftreten die Tragik der menschlichen
Situation offenbar machen. Freilich waren ihm die Engel
keine Abstraktionen, keine platonischen Ideen und vor
allem keine Boten des Himmels oder Seelen Abgeschie-
dener, sondern ganz animalische Wesen, der Umarmung
bedürftig und des Umarmens fähig. Wenn überhaupt rational daran zu deuten erlaubt ist, möchte man diese Engel als die schuldlose, und, wie alles Natürliche, andro-
gyne Kreatur bezeichnen, die wir einmal gewesen sind
und die nun heimatlos umherirrt, da sie um der historischen Wirklichkeit willen von uns im Stich gelassen wurde. In dem Oratorium *Neuer Lübecker Totentanz* klagt
die arme Seele des guten Menschen: »In mir tönte der Ak-
kord des Lichtes und der geordneten Materie. Doch ich
erreichte das Bild nicht, das zu werden meinem Fleische
als Aufgabe gestellt war. Ich fiel von meinen Eltern ab
und von der Gesundheit; der makellose Vorgang des
Wachsens verschlechterte sich an mir zur Entartung.« Die
tragische Sehnsucht nach Wiedervereintsein mit der reinen Kreatur war das Grundmotiv der Jahnnschen Dichtung und seines Lebens.

Der Name Hans Henny Jahnn blieb weiteren Kreisen
fast unbekannt. Er hatte keinen Tageskurs; verlegerisch
gesprochen, war er ein schlechtes Geschäft. Die meisten
seiner Werke sind nur in kleinen Auflagen erschienen,
auch das vielfach nur mit finanzieller Hilfe von privater
oder staatlicher Seite. Insbesondere der Stadt Hamburg
muß dankbar gedacht werden, denn sie hat sich ihrem
ungewöhnlichen Sohn stets als großzügiger Förderer bewiesen. Erst in den allerletzten Jahren ist der Name
Jahnn durch Auswahlbände und Taschenbücher auch
einem größeren Publikum Begriff geworden. Vor allem
die jüngsten der Jungen beginnen sich, überdrüssig der
menschlich unverbindlichen Mache der Nachkriegszeit, auf

ihn zu berufen. Auch das Ausland hat inzwischen Übersetzungsrechte erworben. Es wird in den kommenden Jahrzehnten nicht an Doktorarbeiten und Monographien fehlen. Der Tod ist immer noch die beste Reklame für einen außerordentlichen Menschen.

Für den kleineren Kreis derer, die ihn von Anfang an erkannten, war er weit mehr als eine Figur der zeitgenössischen Literatur. Es war keineswegs so, daß wir uns als eine Art Jünger fühlten, die der Faszination des Meisters bedingungslos erlagen. Auch nicht, daß wir sein Werk ohne Kritik hinnahmen oder mit seinen zeitlichen Absichten ohne Bedenken übereinstimmten. Stets war es zunächst er selber, der uns menschlich und sinnenhaft anrührte und um den wir vom ersten Augenblick der Begegnung nicht aufhörten zu bangen wie um einen seltenen und unseres Schutzes bedürftigen Fremdling. Wenn wir uns immer wieder, oft gegen Vernunft und eigenen Willen, helfend und korrigierend neben ihn stellten, so verteidigten wir, ohne uns dessen bewußt zu sein, etwas in uns, das als verschüttet galt, etwas ganz Unbrauchbares, dessen wir uns als altmodisch schämten; und das nun plötzlich wieder Leben zeigte und durch die Kruste brechen wollte, weil einer da war, der es anrief und den Mut hatte es zu sein.

Das schwere kindliche Leben, das Hans Henny Jahnn uns vorgelebt hat, lehrte uns wieder an die naturbedingte Notwendigkeit der dichterischen Existenz glauben. Daß eine so beunruhigende Erscheinung in unserem funktionalisierten Jahrhundert möglich war, läßt uns wieder hoffen, daß auch die Zukunft mehr sein wird als ein dürres Rechenexempel für ein Elektronengehirn, und der Mensch mehr als ein sozialer Quotient.

(1960)

CHRISTIAN GNEUSS

THEODOR LESSING

»Die schönste Frühlingswitterung und eine hervorquel-
lende Fruchtbarkeit verbreitet das Gefühl eines beleben-
den Friedens über das ganze Tal, welches mir der unge-
schickte Führer durch seine Gelehrsamkeit verkümmerte,
umständlich erzählend, wie Hannibal hier vormals eine
Schlacht geliefert und was für ungeheure Kriegstaten an
dieser Stelle geschehen. Unfreundlich verwies ich ihm das
fatale Hervorrufen solcher abgeschiedenen Gespenster. Es
sei schlimm genug, meinte ich, daß von Zeit zu Zeit die
Saaten, wo nicht immer von Elefanten, doch von Pferden
und Menschen zerstampft werden müßten. Man solle wenigstens die Einbildungskraft nicht mit solchem Nachge-
tümmel aus ihrem friedlichen Traume aufschrecken.«
   Goethes Abneigung, ja sein Schauder vor dem Chaotischen, Sinnlosen der Geschichte spricht aus dieser Stelle der
»Italienischen Reise«. (Palermo, 4. April 1787.) Nicht in
der Geschichte – »Kehrichtfaß und Rumpelkammer« –,
sondern in der Natur erblickte er das Walten des Ewigen,
die großen Gesetze, nach denen sie sich bewegt. Adalbert
Stifters berühmter Preis des »sanften Gesetzes« zeugt von
ähnlicher Gesinnung. Und auch Theodor Lessing ist ihr
verpflichtet, wenn er auf die Frage nach dem, was die Ge-
schichtsquellen aufbewahren, antwortet: »Nicht die
Schicksale der bei der Eroberung von Lüttich zertretenen
Veilchen, nicht die Leiden der Kühe im Brande Löwens,
nicht die Wolkenbildungen vor Belgrad, sondern mit ungeheuer verengter Einstellung nur das für gewisse menschliche Wunsch- und Willensgruppen Auslese-Wirksame;

und auch keineswegs alle Umstände dieses Auslese-Wirk-
samen, denn alles Nicht-Gesellschaftliche, Nicht-Politi-
sche, Nicht-Gemeinmenschliche, also auch alles Seelische,
soweit es bloß einzelmenschlich – einmalig ist, wird über-
rädert, wofern es nicht für ›wesentlich‹ oder ›gesetzlich‹
gelten kann zugunsten jener zuletzt so wunderlich gespen-
stigen Staaten- und Landkartenverschiebungen, die der
Mensch, seiner selber spottend, ›die geschichtliche Wirklichkeit‹ nennt.«

Als Theodor Lessing diese Gedanken niederschrieb,
trennte ihn von Goethes noch naiver Skepsis mehr als ein
Jahrhundert angestrengten und scheinbar auch erfolgreichen Bemühens, die Geschichte dem strengen Blick der
Wissenschaft zu unterwerfen, jene Tradition vor allem
deutscher Geschichtsschreibung, die, von der Romantik
ausgehend und in Leopold von Ranke ihren Gipfel er-
reichend, das Chaos der historischen Ereignisse mit Sinn
zu erfüllen und ihren Geheimnissen auf die Spur zu kommen suchte. Ähnlich wie die exakten Naturwissenschaf-
ten die Materie wähnte sie, wenn auch mit anderen Methoden, den Bereich menschlichen Tuns enträtselt zu haben, im stolzen Bewußtsein, durch präzises und kritisches
Studium der Quellen dem historischen Geschehen, »wie es
wirklich gewesen ist«, so nahe wie möglich gekommen zu
sein. Diesem Streben der Geschichtsschreiber entsprach im
gleichen Jahrhundert die Wendung der Philosophen zum
Historischen. In Hegels grandiosem System schien die Geschichte ebenso entschleiert; Zufall und Willkür schienen
im Gang der Geschichte ausgeschaltet, und als Hegels ge-
nialster Schüler, Karl Marx, die Lehre seines Meisters angriff, dann wollte er dessen System nicht aus den Angeln
heben, sondern es lediglich – nach seinen eigenen Worten
– vom Kopf auf die Füße stellen. Denn Hegels Grundschema des historischen Prozesses, das einer Entwicklung
in aufsteigender Linie, hat ja auch Marx beibehalten.

War dann Theodor Lessings leidenschaftlich vorgetragene Kritik sowohl an der traditionellen Geschichtsschreibung wie Geschichtsphilosophie nur ein Rückfall in ein längst überwundenes Stadium des Denkens, nur Anachronismus eines schrulligen Einzelgängers? So eigenwillig – bis in die Terminologie hinein – das Buch von der »Geschichte als Sinngebung des Sinnlosen« auch ist, mit seiner Grundhaltung fügt es sich dennoch in seine Zeit ein, ist Ausdruck des Denkens und Fühlens einer ganzen Epoche. Im Jahre 1916, also mitten im Kriege, in seiner ersten Auflage erschienen, gibt auch dieses Buch Zeugnis von der Unsicherheit, in welche die aus dem 19. Jahrhundert überkommene Geschichtsschreibung und Geschichtsphilosophie geraten war. Man hat dieses Phänomen mit dem Begriff der »Krise des Historismus« zu umschreiben gesucht. Aber diese Krise des historischen Denkens war ja nur Ausdruck einer viel tiefer reichenden; das gesamte Weltbild des 19. Jahrhunderts war bis in die Grundfesten erschüttert, an die Stelle des Vertrauens in Gesetzlichkeit, Entwicklung, Fortschritt traten Unsicherheit, Skepsis, Verzweiflung.

Was Friedrich Nietzsche in der zweiten seiner seit 1873 erscheinenden »Unzeitgemäßen Betrachtungen«, in der Abhandlung »Vom Nutzen und Nachteil der Historie für das Leben« niederschrieb, durchzuckte wie ein erstes Wetterleuchten die bis dahin so friedliche Landschaft; auf dem Höhepunkt des historisch-kritischen Bemühens trat hier einer auf und erklärte, es gäbe »einen Grad von Schlaflosigkeit, von Wiederkäuen, von historischem Sinne, bei dem das Lebendige zu Schaden kommt und zuletzt zugrunde geht, sei es nun ein Mensch oder ein Volk oder eine Kultur«.

Ein Jahr zuvor, am 8. Februar 1872, wurde Theodor Lessing geboren. Er entstammte einer alten jüdischen Familie Hannovers, die einst den Namen Lessing angenommen hatte, aus Verehrung für den großen und weiten Geist, der im nahen Wolfenbüttel mit seinem »Nathan«

den Geist der Toleranz verkündete. Der Vater war ein angesehener und beliebter Arzt, und in Lessings Elternhaus herrschte eine liberale und aufgeklärte Atmosphäre, mit nur noch geringen Bindungen an den Glauben der Väter. So wuchs er auf, wenig anders als seine Altersgenossen, die gleich ihm das Jahrhundert zu überwinden trachteten, das sie geboren hatte. Es ist jene Generation, die Jugendbewegung und Jugendstil hervorbrachte, die sich gegen die immer weiter um sich greifende Herrschaft von Materialismus, Technik und Industrie wandte, zu den Quellen der Natur und des Gefühls floh, Bürgersöhne, die sich gegen das empörten, worauf ihre Väter noch so stolz waren. Nietzsche wurde zur großen Offenbarung für eine ganze Generation.

Auch Theodor Lessing ist ein Kind dieser Zeit, er hatte Kontakte zum George-Kreis, und Ludwig Klages, der Verfasser des Buches über den »Geist als Widersacher der Seele«, war der beste Freund in Lessings Schul- und Universitätsjahren. Mochte sich Lessing auch später mit Klages überwerfen, es ist nicht zu leugnen, daß auch sein Werk teilhat an der antinationalen Kultur- und Gesellschaftskritik des ausgehenden 19. und beginnenden 20. Jahrhunderts, die mit Nietzsche anhebt und mit Oswald Spengler einen letzten Gipfel erreicht. So hat man Lessings »Geschichte als Sinngebung des Sinnlosen« mit Spenglers »Untergang des Abendlandes« (dessen 1. Band 1918, also zwei Jahre nach Lessings Buch, erschien) häufig in einem Atem genannt. Doch Lessing selber hat aufs heftigste gegen solche Gleichsetzung protestiert, sah er doch in Spenglers Analogie von organischem Leben und historischer Entwicklung, in dessen Übertragung des Wachsens, Blühens, Reifens und Welkens einer Pflanze auf den Ablauf einer Kulturepoche einen »biologischen Naturalismus«, einen »unverantwortlichen Unfug, ohne logische Begriffserklärung, die Völker, die Kulturen, die Kunst- und Schrifttümer der Erde so aufzufassen, als seien sie gleichsetzbar mit organischen Lebensgestalten«. Demgegenüber huldigt Lessing einem Pluralismus der Welterklärung und -deutung, er unterscheidet zwischen der Gestalt, dem Reich der Natur; der Form, dem Reich der menschlichen Dinge; und der Idee, dem Reich der Begriffe.

Schon daraus wird deutlich, daß Lessing nicht ohne weiteres in einen Topf zu werfen ist mit den Hymnikern des heilen Lebens, des reinen Blutes, des dumpfen Rausches, den Verächtern des Geistes, die den Boden bereiteten für den Sieg des totalen Ungeistes, für jenes Gebräu aus Mythos und Rasse, das sich nationalsozialistische Weltanschauung nannte. Selbst das hat man sogar zuweilen getan; Kurt Hiller hat in seinem Essayband »Köpfe und Tröpfe« von Lessing behauptet, »daß dieser Professor und Literat die Kugel gießen half, die ihn niederstreckte«. Hiller erweist sich damit, wie so oft in seinen Urteilen über Zeitgenossen, als einer der vielen »schrecklichen Vereinfacher«. Denn auch entschiedene Gegner alles Blut- und Bodengeraunes haben in die Tiefen des Irrationalen hineingeleuchtet, ohne ihnen dabei zu verfallen. Wer würde zum Beispiel je auf den Gedanken kommen, den Begründer der Tiefenpsychologie, Sigmund Freud, als einen der Väter des Nationalsozialismus zu bezeichnen? Und gerade zu Freud gibt es bei Theodor Lessing manche Ähnlichkeit. Hinter der »Geschichte als Sinngebung des Sinnlosen« steht als ursprünglicher Plan die Niederschrift einer »Philosophie der Not«. Was Lessing in der Vorrede dieses Buches skizzenhaft dazu ausführt, erinnert in vielem an Freuds Lehre von der Sublimierung.

Freilich hat es Lessing niemals unternommen, Gedankensplitter solcher Art zusammenzufügen und zu ordnen. Seine Abneigung gegen jede Systematisierung von Welt und Geschichte prägt sich auch in der Form seines Philosophierens aus. Sowenig wie Schopenhauer und Nietzsche, denen er sich sein ganzes Leben lang verpflichtet fühlte, ist Lessing ein systematischer Denker. Nicht das geschlos-

sene System, sondern die zugespitzte Einzelaussage, der
Aphorismus, ist sein bevorzugtes Ausdrucksmittel. Auch
seine größeren Werke tragen diesen Charakter des Apho-
ristischen. Deshalb ist es so schwer, eine Summe seines
Denkens zu ziehen. Immer wieder erschreckt, ja verstört
er durch Widersprüchlichkeiten, durch überspitzt pointierte Formulierungen, in denen er Meister ist; Geniales und
Bleibendes steht unvermittelt neben Banalem und an den
Tag Gebundenem.

Auch darin erweist Lessing sich als Sohn seiner Zeit.
Sein Werk ist ohne seine Biographie, ohne die Atmosphäre, in der er aufwuchs, ohne das Panorama seiner Epoche
nicht zu begreifen. Lessing selber hat dieses Panorama in
einer Autobiographie vor uns ausgebreitet, in dem Buche
»Einmal und nie wieder«. Nur der erste Band liegt vor,
der bis zum 23. Lebensjahre Lessings reicht, 1928 hat er
die Niederschrift daran beendet. Die beiden anderen Bände, die er plante, wurden nicht mehr geschrieben. Dennoch
stellen diese Kindheits- und Jugenderinnerungen eines der
zentralen Bücher Lessings dar. Hier legt ein Mann mit
unerbittlichem Wahrheitsdrang gegenüber sich selber und
seiner Herkunft Rechenschaft ab. Ohne die Lektüre dieser Autobiographie läßt sich das Wesen von Persönlichkeit und Werk Lessings kaum begreifen, hier enthüllt er
die letzten Geheimnisse seines Innern. Es gibt wenig
Selbstdarstellungen des eigenen Lebens, die solch bohrende Intensität an sich tragen. Dieses Buch ist Beichte und
Konfession zugleich, und es läßt sich einem ähnlichen
Werk deutscher Sprache durchaus an die Seite stellen, dem
autobiographischen Roman »Anton Reiser« von Karl
Philipp Moritz. Seltsam genug übrigens, daß dieses Buch
aus der Atmosphäre der gleichen Stadt, nämlich Hannovers, hervorgegangen ist! Wie der »Anton Reiser« geht
die Selbstbiographie Lessings weit über das Nur-Indivi-
duelle hinaus, sie ist das Dokument der seelischen Konstitution einer ganzen Generation.

Dieses 1935 erschienene Buch ist seit langem vergriffen, nur wenige Exemplare existieren überhaupt noch. Damals erschien es als erster Band einer auf zehn Bände angelegten Gesamtausgabe von Lessings Schriften – es ist bis heute bei dem einen geblieben. So sind auch die philosophischen Werke Lessings weithin in Vergessenheit geraten. Es handelt sich im wesentlichen um die beiden Schriften »Geschichte als Sinngebung des Sinnlosen« und »Europa und Asien«. Beide sind ungefähr zur gleichen Zeit entstanden. »Europa und Asien« erschien in der ersten Fassung ebenfalls 1916, in zweiter Auflage völlig umgearbeitet, 1923. Auch das ist bezeichnend für das Unsystematische und bewußt Fragmentarische des Lessingschen Denkens, daß er aus jeder neuen Auflage eines alten Werkes fast ein vollkommen neues Buch macht. Alles Statische ist ihm fremd, jeder Gedanke von heute überholt den Gedanken von gestern und wird von einem Gedanken von morgen überholt werden.

Auch »Europa und Asien« ist kein nur-kontemplatives, sondern ein durchaus engagiertes Buch. Hier findet sich ebenfalls vieles Zeitgebundene, das uns heute nur noch wenig sagt. Schon der Untertitel »Der Untergang der Erde am Geiste« weist darauf hin und führt in die Nähe von Klages' Hauptwerk »Der Geist als Widersacher der Seele«, von dem es sich im letzten doch grundlegend unterscheidet. Lessings Buch ist eine schneidende Kritik an der europäischen technischen Zivilisation, die im Zuge ihrer Ausbreitung über die ganze Erde alles Gewachsene, Ursprüngliche erbarmungslos vernichtet hat. Was Lessing an der technischen Zivilisation bekämpft, ist jedoch nicht ihr Wesen an sich, wie das Kulturkritiker à la Klages taten; wogegen Lessing Front macht, ist der Mißbrauch, den die Menschheit mit den Errungenschaften der Technik treibt. Lessing wendet sich in diesem Werk leidenschaftlich gegen die Ausbeutung der farbigen Welt durch die Kolonialmächte, aber auch gegen die Ausrottung ganzer Tierarten und gegen die Zerstörung der Landschaft durch sinnlosen Raubbau. Erst heute, scheint es, sind diese Gedanken langsam auch in breitere Schichten gedrungen. Allmählich beginnen wir zu erkennen, daß der Preis der Technik nicht die Versteppung der Seele und der Natur sein darf. Der moderne Mensch, der seine natürliche Umwelt weitgehend zerstört hat, soll wieder in Einklang mit ihr kommen – das ist die Grundthese dieses Buches.

Sein Titel »Europa und Asien« weist noch auf einen anderen Gedanken: Vielleicht können die Völker Asiens, die diesen Einklang noch besitzen, den Europäern dabei helfen. Lessing hofft, daß diese Völker bei dem Prozeß ihrer Industrialisierung nicht noch einmal dieselben Fehler begehen wie die Europäer, sondern daß sie im Gegenteil uns helfen können, unsere eigenen Fehler zu korrigieren. Das sind ungeheuer zeitgemäße Gedanken, wird man zugeben müssen. Wenn man den heute so modischen Begriff »Entwicklungshilfe« einmal von dem vordergründig Materiellen befreit, das ihm anhaftet; wenn man an seine Stelle den Begriff »Entwicklungspartnerschaft« setzt, dann könnten solche Gedanken auch in der aktuellen Diskussion wieder fruchtbar werden. Eine solche Menschlichkeit bewahren, die der Technik gewachsen ist, dies war Theodor Lessings tiefstes Anliegen in diesem Buch. Das Leben darf nicht völlig unter die Herrschaft der künstlichen Apparate gezwungen werden, auch wenn wir diese Apparate brauchen, um existieren zu können.

Von da aus fällt aber auch neues Licht auf das andere Hauptwerk, auf »Geschichte als Sinngebung des Sinnlosen«, dessen 1927 erschienene 4. Auflage dieser Ausgabe zugrunde liegt. Auch »Geschichte als Sinngebung des Sinnlosen« ist gründlich mißverstanden worden. Man faßte dieses Buch auf als Zeugnis eines totalen Nihilismus, als den Versuch, dem Menschen jede Fähigkeit abzusprechen, Geschichte zu begreifen. Was Lessing aber zunächst einmal – dies allerdings konsequent – in Frage stellt, sind die

Kategorien der herkömmlichen Geschichtsschreibung und
Geschichtsphilosophie. Aus der Geschichte selber sind sie
nicht zu entnehmen, es sind nur Werkzeuge, mit denen
wir die Geschichte in den Griff zu bekommen und zu ordnen versuchen. Alle Gesetze der geschichtlichen Entwicklung, sei es das Vertrauen in den Fortschritt, sei es der
Glaube an den Sieg der proletarischen Revolution, sei es
Spenglers Wachstumsanalogie, sind nachträgliche Konstruktionen des Menschen. Indem Lessing diese Art, Geschichte zu betrachten und zu deuten, radikal ablehnt,
meint er, eine kopernikanische Wendung vollzogen zu haben. Wie Kopernikus den Glauben zerstörte, daß die Erde
Mittelpunkt der Welt sei, wie Darwin die Illusion besei-
tigte, daß der Mensch im Unterschied gegen Pflanze und
Tier eine göttliche Seele habe, wie Freud mit der Vorstellung aufräumte, daß unser bewußtes Ich frei und Herr
im eigenen Hause sei, so erhebt Lessing den Anspruch,
ähnliches in bezug auf die Geschichte vollbracht zu haben.
Nach Lessing erweisen sich die Kategorien der Zeit und
der Kausalität gegenüber der Geschichte als relativ; es
gibt auch keine konstanten Träger des historischen Geschehens, mögen es nun die großen Persönlichkeiten oder
die anonymen Massen sein. Weder Ideen noch Produktiv-
kräfte machen Geschichte, Geschichte ist lediglich »ein für
das Leben notwendiger Mythos«.

Lessing verwirft damit nicht das Geschäft der Geschichtsschreibung überhaupt, er will vielmehr aufzeigen,
daß dieses Geschäft mit Wissenschaft wenig zu tun habe.
Der Geschichtsschreiber ist dem Künstler verwandter als
dem Gelehrten. Damit knüpft Lessing an Nietzsches Forderung nach einer »monumentalischen Historie« an, eine
Forderung, wie sie dann der George-Kreis zu realisieren
wähnte, mit Werken wie Friedrich Gundolfs »Cäsar«,
Ernst Kantorowicz' »Friedrich II. von Hohenstaufen«
oder Ernst Bertrams »Nietzsche«, das ja den Untertitel
»Versuch einer Mythologie« trägt. Dennoch hat Lessing

mit solchen Unternehmen nichts gemein. Den georgeschen
Kult des großen Mannes in der Nachfolge Nietzsches
lehnt er total ab. Seine Sympathie gilt den Mühseligen
und Beladenen, über die das Rad der Geschichte erbarmungslos hinweggeht. Nicht Nietzsches Kult des Über-
menschen, sondern Schopenhauers Mitleid mit jeder Kreatur ist das Gebot, das es zu befolgen gilt. So klingt dieses
Buch aus mit einem Appell an die Fähigkeit, Mitleid zu
üben, Leiden zu mindern: »Rundum, wohin wir blicken,
sehen wir noch so viel Unvollkommenes, Häßliches, Ro-
hes, Widerwärtiges; überall begegnet uns der Typus
Mensch in so verkrüppelter, vom Leben erniedrigter und
herabgesetzter Form; überall sehen wir die Menschen so
unendlich viel besser und edler in ihren Anlagen als nach-
mals in ihrem Lebensloose; überall sehen wir den allherr-
schenden Zufall an Stelle der Vernunft; sehen Willkür an
Stelle der Freiheit, Untergang und Bettelblöße der Edlen,
den Triumph der Gemeinen, den Erfolg des Verächtlichen,
sehen alle Werte verfälscht, vertrübt, auf den Kopf gestellt, und nimmer kann zweifelhaft sein, daß das Leben,
wie wir es heute vor uns haben, ein armseliger, jämmer-
licher Anfang und daß der Mensch ein Geschöpf von gestern ist. Unsere praktische Einsicht, umfassender als
Theorie, gebietet, aus den uns gebotenen Möglichkeiten
das Bestmögliche herauszuschlagen. ›Make the best of it‹,
›mindere Leiden‹, so lautet ihr Gebot.«

Aus solcher Sicht hebt sich dann aber auch der scheinbare Widerspruch zwischen Lessings Theorie und seinem
Leben auf. Gewiß, es gab Augenblicke, in denen er sich,
angewidert von der Fratzenhaftigkeit menschlichen Trei-
bens, völlig vor der Welt verschloß, voller Sehnsucht, eins
zu werden mit dem kreatürlichen Leben; seine liebenswerten Bücher »Meine Tiere« und »Meine Blumen« sind
Frucht solchen Sich-Versenkens in die außermenschliche
Kreatur. Doch wenig später trieb es ihn schon wieder,
Stellung zu beziehen selbst zu Fragen des Tages, weil sein

Mitleid mit der Kreatur niemals den Menschen ausschloß.
So besteht im letzten ein Einklang zwischen dem Philosophen Lessing auf der einen und dem Publizisten, Päd-
agogen und Politiker Lessing auf der anderen Seite. Das
Gebot des Mitleids führte ihn aus der bildungsaristokra-
tischen Welt, der er seiner Herkunft nach verpflichtet war,
in die Arbeiterbewegung; schon vor dem ersten Weltkrieg
trat er der Sozialdemokratie bei, damals noch einer von
den wenigen Intellektuellen, die diesen Schritt nicht mit
der marxistischen Einsicht in die zwangsläufigen Entwick-
lungsgesetze der Geschichte begründeten. Von nun an en-
gagierte sich Lessing überall dort, wo er glaubte, es ge-
schähe einem Schwachen ein Unrecht. In den friedlichen
Jahren vor dem ersten Weltkrieg mußte sich solche Haltung freilich manchmal auf recht seltsame Weise äußern.
1908 rief Lessing in seiner Heimatstadt Hannover einen
»Verband gegen unnötigen Lärm« ins Leben, gründete
eine Zeitschrift »Der Antirüpel« und protestierte darin
gegen Klavierspielen, Teppichklopfen und geräuschvolle
Bauarbeiten. Selbst mancher seiner Freunde mag Lessing
damals mit dem Ritter Don Quijote de la Mancha und
dessen Kampf gegen Windmühlenflügel verglichen haben.
    Die Schüsse von Sarajewo brachen jäh in die Idylle ein
und setzten ihr für immer ein Ende. Lessing verfiel nicht
einen Augenblick dem nationalistischen Taumel, sondern
verdammte – auch unter den deutschen Sozialdemokraten ein Vereinzelter – vom ersten Tage an das sinnlose
Völkermorden. Und als nach vier Jahren die Waffen
schwiegen, wußte er, daß der Kampf gegen all diejenigen
weitergehen mußte, die von Revanche und neuem Krieg
träumten. Vor allem ging es ihm darum, die Hintergründe der chauvinistischen Emotionen aufzuhellen, gegenüber dem blinden Glauben der vielen an Symbole und
Idole, den er auch in seinen Büchern so geißelte, die eigene
Urteilskraft wachzurufen.
    So erregte er unliebsames Aufsehen, als er sich als Ge-

richtsberichterstatter um die Aufhellung der dunklen Hintergründe des Haarmann-Prozesses in Hannover bemühte. Dieser Massenmörder hatte nach dem Kriege als Spitzel im Dienste der Polizei gestanden, und die unglaublichen Fahrlässigkeiten, die sich bei der Untersuchung der Morde zeigten, wollte man möglichst verschleiern. Lessing hat in dem Buch »Haarmann, die Geschichte eines Werwolfs« schonungslos das Versagen vieler offizieller Stellen enthüllt. So hatte sich in seiner Heimatstadt und an der Technischen Hochschule Hannover, an der er seit 1908 als Privatdozent und seit 1922 als außerordentlicher Professor für Pädagogik und Philosophie lehrte, schon eine ganze Reihe von Jahren genügend Haß gegen ihn aufgestaut, der 1925 dann zur Entladung kam.

In diesem Jahre war der erste deutsche Präsident, Friedrich Ebert, gestorben. Die Wahl des kaiserlichen Generalfeldmarschalls von Hindenburg zu seinem Nachfolger war der Ausdruck einer Stimmung, die schon sieben Jahre nach Kriegsende weite Kreise des deutschen Volkes ergriffen hatte. Sie erhofften von einem Vertreter des »echten«, des »nationalen« Deutschland an der Spitze des Reiches die Tilgung der »Schmach von Versailles«, erwarteten von ihm, er werde den Glanz der alten Monarchie wieder heraufführen und die »Anmaßung der Demokraten« in die Schranken weisen. Zwar gab es damals viele, die das Ergebnis der Wahl mit tiefer Sorge erfüllte, aber nur wenige brachten den Mut auf, öffentlich vor den Folgen dieser Entscheidung zu warnen. Zu diesen wenigen, Vereinzelten, gehörte die Stimme Theodor Lessings, der in Hannover wirkte, in der gleichen Stadt, in der bis dahin auch der pensionierte Generalfeldmarschall gelebt hatte.

Am 25. April 1925, noch vor der Reichspräsidentenwahl, veröffentlichte Lessing im »Prager Tagblatt«, jener aufrechten und freiheitlichen deutschen Zeitung in der Tschechoslowakei – Max Brod hat ihr vor einigen Jahren

in seinem Roman »Rebellische Herzen« ein Denkmal gesetzt –, einen Artikel über Hindenburg. Lessing, der zu
den regelmäßigen Mitarbeitern der Zeitung zählte, wandte sich darin nicht gegen die Person, nicht gegen den Menschen Hindenburg, sondern fand für ihn durchaus verständ-
nisvolle Töne. Der Aufsatz wollte nichts anderes, als vor
den Folgen der Betrauung eines politisch ahnungslosen
Generals mit dem höchsten Amt der Republik warnen.

Wie richtig Lessing die Ziele der nationalistischen Hin-
termänner eingeschätzt hatte, die Hindenburg zur Präsi-
dentschaftskandidatur verhalfen, bewiesen die Folgen seines Mahnrufes. Ein groß angelegtes Kesseltreiben gegen
den unbequemen Propheten setzte ein, das vor Gemeinheiten, ja Tätlichkeiten nicht zurückschreckte. Das Signal
dazu gaben Schmähartikel in der Presse seiner Heimatstadt. Die systematische Aufhetzung, in die sich von Anfang an bereits antisemitische Töne mischten, fiel bei der
Studentenschaft der Technischen Hochschule Hannover
auf fruchtbaren Boden. Sie verlangte seine Abberufung
aus dem Lehramt. Als Lessing nach den Pfingstferien 1925
seine Vorlesungen aufnehmen wollte, war der Hörsaal
von mehreren hundert randalierenden Studenten besetzt,
die ihn mit Johlen und Pfeifen empfingen. Lessing mußte
die Vorlesung abbrechen. Nun griff der preußische Kultusminister Dr. Becker ein. Er bedauerte, daß »von seiten
des Lehrkörpers von vornherein nicht energischer auf eine
Beruhigung der Studentenschaft und auf Wahrung der
Lehrfreiheit hingewirkt worden sei«, und drohte mit der
Schließung der Hochschule, falls vom Rektor die Gewähr
für die Aufrechterhaltung von Ruhe und Ordnung nicht
übernommen werden könne. Nachdem der preußische
Kultusminister sich damit eindeutig gegen die Ausschreitungen ausgesprochen hatte, ließ Theodor Lessing seine
Vorlesungen für längere Zeit ausfallen, um zu bekunden,
wie sehr auch ihm an der Wiederherstellung des akademi-
schen Friedens liege. Der Konflikt schien beigelegt.

Als jedoch Lessing nach fast einjähriger Unterbrechung wieder am Katheder stand, kam es zu erneuten Tumulten der Studenten. Lessing wurde mit Gewalt aus dem Gebäude der Hochschule gedrängt und auf dem Wege durch die Stadt verfolgt und belästigt. Als der Rektor sich anschickte, gegen die Rädelsführer vorzugehen – viel zu spät und mit ungeschickten und unzulänglichen Mitteln –, trat die Studentenschaft in den Vorlesungsstreik. Die Studentenvertretungen fast aller deutschen Hochschulen erklärten sich mit den hannoverschen Studenten solidarisch und griffen Lessing aufs schärfste an. Ein Teil der Studierenden mietete einen Sonderzug und fuhr nach Braunschweig, um an der benachbarten Technischen Hochschule Vorlesungen zu hören. Bürgerversammlungen gegen Lessing wurden abgehalten. Das hannoversche Stadtparlament erklärte mit Mehrheit, Lessing solle seine Lehrtätigkeit einstellen, im preußischen Landtag gab es eine Lessingdebatte. Die Vollversammlung des Lehrkörpers der Technischen Hochschule forderte einstimmig den preußischen Kultusminister auf, Lessing zu entlassen.

Endlich kam es zum Kompromiß. Lessing verzichtete freiwillig auf sein Recht, Vorlesungen zu halten, und erhielt einen Forschungsauftrag. Im letzten bedeutete diese Einigung ein Zurückweichen der Autorität des demokratischen Staates vor der nationalistischen und antisemitischen Stimmungsmache. Der Fall Lessing wurde zu den Akten gelegt, aber sein Verlauf mußte all diejenigen ermuntern, die sich bereits sammelten, um der Republik den Todesstoß zu versetzen. In den Jahren 1925 und 1926 scharte Hitler zwar nur ein kleines Häuflein um sich, aber schon damals führten viele, die sich nicht öffentlich zu seinen Anhängern zählten, jene Sprache im Munde, die 1933 zum offiziellen Stil des Deutschen Reiches werden sollte. Der Fall »Lessing« war ein Meilenstein auf dem Todeswege der Weimarer Republik. Und wer sich heute oft fragt, warum alles so kommen mußte, dem werden die

Berichte aus jenen Jahren sagen, daß die deutsche Demokratie auch in den relativ friedlichen Jahren zwischen
1924 und 1930 schon hart am Abgrund stand.

Der Mann aber, dem man so übel mitgespielt hatte,
ahnte schon 1925 das blutige Ende der Tragödie. Damals
schrieb er: »Es ist möglich, daß solch ein fanatischer Quer-
kopf mich niederschlägt, wie sie Rathenau und Harden
niedergeschlagen haben. Und auch damit rechne ich, daß
ich aus der Heimat fort muß und wieder neu beginnen.
Aber ist das denn eine ›Heimat‹, und wenn diese Menschen deutsche Menschen sind, was verliere ich an den
deutschen Menschen? Und wenn das, was man mir antut,
deutsch ist, wie kann es da für mich ehrenvoll sein, Deutscher zu heißen? Aber gerade darum will ich noch eine
Zeitlang kämpfen, daß auf Erden das Leiden der Menschen ende und Gerechtigkeit und Wahrheit werde.«

So hat er es gehalten in den kommenden Jahren, da es
dunkler und dunkler über Deutschland wurde, bis er im
Februar 1933 die Heimat verlassen mußte. Jetzt ging es
nicht mehr nur um das Lehramt, jetzt ging es um das
nackte Leben. Am 31. August 1933 wurde Theodor Lessing in Marienbad in Böhmen, wo er Zuflucht gesucht hatte, heimtückisch erschossen. Es war kein Raubüberfall,
keine Privatrache, sondern ein von langer Hand vorbe-
reiteter politischer Mord. Kurz vorher noch hatten Prager Zeitungen gemeldet, daß die Kopfprämie von 40 000
Reichsmark, die auf Lessing ausgesetzt wurde, auf 80 000
Reichsmark erhöht worden sei. Sie hatten hinzugefügt:
»Wer wird sich diese Prämie verdienen wollen? Bei uns
wahrscheinlich niemand.« Aber die Mörder fanden sich
doch, der Rachedurst der Nazis machte an den deutschen
Grenzen nicht halt. Die Untersuchungen der tschechoslo-
wakischen Polizei ergaben, daß der mehrfach vorbestrafte
Landarbeiter Max Rudolf Eckert und der frühere Chauf-
feur Rudolf Zischka seit dem Tage des Attentats aus der
Gegend von Marienbad verschwunden waren. Die Spu-

ren wiesen nach der deutschen Grenze. Hinter den Flüchtigen wurde ein Steckbrief erlassen, der aber ohne Ergebnis blieb. Die Mörder hatten sich nach Deutschland in Sicherheit gebracht. Erst zwölf Jahre später, 1945, konnte einer von ihnen gefunden und bestraft werden.

In deutschen Zeitungen aber standen in jenen Tagen solche Kommentare zur Nachricht von der Ermordung Lessings: »Mit Prof. Lessing ist eine der übelsten Erscheinungen der Nachkriegszeit aus dem Leben geschieden. Er gehörte zu jenem Teil der Professorenschaft, der mit einem intellektuellen Pazifismus, der amtlich gewünscht und gefördert wurde, die deutschen Hochschulen verseuchte. Nun ist auch dieser unselige Spuk weggewischt.«

Und am Tage nach dem Mord beschimpfte Dr. Goebbels auf dem Nürnberger Parteitag in einer Rede über »Rassenfrage und Weltpropaganda« den toten Lessing und drohte eine »konsequente Lösung der Rassenfrage« an. Das Dritte Reich hat mit dieser Drohung ernst gemacht, in den Vernichtungslagern und Gaskammern von Auschwitz, Maidanek und Treblinka wurde die »Endlösung« praktiziert.

Theodor Lessing hatte schon in den letzten Jahren der Weimarer Republik den wachsenden Antisemitismus mit Sorge verfolgt. Er hatte sich nie der jüdischen Religion verbunden gefühlt, nun aber bekannte er sich stolz zu seiner Herkunft, nicht im Sinne einer Konversion zum Glauben der Väter, wohl aber aus ursprünglicher Solidarität mit einer verfolgten Minderheit. Als ihn im Frühjahr 1933 in seinem Exil die ersten Nachrichten von Überfällen auf Juden in Deutschland erreichten, mag er gespürt haben, welche Greuel nun begannen. Die stolzen Worte, die er wenige Wochen vor seinem Tode niederschrieb, künden besser als jeder Nachruf von einem Manne, der wie kaum ein anderer – fast gegen seinen Willen – zum Propheten des Unheils wurde, das in unserem Jahrhundert von Deutschland über die Welt hereinbrach:

»Ich schweige von diesem Pochen auf Begabtheit und Leistung, diesem Glitzern mit Titel und Ehren, diesem Betteln um Erlaubnis, in Deutschland weiter als ›Gäste‹ geduldet zu werden, wo uns doch nur eine Gesinnung geziemt: ›Heftet uns ruhig den gelben Fleck an, wir tragen ihn ebenso stolz wie andere das Eiserne Kreuz...‹ Aber in Israel, auf freiem Boden eines freien Volkes, im Schutze des Berges, wo einst das Kreuz errichtet wurde, soll der Gedenkstein ragen mit den Namen derer, die im Jahre der Menschlichkeit 1933 geschlagen wurden und erschlagen. Und darunter die Worte: ›Deutsche haben das getan an ihren Brüdern.‹ «

Das Gedächtnis an das Martyrium, das Theodor Lessing als einer der ersten von ungezählten anderen zu erdulden hatte, mag die Erinnerung an sein Werk überstrahlen. Aber dieses Werk ist es wert, der Vergessenheit entrissen zu werden. Denn das Wesen dieses Mannes spricht sich in seinen Schriften genauso stark aus wie in seinem Handeln. Mag es auch an die Zeit gebunden bleiben, in der es entstand, Lessings Offen-Sein gegenüber den geistigen Strömungen der Zeit war niemals gesuchtes Spiel mit Nuancen, geschah niemals nur um des Reizes willen. Gewiß, auch Theodor Lessing war einer, »der sich wandeln kann«, aber stets geschah es aus innerer Notwendigkeit. Hinter jedem Satz, den er niederschrieb, steht das strenge Ethos eines Mannes, der sich immer selber treu blieb, und auch für ihn gilt das Wort, das einst Friedrich Schlegel auf den großen Namensvetter Gotthold Ephraim Lessing prägte, daß er mehr wert ist als alle seine Talente.

(1962)

ERNST FISCHER

DAS WERK ROBERT MUSILS

Versuch einer Würdigung

Dank und Lob zunächst dem tapfren alten Verleger Ernst
Rowohlt, der es gewagt hat, das Lebenswerk des literarischen Einzelgängers und Frondeurs Robert Musil in einer
von Adolf Frisé musterhaft redigierten Gesamtausgabe
herauszubringen.

In einem Brief an Robert Musil schrieb Thomas Mann:
»Es gibt keinen anderen lebenden deutschen Schriftsteller,
dessen Nachruhm mir so gewiß ist!« Leider ist Nachruhm
kein Gut, auf das man Hypotheken gibt, und von der
Unsterblichkeit kann man nicht leben. Der größte österreichische Romancier ist 1942 im Elend der Emigration
zugrunde gegangen; in seinem Nachlaß fand man die Notiz: »Ich kann nicht weiter! Ich schreibe von mir selbst,
und seit ich Schriftsteller bin, geschieht es zum ersten Mal.
Was ich zu sagen habe, steht in der Überschrift. Es ist käl-
tester Ernst . . . Ich besaß vor der Inflation ein Vermögen,
das es mir in bescheidener Weise gestattete, meiner Nation
als Dichter zu dienen. Denn die Nation gestattete mir das
nicht in der Weise, daß sie meine Bücher gekauft hätte.
Sie las sie nicht. Aber einige Tausende oder Zehntausende
lasen allerdings meine Bücher, und unter ihnen befanden
sich Kritiker und Laien, die mich in den Ruf brachten,
den ich besitze. Dieser wunderliche Ruf! Er ist stark, aber
nicht laut. Ich bin oft gezwungen worden, über ihn nachzudenken: er ist das paradoxeste Beispiel von Dasein und
Nichtdasein einer Erscheinung . . .« Und eine zweite No-

tiz: »... mein Leben hängt an einem Faden, der jeden Tag abreißen kann..., und ich habe in den letzten Jahren während der Arbeit am ›Mann ohne Eigenschaften‹ mehr als einen Augenblick erlebt, wie man ihn seinem Todfeind nicht wünschen soll...« Und Jahre vor dem bittren Exil in der Schweiz, vor dem spinnwebdünnen Dasein des Heimatlosen, in einer Heimat, die von ihm nicht Kenntnis nahm: »Ich bin in Wahrheit, schon seit ich den ›Mann ohne Eigenschaften‹ zu schreiben begonnen habe, so arm, und durch meine Natur auch so aller Möglichkeiten des Gelderwerbs entblößt, daß ich nur von dem Ertrag meiner Bücher lebe, richtiger gesagt von den Vorschüssen, die mir mein Verleger in der Hoffnung gewährt, daß sich dieser Ertrag vielleicht doch noch heben könne...«

Dieser Verleger war Ernst Rowohlt. Er hat an Musil geglaubt. Und glaubt mit Recht noch immer, daß nun die späte Frucht des Nachruhms reift.

»Die Verwirrungen des Zöglings Törless«

Im Jahre 1906, als Sechsundzwanzigjähriger, brachte Musil seinen ersten Roman heraus: »Die Verwirrungen des Zöglings Törleß«. Es war die knapp und mit großer Zucht erzählte Geschichte eines jungen Menschen, der in einem Erziehungsheim von den Problemen der Sexualität und der Seele, der Einsamkeit und der Erniedrigung überwältigt wird. Solcher Berichte über die beunruhigende Atmosphäre in Erziehungsheimen und die Exzesse in einer Gemeinschaft von Halbwüchsigen hat es nicht wenige gegeben – aber Musils Roman ist von ungleich tieferer Hintergründigkeit. Hier wird das Unterirdische, Fragwürdige, Barbarische aufgedeckt, das von einer Kruste bürgerlicher Zivilisation notdürftig Niedergehaltene, die Wildnis, die aus den Fugen einer nicht mehr festen Ordnung dringt, die Vorbereitung eines Zeitalters, das die Humanität in Fetzen auseinanderfliegen läßt.

In dem vornehmen Institut gibt es eine verborgene
Kammer, die niemand kennt außer den Zöglingen Törleß, Reiting und Beineberg. »Die Wände waren vollständig mit einem blutroten Fahnenstoff ausgekleidet, den
Reiting und Beineberg aus einem der Bodenräume ent-
wendet hatten, und der Fußboden war mit einer doppelten Lage dicker wolliger Kotzen bedeckt ... An der Wand
hing neben der Türe ein geladener Revolver ...« In dieser Kammer geschieht Entsetzliches. Einer der Schüler,
Basini, ein mädchenhaft hübscher Junge von haltlos un-
bestimmtem Charakter, bestiehlt Kameraden und wird
von Reiting und Beineberg ertappt.

Reiting ist ein kalter Tyrann; er »kannte kein größeres
Vergnügen, als Menschen gegeneinander zu hetzen, den
einen mit Hilfe des anderen unterzukriegen und sich an
abgezwungenen Gefälligkeiten und Schmeicheleien zu
weiden, hinter deren Hülle er noch das Widerstreben des
Hasses fühlen konnte ... Sein Anhang wechselte von Tag
zu Tag, aber immer war die Majorität auf seiner Seite.
Darin bestand sein Talent.« Sein Gegenspieler und späterer Bundesgenosse Beineberg ist komplizierter; seine Grausamkeit, seine Lust, Menschen bis zum Äußersten zu ent-
würdigen, finden ihren Rückhalt in einer Philosophie des
Irrationalismus, in einem Vernunft und Humanität ab-
tötenden Mystizismus. In beiden sind ahnungsvoll die
Typen vorweggenommen, die Jahrzehnte später im Faschismus das ihnen gemäße System hervorbrachten. In seinen Nachkriegs-Tagebüchern hat Musil rückblickend konstatiert: »Reiting, Beineberg: Die heutigen Diktatoren in
nucleo.« Sie in der satten Bürgerwelt von 1906 als typisch
zu erkennen, war eine ungewöhnliche literarische Leistung. Die beiden gehn nun daran, Basini zu ihrem Geschöpf zu machen, über ihn eine fürchterliche Macht auszuüben, ihn sexuell zu mißbrauchen, ihn zu mißhandeln,
jegliche Menschenwürde aus ihm herauszupeitschen. Sie
zwingen ihn, auf dem Boden zu kriechen und zu sagen:

»Ich bin ein Tier, ein diebisches Tier, *euer* diebisches, schweinisches Tier!« In einer scheinbar noch ungebrochenen Zivilisation kündigt sich das Grauen der Konzentrationslager an, der perverse Genuß an einer Macht, die den Menschen total zerbricht.

Törleß wird in dieses finstre Geschehn hineingezogen. Er spürt, daß dieser bestürzende Einzelfall weit über sich hinausweist, daß hier der Untergang einer Welt seinen Schatten vorauswirft. Wenn diese Kammer möglich ist, dann ist auch alles andre möglich ... »Dann war es auch möglich, daß von der hellen, täglichen Welt, die er bisher allein gekannt hatte, ein Tor zu einer anderen, dumpfen, brandenden, leidenschaftlichen, nackten, vernichtenden führe. Daß zwischen jenen Menschen, deren Leben sich wie in einem durchsichtigen und festen Bau von Glas und Eisen geregelt zwischen Bureau und Familie bewegt, und anderen, Herabgestoßenen, Blutigen, ausschweifend Schmutzigen, in verwirrten Gängen voll brüllender Stimmen Irrenden, nicht nur ein Übergang besteht, sondern ihre Grenzen heimlich und nahe und jeden Augenblick überschreitbar aneinanderstoßen ...« Und später wird von Törleß gesagt: »Damals, als er so eigens wegen der Kammer erschrocken war, die wie ein vergessenes Mittelalter abseits von dem warmen und hellen Leben der Lehrsäle lag, über Beineberg und Reiting, weil sie aus den Menschen, die sie dort waren, plötzlich etwas anderes, Düsteres, Blutgieriges, Personen in einem ganz anderen Leben geworden zu sein schienen. Damals war dies eine Verwandlung, ein Sprung für Törleß, als ob das Bild seiner Umgebung plötzlich in andere, aus hundertjährigem Schlafe erwachte Augen fiele ...«

In der Gestalt des Zöglings Törleß wird ein zweites Zentralproblem der verfallenden, wenn auch nach außen hin noch wohlgeordneten Bürgerwelt deutlich gemacht: das Problem der zunehmenden individuellen Einsamkeit. Mitten in einem Gespräch blickt er zum Fenster ins Dun-

kel hinaus: »Dann war wieder jenes Gefühl des Allein-
und Verlassenseins über ihn gekommen... Er fühlte:
Hierin liegt etwas, das jetzt noch zu schwer für mich ist,
und seine Gedanken flüchteten zu etwas anderem, das
auch darin lag, aber gewissermaßen nur im Hintergrunde
und auf der Lauer: Die Einsamkeit... Die Welt erschien
ihm danach wie ein leeres, finsteres Haus und in seiner
Brust war ein Schauer, als sollte er nun von Zimmer zu
Zimmer suchen – dunkle Zimmer, von denen man nicht
wußte, was ihre Ecken bargen...« In einer besonderen
Art der sinnlichen Veranlagung, »welche verborgener,
mächtiger und dunkler gefärbt war als die seiner Freunde«, empfindet er die Einsamkeit »als eine Frau, aber ihr
Atem war nur ein Würgen in seiner Brust, ihr Gesicht ein
wirbelndes Vergessen aller menschlichen Gesichter und die
Bewegungen ihrer Hände Schauer, die ihm über den Leib
jagten...« Es ist nicht nur das beklemmende Erlebnis der
Pubertät, das Musil darstellt, sondern weit mehr: diese
Welt mit ihren ehrbaren Fassaden und schmutzigen Ge-
heimkammern, diese gesittete Verlogenheit, hinter der
eine Hölle sich auftut, ist unheimlich geworden. Was als
tägliche Wirklichkeit sich spreizt, ist gar nicht so wirklich,
wie es vortäuscht, sondern birgt in sich eine andre, ab-
gründige, tief verwirrende Wirklichkeit. Gefühl und Realität, Ich und Außenwelt stimmen nicht mehr überein, die
echte Ordnung, die Einheit von Einzelwesen und Gesamtheit ist verlorengegangen.

Törleß erlebt die Entfremdung des Menschen, ohne zu
wissen, was es ist: »Zwischen den Ereignissen und seinem
Ich, ja zwischen seinen eigenen Gefühlen und irgendeinem
innersten Ich, das nach ihrem Verständnis begehrte, blieb
immer eine Scheidewand, die wie ein Horizont vor seinem
Verlangen zurückwich, je näher er ihr kam.« ... »Er fühlte sich gewissermaßen zwischen zwei Welten zerrissen:
Einer solid bürgerlichen, in der schließlich doch alles geregelt und vernünftig zuging, wie er es von zu Hause her

gewohnt war, und einer abenteuerlichen, voll Dunkelheit, Geheimnis, Blut und ungeahnter ·Überraschungen.« Er meint nun, in der Mathematik, in den »imaginären Zahlen« etwas Ähnliches zu entdecken, und sucht bei Beineberg Verständnis für das Problem: »In solch einer Rechnung sind am Anfang ganz solide Zahlen, die Meter oder Gewichte, oder irgend etwas anderes Greifbares darstellen können und wenigstens wirkliche Zahlen sind. Am Ende der Rechnung stehen ebensolche. Aber diese beiden hängen miteinander durch etwas zusammen, das es gar nicht gibt. Ist das nicht wie eine Brücke, von der nur Anfangs- und Endpfeiler vorhanden sind und die man dennoch so sicher überschreitet, als ob sie ganz dastünde...?« Beineberg spottet über ihn und seinen Wunsch, alles möge natürlich zugehn; man müsse das Übernatürliche, das Irrationale zur Kenntnis nehmen – womit er nur sagt, was wir seither hundertmal gehört haben, die moderne Wissenschaft habe das Naturgesetz, die Kausalität usw. widerlegt, und die Vernunft müsse vor dem Unbegreiflichen, vor dem Walten Gottes im Atom wie in der imaginären Zahl kapitulieren. Törleß ist nicht dazu bereit: »Wenn mich die Mathematik quält, so suche ich dahinter ganz etwas anderes als du, gar nichts Übernatürliches, gerade das Natürliche suche ich – verstehst du«...?

Diese Ablehnung des Irrationalismus, obwohl er die Wirklichkeit als nicht geheuer und maskenhaft empfindet und hinter ihr eine Fülle des umgestaltet Möglichen ahnt, ist für Musil ungemein charakteristisch: ins Dunkle geneigt, verzichtet er nicht auf Vernunft, versucht er die »imaginären Zahlen« in das Natürliche einzubeziehen. Der Zögling Törleß ist ernsthaft bemüht, den erlebten Widerspruch zwischen der unbestimmten, ungeformten Unendlichkeit des Möglichen, das sich in Ahnung und Gefühl, Sehnsucht und Vision, Erschütterung und Utopie reflektiert, und der enttäuschenden, weil immer fragmentarischen Tat und Wirklichkeit aufzulösen. Es ist ihm,

»als ob eine unsichtbare Grenze um den Menschen gezogen wäre. Was sich außerhalb vorbereitet und von ferne herannaht, ist wie ein nebliges Meer voll riesenhafter, wechselnder Gestalten; was an ihn herantritt, Handlung wird, an seinem Leben sich stößt, ist klar und klein, von menschlichen Dimensionen und menschlichen Linien. Und zwischen dem Leben, das man lebt, und dem Leben, das man fühlt, ahnt, von ferne sieht, liegt wie ein enges Tor die unsichtbare Grenze, in der sich die Bilder der Ereignisse zusammendrücken müssen, um in den Menschen einzugehen.« Es ist in dichterischer und ungenauer Sprache das Erlebnis der Vereinzelung und Zerstücktheit des Menschen in einer individualistisch gewordenen Welt, was hier ausgedrückt wird – aber auch die allgemeine Erkenntnis, daß die Werke der Menschheit stets nur ein Bruchteil ihrer Träume sind.

In dem ersten Roman Musils sind alle Leitmotive seines Gesamtwerks vernehmbar: der Niedergang, die Dekadenz der Bürgerwelt, die Ordnung, die keine mehr ist, und die aus ihr ausbrechende Grausamkeit und Barbarei, das Auseinanderklaffen von Gefühl und Tat, die Einsamkeit des Menschen in einer verdorrenden Gesellschaft, die brüchig gewordene Wirklichkeit, die Sehnsucht nach einem andren Zustand, nach einer neuen Einheit und Fülle des Lebens.

EXPERIMENTE

Jahrelang hat Musil nach diesem ersten Roman an zwei Novellen gearbeitet und sie 1911 unter dem Titel »Die Vereinigungen« herausgegeben. Sie sind, trotz großer Schönheit im Einzelnen, literarische Fehlexperimente. In einem trotzigen Pathos der Opposition gegen die moralische Verlogenheit der Bürgerwelt (dem Pathos Frank Wedekinds oder des jungen Karl Kraus verwandt) vergriff

er sich in der Thematik, überspitzte er das skurril Absonderliche (In der ersten Novelle die sexuelle Untreue nicht
als Bruch einer großen Liebe, sondern als ihre eigentliche
Bestätigung, der Abstieg in niederste Wirklichkeit, um an
ihr die Höhe eines Gefühls zu ermessen. In der zweiten
Novelle die Einsamkeit der Liebe, das übermächtige Gefühl, das keinen Partner erträgt, es sei denn ein Gott oder
ein Tier). Außerdem wurde in diese Erzählungen so viel
hineingestopft, wurden sie so überladen, daß sie unter der
Last nur mühsam vorwärtsschreiten. Musil hat das gewußt; zur ersten Novelle notiert er in sein Tagebuch:
»Schöne Partien, aber zu sehr Essay, aneinandergefädelte
Betrachtungen, intellektuelle Paraphrasen über den Vorwand eines Themas. War sehr niedergeschlagen. Am Nach-
hauseweg nahm ich mir vor, bei der letzten Durcharbei-
tung die sonderbaren intellektuellen Perspektiven, die den
Kern jeder einzelnen Szene bilden, noch zu verschärfen,
noch intellektueller zu sein, um keine Ermüdung durch die
Schwere der Bilder aufkommen zu lassen.« Das Experiment ist trotzdem mißlungen, freilich im Format eines
großen Schriftstellers.

Eine spätre Notiz: »Ich will zu viel auf einmal! Diesen
großen Fehler hat mein Schreiben in den ersten Essays, in
den ›Vereinigungen‹ usw. fast bis zum ›Mann ohne
Eigenschaften‹. Es entstand daraus etwas Verkrampftes.
Beim ›Törleß‹ habe ich noch gewußt, daß man auslas-
sen können muß. Füge hinzu: Und ich weiß zu selten, was
ich will . . .«

Nach einer Reihe ungewöhnlicher Essays erschien im
Jahre 1920 das Schauspiel »Die Schwärmer«. Es war, wie
der strengste Kritiker Musils, nämlich er selbst, später
feststellte, »ein Nebel geistiger Materie, ohne dramati-
sches Skelett«.

Auch die 1924 herausgegebenen Erzählungen »Drei
Frauen« sind zum Teil noch sehr anfechtbar. In der »Grigia« und der »Portugiesin« verschwimmt das Geschehn in

Stimmung und Lyrik, und trotz der Kraft und Anmut, mit der vor allem die Grigia gestaltet ist, fühlt man sich unbefriedigt. Sehr schön ist die »Tonka«, knapp und blühend zugleich, streng und fest in der Kontur, aus tiefem Hintergrund hervortretend. Der junge Herr und das Mädchen aus dem Volk – ein in der österreichischen Literatur immer wiederkehrendes Thema, hier aber ohne den Lavendelduft der Sentimentalität, hart und schonungslos erzählt, vielleicht das Soziale allzu sparsam andeutend.

Nach all der Vorbereitung beginnt die Arbeit an dem großen Roman »Der Mann ohne Eigenschaften«.

Das Prinzip der Grösse

Dieser Schriftsteller hat sich das Schreiben so schwer gemacht wie kaum ein andrer. Es war in ihm der leidenschaftliche Wille zur Größe – und, unauflöslich mit ihm gepaart, unerbittliche Selbstkritik. Er konnte dicht und gedrängt erzählen, aus dichterischer Fülle gestalten – und wollte mehr, das nahezu Unmögliche. Er, der wissenschaftlich und philosophisch umfassend Gebildete (»vielseitige Unwissenheit« nannte er diese), der Mathematik, Psychologie, Philosophie gründlich studiert hatte, strebte nach einer im zwanzigsten Jahrhundert unerreichbaren goetheschen Totalität. Er stellte sich selbst die Frage: »Wie denkt er sich den Dichter?« und gab zur Antwort: »Jedenfalls nicht aus Intuition heraus schaffend ... Sondern aus dem Wissen der Zeit heraus und aus ihren Interessen. Bloß rascher als sie, im Tempo ihr so weit voraus, daß er sich im Gegensatz zu ihr fühlt. Ihr besseres Ich, der Anwalt der Zeit gegen die Zeit ...« Während der Arbeit an seinem großen Roman notierte er: »Das Lehrmoment des Buchs ist zu verstärken, eine praktische Formel aufzustellen ...!« Das war sein Traum und seine Qual, die Zeit nicht nur darzustellen, sondern ihr ein Richtbild zu geben, nicht nur zu sagen: *So ist es!*, sondern: *So soll es sein!* »Die Aufgabe ist: Immer neue Lösungen, Zusammenhänge, Konstellationen, Variable zu entdecken, Prototypen von Geschehensabläufen hinzustellen, lockende Vorbilder, wie man Mensch sein kann, den inneren Menschen *erfinden*...« Und in einem Gespräch mit Oskar Maurus Fontana: »Ich möchte Beiträge zur geistigen Bewältigung der Welt geben. Auch durch den Roman. Ich wäre darum dem Publikum sehr dankbar, wenn es weniger meine ästhetischen Qualitäten beachten würde und mehr meinen Willen. Stil ist für mich exakte Herausarbeitung eines Gedankens...« Und weiter: »Die Dichtung hat nicht die Aufgabe, das zu schildern, was ist, sondern das, was sein soll. Mit anderen Worten: Dichtung gibt Sinnbilder. Sie ist Sinngebung. Sie ist Ausdeutung des Lebens. Die Realität ist für sie Material. (Aber: sie gibt auch Vorbilder. Und sie macht Teilvorschläge.)« Er nannte das Prinzip, dem er zu folgen wünschte, »ein heroisches Prinzip. Ein prometheisches, eines das die Kampfkräfte der Seele vom Unfug ablöst und dem Wesentlichen dienstbar macht. Ein – wie mir schien – weiterführend-klassisches. Es ist *das Prinzip der Größe.*«

Diesem Prinzip die Treue haltend (auf die Gefahr hin, in Armut zu leben), war Musil stets bemüht, Wesentliches auszusagen. Man kann das Wesentliche, Charakteristische, Typische am *durchschnittlichen* und man kann es am *extremen* Fall gestalten. Balzac, Stendhal, Dostojewski haben den extremen, Dickens, Flaubert, Tolstoi den durchschnittlichen Fall bevorzugt. Aus beiden Methoden sind große Romane der Weltliteratur hervorgegangen. Keine dieser Methoden schließt die andre aus. Thomas Mann hat in den »Buddenbrooks« das Durchschnittliche, im »Dr. Faustus« das Extreme zum Thema gewählt. Musil war zumeist dem extremen Fall zugewandt. Das hat seine guten Gründe. Die Welt, die er darzustellen sich vornahm, war die untergehende Welt des Bürgertums. Es war seine Unzulänglichkeit, daß er die Arbeiterklasse nicht kannte (sowenig wie Thomas Mann sie gekannt hat), aber das Bürgertum und seine Problematik kannte er bis in die letzte verkapselte Kaverne. In dieser Welt war nichts mehr in Ordnung, sie war »verrückt«; um hinter dem nach außen hin noch Funktionierenden das innerlich Verrückte bewußt zu machen, war es durchaus zweckmäßig, am Pathologischen den allgemeinen Zustand zu demonstrieren. Schon der junge Musil notiert angesichts der scheinbar so honetten Bürger seiner Umwelt: »Ihr seid ja recht unschädliche Präparate, aber in eurem ganz Innersten sind die Nerven aus Schießbaumwolle. Wehe, wenn die Schale bricht! Das kann aber nur im Wahnsinn geschehn.« Und so griff er nach Gestalten mit »Nerven aus Schießbaumwolle«, überhitzte sie, bis sie »außer sich« waren, und in diesem »Außersichsein«, in dieser Explosion, ließ er das bürgerliche Zeitalter sein innerstes Wesen erkennen.

Musil hielt den *Individualismus,* die Entgesellschaftung des Menschen in einer nach Vergesellschaftung tendierenden Welt, für eine nicht mehr zeitgemäße Lebensform. In dieser individualistischen Reduktion des Menschen auf das Ich wird die Persönlichkeit deformiert. Die Notwendigkeit gebietet und eine dunkle Sehnsucht drängt danach, aus diesem Zustand auszubrechen. Um dies seinen Zeitgenossen, die noch an überlebten Vorstellungen festhielten, schockartig zum Bewußtsein zu bringen, brauchte Musil extreme Gestalten, in denen das Gestört-Sein des Zusammenhangs von Individuum und Gesellschaft als inneres Verstört-Sein wirkt, extreme Situationen, durch die der Mensch aus allen Schlupfwinkeln seiner Seele gejagt wird. In einer solchen Übersteigerung der Gestalten und Situationen ist die Gefahr sehr groß, daß sie zum verkrampften Pathos wird (und Musil ist in einigen seiner Werke dieser Gefahr nicht entgangen, der *Expressionismus* war ihr fast wehrlos preisgegeben). In seinem großen Roman »Der Mann ohne Eigenschaften« fand Musil das

Gegengewicht – *die Ironie*. Während er die zehn Manuskripte zu den ersten zweihundert Seiten des Romans
durcharbeitete, stellte Musil fest: »Die bedeutungsvolle
Selbsterkenntnis, daß die mir gemäße Schreibweise die der
Ironie sei. Gleichbedeutend mit dem Bruch mit dem Ideal
der Schilderung überlebensgroßer Beispiele . . .« Diese Methode der Ironie ist nicht nur dem Schriftsteller gemäß,
der an einer Gesellschaft Kritik übt, ja sie verwirft, ohne
einen festen Standpunkt zu haben, ohne den »archimedischen Punkt« zu finden, von dem aus man sie aus den Angeln heben kann, sie hat sich ganz besonders auch aus der
österreichischen Situation ergeben. Und Musil war ein
eminent österreichischer Schriftsteller.

DER GESPENSTISCHE HABSBURGERSTAAT

Die verfallende, vom Tode angehauchte, jeder Entscheidung ausweichende Monarchie stellte sich ihm als das
Sinnbild einer Welt dar, in deren Monumenten das Röntgenauge des Dichters schon die Ruinen wahrnimmt. »Dieses groteske Österreich«, notiert er, »ist nichts andres als
ein besonders deutlicher Fall der modernen Welt.« Gleichzeitig aber war dieses groteske Österreich auch ein *Sonderfall,* in seiner eleganten Verwesung, seiner schlampi-
gen Haltung zwischen Todesahnung und Lebenslust, seiner unaufhaltsamen Schwindsucht, die so heiter zu lächeln
verstand. »Das österreichische Antlitz lächelte, weil es keine Muskeln mehr im Gesicht hatte. Es braucht nicht geleugnet zu werden, daß dadurch etwas Vornehmes, Leises,
Maßvolles, Skeptisches usw. in die Wiener Sphäre kam.
Aber es war zu teuer erkauft.« Es war ein Zustand, der
zur Ironie herausforderte, und Musils ironischer Bericht
von »Kakanien«, wie er die k. u. k. Monarchie nannte, ist
von kaum zu überbietender Meisterschaft. Schon 1919
schrieb er in einem Essay: »Dieser schläfrige Staat, der

mit zwei zugedrückten Augen über seinen Völkern wach-
te, hatte eben auch wirkliche Anfälle von Härte und Gewaltherrschaft; dies geschah immer dann, wenn er es zu
weit hatte treiben lassen und kein anständiger Weg mehr
aus noch ein führte. Dann fuhr er mit Polizeimaßnahmen,
Staatsanwaltschaft und absolutistischen Verordnungen
darein, um, wenige Augenblicke später, von dem erbit-
terten Widerstand erschreckt, den er vorfand, ängstlich zu-
rückzufahren und seine eigenen Organe zu verleugnen ...
Man kann den Geist dieses Staates absolutistisch wider
Willen nennen; er wäre gern demokratisch verfahren,
wenn er es nur verstanden hätte. Aber wer war dieser
Staat? Keine einige Nation und keine freie Vereinigung
von Nationen trug ihn, die sich in ihm ihr Skelett geschaffen hätte, dessen Gewebe sie aus der Kraft ihres Blutes
ständig auffrischt, kein Geist speiste ihn, der sich in der
privaten Gesellschaft bildet und, wenn er in irgendeiner
Frage eine gewisse Stärke erreicht hat, in den Staat ein-
dringt; trotz des Talents seiner Beamtenschaft und mancher guten Arbeit im einzelnen hatte er eigentlich kein
Gehirn, denn es fehlte die zentrale Willens- und Ideen-
bildung. Er war ein anonymer Verwaltungsorganismus;
eigentlich ein Gespenst, eine Form ohne Materie, von ille-
gitimen Einflüssen durchsetzt mangels der legitimen ...«
Und im »Mann ohne Eigenschaften« – welch eine unbestimmt zwischen Verliebtheit und Verachtung, Zärtlichkeit und Zorn, Grazie und Groll dahinschwebende Ironie! »Gletscher und Meer, Karst und böhmische Kornfel-
der gab es dort, Nächte an der Adria, zirpend von Gril-
lenunruhe, und slowakische Dörfer, wo der Rauch aus den
Kaminen wie aus aufgestülpten Nasenlöchern stieg und
das Dorf zwischen zwei kleinen Hügeln kauerte, als hätte die Erde ein wenig die Lippen geöffnet, um ihr Kind
dazwischen zu wärmen. Natürlich rollten auf diesen Straßen auch Automobile; aber nicht zuviel Automobile! Man
bereitete die Eroberung der Luft vor, auch hier; aber nicht

zu intensiv. Man ließ hie und da ein Schiff nach Südame-
rika oder Ostasien fahren; aber nicht zu oft . . .«

Kakanien »war nach seiner Verfassung liberal, aber es
wurde klerikal regiert. Es wurde klerikal regiert, aber
man lebte freisinnig. Vor dem Gesetz waren alle Bürger
gleich, aber nicht alle waren eben Bürger . . .

Man handelte in diesem Land – und mitunter bis zu
den höchsten Graden der Leidenschaft und ihren Folgen –
immer anders, als man dachte, oder dachte anders, als man
handelte . . .

. . . es war der Staat, der sich selbst irgendwie nur noch
mitmachte, man war negativ frei darin, ständig im Gefühl der unzureichenden Gründe der eigenen Existenz und
von der großen Phantasie des Nichtgeschehenen oder doch
nicht unwiderruflich Geschehenen wie von dem Hauch der
Ozeane umspült, denen die Menschheit entstieg.

Es ist passiert, sagte man dort, wenn andre Leute anderswo glaubten, es sei wunder was geschehen; das war
ein eigenartiges, nirgendwo sonst im Deutschen oder einer
andern Sprache vorkommendes Wort, in dessen Hauch
Tatsachen und Schicksalsschläge so leicht wurden wie
Flaumfedern und Gedanken . . .

Kakanien war von einem in großen historischen Erfahrungen erworbenen Mißtrauen gegen alles Entweder-Oder
beseelt und hatte immer eine Ahnung davon, daß es noch
viel mehr Gegensätze in der Welt gebe, an denen es
schließlich zugrunde gegangen ist. Sein Regierungsgrund-
satz war das Sowohl-Alsauch oder noch lieber mit weise-
ster Mäßigung das Weder-Noch . . .«

Die melancholisch-ironische Analyse, der Musil die
Habsburger-Monarchie unterzieht, hat den charakteristischen Mangel, daß nur das Element der Passivität, des
»Fortwurstelns«, des »Gewährenlassens«, die Rat- und
Tatlosigkeit, herausgearbeitet wird, daß die aktiven gesellschaftlichen Kräfte, auf der einen Seite der Imperialismus in seiner vertrackten österreichischen Form (Aeh-

renthal, Conrad von Hötzendorf, Franz Ferdinand), auf der andern Seite die Arbeiterbewegung mit ihren inneren Widersprüchen kaum als Schatten sichtbar werden. Der in mancher Hinsicht mit Musil verwandte Marcel Proust hat in seinen großen Romanen die Situationen der décadence, der gesellschaftlichen Verwesung, um ein *konkretes* Ereignis, den Dreyfus-Prozeß, gruppiert, der österreichische Romancier hat eine *symbolische* Aktion, die »Parallel-Aktion«, erfunden und alles Geschehn in sie hineingeflochten. So geistreich und bedeutend diese Erfindung ist, hat sie doch nicht die Kraft gesteigerter Wirklichkeit, und Musil selber war sich dessen bewußt; es fehle ihm, stellte er gelegentlich fest, die genaue Kenntnis der politischen Realität. Obwohl also der Gesamtkomplex der Monarchie, der den Zusammenbruch produzierende Molekularprozeß, nicht voll zur Geltung kommt, war es durchaus richtig, in der österreichischen die allgemeine Problematik der zerbröckelnden Bürgerwelt darzustellen.

Manche Beobachter haben zu sehr nur das Besondre der österreichischen Entwicklung gesehen, das wunderlich ins zwanzigste Jahrhundert hineinwirkende Mittelalter, das Antiquierte und Vergilbte, aristokratisch Konservative und kleinbürgerlich Rückständige, das lässig und lächelnd in den »Pallawatsch« Hineinschlendernde, und dabei nicht wahrgenommen, daß gerade in diesem morbiden, brüchigen, dem eignen Bewußtsein so fragwürdigen Österreich manche Symptome des *allgemeinen* Verfalls deutlicher hervortraten als anderswo. Diese Monarchie, ein buntscheckiges, weiträumiges Zelt, mit schwarzgelben Stricken aus Stoffen aller Art zusammengeflickt, mit allerlei Winkelwerk und Maskerade, Heurigenhetz und Leichenprunk, Walzermusik und Radetzkymarsch, Makartbuketts und Mullatschag, Lustiger Witwe und Völkertumult – und plötzlich weht durch die undichte Hülle, durch Ritzen und Risse ein kalter Wind herein, Todesangst und Verlassenheit. In diesem Staat, der sich täglich wundert, daß er noch existiert, der seiner Wirklichkeit mißtraut und, ein Gespenst seiner selbst, ins Unwirkliche hineinhorcht, in diesem Staat also, dessen unfeste Grundlagen keine festen Grundsätze gestatten, in dem kein Prinzip von Bestand und nur das Provisorische dauerhaft ist, entsteht ein extremer und skeptischer *Individualismus*. Mangels eines gesellschaftlichen Zusammenhalts, eines Mittelpunkts, der die zentrifugalen Kräfte zu binden vermag, zieht sich der einzelne auf sich selbst zurück, wächst in dem scheinbar so geselligen, leichtsinnigen Österreich die individuelle Einsamkeit. Das Private, das auf sich selbst bezogene Ich, die psychologische Selbstbespiegelung, die an der Außenwelt zweifelnde, ihre Gesetzmäßigkeit verneinende, sich als Mittelpunkt erlebende Persönlichkeit wird zur österreichischen Spezialität.

Ich bin mir durchaus bewußt, welche Vorsicht, Genauigkeit und Behutsamkeit geboten ist, wenn man darangeht, das Besondre aus dem Allgemeinen abzuleiten, der Eigenart geistiger Leistungen in ihren gesellschaftlichen Bedingungen nachzuspüren – aber man kann es nicht für einen Zufall halten, daß in Österreich die Philosophie Ernst Machs entstanden ist, diese Verflüchtigung der objektiven Außenwelt in ein Bündel subjektiver Empfindungen, die ökonomische »Grenznutzentheorie« mit ihrer Tendenz, Gesetze der Wirtschaft ins Psychologische aufzulösen, die Psychoanalyse mit ihrer Entdeckung des Unterbewußten und ihrem Primat des Sexuellen, nicht des Sozialen, die Musik Arnold Schönbergs mit ihrem Aufschrei der Angst und Verzweiflung aus finstersten Tiefen der Einsamkeit und ihrer Suche nach einer neuen, strengen Ordnung, das Werk Franz Kafkas, Ausdruck unendlicher Verlassenheit des Menschen in einer Welt unmenschlicher, undurchschaubarer, anonymer Organisation, die individuelle und isolierte Revolte des im Kampf gegen das Nichtige sich verzehrenden Karl Kraus, der unverstandene und abseitige Versuch des keiner Gruppe, keiner Richtung, keiner

Kampfgemeinschaft zugehörigen Robert Musil, eine aus den Fugen gegangene Welt darzustellen, in tiefstem Individualismus dessen Ausweglosigkeit aufzudecken und den Ausweg zu neuer Ordnung, zu neuen Möglichkeiten menschlicher Gemeinschaft zu finden. Das alles, dieses Extreme, Beunruhigende, für die Situation des unterminierten bürgerlichen Menschen in einer nicht mehr geheuren, von Todesahnung durchschauerten Bürgerwelt so Charakteristische ist aus Österreich hervorgegangen, und so muß man Musil recht geben, wenn er diesen »grotesken« Staat als einen besonders deutlichen Fall der modernen Welt betrachtet hat.

PROBLEME DER DEKADENZ

Ein besonders deutlicher Fall daher auch dessen, was in seiner Gesamtheit als *das Problem der Dekadenz* gilt. Unbestreitbar sind es wesentliche Elemente der Dekadenz, des Niedergangs, des Verfalls, die sich in Österreich geltend machten und seinen geistigen Habitus im zwanzigsten Jahrhundert vielfältig beeinflußten. Auch Musil wurde und wird nicht selten mit dem ihn in Bausch und Bogen verdammenden Urteil abgetan, er sei ein dekadenter Schriftsteller. Er selber hat einst spöttisch festgestellt: »In vielen dazwischenliegenden Jahren [seit dem ersten Roman bis zum »Mann ohne Eigenschaften«, E. F.] hätte ich die deutsche Literatur dagegen höchstens mit dem Abgangszeugnis verlassen: Betragen ungewöhnlich; Begabung zart, wenn auch zu Ausschreitungen neigend (noch heute werde ich in einem vielbenützten österreichischen Lehrbuch als ›perverser‹ Schriftsteller angeführt); hat, nach überschätztem Anfang, mäßige Beachtung in einem Kreis von Liebhabern des Besonderlichen gefunden.« Und der Vorwurf, er sei ein dekadenter, ein perverser Schriftsteller, ist seither nicht verstummt. Musils Werk ist nun

in der Tat *ein großer Spiegel der Dekadenz* – aber nicht
ein unbewegt reflektierender und noch weniger ein be-
schönigender, verklärender, sondern ein leidenschaftlich
bewegter Spiegel, den ein großer, wenn auch wunderlicher
Moralist sich als Instrument der Erkenntnis und Belehrung konstruiert hat. Wir sollten lernen, mit dem Pau-
schalbegriff der »Dekadenz« und des »dekadenten«
Schriftstellers behutsam umzugehen und jeden Einzelfall
gewissenhaft zu untersuchen.

Der Schriftsteller in einer verfallenden Gesellschaft
kann nicht umhin, diesen Verfall darzustellen. Das
schlimmste ist, wenn er versucht, sich und den Leser über
beunruhigende Phänomene hinwegzuschwindeln, wenn er
den Dreck vergoldet und so tut, als sei die Welt in bester
Ordnung, obwohl sie rings aus den Fugen geht: die Phrase, die Lüge ist die Todsünde der Literatur. Der größte
Glücksfall ist, wenn er, wie Maxim Gorki, sich mit der
aufsteigenden, zukunftweisenden Klasse identifiziert,
wenn er in einer sterbenden auch die werdende Welt
wahrzunehmen, ihr Gestalt zu geben vermag. Musil war
von Gorki tief beeindruckt. »Ich habe mir manchmal
schon vorgenommen«, notiert er in seinem Tagebuch,
»mein Leben aufzuschreiben, heute, nachdem ich den
zweiten Band von Gorkis Selbstbiographie gelesen habe,
beginne ich es. Ich müßte es eigentlich gerade danach un-
terlassen, denn mein Leben enthält im Vergleich mit diesem wunderbaren Leben fast nichts, was bemerkenswert
wäre.« Zwischen dem literarischen Lügner und dem wunderbaren Leben, dem die Gesellschaft in ihrer Gesamtheit,
in ihrem Vergehn und Werden widerspiegelnden Werk
Gorkis gibt es eine Vielfalt von Farben und Nuancen,
von Schriftstellern, die weder zu lügen bereit noch den
Weg Gorkis zu gehn imstande sind.

Nach dem Zeitalter der bürgerlichen Aufklärung und
der kurzen klassischen Periode eines labilen, in höchster
Spannung bebenden Gleichgewichts von Idee und Wirk-

lichkeit setzte der Zwiespalt ein. Auf der einen Seite standen die Epigonen aller Art, an den von der Klassik herausgearbeiteten Formen festhaltend und als gesund noch preisend, was schon der Pest verfiel (das schauerliche Symbol, das Heinrich von Kleist für diese Situation erfand: der sterbende Guiskard, und niemand vor dem Zelt darf wissen, daß sein Tod unaufhaltsam ist), auf der andren Seite riß die Revolte nicht ab, mit wechselndem Charakter, innerlich widerspruchsvoll. Schon die Romantik war eine solche Revolte, und es wäre verfehlt, neben durchaus reaktionären Zügen, die sie trug, ihr echtes Entsetzen vor der kapitalistischen Bürgerwelt und ihre Aufsässigkeit gegen sie zu übersehn. Man soll nicht vergessen, daß Stendhal, dieser wahrhaft revolutionäre Schriftsteller, in dem die große Tradition der französischen Aufklärung weiterwirkte, sich selber einen »Romantiker« nannte, weil er »Romantik« als Auflehnung gegen die nachrevolutionäre Jämmerlichkeit empfand. Ebenso hatte das »l'art pour l'art«, die Kunst um der Kunst, die Schönheit um der Schönheit willen, nicht nur das Element des wehleidigen Rückzugs aus der Gesellschaft, des aristokratischen Hochmuts in sich, sondern auch den Ekel vor dem kapitalistischen Literaturmarkt, den Abscheu vor der selbstgefälligen Banalität des liberalen Bürgertums. Es folgte die Revolte des Naturalismus, die kühne Aufdekkung des Häßlichen in der Welt des Kapitalismus, dessen, wovon man nicht sprechen durfte, weil es der satten, gesitteten Phrase den Schmutz der Slums ins Gesicht warf und den Geruch trostloser Hinterhöfe, ungelüfteter Betten und Ehen, düstrer Spelunken und Bordelle, den Dunst von Schweiß, Branntwein und bittrer Sexualität verbreitete. Und schließlich war auch der Expressionismus dem Wesen nach Revolte, Aufschrei gegen die Häßlichkeit der Bürgerwelt, Explosion der Angst, des Zorns der Verzweiflung, verschwommene Vision eines andren Zustands, Sehnsucht nach Umsturz und Erneuerung. Man hat dar-

auf hingewiesen, daß manche der Expressionisten und Futuristen, Marinetti in Italien, Benn in Deutschland, Pound
in Amerika zu Parteigängern des Faschismus wurden, um
dadurch den Expressionismus, den Futurismus als ein Reservoir der Reaktion zu charakterisieren; es ist daran zu
erinnern, daß andre, wie Majakowski, Becher, Toller,
Aragon, Eluard, sich mit der Arbeiterbewegung vereinigten, daß es also möglich war, gegensätzliche Konsequenzen zu ziehen.

In all diesen literarischen Richtungen war die Revolte
gegen die Bürgerwelt von wesentlichen Elementen der Dekadenz durchsetzt, in allen aber wirkte zugleich eine vorwärtsdrängende, avantgardistische Unruhe. Und neben all
diesen Richtungen, keiner von ihnen verschworen, gab es
große Schriftsteller wie Marcel Proust, Knut Hamsun,
Frank Wedekind, Thomas Mann, Heinrich Mann, Bertolt
Brecht, Robert Musil – um nur einige zu nennen –, und
jeder von ihnen und jedes ihrer Werke bedarf einer eingehenden Analyse, wenn man feststellen will, in welcher
Art, wie stark und wie tief die Dekadenz der Welt, aus
der sie stammen und mit der sie sich auseinandersetzen,
auf sie eingewirkt hat und in welchem Ausmaß sie schöpferisch das Gegengift, den Aufbaustoff produzierten. Man
wird bei solchen sorgfältigen Untersuchungen allgemeine,
den Begriff der Dekadenz konstituierende Merkmale entdecken (solche sind wahrscheinlich die extreme Entfremdung, die Abkehr von Vernunft und Humanität, die Kapitulation des Menschen vor der Macht der Dinge, die
Wollust des Irrationalismus, das Verlorengehn der wesentlichen Zusammenhänge, der paradoxe Zustand zwischen Traum und Wirklichkeit, in dem das Ticken einer
Uhr den Donner einer Katastrophe übertönt, das Detail
riesenhaft anschwillt, das Gesamte sich chaotisch auflöst,
das Gefühl für Maß und Wert verdampft, die Notwendigkeit zum Scherbenhaufen des Zufalls eingestürzt ist),
man wird sich aber auch in jedem einzelnen Fall der Kom

pliziertheit des Problems bewußt werden. Der Reporter stellt dar, was er von *außen* beobachtet, der Dichter, der Schriftsteller muß *in* den Dingen und den Menschen sein, um sie darzustellen; um sie zu begreifen, muß er von ihnen ergriffen sein, und was er nicht erlebt hat, vermag er nicht zu gestalten. »Indem die Dichtung Erlebnis vermittelt, vermittelt sie Erkenntnis!« – hat Musil gelegentlich notiert. Der Dichter also, der Schriftsteller, der in einer Welt des Niedergangs lebt, wird unvermeidlich von ihr infiziert, sei es auch nur, daß er das Gift in kleinen Dosen, als Impfstoff in sich aufnimmt. Baudelaire hat wie keiner vor ihm die schauerliche Einsamkeit der Großstadt erlebt. Dieses Erlebnis des in der Menge verlorenen Einzelnen ist ein Symptom der Dekadenz; es gibt seine Überwindung durch das kämpfende Kollektiv. Dennoch mußte dieses Erlebnis ausgesprochen, bewußt gemacht werden; es ist durch Baudelaire für alle Dauer zur Dichtung geworden. Braucht man das? Ist es nicht, so könnte man erwidern, für die Arbeiterklasse belanglos, was in der verfallenden Bürgerwelt vor sich geht, gefühlt und gedacht wird, sofern es sie nicht unmittelbar betrifft? Erstens lebt die Arbeiterklasse in dieser Welt und alles betrifft sie, was in ihr vor sich geht, nicht nur jeder Sturm, sondern jeder Hauch. Zweitens ist es Funktion der Dichtung, der Literatur, die Wirklichkeit in allen ihren Aspekten, Schattierungen, Nuancen zu reflektieren, und nicht selten hat sich, was zunächst nur ein Schauer war, nur ein vorausgeworfener Schatten, in der Entwicklung als wesentlich erwiesen. Drittens verdanken wir auch der Dichtung und Literatur, die das scheinbar Abseitige, Absonderliche, Verworrene und Verworfene, ja das Pathologische zum Thema hat, wichtige Erkenntnisse und weiterwirkende Entdekkungen. Hätte Thomas Mann die Philosophie der Dekadenz, hätte er Nietzsche nicht bis in den verdunkeltsten Abgrund, bis in das feinste Zittern der Haut erlebt, wäre er niemals imstande gewesen, sein größtes Werk, den »Dr.

Faustus«, die erregende Abrechnung mit dem Problem der Dekadenz, hervorzubringen.

MUSILS STELLUNGNAHME ZUR DEKADENZ

Mit diesem Problem der Dekadenz hat Musil sich tief und ernst befaßt, und wenn man sein Werk überblickt, drängt es sich als *Zentralproblem* auf. Im Widerstreit mit sich selbst, in niemals endender Diskussion, in der es ihm darum geht, dem Zeitalter nicht nur die Diagnose zu stellen, sondern auch die Therapie vorzuschlagen, forscht er nach dem Wesen und den Wurzeln der Dekadenz. Es ist für ihn, der stets auch sein eigner advocatus diaboli war, charakteristisch, daß er jedes Ergebnis, zu dem er gelangt, sofort in neue Fragen auflöst, daß er jeder Erkenntnis, die sich aus seinen Gedanken herauskristallisiert, sofort widerspricht, daß er hinter jedes Rufzeichen ein Fragezeichen setzt und hinter jedes zögernd ausgesprochene Ja ein skeptisches Vielleicht oder verzweifeltes Nein. Er nennt seine Haltung »die eines Mannes, der auch mit sich nicht einverstanden ist«. Er konstatiert: »Allen meinen Arbeiten fehlt: Wenn ich fertig bin, noch einmal fragen: Wozu bringe ich das vor? Was *will* ich? Und von dieser Antwort her, wenn sie nicht allzu zufällig ist, das Ganze noch einmal überarbeiten.« Er wendet gegen sich ein: »Ich nehme nicht Stellung, ich weiß nicht, wo ich stehen werde, wohin wird mich der Geist führen? Ist das Daimon oder Objektivität?« Er sagt zu seiner Rechtfertigung, es müsse auch »Menschen ohne Bindung« geben, »ohne Bedürfnis nach Ja oder Nein«, Forscher, Experimentatoren. Und schließlich: »Dichtung ist im Innersten der Kampf um eine höhere menschliche Artung; sie ist zu diesem Zweck Untersuchung des Bestehenden, und keine Untersuchung ist etwas wert, ohne die Tugend des kühnen Zweifels.« Mit dieser *Tugend des kühnen Zweifels* hat Musil verborgen-

ste Kavernen der modernen Gesellschaft aufgesprengt,
was sie zu verheimlichen wünscht, dem Licht des Tages
preisgegeben, die Dekadenz einer schonungslosen Inventur unterzogen, alles in Frage gestellt, ohne sich anzuma-
ßen, auf alles die Antwort zu wissen. Das Fortschreiten
von Widerspruch zu Widerspruch führt ihn nicht selten
im Kreis herum, als habe er sich im Wald verirrt und
müsse immer wieder zum Ausgangspunkt zurückkehren,
wobei er diesen Wald bis in das letzte Dickicht, in jede
unerwartete Lichtung und fürchterliche Finsternis kennen-
lernt; tausenderlei weiß er von ihm, nur eines nicht: wie
man hinauskommt. Er ahnt es zwar, doch überläßt er
andren die Auskunft. Als Dichter meint er das Seine getan zu haben, wenn er, was ist, untersucht, Möglichkeiten
andeutet, ohne sich als berufen zu fühlen, an der Gestaltung der Wirklichkeit teilzunehmen. Dennoch ist sein viel-
deutiges Werk nicht nur Spiegel dessen, was zu Ende geht,
sondern es birgt auch Richtbild, Hoffnung und Zukunft
in sich.

Zunächst eine Analyse der Dekadenz: Der »Mann ohne
Eigenschaften« beginnt mit einer Episode, die scheinbar
nichts mit dem Inhalt des Romans zu tun hat. Ein Last-
wagen hat einen Fußgänger überfahren. Ein Herr und
eine Dame treten hinzu. »Die Dame fühlte etwas Unan-
genehmes in der Herz-Magengrube, das sie berechtigt war
für Mitleid zu halten; es war ein unentschlossenes, läh-
mendes Gefühl. Der Herr sagte nach einigem Schweigen
zu ihr: ›Diese schweren Kraftwagen, wie sie hier verwendet werden, haben einen zu langen Bremsweg.‹ Die Dame
fühlte sich dadurch erleichtert und dankte mit einem auf-
merksamen Blick. Sie hatte dieses Wort wohl schon
manchmal gehört, aber sie wußte nicht, was ein Bremsweg
sei, und wollte es auch nicht wissen; es genügte ihr, daß
damit dieser gräßliche Vorfall in irgendeine Ordnung zu
bringen war und zu einem technischen Problem wurde,
das sie nicht mehr unmittelbar anging.« In dieser schein-

bar belanglosen Episode taucht ein Leitmotiv auf: *Die Menschen können nur in Ordnung leben.* Die innere Ordnung ist verlorengegangen, die Katastrophe bricht sich Bahn, aber die Menschen klammern sich an eine äußere, abgestorbene, ihnen längst entfremdete, unverständlich gewordene Ordnung. Irgendwelche Formeln, deren Sinn sie nicht wissen, die jedoch bekannt klingen, beruhigen sie. Das Unbehagen wird übertönt, sie sind der Verantwortung enthoben. Das Gräßliche geht sie nichts mehr an. Es wird zum technischen Problem, für das die Fachmänner zuständig sind. In einer undurchsichtigen Welt läßt man irgendwen und irgendwas gewähren. Und plötzlich ist die *Katastrophe* da, die große, der Krieg, der Zusammenbruch. »Vor allem war«, stellt Musil fest, »ein sehr bezeichnendes Symptom der Katastrophe zugleich Ausdruck einer bestimmten ideologischen Lage; das völlige Gewährenlassen gegenüber den an der Staatsmaschine stehenden Gruppen von Spezialisten, so daß man wie im Schlafwagen fuhr und erst durch den Zusammenstoß erwachte.« Nicht nur die Staatsmaschine, die gesamte, undurchschaubar gewordene und faktisch unkontrollierte Macht der ökonomischen und politischen Herrschaftsgruppen, der anonyme Apparat, ist den Menschen über den Kopf gewachsen; die Demokratie wird zur Illusion, der Einzelne vermag in Wahrheit nichts mehr mitzubestimmen. »Das gewöhnliche Verhältnis des Einzelnen zu einer so großen Organisation, wie sie der Staat darstellt, ist das Gewährenlassen; überhaupt repräsentiert dieses Wort eine der Formeln der Zeit. Das Zusammenleben der Menschen ist so breit und dick geworden und die Beziehungen sind so unübersehbar verflochten, daß kein Auge und kein Wille mehr größere Strecken zu durchdringen vermag, und jeder Mensch außerhalb seines engsten Funktionskreises unmündig auf andere angewiesen bleibt; noch nie war der Untertanenverstand so beschränkt wie jetzt, wo er alles schafft. Ob er möchte oder nicht, muß der Einzelne ge-

währen lassen und tut nicht.«[1] Nicht das Volk hat die
Macht, sondern in den Großbanken ist sie konzentriert:
»Jedes Kind weiß, daß Gott heute nicht mehr bei den
stärksten Bataillonen ist, wie dies noch Friedrich von
Preußen glauben durfte, sondern bei den Großbanken;
die Bataillone sind nur eine Anlage der Rüstungsindu-
strie ...« Und weiter: »Die Ära des Bürgertums geht, von
innen her, zugrunde ...« – »Ich bin ... von der Untauglichkeit des Kapitalismus oder des Bürgertums überzeugt,
ohne daß ich mich je für seine politischen Gegner hätte
entschieden ...« – »Wahrscheinlich muß man statt ablauf-
ende Zeit der Demokratie sagen: Ablaufzeit des Kauf-
manns. Dieses Bürgerkaufmannszeitalter hatte in der Politik keine Ehre, außer eben der Kaufmannsehre, die gro-
ßenteils vom Preis abhängt ...«

In dieser Gesellschaft ist, wie Musil immer wieder her-
vorhebt, *der Mittelpunkt verlorengegangen,* das Gefühl
der Einheit, das Bewußtsein, gemeinsam an einer großen
Sache teilzunehmen. In der extremen gesellschaftlichen
Arbeitsteilung, die nicht durch eine große gesellschaftliche
Idee Zusammenhang und Zusammenhalt gewinnt, nimmt
die Vereinzelung, Zerstückelung und Isolierung überhand.
»Das Leben, das uns umfängt«, stellt Musil fest, »ist ohne
Ordnungsbegriffe. Die Tatsachen der Vergangenheit, die
Tatsachen der Einzelwissenschaften, die Tatsachen des Lebens überdecken uns ungeordnet ... Naturgemäß spiegelt
sich das in einer unerhörten geistigen Einzelkrämerei. Unsere Zeit beherbergt nebeneinander auch völlig unausge-
glichen die Gegensätze von Individualismus und Gemein-
schaftssinn, von Aristokratismus und Sozialismus, von Pazifismus und Martialismus, von Kulturschwärmerei und
Zivilisationsbetrieb, von Nationalismus und Internatio-
nalismus, von Religion und Naturwissenschaft, von Intui-

---

[1] Robert Musil: »Die Nation als Ideal und als Wirklichkeit«.
1921.

tion und Rationalismus und ungezählt vielem mehr . . .
Es ist ein babylonisches Narrenhaus; aus tausend Fenstern
schreien tausend verschiedene Stimmen, Gedanken, Musi-
ken gleichzeitig auf den Wanderer ein, und es ist klar, daß
das Individuum dabei der Tummelplatz anarchischer Motive wird und die Moral mit dem Geist sich zersetzt . . .«
In einer Notiz über Rousseau heißt es: »Die große un-
geteilte Kraft des Lebens gilt es zu bewahren. Er nennt
sie bald Instinkt, bald Gefühl, Genie, Naivität, Natur,
die schöne Seele. Die Kultur der sozialen und psychologischen Arbeitsteilung, die diese Einheit zersplittert, ist die
große Lebensgefahr für die Seele.« Und in den Notizen
zum »Mann ohne Eigenschaften«: »Heute ist die ganze
Existenz in Unordnung geschleudert; Erörterungen, Beiträge, Abhandlungen und Abwandlungen frommen
nicht . . .« Und Ulrich, der Hauptheld des Romans: »Man
ist früher mit besserem Gewissen Person gewesen als heute. Die Menschen glichen den Halmen im Getreide . . .
Heute dagegen hat die Verantwortung ihren Schwer-
punkt nicht im Menschen, sondern in den Sachzusammen-
hängen . . .« Und an andrer Stelle: »Die innere Dürre, die
ungeheuerliche Mischung von Schärfe im Einzelnen und
Gleichgültigkeit im Ganzen, das ungeheure Verlassensein
des Menschen in einer Wüste von Einzelheiten, seine Unruhe, Bosheit, Herzensgleichgültigkeit ohnegleichen, Geld-
sucht, Kälte und Gewalttätigkeit, wie sie unsere Zeit
kennzeichnen . . .«

Das ungeheure Verlassensein, *die Einsamkeit in einer
zur Fremde gewordenen Welt*, wird immer wieder zum
Hauptmotiv und Grunderlebnis. Musil notiert zum Thema seines Romans: »Hauptproblem ist das Alleinsein –
eventuell auch vor sich selbst – und alles was dazu gehört.
Das übrige ist gobelinhaft-hintergrundartig zu behandeln . . .« – »Der Einzelne inmitten. Seine Hilflosigkeit.
Die ungeheuer aufwachsenden Tatsachen. Die unüber-
brückbare Kluft zwischen Individuum und Allgemein-

heit . . .« – »Der modernen Seele, die Ozeane und Konti-
nente spielend überbrückt, ist nichts so unmöglich, wie die
Verbindung zu den Seelen zu finden, die um die nächste
Ecke wohnen . . .« Und damit im Zusammenhang: *die
Kälte, die Gleichgültigkeit, die Grausamkeit.* »Die Zeit:
Alles was sich im Krieg und nach dem Krieg gezeigt hat,
war schon vorher da. Es war da: absolute Grausamkeit:
1. Geschehenlassen. 2. Nur das Mittel erleben. Aus den
gleichen Gründen Egoismus. Die Zeit ist nur zerfallen wie
ein Geschwür. Alles muß man submarin auch schon in dem
Vorkriegsroman zeigen.« – »Am tiefsten Punkt dieser
Hölle liegt – dem Einzelnen gar nicht mehr bewußt –
wie die Spitze eines Kegels die luziferische Mißachtung
der Ohnmacht des Idealismus, die nicht nur den verkommenen, sondern oft auch den stärksten Menschen unserer
Zeit eigentümlich ist . . .«

Gegen den Irrationalismus

All diese Elemente der Dekadenz herausarbeitend, ist
Musil durchaus nicht bereit, sich mit ihnen abzufinden.
Vor allem ist er nicht bereit, die um sich fressende Verachtung der Vernunft und Vergötterung des Irrationalen,
des Weihrauchgewölks, der »Intuition« mitzumachen. In
einer brillanten Polemik gegen Oswald Spengler erweist
sich der mit allem Dunklen, Fragwürdigen, Unterirdi-
schen wohlvertraute Dichter als ein später und uner-
schrockener *Erbe der Aufklärung.* Zunächst wird dem
hochtrabenden Philosophen mit souveränem Spott anma-
ßende Unwissenheit nachgewiesen; einen rauschenden Satz
Spenglers über Mathematik abdämmend, stellt der Mathematiker Musil fest: »Das klingt so gewiegt, daß ein
Nichtmathematiker sofort durchschaut, so kann nur ein
Mathematiker reden. Aber in Wahrheit ist, wie Spengler
da Zahlengebilde höherer Ordnung aufzählt, nicht fach-

kundiger als ob ein Zoologe zu Vierfüßlern die Hunde,
Tische, Stühle und Gleichungen vierten Grades zusammenfassen würde!« Spenglers in Analogien schwelgende
»Kulturmorphologie« wird höchst amüsant persifliert:
»Es gibt zitronengelbe Falter, es gibt zitronengelbe Chinesen; in gewissem Sinn kann man also sagen: Falter ist
der mitteleuropäische geflügelte Zwergchinese ... Daß der
Falter Flügel hat und der Chinese keine, ist nur ein Oberflächenphänomen. Hätte ein Zoologe je auch nur das geringste von den letzten und tiefsten Gedanken der Technik verstanden, müßte nicht erst ich die Bedeutung der
Tatsache erschließen, daß die Falter nicht das Schießpulver erfunden haben; eben weil das schon die Chinesen
taten. Die selbstmörderische Vorliebe gewisser Nachtfalterarten für brennendes Licht ist ein dem Tagverstand
schwer zugänglich zu machendes Relikt dieses morphologischen Zusammenhangs mit dem Chinesentum.« Und
dann wird all den Propheten der »Wesensschau« und Verächtern der Ratio ernsthaft erwidert: »Es ist ein unheilvolles Mißverständnis, welches den Geist in Gegensatz
zum Verstand setzt; die menschlich wesentlichen Fragen
werden durch das Geschreibe von Rationalismus und Antirationalismus nur verwirrt ... Eine Frage für sich ist
die *Intuition*. Ich beantrage, alle deutschen Schriftsteller
möchten sich durch zwei Jahre dieses Wortes enthalten.
Denn heute steht es so damit, daß jeder, der etwas behaupten will, was er weder beweisen kann, noch zu Ende
gedacht hat, sich auf die Intuition beruft.«

Schon vor dem ersten Weltkrieg, in seiner Studie »Der
mathematische Mensch«, hat Musil den modischen »Zerstörern der Vernunft« (mit denen sich später Georg Lukács beispielhaft auseinandersetzte) geantwortet: »Wir
anderen haben nach der Aufklärungszeit den Mut sinken
lassen. Ein kleines Mißlingen genügte, uns vom Verstand
abzubringen, und wir gestatten jedem öden Schwärmer,
das Wollen eines d'Alembert oder Diderot eitlen Ratio

nalismus zu schelten. Wir plärren für das Gefühl gegen den Intellekt und vergessen, daß Gefühl ohne diesen – abgesehen von Ausnahmefällen – eine Sache so dick wie ein Mops ist. Wir haben damit unsre Dichtkunst schon so weit ruiniert, daß man nach je zwei hintereinander gelesenen deutschen Romanen ein Integral auflösen muß, um abzumagern.«

Und schließlich: »Wir haben nicht zu viel Verstand und zu wenig Seele, sondern wir haben zu wenig Verstand in den Fragen der Seele.«

Es ist daher mehr als Ironie, wenn Ulrich im »Mann ohne Eigenschaften« vorschlägt, ein »Weltsekretariat der Genauigkeit und Seele« zu gründen; es ist die Sehnsucht nach einer Synthese von wissenschaftlicher Erkenntnis und tiefer Humanität.

Der Irrationalismus als ein Symptom der Dekadenz vermengt sich mit dem Hohn gegen den Begriff des Fortschritts. Auch in dieser Frage war Musil »unzeitgemäß«. So ekelhaft ihm das phrasenhaft banale Fortschrittsgeschwätz des Liberalismus war, der platte Gedanke, daß der Fortschritt ein Fließband sei, auf dem die Menschheit sanft in die Zukunft gleitet, sosehr ihn immer wieder die Problematik der Entwicklung beunruhigte, sosehr widersprach er jenen, die den Fortschritt für einen Blödsinn hielten. Den »christlich-germanischen« Sektierern, den ideologischen Vorläufern des Faschismus, erwidert Ulrich im »Mann ohne Eigenschaften«: »Wir machen in den einzelnen Zweigen des menschlichen Könnens unleugbar so viele Fortschritte, daß wir ordentlich das Gefühl haben, ihnen nicht nachkommen zu können; wäre es nicht möglich, daß daraus auch das Gefühl entsteht, wir erlebten keinen Fortschritt? Schließlich ist Fortschritt doch das, was sich aus allen Anstrengungen gemeinsam ergibt, und man kann eigentlich von vornherein sagen, der wirkliche Fortschritt wird immer gerade das sein, was keiner wollte ...« Was schließlich herauskommt, sei, als Ergebnis

zahlloser Molekularbewegungen, ein höherer Mittelwert.
Man könne die kinetische Gastheorie zum Vergleich her-
anziehn. »Nehmen wir also auch an, eine bestimmte Menge von Ideen fliegt in der Gegenwart durcheinander; sie
ergibt irgendeinen wahrscheinlichen Mittelwert; der ver-
schiebt sich langsam und automatisch, und das ist der sogenannte Fortschritt oder der geschichtliche Zustand; das
Wichtigste aber ist, daß es dabei auf unsere persönliche,
einzelne Bewegung gar nicht ankommt...« Das klingt
sehr skeptisch und überdies ungenau, denn auch im Gas-
druck kommt es auf die Bewegung jedes einzelnen Mole-
küls an, da sie zum Gesamtergebnis beiträgt; die kühle
spöttische Art ergibt sich jedoch aus der Situation, aus dem
inneren Widerspruch gegen die Überhitztheit der Ge-
sprächspartner. In andrem Zusammenhang sagt Ulrich
ungleich leidenschaftlicher: »Wir leben in einer Durch-
gangszeit. Vielleicht dauert sie, wenn wir unsre tiefsten
Aufgaben nicht besser anpacken, bis zum Ende des Planeten...« Hier also wird gesagt, daß es eben doch auf uns
ankommt, darauf, wie wir unsre tiefsten Aufgaben anpacken. Und Ulrich fährt fort: »Übrigens bin ich überzeugt: Wir galoppieren! Wir sind noch weit von den Zie-
len entfernt, sie rücken nicht näher, wir sehen sie überhaupt nicht, wir werden uns noch oft verreiten und die
Pferde wechseln müssen; aber eines Tages – übermorgen
oder in zweitausend Jahren – wird der Horizont zu fließen beginnen und uns brausend entgegenstürzen.« Es
bleibt nicht bei dieser ekstatischen Verschwommenheit; in
eben jenem Essay, in dem Musil unsre Zeit mit einem ba-
bylonischen Narrenhaus vergleicht, spricht er von der
Diskrepanz zwischen dem technischen Fortschritt und dem
Gefühl der Menschheit, dem Zustand ihres Bewußtseins:
»Im Keller dieses Narrenhauses aber hämmert der he-
phaistische Schaffenswille, Urträume der Menschheit werden verwirklicht wie der Flug, der Siebenmeilenstiefel,
das Hindurchblicken durch feste Körper und unerhört vie-

le solche Phantasien, die in früheren Jahrhunderten seligste Traummagie waren; unsre Zeit schafft diese Wunder, aber sie fühlt sie nicht mehr. Sie ist eine Zeit der Erfüllung, und Erfüllungen sind immer Enttäuschungen; es fehlt ihr an etwas, das sie noch nicht kann, während es ihr am Herzen nagt ...«

Übergang zum kollektivistischen Weltbild

Was aber ist es, das sie noch nicht kann, während es ihr am Herzen nagt? Musil versteht, daß *eine neue Ordnung* not tut, daß die gesellschaftliche Struktur mit dem Bedürfnis der Menschheit nicht mehr übereinstimmt. »Die Lösung liegt weder im Warten auf eine neue Ideologie noch im Kampf der einander heute bestreitenden, sondern in der Schaffung gesellschaftlicher Bedingungen, unter denen ideologische Bemühungen überhaupt Stabilität und Tiefgang haben. Es fehlt uns an der Funktion, nicht an den Inhalten!« Im Gespräch mit einem jungen Sozialdemokraten sagt Ulrich: »Daß über kurz oder lang die Menschheit in irgendeiner Form sozialistisch organisiert sein wird ... das habe ich schon als Kavallerieleutnant gewußt; es ist sozusagen die letzte Chance, die ihr Gott gelassen hat. Denn der Zustand, daß Millionen Menschen auf das roheste hinabgedrückt werden, damit tausende mit der Macht, die ihnen daraus erwächst, doch nichts Hohes anzufangen wissen, dieser Zustand ist nicht bloß ungerecht und verbrecherisch, sondern auch dumm, unzweckmäßig und selbstmörderisch.« Musils großer Roman sollte mit dem »Übergang zum kollektivistischen Weltbild« enden. Es kam nicht dazu, sondern was kam, war der sinnlos frühe Tod. So gibt es nur Notizen: »Der Individualismus geht zu Ende. Ulrich liegt nichts daran. Aber das Richtige wäre hinüberzuretten ... Also nächste Aufgabe: Grundnotizen einer Utopie der induktiven Gesinnung für die vielen: Es ist nicht das Wichtigste, Geist zu produzieren, sondern Nahrung, Kleidung, Schutz, Ordnung: das gilt heute noch immer von der Lage der Menschheit. Wir sind noch immer das gefährdete und sich selbst gefährdende Tier. Ebenso wichtig ist es, die für Nahrung, Kleidung und so weiter nötigen Grundsätze zu produzieren. Nennen wir es – den Geist der Notdurft.«

Aus all dem, was Musil von der Notwendigkeit gesellschaftlicher Umgestaltung sagt, soll nicht der Eindruck entstehn, er sei ein Sozialist gewesen; er war es nicht, sowenig er ein Apologet des Kapitalismus war. Was in seinem Denken und Dichten stärksten Ausdruck fand, war der Zwiespalt eines Menschen, der mit allen Fasern in eine Welt verstrickt ist, die sein Verstand und seine Moral nicht zu bejahen vermag, der, in seiner Art zu leben und zu fühlen, extrem individualistisch, den Individualismus für reif zum Untergang hält, der, von der Unvermeidlichkeit des Kollektivismus überzeugt, dennoch vor ihm zurückschreckt. So hat ihn das Phänomen des Bolschewismus zugleich angezogen und abgestoßen. »Man kann sagen«, schrieb er, »daß die konservative menschliche Konstitution eine Sturmflut von Schmach, Dummheit, Müdigkeit und Unglück über die Welt gebracht hat. Man kann aber ihrem extremen Gegenteil den gleichen Vorwurf nicht ersparen (vom Bolschewismus abgesehen, denn er wird zu viel verleumdet und wir haben die Schuld, keine Aufklärung eingeholt zu haben).« In einer frühen Arbeitsnotiz zum »Mann ohne Eigenschaften« (als der Roman noch »Die Katakombe« heißen sollte und der Hauptheld Achilles) wird die Frage gestellt: »Bist du vom Kommen des Bolschewismus überzeugt, brich mit dir, werde jung und beschränkt unbeschränkt? Dazu sich nicht entschließen zu können, in einem persönlichen Nihilismus zu enden, wie man im kapitalistisch-monarchistischen Staat begonnen hatte, könnte das Ende der ›Katakombe‹ sein, das Ende der Geschichte von Achilles. Diese Person tritt ab. Neue kommen herauf.« Voll Sehnsucht nach dem »archimedischen Punkt«, von dem aus die Welt zu ändern ist, brach er nicht zu ihm durch, brach er nicht mit sich selbst. »Was ist von mir übriggeblieben?« dachte Ulrich bitter. »Vielleicht ein Mensch, der tapfer und unverkäuflich ist und sich einbildet, daß er um der Freiheit des Inneren willen nur wenige äußere Gesetze achtet. Aber diese Freiheit des Inneren besteht darin, daß man sich alles denken kann, daß man in jeder menschlichen Lage weiß, warum man sich nicht an sie zu binden braucht, und niemals weiß, wovon man sich binden lassen möchte.«

Das Bürgertum war für ihn abgetan. Die Arbeiterklasse blieb ihm fremd. In tiefer Opposition zur alten Welt und einer neuen ahnungsvoll zugewandt, doch mißtrauisch gegen alles Programmatische, gegen jedes ideologische System, hat er in seinem Wesen und Werk vorweggenommen, was heute für viele Menschen und besonders für viele Intellektuelle in der kapitalistischen Welt charakteristisch ist. Mit dieser Welt durchaus nicht einverstanden, schrecken sie vor der werdenden zurück, vor den Qualen des Übergangs, der Mühsal der Verwirklichung. In solcher Haltung birgt sich die Gefahr des Nihilismus.

Jene, die Musil lesen und in seiner Problematik die eigene erkennen, mögen nicht sein kräftiges »Trotz alledem!« überhören: »Und diese Entwicklung seit dem Kriege, die sowohl eine neue Zusammengehörigkeit in sich schließt als auch die Zweifel der vergangenen, möchte ich die kollektivistische nennen, um das, was den ›freien‹ Geist‹ am meisten angeht, hervorzuheben. Es ist allerdings Optimismus; und heute, wo es so viel politischen Optimismus gibt, mag es manchem schwer erscheinen, ein optimistisches Bekenntnis abzulegen: aber das Verstehenwollen gehört zu den wenigen unbestrittenen Funktionen, die dem Geist noch geblieben sind, und er wird meistens annehmen, daß die Menschheit irgendein Ziel, irgendeine Aufgabe, irgendein sinnvolles Vorsich besitzt, das wir weder sehen, noch aber auch gar nicht sehen: mit einem Wort, sein Optimismus ist, wenn er die Welt betrachtet, ungefähr in die Worte zu fassen: Wir irren vorwärts!«

Man nehme dies als einen, vielleicht mit unzulänglichen Mitteln und in allzu abgekürztem Verfahren gewagten Versuch, die Beziehung eines großen Schriftstellers zum Problem der Dekadenz darzustellen. Gewiß: Musil war ein Dichter der Dekadenz (und hat das selber gewußt). Zugleich aber hat er, mit ihr sich auseinandersetzend, über sie hinausgewiesen. Er hat uns nicht nur durch große dichterische Potenz erregt, er hat uns auch um manche Erkenntnis der Wirklichkeit bereichert. Er fordert zum Denken heraus, oft zum Einverständnis, öfter zum Widerspruch.

»DER MANN OHNE EIGENSCHAFTEN«

Der »Mann ohne Eigenschaften«, das unvollendete Lebenswerk Musils, ist in seiner Uferlosigkeit, in seiner Tendenz nach Totalität, in seiner Begierde, die ganze Welt in sich hineinzuschlingen, in seinem Durcheinanderwogen von Gestalten und Gedanken, Ereignissen und Betrachtungen, Leidenschaften und Kommentaren ein literarisches Monstrum, ebenso großartig wie problematisch. Ob der Autor es wollte oder nicht, ist dieser Roman ein letztes Prunkstück des österreichischen Barocks, strotzend von barocker Überfülle, Fleisch und Kostüm, Vorhang und Hintergrund, Sinnlichkeit und Reflexion. Und wie die Gestalten des Barocktheaters sich als allegorisch zu erkennen geben, als Stellvertreter einer höheren Wirklichkeit oder deren bunte Hülle, die hochzuraffen der Sinn des Spiels ist, so haben die Gestalten dieses Romans die Funktion, Brennstoff des Denkens zu sein; aus jeder von ihnen dampft eine Wolke widerspruchsvoller Philosophie, jede von ihnen ist bemüht, sich selbst und die Welt vieldeutig zu kommentieren. Man könnte auch sagen, Musil gleiche einem Experimentator, dem es nicht so sehr um das konkrete Experiment als um die abstrakte Formel geht, die aus ihm abzuleiten ist. Das Verhalten von Menschen in einer konkreten Situation wird vorgeführt, mit größter dichterischer Intensität; dann aber geht ein Vorhang hoch und sichtbar wird ein schwarzer Hintergrund: die schwarze Tafel, auf die der Dichter schreibt, was sein Experiment zur Schau stellen sollte, eine oft sehr komplizierte Gleichung mit sehr viel Unbekannten. Musil selbst hat von seiner Art zu schreiben gesagt: »Worauf es mir ankommt, ist die leidenschaftliche Energie des Gedankens.« Und an andrer Stelle: »Die Kunst des Schreibens besteht darin, Situationen zu schaffen, die das zu Sagende den Personen gemäß machen, andrerseits das zu Sagende so auszuwählen, aus dem Fluß der Gedanken gewissermaßen die suggestiven Knotenpunkte auszuwählen – daß die Personen nicht viel zu sagen haben.« Auf das zu Sagende also kommt es ihm an, und zu dem, was er sagen will, wird die Situation erfunden. Nun aber ist es so, da Musil ein Gestalter ersten Ranges ist, daß seine Gestalten und Situationen sich dem Leser unauslöschlich einprägen, indes die ausschweifende Reflexion, trotz der ungewöhnlichen Intelligenz, die sie produziert, oft ins Unbestimmte verdunstet. Die Substanz des Romans gleicht einer opalisierend milchigen Flüssigkeit oder einem amorphen Nebel; aus dieser Substanz treten die Menschen hervor, kraftvoll und wesentlich, und plötzlich ist wieder alles schimmernde Dämmerung.

Das Geschehn in diesem Roman spielt sich gleichsam auf drei Bühnen ab: im Vordergrund, auf der ersten Bühne, der Verfallsprozeß der Habsburger-Monarchie, auf der zweiten, in tiefere Hintergründe sich öffnenden, die Situation des Menschen in einer fragwürdig gewordenen Welt, das Nahen einer nicht nur österreichischen, sondern allgemeinen Katastrophe, auf der dritten, ins Grenzenlose verschwimmenden, das philosophische Problem der Wirklichkeit (das freilich im Erlebnis Musils aufs engste mit der gespenstischen Unwirklichkeit der Zustände in Kakanien zusammenhängt). In den vorbereitenden Notizen Musils heißt es: »Achilles [der später zum Ulrich des Romans wurde] aus seiner Zeit, der vor dem Kriege, herausentwikkeln. Die Zeit, die den Tod nicht kannte ... Er glaubte selbst schon, daß er ein pathologischer Mensch sei. Er hat alle menschlichen Unmöglichkeiten, die der Krieg zeigt, vorausgewußt. Das war seine Abnormität ...« Weiter: »Immanente Schilderung der Zeit, die zur Katastrophe geführt hat, muß den eigentlichen Körper der Erzählung bilden, auf den sie sich immer zurückziehen kann ...« An andrer Stelle: »Nochmals oberstes Problem: ... Zusammenbruch der Kultur (und des Kulturgedankens). Das ist in der Tat das, was der Sommer 1914 eingeleitet hat ...« Und: »Stimmung: Es ist die Tragödie des gescheiterten Menschen (Richtiger: des Menschen, der in Gefühls-Verstandesfragen immer um eine Möglichkeit mehr kennt. Denn schlechtweg gescheitert ist er ja nicht), der immer allein ist, zu allem im Widerspruch, und nichts ändern kann ...« – »Ein Hauptthema fürs Ganze ist also: Auseinandersetzung des Möglichkeitsmenschen mit der Wirklichkeit ...« Und schließlich: »Unter diesem Sein ist ein anderes. Ich ist Täuschung. Darunter ein Allgemeines, Beharrendes, Substanz.« In der Antwort auf die Frage, was dieses Allgemeine sei, bemüht sich Musil, die Mystifikation, der sein Gefühl zuneigt, durch die Erkenntnis zu überwinden: »Der Einzelne und das Ganze: Betrachten wir dieses ›Es‹ ... Es ist klar, daß dieses ›Es‹ die (politische, gesellschaftliche) Organisation ist.«

Die Parallel-Aktion

Die »Haupt- und Staatsaktion«, um die Musil die Handlung des Romans gruppiert, wird mit souveräner Ironie konstruiert. Ulrich erfährt durch einen Brief seines Vaters, eines pedantisch-patriotischen Österreichers: »In Deutschland soll im Jahr 1918, u. zw. in den Tagen um den 15. VI. herum, eine große, der Welt die Größe und Macht Deutschlands ins Gedächtnis prägende Feier des dann eingetretenen 30jährigen Regierungsjubiläums Kaiser Wilhelms II. stattfinden... ich kann Dir verraten, daß in Wien eine Aktion im Gange ist, um das Eintreffen dieser Befürchtungen zu verhindern und das volle Gewicht eines 70jährigen, segens- und sorgenreichen Jubiläums gegenüber einem bloß 30jährigen zur Geltung zu bringen. Da der 2. XII. (der Tag der Thronbesteigung Franz Josephs I.) natürlich durch nichts vor den 15. VI. gerückt werden könnte, ist man auf den glücklichen Gedanken verfallen, das ganze Jahr 1918 zu einem Jubiläumsjahr unseres Friedenskaisers auszugestalten...« Der gespenstische Witz, das Jahr des Zusammenbruchs der Monarchie in sorgenloser Phantasie als »österreichisches Jahr«, als Jahr eines großen Friedensjubiläums vorwegzunehmen, in ängstlichboshafter Rivalität zum deutschen Bundesgenossen und in angekränkelter Selbstgefälligkeit, trifft nicht nur ins Schwarz-Gelbe der österreichischen Problematik, sondern entblößt auch den Widerspruch zwischen dem, was als wirklich gilt, und der den Handelnden unbewußten, ihre Pläne durchkreuzenden Wirklichkeit.

Die von dem Grafen Leinsdorf und der schönen Gattin des Sektionschefs Tuzzi, Diotima, geleitete »Parallel-Aktion« ist ohne Inhalt; man ist zwar von dem österreichischen »Es muß was geschehn!« durchdrungen, aber was um Gottes willen geschehn müsse, weiß man nicht. Es wird sich schon finden, meint Graf Leinsdorf, vorderhand bleibt es bei den vier Punkten: »Friedenskaiser, europäischer

Markstein, wahres Österreich und Besitz und Bildung.«
Nur eines ist für ihn sicher: »Daß dieses Fest von den
dankbaren Völkern Österreichs in einer Weise begangen
werden wird, die der Welt nicht nur unsere tiefe Liebe
zeigen soll, sondern auch, daß die Österreichisch-Ungari-
sche Monarchie fest wie ein Felsen um ihren Herrscher
geschart steht.« Und Diotima fügt hinzu, »die Welt werde
nicht eher Beruhigung finden, als die Nationen in ihr so
in höherer Einheit leben wie die österreichischen Stämme
in ihrem Vaterland. Ein Größer-Österreich, ein Weltöster-
reich, darauf habe sie in diesem glücklichen Augenblick
Se. Erlaucht gebracht, das sei die krönende Idee, die der
Parallel-Aktion bisher gefehlt habe.« Leinsdorf ist davon
nicht überzeugt und veranstaltet für alle Fälle eine En-
quete, um die Wünsche aller Kreise der Bevölkerung ken-
nenzulernen; das Ergebnis ist chaotisch, da von den Brief-
markensammlern bis zu den Großmolkereien jeder etwas
andres für das Wichtigste hält. Macht nichts, denkt Leinsdorf, die Hauptsache ist: »Ein Apparat war da, und weil
er da war, mußte er arbeiten, und weil er arbeitete, begann er zu laufen, und wenn ein Automobil in einem weiten Feld zu laufen beginnt, und es säße selbst niemand
am Steuer, so wird es doch einen bestimmten, sogar sehr
eindrucksvollen und besonderen Weg zurücklegen . . .«
Die einzigen, die von Anfang an wissen, was sie wollen,
sind der deutsche Großindustrielle Arnheim, der sich in
die Aktion einschaltet, und der österreichische General
Stumm von Bordwehr, der an ihr teilnimmt; der eine will
die galizischen Ölfelder aufkaufen, der andere Geld für
die Armee herausholen (was schließlich sowohl dem einen
wie dem andren gelingt.) Während das deutsche Kapital
und das österreichische Kriegsministerium ihre Sonderzie-
le verfolgen, wirbelt die Parallel-Aktion immer mehr
Staub auf: die Deutschnationalen halten sie für ein anti-
deutsches, die Slawen für ein antislawisches Unternehmen, es kommt sowohl zu deutschnationalen wie zu sla-

wischen Demonstrationen, der alte Graf Leinsdorf gerät
zu seiner Verwunderung immer mehr ins Gedränge und
sieht schließlich die rettende Idee in einer »sozialdemokratischen Republik mit einem starken Herrscher an der
Spitze«. In dieser sonderbaren Parallel-Aktion manife-
stiert sich ein Grundgefühl Ulrichs (und Musils), das Gefühl, nicht selber zu leben, sondern gelebt zu werden, die
Dinge nicht vorwärtszutreiben, sondern von ihnen vor-
wärtsgedrängt zu werden, die undurchsichtige Notwendigkeit nur im Stückwerk des Zufalls wahrzunehmen.
Dies alles wirkt wie eine Illustration der Darlegungen
von Friedrich Engels, daß in der Geschichte der Gesellschaft »die Handelnden lauter mit Bewußtsein begabte,
mit Überlegung oder Leidenschaft handelnde, auf bestimmte Zwecke hinarbeitende Menschen« sind; dennoch
herrscht »auf der Oberfläche« der Geschichte, »trotz der
bewußt gewollten Ziele aller Einzelnen, im großen und
ganzen scheinbar der Zufall. Nur selten geschieht das Gewollte, in den meisten Fällen durchkreuzen und wider-
streiten sich die vielen gewollten Zwecke oder sind diese
Zwecke selbst von vornherein undurchführbar oder die
Mittel unzureichend. So führen die Zusammenstöße der
zahllosen Einzelwillen und Einzelhandlungen auf ge-
schichtlichem Gebiet einen Zustand herbei, der ganz dem
in der bewußtlosen Natur herrschenden analog ist ...«

DIE GESTALTEN

Die in die Parallel-Aktion verflochtenen Menschen sind
bis in die feinste Falte durchgestaltet. Da ist der alte Graf
Leinsdorf, in seiner Mischung von Borniertheit und Kon-
zilianz, von Vornehmheit und Naivität, von Welterfah-
rung und Ahnungslosigkeit der vollkommene österreichische Aristokrat. »Die ethische Verpflichtung, nicht ein
gleichgültiger Zuschauer zu sein, sondern der Entwick-

lung ›von oben helfend die Hand zu bieten‹, durchdrang
sein Leben. Es war vom ›Volk‹ überzeugt, daß es ›gut‹
sei; da nicht nur seine vielen Beamten, Angestellten und
Diener von ihm abhingen, sondern in ihrem wirtschaftlichen Bestehen zahllose Menschen, hatte er es nie anders
kennengelernt, ausgenommen die Sonn- und Feiertage, wo
es als freundlich-buntes Gewimmel aus den Kulissen quillt
wie ein Opernchor. Was nicht zu dieser Vorstellung stimmte, führte er deshalb auf ›hetzerische Elemente‹ zurück...
Es ist ja klar, daß den Armen zu helfen eine ritterliche
Aufgabe ist und daß für den wahren Hochadel eigentlich
kein so großer Unterschied zwischen einem bürgerlichen
Fabrikanten und seinem Arbeiter bestehen kann; ›wir
alle sind ja im Innersten Sozialisten‹ war ein Lieblings-
ausspruch von ihm und hieß ungefähr so viel und nicht
mehr, wie daß es im Jenseits keine sozialen Unterschiede
gibt... ›Jeder Mensch‹, pflegte er zu sagen, ›besitzt ein
Amt im Staate, der Arbeiter, der Fürst, der Handwerker,
der Beamte!‹...« Oder wenn er seine feudale Geschichtsphilosophie darlegt: »Wissen Sie, der Hochadel hat in den
letzten hundert Jahren Pech mit seinen Hauslehrern gehabt! Früher sind das Menschen gewesen, von denen ein
großer Teil nachher in das Konversationslexikon gekommen ist; und diese Hofmeister haben wieder Musik- und
Zeichenlehrer mit sich gebracht, die zum Dank dafür Sachen gemacht haben, die man heute unsre alte Kultur
nennt. Aber seit es die neue und allgemeine Schule gibt
und Leute aus meinen Kreisen, entschuldigen Sie, den
Doktortitel erwerben, sind irgendwie die Hauslehrer
schlecht geworden...« Oder wenn er auseinandersetzt:
»Das heißt, es muß etwas geschehen, das verlangt unsere
Zeit. Dieses Gefühl haben heute sozusagen alle Menschen,
nicht nur die politischen. Die Zeit hat so was Interimisti-
sches, was auf die Dauer niemand aushält...«

Und welch ein hintergründiger Kauz ist dieser General
Stumm von Bordwehr, den das Kriegsministerium beauf-

tragt, die Parallel-Aktion zu überwachen, und der seine Aufgabe so ernst nimmt, daß er gewissenhaft versucht, aus dem Chaos der Ideen, den Exzessen des »Zivilgeists« irgendeine Ordnung herauszuquälen. Verwirrt von dem Durcheinander der Ideologien, beginnt er, »Grundbuchblätter der Hauptideen« des zwanzigsten Jahrhunderts anzulegen, und zeigt sie stolz seinem ehemaligen Leutnant Ulrich: »Man mag gegen uns sagen, was man will, aber auf Ordnung haben wir uns beim Militär immer verstanden. Hier das ist die Konsignation der Hauptideen, die ich aus den Teilnehmern an den Versammlungen bei deiner Kusine [Diotima] herausbekommen habe. Du siehst, wenn man ihn unter vier Augen fragt, hält eigentlich jeder etwas andres für das Wichtigste ... Wir haben das dann erweitert und es enthält jetzt die Namen der Ideen und ihrer Urheber, von denen wir in den letzten fünfundzwanzig Jahren bewegt worden sind ... Ich hab einen Hauptmann, zwei Leutnants und fünf Unteroffiziere dazu gebraucht, um das in so kurzer Zeit fertigzustellen!« Der ordentliche General hat ferner einen Aufmarschplan der modernen Ideen aufzuzeichnen versucht und stellt voll Kummer fest: »Aber du bemerkst wohl ... wenn du eine der heute im Gefecht stehenden Gedankengruppen betrachtest, daß sie ihren Nachschub an Kombattanten und Ideenmaterial nicht nur aus ihrem eigenen Depot, sondern auch aus dem ihres Gegners bezieht; du siehst, daß sie ihre Front fortwährend verändert und ganz unbegründet plötzlich mit verkehrter Front, gegen ihre eigene Etappe kämpft; du siehst andersherum, daß die Ideen ununterbrochen überlaufen, hin und zurück, so daß du sie bald in der einen, bald in der anderen Schlachtlinie findest: Mit einem Wort, man kann weder einen ordentlichen Etappenplan noch eine Demarkationslinie, noch sonst etwas aufstellen, und das Ganze ist, mit Respekt zu sagen – woran ich aber andrerseits doch wieder nicht glauben kann! – das, was bei uns jeder Vorgesetzte einen Sauhau-

fen nennen würde!« – »Du nimmst das Denken viel zu
ernst!« erwidert der skeptische Ulrich, aber der General
gibt nicht nach, beginnt die Bibliotheken zu durchfor-
schen, um schließlich zu dem Ergebnis zu gelangen, daß
sich in der ungeheuren Arbeitsteilung, Spezialisierung,
Unübersichtlichkeit des »Zivilgeists«, in den einander
überstürzenden Ismen des Jahrhunderts niemand mehr
auskennt, daß er in einer Welt lebt, die zum »babyloni-
schen Narrenhaus« geworden ist. Er resigniert: »Ordnung
ist gewissermaßen ein paradoxer Begriff. Jeden anständigen Menschen verlangt es nach innerer und äußerer Ordnung, aber andrerseits verträgt man auch nicht zu viel von
ihr, ja eine vollkommene Ordnung wäre sozusagen der
Ruin alles Fortschritts und Vergnügens . . .« Worauf er es
für um so wichtiger hält, Artillerie und Marine auf Kriegs-
stand zu bringen – denn da weiß man doch, was man hat.

Im Gegensatz zu dem General findet der Lloyd-Bank-
direktor Fischel diese Welt als durchaus in Ordnung. »Er
liebte es, das menschliche Dasein als vernünftig begründet
zu erkennen, glaubte an seine geistige Rentabilität, die er
sich gemäß der wohlgegliederten Ordnung einer Groß-
bank vorstellte, und nahm täglich mit Gefallen zur
Kenntnis, was er von neuen Fortschritten in der Zeitung
las . . .« Die zunehmende Undurchsichtigkeit der Zusammenhänge beunruhigt ihn nicht: »Im Grunde kann sich
ein Mensch bei der heutigen Kompliziertheit der Dinge
doch nur auf *einem* Gebiet voll auskennen, und das waren
bei ihm Lombarden und Effekten . . .« Er ist der Typus
des liberalen, mit sich und der Welt zufriedenen Bürgers,
der freilich nicht ohne Sorge sieht, daß seine Tochter Gerda einem Kreis von jungen Menschen angehört, die den
Liberalismus verachten, Vernunft und Fortschritt verhöh-
nen und den penetranten Dunst einer »christlich-germanischen« Weltanschauung verbreiten.

Durchaus anders als der Repräsentant eines noch vom
Liberalismus zehrenden Bürgertums ist Arnheim, der Ex-

ponent des modernen Monopolkapitals mit seiner Philosophie des Irrationalen, der »Intuition«, der mystischen Verdunkelung aller Transaktionen. Das Vorbild dieser Gestalt war Walther Rathenau; ihn hat Musil, obwohl er sich als Dichter der deutschen Nation fühlte, mit der tiefen Abneigung des Österreichers gegen den deutschen Imperialismus und seinen Reflex im Geistigen gezeichnet. Er haßte diese »machtgeschützte Innerlichkeit«, dieses Von-Seele-Sprechen, wenn man Märkte meint, diese Berufung auf Goethe und Hölderlin, wenn es um Erdöl und Kohle geht. Ulrichs Haltung zu Arnheim ist jene Musils: »Er sah den von der Gunst der Verhältnisse gemästeten, vorbildlichen Einzelfall einer geistigen Entwicklung in ihm, die er haßte. Denn dieser berühmte Schriftsteller war klug genug, um die fragwürdige Lage zu begreifen, in die sich der Mensch gebracht hat, seit er sein Bild nicht mehr im Spiegel der Bäche sucht, sondern in den scharfen Bruchflächen seiner Intelligenz; aber dieser schreibende Eisenkönig gab die Schuld daran dem Auftreten der Intelligenz und nicht ihrer Unvollkommenheit. Es lag ein Schwindel in dieser Vereinigung von Kohlenpreis und Seele...« – »Fraglich und ungewiß war es, ob Arnheim, wenn er von Seele sprach, selbst an sie glaubte und dem Besitz einer Seele die gleiche Wirklichkeit zuschrieb wie einem Aktienbesitz...« – »Ein seiner Verantwortung bewußter Mann«, sagte sich Arnheim überzeugt, »darf schließlich auch, wenn er Seele schenkt, nur die Zinsen zum Opfer bringen und niemals das Kapital.« Einen »Händler mit goldenen Engelsflügeln« nennt Musil diesen Arnheim und spottet über »die Wirkung Maeterlinckscher und Bergsonscher Philosophie, angewendet auf die Fragen von Kohlenpreis und Kartellierungspolitik«. Dieser große Kapitalist kann sich den Luxus der Seele leisten, weil andre für ihn die Schmutzarbeit besorgen, und von dem Vorteil dieser »Indirektheit« spricht er zu Ulrich: »Durch diese zur Virtuosität ausgebildete Indirektheit

wird heute das gute Gewissen jedes Einzelnen wie der
ganzen Gesellschaft gesichert; der Knopf, auf den man
drückt, ist immer weiß und schön, und was am anderen
Ende der Leitung geschieht, geht andere Leute an, die für
ihre Person wieder nicht drücken. Finden Sie es abscheulich? So lassen wir Tausende sterben oder vegetieren, bewegen Berge von Leid, richten damit aber auch etwas
aus!« Und Ulrich denkt: »Die Teilung des moralischen
Bewußtseins, von der Arnheim sprach, diese fürchterlich-
ste Erscheinung des heutigen Lebens, hat es immer gegeben, aber sie ist zu ihrem grauenvollen guten Gewissen
erst als eine Folge der allgemeinen Arbeitsteilung gelangt . . .«

Arnheim findet in Diotima die ideale Partnerin einer
ins »Seelische« transponierten und daher zu nichts ver-
pflichtenden Liebesbeziehung. Er wurde entzückt, »als er
in Diotima eine Frau antraf, die nicht nur seine Bücher
gelesen hatte, sondern als eine von leichter Korpulenz be-
kleidete Antike auch seinem Schönheitsideal entsprach,
das hellenisch war, mit ein bißchen mehr Fleisch, damit
das Klassische nicht so starr ist«. Diotima, aus kleinbür-
gerlichem Milieu in die große Welt aufgestiegen, ist der
Inbegriff jenes vagen, wohlgerundeten, mit angenehmen
Fettpolstern ausgestatteten Idealismus, der parfümiert
und ahnungslos über eine verfaulende Gesellschaft hin-
weggleitet. »Es war«, sagt Musil, »ein vornehmer Idealismus, eine dezente Gehobenheit . . . Er war nicht sachlich, dieser Idealismus, weil Sachlichkeit handwerksmäßig
und Handwerk immer unsauber ist; er hatte vielmehr etwas von der Blumenmalerei von Erzherzoginnen, denen
andere Modelle als Blumen unangemessen waren, und
ganz bezeichnend für diesen Idealismus war der Begriff
der Kultur, er fühlte sich kulturvoll . . .« Unbefriedigt,
nach einer halb nur geahnten Fülle des Lebens dürstend,
hat Diotima »das Bedürfnis, eine menschliche Einheit vor-
zutäuschen, welche die so sehr verschiedenen menschlichen

Betätigungen umfassen soll und niemals vorhanden ist. Diese Täuschung nannte Diotima Kultur und gewöhnlich mit einem besonderen Zusatz die alte österreichische Kultur ...« Es ist in ihr ein verschwommenes, unernstes, sich durch pompöse »Gschaftlhuberei« und seelische Ergüsse immer wieder beschwichtigendes Gefühl, daß dem Leben die großen Ziele und Aufgaben verlorengegangen sind.

Viel schärfer und ernster ist dieses Gefühl in der kleinen Clarisse, die den Jugendfreund Ulrichs geheiratet hat und ihr Unbefriedigtsein bis zum Wahnsinn übersteigert. Sie brennt von Ehrgeiz – »wenn man das Verlangen des unschöpferisch in ein Durchschnittsleben gebannten Geistes nach Flügeln so nennen darf«. Sie kommt aus einem Milieu von Makartbildern und trüber Sinnlichkeit und »lehnte sich gegen die Überzeugungen und anderen Torheiten ihrer Eltern einfach mit der Frische eines harten Körpers auf, der alle Gefühle verachtet, die im entferntesten an üppige Ehebetten und türkische Prunkteppiche erinnern ...« Diese frigide Frau möchte die Peitsche sein, die ihren Mann zu großer Leistung treibt, er aber verspielt sein Talent, versinkt in Passivität und Wagnermusik, wird ein gebildeter und unproduktiver Spießbürger. Ihr Leben wird inhaltslos: »Ich mache Musik oder male; das ist aber so, wie wenn ich eine spanische Wand vor ein Loch in der Mauer stellen würde ...« Früher, wenn sie in der Umgebung herumstreifte, hat sie sich oft gedacht: »Gehe ich jetzt links, so kommt Gott, gehe ich rechts, so kommt der Teufel...« Nun aber klagt sie: »Es kommt weder Gott noch Teufel. So gehe ich schon jahrelang herum.« In ihr ist »der Krankheitsstoff der Zeit«, die Sehnsucht, aus der lauen Welt der Bürgerlichkeit auszubrechen, eine extreme Entscheidung heraufzubeschwören. Ja oder Nein, Gott oder Teufel. »Es ist doch entsetzlich«, sagt sie, »dieses Leben, das aus dem Ozean der Lebenslüste nur das bißchen Geschlechtslust holt ... *Man muß zu einem Zweck auf der Welt sein.* Man muß zu etwas gut sein. Sonst bleibt alles schrecklich verworren ...« So fühlt sie das *Parasitäre* ihres Daseins, das ohne Ziel und Form ist, findet nicht den Ausweg zu sinnvollem Tun und stellt daher die wilde Frage: »Verlangt die Ordnung nach Zerrissenwerden?« Was schließlich zerreißt, ist der Rest von Ordnung in ihr selbst, und ihr Geist, von Nietzsche genährt, von der antihumanen Philosophie ihres Freundes Meingast, von allen Giften der Dekadenz, geht in Irrsinn unter. Dieses immer tiefer in Verrücktheit Hineingeraten, dieser Zerfall eines Geistes in einer zerfallenden Welt, wird von Musil mit größter Präzision, überzeugend dargestellt.

Hingegen ist ihr Gegenspieler, der sie faszinierende Frauenmörder Moosbrugger, in jeder Hinsicht verzerrt und ungestaltet. Stimmt in Clarisse das Symbolhafte mit der realen Persönlichkeit überein, so ist Moosbrugger, trotz meisterlich gezeichneter Einzelzüge, nur ein Symbol von peinlicher Monstrosität. Er hat die Funktion der blutroten Geheimkammer in den »Verwirrungen des Zöglings Törleß«, die hinter der bürgerlichen Zivilisation lauernde Barbarei, die Grausamkeit, die Aggression, das mörderisch Morbide darzustellen, gleichsam das Geschwür zu sein, in dem sich die allgemeine Krankheit ankündigt. Ulrich hat das Gefühl, Moosbrugger gehe ihn »durch etwas Unbekanntes näher an als sein eigenes Leben, das er führte; er ergriff ihn wie ein dunkles Gedicht, worin alles ein wenig verzerrt und verschoben ist und einen zerstückt in der Tiefe des Gemüts treibenden Sinn offenbart ...« In einem Essay spricht Musil von dem »Zerbersten einer Ordnung an ihren ungewollten, vernachlässigten Spannungen« und weist darauf hin, daß in dieser explosiven Zeit die Menschen »den heute um sie gelegten ohnedies halb ohnmächtigen ethischen Klammern immer mehr entgleiten«. Schon vor dem Krieg roch es nach Blut und Verwilderung, und »zerstückt und durchdunkelt« nimmt dieser Zustand in dem Frauenmörder Gestalt an; Ulrich meint daher, »wenn die Menschheit als Ganzes träumen könnte, müßte Moosbrugger entstehen« – was eine absurde und auch von Musil nicht aufrechterhaltene Verallgemeinerung ist. In der Lulu-Tragödie Wedekinds tritt zum Schluß in eine verdunkelte und untergehende Welt der »Bauchaufschlitzer Jack«, ohne Psychologie, mit Messer und Mord, als unaufhaltsames Verhängnis. Musil hat leider versucht, den Frauenmörder Moosbrugger psychologisch zu analysieren, ihn als einen Menschen zu rechtfertigen, dem das Leben vorenthalten hat, was er unbestimmt und schattenhaft für »sein Recht« hält, und eben dadurch die Wirkung verfehlt, die Wedekind im letzten Akt der Lulu-Tragödie erzielt. Und schließlich soll Moosbrugger noch in greller Art das Nichtübereinstimmen von Ich und Außenwelt, das Problem einer fragwürdig gewordenen Wirklichkeit exemplifizieren, und da so viel in ihn hineingeheimnist wird, entsteht ein aufgeschwemmtes, in seiner Gesamtheit nicht überzeugendes Gebilde. Außerdem scheint es mir unerquicklich, daß in einem Roman, in dem es das Volk nicht gibt (so wenig wie im »Zauberberg« oder im »Dr. Faustus« von Thomas Mann), der einzige Plebejer ein pathologisches Monstrum ist.

Im Grunde für mißlungen halte ich auch die Zentralgestalt des Romans, Ulrich, den »Mann ohne Eigenschaften«. In der Entwicklung des modernen Romans hat der junge Mann mit unausgeprägter Persönlichkeit, dessen Funktion es ist, in seiner Empfänglichkeit und Bildsamkeit das Plasma zu sein, das von der Außenwelt geformt wird, eine wichtige Rolle gespielt: Man denke an Walter Scotts »Waverley«, an Goethes »Wilhelm Meister«, an Flauberts »Erziehung der Gefühle«, an Thomas Manns »Zauberberg«. Auch Musil ist von der Idee des »Erziehungsromans« ausgegangen, wozu noch kam, daß er sich in einer Welt sah, in der die »Eigenschaften« gleichsam pragmatisiert sind, als »gesellschaftliche Charaktermasken«, als Konfektion und Konvention den Menschen auferlegt werden, und daß, im Gegensatz dazu, in diesen

Menschen etwas Neues chaotisch-verworren sich vorbereitet. »In wundervoller Schärfe sah er«, heißt es von Ulrich, »mit Ausnahme des Geldverdienens, das er nicht nötig hatte, alle von seiner Zeit begünstigten Fähigkeiten
und Eigenschaften in sich, aber die Möglichkeit ihrer Anwendung war ihm abhanden gekommen.« Man lebt in
einer Ordnung, die wie ein Alpdruck vergangener Geschlechter ist: »Man braucht es sich ja bloß vorzustellen:
wenn außen eine schwere Welt auf Zunge, Händen und
Augen liegt, der erkaltete Mond aus Erde, Häusern, Sitten, Bildern und Büchern – und innen ist nichts wie ein
haltlos beweglicher Nebel...« – »Es sind die fertigen
Einteilungen und Formen des Lebens, was sich dem Mißtrauen so spürbar macht, das Seinesgleichen, dieses von
Geschlechtern schon Vorgebildete, die fertige Sprache nicht
nur der Zunge, sondern auch der Empfindungen und Gefühle...« Und daher, weil er auf eigne Faust zu leben
wünscht, weil er diese Gesellschaft als Totenmaske empfindet, ist Ulrich der »Mann ohne Eigenschaften«. – »Er
hält kein Ding für fest, kein Ich, keine Ordnung; weil unsere Kenntnisse sich mit jedem Tag ändern können, glaubt
er an keine Bindung, und alles besitzt den Wert, den es
hat, nur bis zum nächsten Akt der Schöpfung.« Als »Mög-
lichkeitsmensch« streift er durch die Ruinen der Wirklichkeit; »der Mensch als Inbegriff seiner Möglichkeiten, der
potentielle Mensch, das ungeschriebene Gedicht seines Daseins trat dem Menschen als Niederschrift, als Wirklichkeit und Charakter entgegen«.

Das alles ist ein großer dichterischer Plan; in der Gestaltung jedoch wird Ulrich mit zuviel fertigen und sich
nicht wandelnden Eigenschaften ausgestattet. Es ist nicht
nur die »gesellschaftliche Charaktermaske« des jungen
Herrn aus gutem Haus, die er in allen Situationen trägt
(»Auch Wilhelm Meister ist wohlhabend gewesen«, erwidert Musil), sondern auch individuelle Eigenschaften sind
in ihm sehr ausgeprägt, Kälte, Hochmut, Rücksichtslosig-

keit, Schärfe des Intellekts und impulsiver Egoismus. Der »Mann ohne Eigenschaften« hat also zuviel (und obendrein klassenbedingten) Charakter – und dies alles wird nicht in die Atmosphäre der Ironie einbezogen, sondern mit pathetischem Akzent dargestellt. Er, der sich selbst ein Jahr »Lehrzeit« gibt, um Inhalt und Form zu finden, bleibt als *Charakter* ohne Entwicklung; mannigfaltige Abenteuer des Fleisches und des Geistes durchlaufend, gewinnt er nicht neue menschliche Konsistenz, sondern nur neue intellektuelle *Erkenntnis.* Der skeptische und amoralische Individualist gelangt zur Erkenntnis, daß man ohne Moral nicht leben kann und daß individuelle Lösungen nur innerhalb gesellschaftlicher zu finden sind. »Es gibt kein tiefes Glück ohne tiefe Moral. Es gibt keine Moral, wenn sie sich nicht von etwas Festem ableiten läßt. Es gibt kein Glück, das nicht auf einer Überzeugung ruht.« Und schließlich das Bekenntnis zu gesellschaftlicher Bindung, die Wechselwirkung von Individuum und Kollektiv: »Außerhalb der Bindungen deformiert jeder Impuls augenblicklich den Menschen. Der Mensch, der erst durch den Ausdruck wird, formt sich in den Formen der Gesellschaft ... Er wird geformt durch die Rückwirkungen dessen, was er geschaffen hat.«

Musil hat in den Ulrich alles hineingestopft, was ihn an geistiger Problematik bewegte, und dadurch aus ihm so etwas gemacht wie eine allegorische Barockfigur, der die Spruchbänder aus dem Mund quellen. Der Dichter hat einst notiert: »Es erscheint mir nicht ausgeschlossen, daß ein vollkommen adäquates Register der Gedanken eines ganzen Lebens, scheinbar einheitslos wie es ist, von erschütternder Kunstwirkung wäre. Aber es ist eine physische Unmöglichkeit, es ist eben etwas, das man nicht wirklich versuchen kann. Doch kann man an solche Möglichkeiten denken und Wirkungen suchen, die sich ihnen, so gut es uns gegeben ist, annähern ...« Und später: »Hauptsache: Eine Art *Biographie meiner Ideen.*« Eine solche

Biographie seiner Ideen zu geben, hat er mit der Gestalt
Ulrichs versucht – und sie durch intellektuelle Überfütte-
rung formlos gemacht.

Aber noch mehr: Musil identifiziert sich mit Ulrich, verleiht ihm seine Gedanken und manchen Zug seines Wesens – und übersieht dabei das Entscheidende. Ulrich ist
zum Unterschied von seinem Schöpfer, der ein produkti-
ver, an einem großen Werk arbeitender Mensch von stren-
ger Haltung war, ein Nichtstuer, Unfugstifter und »Ada-
bei« – und dadurch wird alles an ihm schief, verzerrt und
unerquicklich. Ihm fehlt die dichte Struktur und unsichtbare Aura andrer Gestalten, vom aufsässigen Mohrenkna-
ben Soliman bis zu seinem Gebieter Arnheim, dessen Kapital auch seelisch Zinsen abwirft, von der leicht verführ-
baren Bonadea, die »unter dem Griff der Leidenschaft an
eine Taube erinnert, deren Federn sich in den Fängen eines
Raubvogels sträuben«, bis zu der ungelenken, widerspenstigen Gerda, »die auf der Stelle Omnibusschaffner würde, wenn eine allgemeine Idee dies verlangte«, von der
kleinen Kammerzofe Rachel, in deren Wesen »die Mo-
zartische Musik zu einer Kammerzofe« wiederkehrt, bis
zu der unsäglich blühenden Agathe. Musil, der sich der
Problematik Ulrichs bewußt ist, will ihn dennoch in die
Zukunft hineinretten, freilich in verwandelter Gestalt:
»Der Mann ohne Eigenschaften, *aber ohne Dekadenz.*«

Die beiden ersten, hundertfach durchgearbeiteten Teile
des Romans enden damit, daß Ulrich in einer leeren Wohnung voll überflüssigem Licht und ungeheurer Einsamkeit
zurückbleibt. »Man hätte sagen können, und er fühlte es
selbst, daß diese Einsamkeit immer dichter und immer
größer wurde. Sie schritt durch die Wände, sie wuchs in
die Stadt, ohne sich eigentlich auszudehnen, sie wuchs in
die Welt. ›Welche Welt?‹ dachte er. ›Es gibt ja gar
keine‹ . . .«

Die Bruder-Schwester-Liebe

Der dritte Teil des Romans, »Ulrich und Agathe«, ist eine der erregendsten, wunderlichsten, schmerzlich-schönsten Liebesgeschichten der Weltliteratur. Auch hier greift Musil zum extremen Fall, zum gewagten Motiv der Bruder-Schwester-Liebe. Man hat ihn auch darum der »Perversität« bezichtigt und nicht nur die hohe dichterische Gestaltung, sondern schlechthin alles Wesentliche übersehn. Es gibt nicht wenige tiefe Gründe für die Wahl des Themas.

Der erste Grund: Der eigenwillige, die konventionelle Moral verachtende Individualist Ulrich fordert durch sein gesamtes Leben die Gesellschaft heraus. Sein Individualismus ist nicht von jener sich bequemenden Art, die den »Seitensprung« in die Freiheit, doch nicht den Bruch mit der Welt riskiert, er ist zu keinem Kompromiß bereit, ist schrankenlos. Im Reich des Privaten herrscht der absolute Freiheitsbegriff, und dieses Reich des Privaten wird, da die gesellschaftliche Ordnung innerlich eingestürzt ist und nicht als verpflichtende Wirklichkeit gilt, ins Unbegrenzte ausgedehnt. Wirklich ist nur das Ich, und dieses Ich findet seinen tiefsten Inhalt in der Liebe, die das Privateste ist, das wahre Abseits und Jenseits der Gesellschaft. Wen ich liebe, was gehts euch an! Warum nicht die Schwester, wenn sie mir holder ist als jede andre Frau? Weil es verboten ist? Mit welcher Begründung, die das souveräne Ich anzuerkennen vermag? Weil es die Nachkommenschaft gefährdet? Und wenn wir auf sie verzichten? Weil ihr es »Blutschande« nennt? Sie war in vergangenen Zeiten legitim. Nichts kann die freie Persönlichkeit hindern, sich lachend über solches Geschwätz hinwegzusetzen. Im Gegenteil: die geächtete Liebe, die jedes Gesetz der Gesellschaft brechende, radikal von ihr sich abwendende, ist die dem totalen Individualismus gemäße. Sie, die keine Bindung kennt als die verwegen selbstgewählte, ist gleichsam die Zerreißprobe des totalen Individualismus: Wir brauchen nichts als uns, wir sind uns selbst genug, die Außenwelt wird abgeschafft. Und eben dieser wilde Versuch führt das Prinzip der Isolierung ad absurdum. *Man kann sich nicht der Gesellschaft entziehn;* das Experiment mißlingt, nicht weil es »gegen die Natur«, sondern weil es gegen die Gesellschaft ist. »Wir sind einem Impuls gegen die Ordnung gefolgt«, sagt Ulrich. »Eine Liebe kann aus Trotz erwachen, aber sie kann nicht aus Trotz bestehn. Sondern sie kann nur eingefügt in eine Gesellschaft bestehn . . .«

Den schrankenlosen Individualismus als das Unmögliche zu erweisen, ist nur einer der Gründe für die Wahl des Themas; es gibt deren andre, die noch tiefer hinabreichen. *Die Deformation der Liebe* in der kapitalistischen Bürgerwelt, in der von Macht und Geschäft, Ausbeutung und Konkurrenz erfüllten Männerwelt ist eines der Leitmotive des Romans. In dieser alles zu Markte tragenden Welt könnte man »alle Beziehungen von der Liebe bis zur reinen Logik in der Sprache von Angebot und Nachfrage, Deckung und Eskompte ausdrücken, jedenfalls ebenso gut, wie man sie psychologisch oder religiös ausdrücken kann . . .« In ihr ist die Frau nicht nur Ware, sondern in vieler Hinsicht auch Geschöpf des Mannes. Sie hat nach seinem Bedarf die Heilige zu sein, wenn er romantisch, die Hure, wenn er sexuell auszuschweifen wünscht, die Magd, die Gattin, das Muttertier, je der Situation und Stimmung angepaßt. Der Mann führt Regie, die Frau hat zu sein, was er von ihr begehrt, halb sein Traum, halb sein Ding, heut ihm die Seele, morgen die Suppe zu wärmen. In der Sexualität die Barbarei der Jagd und Aggression, der Mann als Jäger, Räuber, Eroberer, die Frau, die »genommen« wird, sich »hinzugeben« hat, ihn »befriedigend«, die Masken seiner Leidenschaft beobachtend und ihre Rolle spielend in dem von ihm inszenierten Theaterstück. Musil charakterisiert Agathe in ihrer ironischen Passivität: »Liebhaber kamen ihr, sobald sie sie erst kennengelernt hatte, nicht bezwingender vor als Gatten, und es dünkte sie bald, daß sie ebenso gut die Tanzmasken eines Negerstammes ernst nehmen könnte wie die Liebeslarven, die der europäische Mann anlegt ... Die Philosophie, die Agathe auf solche Weise erwarb, war einfach die des weiblichen Menschen, der sich nichts vormachen läßt und unwillkürlich beobachtet, was ihm der männliche Mensch vorzumachen trachtet ...«

Aus einer Welt des Rittertums, des Marienkults und Minnesangs ist *die romantische Liebe* hervorgegangen. Sie hat zum Unterschied von der ursprünglichen Sinnlichkeit der Antike Zwiespalt in die Erotik hineingetragen, Seele und Sinne, Traum und Wirklichkeit gegeneinander aufgebracht, einen neuen Himmel und eine neue Hölle produziert. Im prosaischen Leben war dieser zarte Zauber nur selten anwendbar und hatte zumeist die Funktion, das Maskenfest zu sein, das mit der Demaskierung der Ehe endete. So sonderbar das Wesen der Ehe ist, diese Mischung von Sexualität, wirtschaftlicher Interessengemeinschaft und Anstalt zur Kinderaufzucht, so unentbehrlich ist sie und wird sie noch lange sein. In seltenen Fällen hält ihr jedoch die Liebe stand, häufiger wächst aus ihr Kameradschaft von Mann und Frau, am häufigsten wird sie zum wohl oder übel aufrechterhaltenen Kompromiß – wenn sie nicht auseinanderbricht. Keineswegs kann man behaupten, daß in der Männerwelt (die nach wie vor besteht trotz Demokratie, Frauenwahlrecht, durch die Verfassung anerkannter Gleichberechtigung der Frau) die Beziehung der Geschlechter den Zustand einer reglementierten Barbarei überwunden hat.

Damit sich nicht abzufinden, ist nicht nur ein Gebot der Humanität, sondern auch das Ergebnis beglückender Erfahrung, daß es anders sein kann. Es gibt ein Miteinander- und Ineinander-Sein von Mann und Frau, in dem das eigne Selbst im andren Selbst sich wiederfindet, in dem Gespanntheit und Gelöstheit, Verführtsein und Vertraut-

sein eins ins andre gefügt sind, in dem das Bewußtsein
segnet, was die Natur vollstreckt, die Seele von dem er-
quickt ist, was das Fleisch ergötzt, in dem nichts krampf-
haft ist, nichts Maske, nichts Grimasse und Prestige, in
dem man einander wohltun will und Freundlichkeit,
Zärtlichkeit, Heiterkeit entgegenbringt, in dem Gespräch,
Verständnis und Begierde nicht getrennt sind, Erotik ein
blühendes Spiel und hinter dem Spiel unendliche Vereinigung. Es ist in solcher Seligkeit ein Element von Bruder-
Schwester-Liebe, des Sich-schon-immer-geahnt-, immer-
gewußt-Habens, der Herkunft aus gleichem Schoß wie
Isis und Osiris, des Verwandt-Seins im Anders-Sein, des
eignen Bluts in fremden Adern, des eignen Ursprungs in
fremder Gestalt. Es ist das geisterhafte Gefühl, das aus
den Versen Goethes atmet:

> Ach, du warst in abgelebten Zeiten
> meine Schwester oder meine Frau.

Die Bruder-Schwester-Liebe taucht aus dem stillen
Himmel der »Iphigenie« und wird in den »Geschwistern«
behutsam abgewandelt. Sie war das Thema eines frühen
Werks von Thomas Mann und kehrt in seinem Spätwerk
»Der Erwählte« wieder. Musils Schwester starb als Kind.
Er kannte sie nicht. In seinem Tagebuch sagt er, er habe
mit ihr einen »gewissen Kultus« getrieben, fügt jedoch
hinzu: »Ich trieb in Wahrheit keinen Kultus, aber diese
Schwester interessierte mich. Dachte ich manchmal: wie,
wenn sie noch am Leben wäre; ihr stünde ich am nächsten?« Er träumt von einer tiefen geschwisterlichen Gemeinschaft: »Die Zwillingsschwester ist biologisch etwas
sehr Seltenes, aber sie lebt in uns allen als geistige Utopie, als manifestierte Idee unserer selbst.« Eine Liebe, frei
von Fremdheit und Aggression: »Diese ›Güte‹ der Liebe
als Schwesterlichkeit, Verwischung der Ichpolarität und
dergleichen. Und dazu stimmt auch, daß die Vorstellung
Schwester für ihn trotz aller geschlechtlichen Erlebnisse

einen seltsamen Zauber bildet.« In den Notizen zum »Mann ohne Eigenschaften«: »Die Geschwisterliebe muß sehr verteidigt werden. Als etwas ganz Tiefes, mit seiner Ablehnung der Welt Zusammenhängendes empfindet sie Ulrich ... Es ist eine der wenigen Möglichkeiten von Einheit, die ihm gegeben sind ...« Und schließlich: »Sie hatten sich vorgenommen, so zu leben wie Geschwister, wenn man dieses Wort nicht im Sinne einer standesamtlichen Urkunde, sondern in dem eines Gedichts nimmt; sie waren nicht Bruder und Schwester noch Mann und Frau, ihre Wünsche waren wie weißer Nebel, in dem ein Feuer brennt.« Dieses Gedicht der Geschwisterlichkeit, diesen Traum einer Einheit, einer Liebe voll unwahrscheinlicher Beseligung zu gestalten, war einer der wesentlichen Gründe für das Ulrich-Agathe-Motiv.

Es gab noch einen dritten, letzten Grund.

DER »ANDRE ZUSTAND«

In einem Essay zur Dramaturgie des Films spricht Musil von »zwei Geisteszuständen, die einander zwar mannigfach beeinflußt haben und Kompromisse eingegangen sind, sich jedoch nie recht gemischt haben. Den einen der beiden kennt man als den Normalzustand unserer Beziehungen zu Welt, Menschen und eigenem Ich. Wir haben uns ... durch die Schärfe unseres Geistes zu dem entwickelt, was wir sind, Herren einer Erde, auf der wir ursprünglich ein Nichts zwischen Ungeheurem waren; Aktivität, Tapferkeit, List, Falschheit, Ruhelosigkeit, Böses, Jägerhaftigkeit, Kriegslust und dergleichen sind die moralischen Eigenschaften, denen wir diesen Aufstieg verdanken.

Diesem Geisteszustand steht jedoch ein anderer gegenüber, der historisch nicht minder nachweisbar ist, wenn er sich auch unserer Geschichte weniger stark aufgeprägt hat;

er ist mit vielen Namen bezeichnet worden, die alle eine
unklare Übereinstimmung tragen. Man hat ihn den Zustand der Liebe genannt, der Güte, der Weltabgekehrt-
heit, der Kontemplation, des Schauens, der Annäherung
an Gott, der Entrückung, der Willenlosigkeit, der Einkehr
und vieler anderer Seiten eines Grunderlebnisses, das in
Religion, Mystik und Ethik aller historischen Völker
ebenso wiederkehrt, wie er merkwürdig entwicklungslos
geblieben ist . . .

Bekanntlich ist dieser Zustand, außer in krankhafter
Form, niemals von Dauer; ein hypothetischer Grenzfall,
dem man sich annähert, um immer wieder in den Normalzustand zurückzufallen, und eben dies unterscheidet
die Kunst von der Mystik, daß sie den Anschluß an das
gewöhnliche Verhalten nie ganz verliert; sie erscheint
dann als ein unselbständiger Zustand, als eine Brücke, die
vom festen Boden sich so wegwölbt, als besäße sie im Imaginären ein Widerlager.«

Dieser »andre Zustand« hatte für Musil eine magische
Anziehungskraft. An der »Wirklichkeit« einer gespen-
stisch gewordenen Gesellschaft verzweifelnd, suchte er
hinter ihr eine andere, tiefere, wirklichere Wirklichkeit.
Es ist für den Individualisten, der das Bestehende verneint und dem Werdenden mißtraut, eine große Verlok-
kung, sich und der Zeit in die Mystik zu entfliehn, den
Sinn, die Einheit und Fülle des Lebens jenseits des ausge-
laugten Normalzustands zu finden. Zum Unterschied vom
spießbürgerlichen Rückzug aus der Gesellschaft, dessen
Leitwort heißt: »Mei Ruah will i ham!«, ist dies der pa-
thetische, überschwengliche, ein leidenschaftlicher Welt-
Durst – doch Welt nur als Gefühl, als dauerndes Erlebnis,
ungestört von Tatsachen und Entscheidungen. In diesem
Wunsch nach dem »andren Zustand«, nach dem ungestör-
ten *All-Eins-Sein* steckt ein extremer Egoismus; was als
Auflösung des Ich in die Welt verkündet wird, ist im Gegenteil Auflösung der Welt im Ich, wobei die Menschen

wie die Dinge nicht als Eigenwesen anerkannt werden, sondern nur dazu bestimmt sind, Nährstoff meines Gefühls zu sein. Es schwindet daher auch der Unterschied von Mensch und Ding; in seiner Gedenkrede für Rainer Maria Rilke, in dessen Lyrik der »andre Zustand« vorherrscht, hat Musil auf dieses Merkmal hingewiesen: »Bei Rilke werden nicht die Steine oder Bäume zu Menschen – wie sie es immer getan haben, wo Gedichte gemacht wurden –, sondern auch die Menschen werden zu Dingen oder zu namenlosen Wesen und gewinnen damit erst ihre letzte, von einem ebenso namenlosen Hauch bewegte Menschlichkeit.« Voll Bewunderung für den Lyriker Rilke zweifle ich dennoch daran, daß durch diese Verdinglichung des Menschen ein neuer Hauch von Humanität durch die Welt geht; ich glaube vielmehr, daß auch in der zarten und leuchtenden Atmosphäre dieses bedeutenden Dichters eine den Menschen zum Ding erniedrigende Welt sich widerspiegelt. Der Entschluß, die Welt nurmehr als mein Gefühl gelten zu lassen (bestärkt durch die Philosophie Ernst Machs, daß mein Sinneseindruck einzige Wirklichkeit sei), hat zur Folge, daß es keine *wirkliche* Beziehung zu *wirklichen* Menschen gibt, keine Verantwortung für den anderen, der ja nur die Funktion hat, stellvertretende Person meines Gefühls zu sein.

In einer Welt, in der so sehr die Tatsachen überwiegen, in der Gefühlsdürre, die sich daraus ergibt, ist der Rekurs aufs Gefühl ein sehr verständlicher Abwehrreflex; wenn alles von Tatkraft trieft, die Wirtschaft mehr gilt als der Mensch, die Werkbank mehr als der an ihr steht, sehnt man sich nach Seele, die wie feuchter Wind vom Meer in die Trockenheit hereinweht. Wenn man jedoch von einer Aufgabe sprechen will, kann sie nur darin bestehn, wohltuendes Gefühl in die Welt hineinzutragen, in diese Welt, wie sie ist, mit ihren den Menschen vergewaltigenden Tatsachen, ihrer Müh und Plag, ihren hundertfachen, das Herz verhärtenden Schwierigkeiten, nicht aber, sich aus

ihrem Zustand in den »andren« zurückzuziehn und aus
dem eignen Leben ein Gedicht zu machen, herausgesprengt
aus jeder belästigenden Wirklichkeit. Doch eben dies, das
weltverneinende Untertauchen in den »andren Zustand«,
in ein nicht spießbürgerlich eingeschrumpftes, sondern
märchenhaft blühendes Privatleben des übersteigerten
Gefühls, der Liebe, Zärtlichkeit und Seligkeit läßt Musil
seinen problematischen Helden Ulrich versuchen. Als ma-
ximal günstige Voraussetzung wählt er das Motiv der
Bruder-Schwester-Liebe: denn nicht nur ist durch das Ver-
botene dieser Beziehung das Ausscheiden aus der gesellschaftlichen Welt, das ihr entrückte Geheimnis als notwendig gegeben, sondern in der ihm traumhaft ähnlichen,
seinem Wesen so tief verwandten »Zwillingsschwester«
erlebt er dauernd sich selbst, das eigne Ich im Spiegel der
fremden Gestalt. Er ist der extreme Fall, »der nicht auf
eine Unnatur oder Lebensschwäche hinweist, sondern auf
eine Widerweltlichkeit und starke Widersetzlichkeit, auf
ein übergroßes und überleidenschaftliches Verlangen nach
Liebe«. In einem Schwebezustand zwischen Resignation
und Hoffnung sagt Ulrich zu Agathe, »daß ein Mitten-
inne-Sein, ein Zustand der unzerstörten Innigkeit des Lebens – wenn man das Wort nicht sentimental versteht,
sondern in der Bedeutung, die wir ihm soeben gegeben
haben, – wahrscheinlich mit vernünftigen Sinnen nicht zu
fordern ist«. Dann beugt er sich vor, berührt ihren Arm,
sieht ihr lange in die Augen. »Es ist vielleicht eine Men-
schenwidrigkeit«, sagt er leise. »Wirklich ist nur, daß wir
sie schmerzlich entbehren! Denn damit hängt wohl das
Verlangen nach Geschwisterlichkeit zusammen.« Und in
all dem Verlangen, in all der Zartheit und Süße des Gefühls ist es ein wilder Egoismus, dem Ulrich gehorcht, und
Musil stellt dies dar, ohne Beschönigung. Man darf sich
nicht nur als Ich fühlen. Der »andre Zustand« ist keine
mögliche Lebensform. Man muß die gesellschaftliche
Wirklichkeit anerkennen.

In einem Gespräch mit Ulrich sagt Agathe plötzlich: »Es gelingt ja doch nicht … *Eigentlich sind wir schreckliche Nichtstuer!*« Die oberflächliche Antwort Ulrichs: »Du vergißt, daß auch das Streben nach Seligkeit eine Arbeit ist!«, kann sie nicht beruhigen. An andrer Stelle hat Musil festgestellt: »Der wahre Mensch ist nur der Handelnde – das übrige in uns ist nie als ›wahr‹ zu erkennen, man nimmt es niemals scharf genug wahr.« Agathe hat recht: es sind zum großen Teil Erlebnisse und Gefühlskomplexe von Nichtstuern, Untätigen, die Musil analysiert. Auch das ist zu rechtfertigen, wenn es bewußt gemacht wird: die Arbeit, und was mit ihr zusammenhängt, ist nicht der einzige Lebensinhalt, und vieles reift in der Muße des Menschen, im »Reich der Freiheit« jenseits des Produktionsprozesses. Auch Thomas Mann hat im »Zauberberg« die Methode angewandt, Menschen aus dem gesellschaftlichen Normalzustand herauszulösen, um dadurch manches, das sonst verdeckt und verdunkelt ist, aufzudecken und zu durchleuchten. Man muß jedoch stets im Auge behalten – und Musil tut es –, daß dadurch Verzerrungen und Verkrampfungen entstehn, daß das nicht an der alltäglichen Welt sich erprobende, an ihren Schranken sich bewährende Gefühl nur allzu leicht zu etwas Aufgeblähtem, pathologisch Wucherndem, in seiner Ungestalt sich selbst Vernichtendem wird. Ulrich und Agathe können den »andren Zustand« nicht aufrechterhalten, er bricht im höchsten Aufschwung zusammen – weil er keinen Halt an der Welt findet, weil er sich zu sehr vom festen Boden wegwölbt und das erhoffte »Widerlager im Imaginären« sich als Illusion erweist. Mit größter dichterischer Kraft und unerbittlich der eignen Utopie, dem Traumbild eines die Welt überwindenden Individualismus das Urteil sprechend, hat Musil sich und allen, die Flucht aus der Gesellschaft, individuelle »Erlösung« und windgeschützte »Innerlichkeit« anstreben, erwidert: So geht es nicht! Schade, daß er nicht weiterging, daß er, der die ge-

sellschaftliche, die kollektive Lösung für die unabweisbare
Aufgabe hielt und zugleich wünschte, in sie hineinzuretten, was am Individualismus positiv war, nicht den Versuch unternahm, die *Synthese* dichterisch zu gestalten!
Nur der »andre Zustand«, Liebe, Zärtlichkeit, Geschwisterlichkeit, das »Mitten-inne-Sein«, der Zustand der unzerstörten Innigkeit des Lebens, ist unerreichbare Utopie;
aber diesen Zustand in ein tätiges Leben, in ein Dasein
mitten in der Gesellschaft, in ein Dasein des Kampfes mit
allen Schwierigkeiten, Bemühungen und Enttäuschungen
hineinzuretten, ihn einzufügen in die widerspruchsvolle
Wirklichkeit, festzuhalten und zu verteidigen, sollte es
nicht das unablässige Wagnis und sollte es nicht möglich
sein? *»Es ist nicht einfach zu lieben!«* überschreibt Musil
ein Kapitel. Nein, es ist nicht einfach in dieser Welt –
aber Musil hat vom Wesen der Dichtung gesagt, sie sei
da, um »Richtbilder aufzustellen«. Ein solches Richtbild
wäre es, von einer nicht mißlingenden, sondern jeder
Wirklichkeit standhaltenden Liebe in dieser Welt zu berichten. Es gibt Notizen zu dem unvollendeten Roman,
die auf eine Synthese hindeuten, so zum Beispiel: »Da
›andrer Zustand‹ zu individualistisch, gleich die soziale
Problematik hinzunehmen.« Oder: »Die Problematik des
›andren Zustand‹-Kreises muß in stärkere Beziehung zu
der Zeit gesetzt werden, damit man sie versteht und nicht
bloß für eine Extravaganz hält.« Daß sie keine Extravaganz, sondern ein echtes Problem ist, wurde hier nachzuweisen versucht. Die Lösung liegt jenseits des weltab-
gewandten Individualismus. Sie liegt in einer Vereinigung
des Gesellschaftlichen mit dem Individuellen.

AGATHE

Wenn man sich mit Musil auseinandersetzt, kann man
nicht umhin, immer wieder die Magie seiner Dichtung zu

rühmen. Diese Agathe in ihrer auf das Leben wartenden
Passivität, in ihrer stillen und weichen Kraft, im Aufbruch ihres Wesens aus einem »unbeleuchteten Zustand«,
in ihrer leidenschaftlichen, jeden Einwand überwindenden Unbedingtheit ist eine der schönsten Frauengestalten
der Weltliteratur – die einzige Frauengestalt des Romans,
die Musil ohne die leiseste Ironie, mit ungebrochener Liebe darstellt.

Seit ihrer Kindheit hat sie den Bruder nicht gesehn und
wird nun, da sie im Haus des toten Vaters sich treffen,
von seiner suggestiven Intelligenz ergriffen. Ulrich überstürzt sie mit Gedanken, die für ihn nur Fragezeichen des
Geistes, für sie jedoch Rufzeichen des Lebens sind. Alles
in ihr ist bildsame Möglichkeit, und was der Bruder sagt
und was sie oft nicht intellektuell, sondern nur instinktiv versteht, wirkt in ihr fort, ungeordnet und verführe-
risch, und wenn er dann und wann vor den Folgen seines
chaotischen Unterrichts erschrickt, antwortet sie unbefangen: »Aber du selber hast doch gesagt . . .!«

Was für ihn nur das *Mögliche* ist, wird für sie zum
Wirklichen, was für ihn nur Schatten war, nimmt in ihr
Gestalt an, was er *denkt*, versucht sie zu *leben*. Ulrich, der
»Mann ohne Eigenschaften«, wird gelegentlich auf solche
Art charakterisiert: »Immer wird für ihn erst ein mög-
licher Zusammenhang entscheiden, wofür er eine Sache
hält. Nichts ist für ihn fest. Alles ist verwandlungsfähig,
Teil in einem Ganzen, in unzähligen Ganzen, die vermutlich zu einem Überganzen gehören, das er aber nicht im
geringsten kennt. So ist jede seiner Antworten eine Teil-
antwort, jedes seiner Gefühle nur eine Ansicht, und es
kommt ihm bei nichts darauf an, was es ist, sondern nur
auf irgendein danebenlaufendes ›wie es ist‹, irgendeine
Zutat, kommt es ihm immer an.« Und an andrer Stelle:
»Er ahnt: diese Ordnung ist nicht so fest, wie sie sich gibt,
kein Ich, keine Form, kein Grundsatz sind sicher, alles ist
in einer unsichtbaren, aber niemals ruhenden Wandlung

begriffen, im Unfesten liegt mehr von der Zukunft als im Festen, und die Gegenwart ist nichts als eine Hypothese, über die man noch nicht hinausgekommen ist.« In dieser unruhigen, ahnungsvollen Dialektik ist ein Kern echter Welterkenntnis – aber was soll Agathe, die sich im Leben zurechtfinden will, damit anfangen? Für Ulrich ist diese Welt voll von unausgeschöpften Möglichkeiten; sie könnte, ja sie sollte anders sein, und was ihn lockt, ist das Potentielle, das Unverwirklichte, das Noch-nicht-Seiende; die Tat jedoch, der Actus, die Realisierung ist stets das Enttäuschende, der Paradiesvogel des Möglichen wird zur gerupften Wirklichkeit. Ein Jugendfreund hält Ulrich vor, seine Philosophie sei nichts andres als die österreichische Philosophie des »Fortwurstelns«, und das trifft zum Teil zu. Schon Grillparzer, den Musil hochschätzt, schreckt vor der Tat zurück und sieht in ihr immer die Untat, das zerstörende Prinzip; den Atem anzuhalten und nicht zum Täter zu werden, scheint ihm in der Labilität der Habsburger-Monarchie das Gebotene. Und dieses Gefühl wird bestärkt durch die allgemeine Enttäuschung nach den bürgerlich-demokratischen Revolutionen, aus denen nicht das Reich der Freiheit, sondern die Macht des Kapitals hervorging und das, was Musil die »furchtbare Tatkraft« nennt, der rasende Wettkampf einander widerstreitender Interessen. Ulrich will eine Welt, die zu Ende geht, zu Ende denken; Agathe zieht praktische Konsequenzen. Wenn diese Ordnung, wie sie von Ulrich vernimmt, nicht mehr gültig ist, wenn ihre Moral absurd, ihr Gesetz Unsinn ist, kann der souverän gewordene Mensch tun, was er will.

Mit zarten Zügen wird erzählt, wie sie sich in den Bruder verliebt.

Musil war nicht die Zeit gegeben, diese leidenschaftlich-melancholische Liebesgeschichte zu Ende zu führen. Die aus dem Nachlaß veröffentlichten, zum Teil ausgearbeiteten, zum Teil fragmentarischen Partien sind von Re-

flexionen überladen; doch aus der weitschweifigen Unge-
formtheit lösen sich immer wieder entscheidende Situationen, die meisterhaft durchgestaltet sind. Ulrich und
Agathe kleiden sich zu einer Abendunterhaltung um. Ulrich ist plötzlich von ihrer »lieblichen Körperlichkeit« hin-
gerissen, umschlingt sie mit sanfter Wildheit. Agathe »lag
niedersinkend als eine Wolke von Glück in seinen Armen.
Ulrich trug sie, ihren Körper sanft an sich drückend, durch
das dunkelnde Zimmer ans Fenster und stellte sie neben
sich in das milde Licht des Abends, das ihr Gesicht wie
Tränen überströmte...« Und dann das unaussprechliche
Gefühl, man dürfe nicht aus diesem Schwebezustand ab-
stürzen, die Angst vor zuviel Wirklichkeit: »... die Gebärden des Fleisches waren ihnen unmöglich geworden,
und sie fühlten eine unbeschreibliche Warnung, die mit
den Geboten der Sitte nichts zu tun hatte. Es schien sie
aus der Welt der vollkommeneren, wenn auch noch schat-
tenhaften Vereinigung, von der sie zuvor wie in einem
schwärmerischen Gleichnis genossen hatten, ein höheres
Gebot getroffen, eine höhere Ahnung, Neugierde oder
Voraussicht angehaucht zu haben...« Es ist *das Motiv
der Entsagung*, des Verzichts, das seit dem Untergang der
Antike, seit der Christianisierung der Seele mit schweren
Schatten über die Landschaft der Liebe hinzieht.

Agathe ist nicht bereit zu resignieren. Sie will nicht,
daß Traum und Leben auseinanderklaffen. In ihrer Auflehnung gegen diese Trennung von irdischer und himmli-
scher Liebe, die dem Verlangen des Mannes nach seeli-
schem Komfort ohne Risiko entspricht, verdient sie unsre
Sympathie. »›Wenn man dich hört‹, unterbrach Agathe
ihren Bruder mit einem Vorwurf, der ihre innere Anteil-
nahme verriet, ›so sollte man meinen, daß man die wirkliche Person nicht wirklich liebt und eine unwirkliche
wirklich –!‹

›Genau das hab ich sagen wollen, und ähnliches habe
ich auch schon von dir gehört.‹

›Aber in Wirklichkeit sind die beiden doch eins! ...
Vielleicht wird auch die wirkliche Person erst in der Liebe
ganz wirklich? Vielleicht ist sie vorher nicht vollständig?‹«

Ulrich, der von Anfang an die Verantwortung trägt,
der die Schwester zu seinem Geschöpf gemacht, sie zu
einem Leben außer Rand und Band verführt hat, sagt ihr
in einem Augenblick großer Erregung, daß es nicht möglich sei, jenseits gesellschaftlicher Ordnung zu existieren.
Ulrich hat recht. Die Gleichung ist aufgegangen. Der
Mensch ist ein gesellschaftliches Wesen. Quod erat demon-
strandum. Und doch ist seine kalte Erkenntnis, aus hei-
ßem Erlebnis destilliert, in solchem Zusammenhang widerwärtig und die warme, atmende, unerschrockene Sinnlichkeit der Frau hundertfach liebenswert. Ich glaube, daß
Musil dies ebenso empfunden hat, denn alles Licht seiner
Darstellung fällt auf Agathe und alle Kritik richtet sich
gegen die Barbarei der Männerwelt.

DIE KATASTROPHE

Als Zeit ohne Liebe wird die Zeit vor dem Krieg charakterisiert. Sie drängt, sie stürzt der Katastrophe entgegen.
Kälte, Grausamkeit, barbarisches Unterbewußtsein durchbrechen die Kruste der Zivilisation. Der »Lebensphilo-
soph« Meingast, dessen Modell Klages ist, sagt mit küh-
ler Stimme: »Nur systematisch geübte Grausamkeit bleibt
als das Mittel, über das die vom Humanitarismus verblö-
deten europäischen Völker noch verfügen, um ihre Kraft
wiederzufinden.« Die »Parallel-Aktion«, deren letzte Idee
ein Weltfriedenskongreß war, bröckelt ins Leere; ihr
praktisches Ergebnis war, daß der deutsche Großindustrielle Arnheim die galizischen Ölfelder aufkaufte und
das Kriegsministerium endlich die Mittel bekommt, die
Artillerie zu modernisieren. Die von Seele sprachen, sin-

ken in Sümpfe von Fleisch und Blut hinab. Ein Totentanz
der Sexualität hebt an, Sexualität als Aggression, als
Schlachtfest der Geschlechter, aus dem die Liebe entweicht.
»Letzte Zuflucht«, notiert Musil: »Sexualität und Krieg.«

In einer Szene von unheimlicher Einprägsamkeit findet
Musil die zusammenfassende Symbolik. Ein Gartenfest
vor Kriegsausbruch: »Eine flackernde Feuersbrunst rötete
die Rinde der Bäume, das lautlos über den Häuptern
schwebende Blätterdach und die Gesichter unzähliger zu-
sammengedrängter Menschen . . .« Die große Diotima, die
üppige Friedensdame, ist im Kostüm eines napoleonischen
Obersten gekommen. Der vage, verschwommen von Frieden und Kultur träumende, aus Fleischesfülle quellende
Idealismus hat das Gewand des Krieges angelegt. Ulrich
tritt zu ihr; sie hat Tränen in den Augen. »Dieser große
weinende Offizier war sehr närrisch, aber auch sehr
schön.« Der »Mann ohne Eigenschaften« entführt sie in
seine Wohnung. Sie ist leicht betrunken, schlägt Bein über
Bein, raucht Zigaretten und weint zwischendurch. Und
dann erzählt diese große Dame ihre Geschichte, die trau-
rige Geschichte einer kleinbürgerlichen Vorkriegsfrau. Sie
war die älteste von fünf Töchtern, mußte immer die Mutter spielen, alles besser wissen und sehnte sich aus diesem
Milieu hinaus. Sie heiratete den Sektionschef Tuzzi, weil
er um vieles älter war und schon die Haare zu verlieren
begann. Zuerst ging alles gut, dann kam die Enttäuschung
und dann der Triumph der Parallel-Aktion, der große
Arnheim und das schale Ende. Arnheim hat sich nach dem
Ankauf der Ölfelder der einstigen Geliebten Ulrichs zugewandt, der maßlos fressenden Leona, dem trägen Fleisch
ohne Hauch von Seele und Kultur. Diotima sitzt auf dem
Sofa, den Säbel über den Knien, und ist bereit, sich Ulrich hinzugeben. »Ihre Lippen waren groß und offen, ihr
Körper feucht und atmend wie aufgeworfene Gartenerde
und ihre Augen unter dem Schleier des Verlangens wie
zwei in einen dunklen Gang geöffnete Tore.« Und plötz-

lich steigt in Ulrich die Wut auf, der Haß gegen diese in Sinnlichkeit aufgelöste Prophetin des Idealismus, und er möchte nichts als sie schlagen. Schließlich nimmt er ihr den Säbel weg, wirft ihn fort und gibt ihr zweimal einen derben Klaps. Sie hat es anders erwartet, dennoch zieht sie ihn an sich. Es ist der Zusammenbruch der Parallel-Aktion mit ihrer inhaltlosen Aufgedunsenheit, und übrig blieb die als Offizier vermummte Sexualität. Als Diotima erwacht, sind ihre Uniformstücke über das Zimmer verstreut. Ulrich ist fort. Und dann kommt der Krieg. Der Anfang vom Ende der Bürgerwelt. Der Aufbruch ins Unbekannte.

Robert Musil war einer der großen Schriftsteller im Zwielicht eines Zeitalters zwischen Sterbendem und Werdendem. Er war einer der großen Fragenden, die Antwort ahnend, ohne sie zu wagen, Abschied nehmend vor einer Welt, die seine war, die, Brennstoff seiner Dichtung, in ihr zur Asche wurde, voll Sehnsucht nach neuer Ordnung, Einheit, Fülle des Lebens, nach Negation der Negation, nach einem andren Zustand, den er für möglich hielt und doch in Zweifel zog. »Worin«, so fragt er, »liegt die Möglichkeit eines *ganzen* Lebens, einer *vollen* Überzeugung, einer Liebe, die ohne jede Beteiligung von Nichtliebe, ohne einen Rest von Selbst- und Ichsucht ist? Das heißt doch: *nur positiv leben.*« Ein Dichter, der so fragt, ist wert, daß wir ihn rühmen. Wir kämpfen um die Antwort.

(1957)

NAMENSREGISTER

HANS MAYER
DEUTSCHE LITERATURKRITIK DER GEGENWART (1933-1968)
BAND IV, 2 DER DEUTSCHEN LITERATURKRITIK

INHALT

WOLFGANG HILDESHEIMER
Jürgen Becker »Ränder«

FRITZ J. RADDATZ
Der blinde Seher
Überlegungen zu Karl Kraus

BEDA ALLEMANN
Nachwort zu Paul Celan »Ausgewählte Gedichte«